Le Livre des Baltimore

DU MÊME AUTEUR
aux Éditions de Fallois/L'Âge d'Homme

Les Derniers Jours de nos pères, roman, 2012
(Prix des écrivains genevois 2010
Mention spéciale du Prix Erwan Bergot 2012)
Éditions de Fallois/Poche, 2015

La Vérité sur l'Affaire Harry Quebert, roman, 2012
(Prix de la Vocation Bleustein-Blanchet,
Grand Prix du Roman de l'Académie française,
25e Prix Goncourt des Lycéens 2012)
Éditions de Fallois/Poche, 2014

JOËL DICKER

Le Livre des Baltimore

– ROMAN –

Éditions de Fallois
PARIS

22, rue La Boétie, 75008 Paris

ISBN 978-2-87706-947-2

À sa mémoire

Prologue

Dimanche 24 octobre 2004

Un mois avant le Drame

Demain, mon cousin Woody entrera en prison. Il y passera les cinq prochaines années de sa vie.

Sur la route qui me mène de l'aéroport de Baltimore à Oak Park, le quartier de son enfance où je vais le rejoindre pour sa dernière journée de liberté, je l'imagine déjà se présentant devant les grilles de l'imposant pénitencier de Cheshire, dans le Connecticut.

Nous passons la journée avec lui, dans la maison de mon oncle Saul, là où nous avons été si heureux. Il y a là Hillel et Alexandra, et ensemble nous reformons, l'espace de quelques heures, le quatuor merveilleux que nous avons été. À ce moment-là, je n'ai aucune idée de l'incidence que va avoir cette journée sur nos vies.

Deux jours plus tard, je reçois un appel de mon oncle Saul.

— Marcus ? C'est Oncle Saul.

— Bonjour, Oncle Saul. Comment vas…

Il ne me laisse pas parler.

— Marcus, écoute-moi bien : j'ai besoin que tu viennes tout de suite à Baltimore. Sans me poser de question. Il s'est produit un événement grave.

Il raccroche. Je pense d'abord que la ligne a été coupée et je le rappelle aussitôt : il ne répond pas. Comme j'insiste, il finit par décrocher et me dit d'une traite : « Viens à Baltimore. »

Il raccroche de nouveau.

Si vous trouvez ce livre, s'il vous plaît, lisez-le.

Je voudrais que quelqu'un connaisse l'histoire des Goldman-de-Baltimore.

PREMIÈRE PARTIE

Le Livre de la jeunesse perdue

(1989-1997)

1.

Je suis l'écrivain.

C'est ainsi que tout le monde m'appelle. Mes amis, mes parents, ma famille, et même ceux que je ne connais pas mais qui, eux, me reconnaissent dans un lieu public et me disent: «Vous ne seriez pas cet écrivain… ?» Je suis l'écrivain, c'est mon identité.

Les gens pensent qu'en tant qu'écrivain, votre vie est plutôt paisible. Récemment encore, un de mes amis, se plaignant de la durée de ses trajets quotidiens entre sa maison et son bureau, finit par me dire: «Au fond, toi, tu te lèves le matin, tu t'assieds à ton bureau et tu écris. C'est tout.» Je n'avais rien répondu, certainement trop abattu de réaliser combien, dans l'imaginaire collectif, mon travail consistait à ne rien faire. Les gens pensent que vous n'en fichez pas une, or c'est justement quand vous ne faites rien que vous travaillez le plus dur.

Écrire un livre, c'est comme ouvrir une colonie de vacances. Votre vie, d'ordinaire solitaire et tranquille, est soudain chahutée par une multitude de personnages qui arrivent un jour sans crier gare et viennent chambouler votre existence. Ils arrivent un matin, à bord d'un grand bus dont ils descendent bruyamment, tout excités qu'ils sont du rôle qu'ils ont obtenu. Et vous devez faire avec, vous devez vous en occuper, vous devez les nourrir, vous devez les loger. Vous êtes responsable de tout. Parce que vous, vous êtes l'écrivain.

Cette histoire commença au mois de février 2012, lorsque

je quittai New York pour aller écrire mon nouveau roman dans la maison que je venais d'acheter à Boca Raton, en Floride. Je l'avais acquise trois mois plus tôt, avec l'argent de la cession des droits cinématographiques de mon dernier livre, et hormis quelques rapides allers-retours pour la meubler durant les mois de décembre et janvier, c'était la première fois que je venais y passer du temps. C'était une maison spacieuse, toute en baies vitrées, qui faisait face à un lac apprécié des promeneurs. Elle était située dans un quartier très paisible et verdoyant, essentiellement peuplé de retraités aisés parmi lesquels je détonnais. J'avais la moitié de leur âge, mais si j'avais choisi cet endroit, c'était justement pour sa quiétude absolue. C'était le lieu qu'il me fallait pour écrire.

Contrairement à mes précédents séjours qui avaient été très brefs, j'avais cette fois-ci beaucoup de temps devant moi et je me rendis en Floride en voiture. Les mille deux cents miles de voyage ne m'effrayaient nullement: au cours des années précédentes, j'avais fait d'innombrables fois le trajet depuis New York pour rendre visite à mon oncle, Saul Goldman, qui s'était installé dans la banlieue de Miami après le Drame qui avait frappé sa famille. Je connaissais la route par cœur.

Je quittai New York sous une fine couche de neige, le thermomètre affichant -10 degrés, et j'arrivai à Boca Raton deux jours plus tard, dans la douceur de l'hiver tropical. En retrouvant ce décor familier de soleil et de palmiers, je ne pouvais pas m'empêcher de penser à Oncle Saul. Il me manquait terriblement. J'en pris la mesure au moment de sortir de l'autoroute pour gagner Boca Raton, alors que j'aurais voulu continuer jusqu'à Miami pour le retrouver. Au point que j'en vins à me demander si, lors de mes précédents séjours ici, j'étais vraiment venu pour m'occuper de mes meubles ou si ce n'était pas, au fond, une façon de renouer avec la Floride. Sans lui, ce n'était pas pareil.

Mon voisin direct à Boca Raton était un septuagénaire sympathique, Leonard Horowitz, ancienne sommité du droit constitutionnel à Harvard, qui passait les hivers en Floride et occupait son temps depuis la mort de sa femme en écrivant un livre qu'il n'arrivait pas à commencer. La première fois que je l'avais rencontré, c'était le jour de l'acquisition de la maison. Il était venu sonner à ma porte avec un pack de bières pour me souhaiter la bienvenue, et notre bonne entente avait été immédiate. Depuis, il avait pris le pli, et était venu me saluer à chacun de mes passages. Nous avions rapidement noué des liens amicaux.

Il appréciait ma compagnie et je crois qu'il était content de me voir débarquer pour quelque temps. Comme je lui expliquais que je venais écrire mon prochain roman, il me parla immédiatement du sien. Il mettait du cœur à l'ouvrage mais il avait de la peine à progresser dans son histoire. Il emportait partout avec lui un grand cahier à spirale sur lequel il avait inscrit au feutre *Cahier n° 1*, laissant sous-entendre qu'il y en aurait d'autres. Je le voyais sans cesse le nez plongé dedans : dès le matin, sur la terrasse de sa maison, à la table de sa cuisine ; je l'avais croisé plusieurs fois à une table d'un café du centre-ville, concentré sur son texte. Lui en revanche me voyait me promener, nager dans le lac, partir à la plage, faire de la course à pied. Le soir, il venait sonner à ma porte avec des bières fraîches. Nous les buvions sur ma terrasse, en jouant aux échecs et en écoutant de la musique. Derrière nous, le paysage sublime du lac et des palmiers rosis par le soleil couchant. Entre deux coups, il me demandait toujours, sans quitter des yeux l'échiquier :

— Alors, Marcus, votre bouquin ?

— Ça avance, Leo. Ça avance.

Il y avait deux semaines que j'étais là lorsqu'un soir, au moment de manger ma tour, il s'arrêta net et me dit d'un ton soudain agacé :

— Est-ce que vous n'êtes pas venu ici écrire votre nouveau roman ?

— Si, pourquoi ?

— Parce que vous ne fichez rien, et ça m'énerve.

— Qu'est-ce qui vous fait croire que je ne fais rien ?

— Parce que je le vois ! Vous êtes toute la journée en train de rêvasser, de faire du sport et d'observer la course des nuages. J'ai soixante-dix-huit ans, c'est moi qui devrais être en train de végéter comme vous le faites, alors que vous, qui en avez à peine plus de trente, vous devriez être en train de cravacher!

— Qu'est-ce qui vous énerve vraiment, Leo? Mon livre ou le vôtre?

J'avais tapé dans le mille. Il se radoucit:

— Je voudrais juste savoir comment vous faites. Mon roman n'avance pas. Je suis curieux de savoir comment vous travaillez.

— Je m'assieds sur cette terrasse et je réfléchis. Et croyez-moi, c'est tout un travail. Vous, vous écrivez pour vous occuper l'esprit. C'est différent.

Il avança son cavalier et menaça mon roi.

— Vous ne pourriez pas me donner une bonne idée de scénario de roman?

— C'est impossible.

— Pourquoi?

— Elle doit venir de vous.

— En tout cas, évitez de parler de Boca Raton dans votre livre, je vous prie. Je n'ai pas besoin que tous vos lecteurs viennent ici faire le pied de grue pour voir où vous habitez.

Je souris et j'ajoutai:

— Il ne faut pas chercher l'idée, Leo. L'idée vient à vous. L'idée, c'est un événement qui peut se produire à tout moment.

Comment aurais-je pu imaginer que c'était exactement ce qui allait se passer au moment où je prononçais ces mots? Je vis au bord du lac la silhouette d'un chien qui vagabondait. Un corps musclé mais fin, des oreilles pointues et la truffe dans l'herbe. Il n'y avait aucun promeneur à proximité.

— On dirait que ce chien est seul, dis-je.

Horowitz leva la tête et observa l'animal vagabond.

— Il n'y a pas de chien errant ici, décréta-t-il.

— Je n'ai pas dit que c'était un chien errant. J'ai dit qu'il se promenait tout seul.

J'aime énormément les chiens. Je me levai de ma chaise, mis les mains en porte-voix et sifflai pour le faire venir. Le chien dressa les oreilles. Je sifflai encore et il accourut.

— Vous êtes fou, grommela Leo, qu'est-ce qui vous dit que ce chien n'a pas la rage? À vous de jouer.

— Rien, répondis-je en avançant ma tour distraitement.

Horowitz mangea ma reine pour me punir de mon insolence.

Le chien arriva à hauteur de la terrasse. Je m'accroupis auprès de lui. C'était un assez grand mâle, au poil foncé, avec un loup noir sur les yeux et de longues moustaches de phoque. Il colla sa tête contre moi, je le caressai. Il avait l'air très doux. Je sentis immédiatement qu'un lien se créait entre lui et moi, comme un coup de foudre, et ceux qui connaissent les chiens savent de quoi je parle. Il n'avait pas de collier, rien qui puisse l'identifier.

— Avez-vous déjà vu ce chien ? demandai-je à Leo.

— Jamais.

Le chien, après avoir inspecté la terrasse, repartit sans que je puisse le retenir et disparut entre des palmiers et des buissons.

— Il a l'air de savoir où il va, me dit Horowitz. Certainement le chien d'un des voisins.

Il faisait très lourd ce soir-là. Quand Leo repartit, on devinait, malgré l'obscurité, un ciel menaçant. Un violent orage ne tarda pas à éclater, projetant des éclairs impressionnants derrière le lac, avant que les nuages se déchirent et déversent une pluie torrentielle. Aux environs de minuit, alors que j'étais en train de lire dans le salon, j'entendis des jappements venant de la terrasse. J'allai voir ce qui se passait, et par la porte-fenêtre je vis le chien, le poil trempé et l'air misérable. Je lui ouvris et il se glissa aussitôt à l'intérieur de la maison. Il me regarda avec un air plein de supplication.

— C'est bon, tu peux rester, lui dis-je.

Je lui donnai à boire et à manger dans deux gamelles que j'improvisai avec des casseroles, je m'assis à côté de lui pour le sécher avec un linge de bain et nous contemplâmes la pluie qui ruisselait contre les vitres.

Il passa la nuit chez moi. À mon réveil, le lendemain, je le trouvai paisiblement endormi sur le carrelage de la cuisine. Je lui fabriquai une laisse avec de la ficelle, ce qui n'était qu'une précaution car il me suivait gentiment, et nous partîmes à la recherche de son maître.

Leo buvait son café sous le porche de sa maison, son

Cahier n° 1 ouvert devant lui à une page désespérément blanche.

— Qu'est-ce que vous fabriquez avec ce chien, Marcus ? me demanda-t-il quand il me vit en train de faire monter le chien dans le coffre de ma voiture.

— Il était sur ma terrasse cette nuit. Avec cet orage, je l'ai fait rentrer chez moi. Je pense qu'il est perdu.

— Et où allez-vous ?

— Je vais mettre une annonce au supermarché.

— En fait, vous ne travaillez jamais.

— Là, je travaille.

— Eh bien, n'en faites pas trop, mon vieux.

— Promis.

Après avoir mis une annonce dans les deux supermarchés les plus proches, j'allai me promener un moment avec le chien dans la rue principale de Boca Raton avec l'espoir que quelqu'un le reconnaîtrait. En vain. Je finis par aller au poste de police où l'on m'orienta vers un cabinet vétérinaire. Les chiens étaient parfois équipés d'une puce d'identification qui permettait de retrouver leur propriétaire. Ce n'était pas le cas de celui-ci et le vétérinaire fut incapable de m'aider. Il me proposa d'envoyer le chien à la fourrière, ce que je refusai, et je rentrai chez moi accompagné de mon nouveau compagnon qui était, je dois dire, malgré sa taille imposante, particulièrement doux et docile.

Leo guettait mon retour depuis le porche de sa maison. Lorsqu'il me vit arriver, il se précipita vers moi, en brandissant des pages qu'il venait d'imprimer. Il avait récemment découvert la magie du moteur de recherche de Google et tapait à tout-va les questions qui lui trottaient dans la tête. Pour un universitaire comme lui, qui avait passé une bonne partie de sa vie dans les bibliothèques à chercher des références, la magie des algorithmes avait un effet particulier.

— J'ai fait ma petite enquête, me dit-il comme s'il venait de résoudre l'Affaire Kennedy, en me tendant les dizaines de pages qui allaient prochainement me valoir de l'aider à changer la cartouche d'encre de son imprimante.

— Et qu'avez-vous découvert, professeur Horowitz ?

— Les chiens retrouvent toujours leur foyer. Certains parcourent des milliers de miles pour retourner chez eux.

— Qu'est-ce que vous me conseillez ?

Leo prit un air de vieux sage :

— Suivez le chien au lieu de l'obliger à vous suivre. Il sait où il va, vous pas.

Mon voisin n'avait pas tort. Je décidai de détacher la laisse en corde du chien et de le laisser vagabonder. Il partit en trottant, d'abord près du lac, puis à travers un chemin pédestre. Nous traversâmes un terrain de golf et arrivâmes à un autre quartier résidentiel que je ne connaissais pas, bordé par un bras de mer. Le chien suivit la route, tourna deux fois à droite et finalement s'arrêta devant un portail derrière lequel je vis une maison magnifique. Il s'assit et jappa. Je sonnai à l'interphone. Une voix de femme me répondit et j'indiquai que j'avais trouvé son chien. Le portail s'ouvrit et le chien fila jusqu'à la maison, visiblement heureux d'être de retour chez lui.

Je le suivis. Une femme apparut sur le perron de la maison et le chien se précipita aussitôt sur elle dans un élan de joie. J'entendis la femme l'appeler par son nom. « Duke ». Les deux se firent toutes sortes de papouilles et j'avançai encore. Puis elle leva la tête et je restai stupéfait.

— Alexandra ? finis-je par articuler.

— Marcus ?

Elle était aussi incrédule que moi.

Huit ans après le Drame qui nous avait séparés, je la retrouvais. Elle ouvrit de grands yeux et répéta, s'écriant soudain :

« Marcus, c'est toi ? »

Je restai immobile, sonné.

Elle courut jusqu'à moi.

« Marcus ! »

Dans un élan de tendresse naturelle, elle attrapa mon visage entre ses mains. Comme si, elle non plus, n'y croyait pas et voulait s'assurer que tout ceci était bien réel. Je n'arrivais pas à prononcer le moindre mot.

« Marcus, dit-elle, je ne peux pas croire que ce soit toi. »

*

À moins de vivre dans une grotte, vous avez forcément entendu parler d'Alexandra Neville, la chanteuse et musicienne la plus en vue de ces dernières années. Elle était l'idole que la nation avait attendue depuis très longtemps, celle qui avait redressé l'industrie du disque. Ses trois albums s'étaient écoulés à 20 millions d'exemplaires ; elle se trouvait, pour la deuxième année de suite, parmi les personnalités les plus influentes sélectionnées par le magazine *Time* et sa fortune personnelle était estimée à 150 millions de dollars. Elle était adorée du public, adulée par la critique. Les plus jeunes l'aimaient, les plus vieux l'aimaient. Tout le monde l'aimait, au point qu'il me semblait que l'Amérique ne connaissait plus que ces quatre syllabes qu'elle scandait avec amour et ferveur. *A-lex-an-dra.*

Elle était en couple avec un joueur de hockey originaire du Canada, Kevin Legendre, qui justement apparut derrière elle.

— Vous avez retrouvé Duke ! On le cherchait depuis hier ! Alex était dans tous ses états. Merci !

Il me tendit la main pour me saluer. Je vis son biceps se contracter tandis qu'il me broyait les phalanges. Je n'avais vu Kevin que dans les tabloïds, qui ne se lassaient pas de commenter sa relation avec Alexandra. Il était d'une beauté insolente. Plus encore que sur les photos. Il me dévisagea un instant d'un air curieux et me dit :

— Je vous connais, non ?

— Je m'appelle Marcus. Marcus Goldman.

— L'écrivain, c'est ça ?

— Exact.

— J'ai lu votre dernier bouquin. C'est Alexandra qui m'a conseillé de le lire, elle aime beaucoup ce que vous faites.

Je ne pouvais pas croire à cette situation. Je venais de retrouver Alexandra, chez son fiancé. Kevin, qui n'avait pas compris ce qui se passait, me proposa de rester pour le dîner, ce que j'acceptai volontiers.

Nous fîmes griller d'énormes steaks sur un barbecue gigantesque installé sur la terrasse. Je n'avais pas suivi les derniers développements de la carrière de Kevin : je le croyais toujours défenseur pour les Prédateurs de Nashville, mais il avait été recruté par l'équipe des Panthères de Floride durant les transferts estivaux. Cette maison était la sienne. Il habitait désormais à Boca Raton et Alexandra avait profité d'une pause dans l'enregistrement de son prochain disque pour venir lui rendre visite.

Ce n'est qu'à la fin du dîner que Kevin réalisa qu'Alexandra et moi nous connaissions bien.

— Tu es de New York ? me demanda-t-il.

— Oui. J'habite là-bas.

— Qu'est-ce qui t'amène en Floride ?

— J'ai pris l'habitude de venir ici depuis quelques années. Mon oncle habitait à Coconut Grove, je lui rendais souvent visite. Je viens d'acheter une maison à Boca Raton, pas loin d'ici. Je voulais un endroit calme pour écrire.

— Comment va ton oncle ? demanda Alexandra. Je ne savais pas qu'il avait quitté Baltimore.

J'éludai sa question et me contentai de répondre :

— Il a quitté Baltimore après le Drame.

Kevin nous pointa du bout de sa fourchette sans même s'en rendre compte.

— Est-ce que je rêve ou vous vous connaissez tous les deux ? demanda-t-il.

— J'ai vécu quelques années à Baltimore, expliqua Alexandra.

— Et une partie de ma famille vivait à Baltimore, poursuivis-je. Mon oncle justement, avec sa femme et mes cousins. Ils habitaient le même quartier qu'Alexandra et sa famille.

Alexandra jugea bon de ne pas donner plus de détails et nous changeâmes de sujet. Après le repas, comme j'étais venu à pied, elle proposa de me raccompagner chez moi.

Seul dans la voiture avec elle, je sentis bien qu'il y avait de la gêne entre nous. Je finis par dire :

— C'est fou, il fallait que ton chien débarque chez moi...

— Il s'enfuit souvent, répondit-elle.

J'eus le mauvais goût de vouloir plaisanter.

— Peut-être qu'il n'aime pas Kevin.

— Ne commence pas, Marcus.

Son ton était cassant.

— Ne sois pas comme ça, Alex…

— Pas comment ?

— Tu sais très bien ce que je veux dire.

Elle s'arrêta net au milieu de la route et planta ses yeux dans les miens.

— Pourquoi tu m'as fait ça, Marcus ?

J'eus de la peine à soutenir son regard. Elle s'écria :

— Tu m'as abandonnée !

— Je suis désolé. J'avais mes raisons.

— Tes raisons ? Tu n'avais aucune raison de tout foutre en l'air !

— Alexandra, ils… Ils sont morts !

— Alors quoi, c'est de ma faute ?

— Non, répondis-je. Je regrette. Je regrette tout.

Il y eut un silence pesant. Les seuls mots que je prononçai furent pour la guider jusque chez moi. Une fois arrivée devant la maison, elle me dit :

— Merci pour Duke.

— Ça me ferait plaisir de te revoir.

— Je pense que c'est mieux si on en reste là. Ne reviens pas, Marcus.

— Chez Kevin ?

— Dans ma vie. Ne reviens pas dans ma vie, s'il te plaît.

Elle repartit.

Je n'avais pas le cœur à rentrer chez moi. J'avais les clés de ma voiture dans ma poche et je décidai d'aller faire un tour. Je roulai jusqu'à Miami et, sans réfléchir, je traversai la ville jusqu'au quartier tranquille de Coconut Grove et me garai devant la maison de mon oncle. Il faisait doux dehors et je sortis de ma voiture. Je m'adossai contre la carrosserie et restai très longtemps à contempler la maison. J'avais l'impression qu'il était là, que je pouvais sentir sa présence. J'avais envie de retrouver mon oncle Saul, et il n'existait qu'un seul moyen pour y parvenir. L'écrire.

*

Saul Goldman était le frère de mon père. Avant le Drame, avant les événements que je m'apprête à vous raconter, il était, pour reprendre les termes de mes grands-parents, *un homme très important*. Avocat, il dirigeait l'un des cabinets les plus réputés de Baltimore, et son expérience l'avait amené à intervenir dans des dossiers célèbres à travers tout le Maryland. L'affaire Dominic Pernell, c'était lui. L'affaire Ville de Baltimore contre Morris, c'était lui. L'affaire des ventes illégales de Sunridge, c'était lui. À Baltimore, tout le monde le connaissait. Il apparaissait dans les journaux, à la télévision, et je me souviens combien, jadis, je trouvais tout cela très impressionnant. Il avait épousé son amour de jeunesse, celle qui était devenue pour moi Tante Anita. Elle était, à mes yeux d'enfant, la plus belle des femmes et la plus douce des mères. Médecin, elle était l'un des pontes du service d'oncologie de l'hôpital Johns Hopkins, l'un des plus réputés du pays. Ils avaient eu ensemble un fils merveilleux, Hillel, un garçon bienveillant et doté d'une intelligence hautement supérieure, qui, à quelques mois près, avait exactement mon âge et avec qui j'entretenais des liens d'ordre fraternel.

Les plus grands moments de ma jeunesse furent ceux passés avec eux, et longtemps la seule évocation de leur nom me rendit fou de fierté et de bonheur. De toutes les familles que j'avais connues jusqu'alors, de toutes les personnes que j'avais pu rencontrer, ils m'étaient apparus comme supérieurs : plus heureux, plus accomplis, plus ambitieux, plus respectés. Longtemps, la vie allait me donner raison. Ils étaient des êtres d'une autre dimension. J'étais fasciné par la facilité avec laquelle ils traversaient la vie, ébloui par leur rayonnement, subjugué par leur aisance. J'admirais leur allure, leurs biens, leur position sociale. Leur immense maison, leurs voitures de luxe, leur résidence d'été dans les Hamptons, leur appartement à Miami, leurs traditionnelles vacances de ski en mars à Whistler, en Colombie-Britannique. Leur simplicité, leur bonheur. Leur gentillesse à mon égard. Leur supériorité magnifique qui vous faisait naturellement les admirer. Ils n'attiraient pas la jalousie : ils étaient trop inégalables pour être enviés. Ils avaient été bénis par les dieux. Longtemps, je crus qu'il ne leur arriverait jamais rien. Longtemps, je crus qu'ils seraient éternels.

2.

Le lendemain de ma rencontre fortuite avec Alexandra, je passai la journée enfermé dans mon bureau. Ma seule sortie avait eu lieu dans la fraîcheur de l'aube pour un jogging au bord du lac.

Sans savoir encore ce que j'allais en faire, je m'étais mis en tête de retracer sous forme de notes les éléments marquants de l'histoire des Goldman-de-Baltimore. J'avais commencé par dessiner un arbre généalogique de notre famille, avant de réaliser qu'il fallait y ajouter quelques explications, notamment au sujet des origines de Woody. L'arbre avait rapidement pris l'allure d'une forêt de commentaires marginaux et je m'étais dit que, par souci de clarté, il valait mieux tout retranscrire sur des fiches. Posée devant moi, il y avait cette photo retrouvée deux années auparavant par mon oncle Saul. C'était une image de moi, dix-sept ans plus tôt, entouré des trois êtres que j'ai le plus aimés : mes cousins adorés, Hillel et Woody, et Alexandra. Elle avait envoyé une copie du cliché à chacun de nous et elle avait écrit au dos :

JE VOUS AIME, LES GOLDMAN.

À cette époque, elle avait dix-sept ans, mes cousins et moi en avions tout juste quinze. Elle avait déjà toutes les qualités qui allaient la faire aimer de millions de personnes, mais nous n'avions pas à la partager. Cette photo me replongeait dans les méandres de notre jeunesse perdue, bien avant que je perde mes cousins, bien avant que je devienne l'étoile montante de la littérature américaine, et surtout bien avant qu'Alexandra Neville devienne l'immense vedette qu'elle est aujourd'hui. Bien avant que l'Amérique tout entière ne tombe amoureuse de sa personnalité, de ses chansons, bien avant qu'elle ne bouleverse, album après album, des millions de fans. Bien avant ses tournées, bien avant de devenir l'icône que la nation avait attendue depuis si longtemps.

En début de soirée, Leo, fidèle à ses habitudes, vint sonner à ma porte.

— Tout va bien, Marcus? Je n'ai plus eu de vos nouvelles depuis hier. Avez-vous retrouvé le propriétaire du chien?

— Oui. C'est le nouveau petit copain d'une fille que j'ai aimée pendant des années.

Il en fut tout étonné.

— Le monde est petit, me dit-il. Comment s'appelle-t-elle?

— Vous ne me croirez pas. Alexandra Neville.

— La chanteuse?

— Elle-même.

— Vous la connaissez?

Je partis chercher la photo et la lui tendis.

— C'est Alexandra? demanda Leo en la pointant du doigt.

— Oui. À l'époque où nous étions des adolescents heureux.

— Et qui sont les autres garçons?

— Mes cousins de Baltimore et moi.

— Que sont-ils devenus?

— C'est une longue histoire…

Leo et moi jouâmes aux échecs jusque tard ce soir-là. J'étais content qu'il soit venu me divertir: cela me permit de penser à autre chose qu'à Alexandra durant quelques heures. J'étais très troublé de l'avoir revue. Pendant toutes ces années, je n'avais jamais pu l'oublier.

Le lendemain, je ne pus m'empêcher de retourner à proximité de la maison de Kevin Legendre. Je ne sais pas ce que j'espérais. Sans doute la croiser. Lui parler encore. Mais elle serait furieuse que je sois revenu. J'étais garé dans un chemin parallèle à leur propriété, lorsque je vis du mouvement dans la haie. Je regardai attentivement, intrigué, et vis soudain ce brave Duke sortir d'entre les buissons. Je descendis de voiture et l'appelai doucement. Il se souvenait bien de moi et accourut pour se faire caresser. Une idée absurde me vint à l'esprit et je ne pus la refréner. Et si Duke était un moyen de renouer avec Alexandra ? J'ouvris le coffre de la voiture, et il accepta docilement de monter. Il était en confiance. Je partis rapidement et rentrai chez moi. Il connaissait la maison. Je m'installai à mon bureau, il se coucha à côté de moi, et me tint compagnie pendant que je me replongeais dans l'histoire des Goldman-de-Baltimore.

*

La dénomination « Goldman-de-Baltimore » était le pendant de ce que nous étions, mes parents et moi, au regard de notre domiciliation : les Goldman-de-Montclair, New Jersey. Avec le temps et les raccourcis de langage, ils étaient devenus les Baltimore, et nous, les Montclair. Les inventeurs de ces appellations étaient les grands-parents Goldman qui, dans le souci de clarifier leurs conversations, avaient naturellement divisé nos familles en deux entités géographiques. Cela leur permettait de dire, par exemple, lorsque nous nous rendions tous en Floride où ils habitaient, à l'occasion des fêtes de fin d'année : « Les Baltimore arrivent samedi et les Montclair dimanche. » Mais ce qui n'avait été au début qu'une façon tendre de nous identifier avait fini par devenir l'expression de la supériorité des Goldman-de-Baltimore jusqu'au sein de leur propre clan. Les faits parlaient d'eux-mêmes : les Baltimore étaient un avocat marié à un médecin, et leur fils était dans la meilleure école privée de la ville. Du côté des Montclair, mon père était ingénieur, ma mère vendeuse dans la succursale du New Jersey d'une enseigne new-yorkaise de vêtements chics et moi, un brave élève du système public.

Dans la prononciation du lexique familial, mes grands-parents avaient fini par associer dans leurs intonations les sentiments privilégiés qu'ils éprouvaient pour la tribu des

Baltimore : au sortir de leur bouche, le mot « Baltimore » semblait avoir été coulé dans de l'or, tandis que « Montclair » était dessiné avec du jus de limaces. Les compliments étaient pour les Baltimore, les blâmes pour les Montclair. Si leur téléviseur ne fonctionnait pas, c'est parce que je l'avais déréglé et si le pain n'était pas frais c'est parce que c'était mon père qui l'avait acheté. Les miches qu'Oncle Saul rapportait étaient, elles, d'une exceptionnelle qualité, et si le téléviseur fonctionnait à nouveau c'est parce qu'Hillel l'avait certainement réparé. Même à situation égale, les traitements ne l'étaient pas : que l'une de nos familles soit en retard pour le dîner, et mes grands-parents, si c'était les Baltimore, de décréter que les pauvres avaient été pris dans les bouchons. Mais que ce soit les Montclair, et voilà qu'ils se plaignaient de nos prétendus retards systématiques. En toutes circonstances, Baltimore était la capitale du beau, Montclair celle du peut-mieux-faire. Le plus fin caviar de Montclair ne vaudrait jamais une bouchée de choux putrides de Baltimore. Et dans les restaurants et les centres commerciaux où nous déambulions tous ensemble, lorsque nous croisions des connaissances de mes grands-parents, Grand-mère faisait les présentations : «Voici mon fils Saul, c'est un grand avocat. Sa femme, Anita, qui est un médecin important à Johns Hopkins, et leur fils Hillel, qui est un petit génie. » Chacun des Baltimore recevait alors une poignée de main et une courbette. Puis Grand-mère poursuivait son récital en nous désignant, mes parents et moi, d'un vague signe du doigt : « Et voici mon fils cadet et sa famille. » Et nous recevions un signe de la tête assez similaire à celui dont on gratifierait un voiturier ou un employé de maison.

La seule égalité parfaite entre les Goldman-de-Baltimore et les Goldman-de-Montclair résida, durant les primes années de ma jeunesse, en notre nombre : nos deux familles étaient chacune composée de trois membres. Mais si l'état civil recensait officiellement les Goldman-de-Baltimore au nombre de trois, ceux qui les ont bien connus vous diront qu'ils étaient quatre. Car très rapidement, mon cousin Hillel, avec qui je partageais jusque-là la tare d'être enfant unique, eut le privilège de voir la vie lui prêter un frère. À la suite des événements que je détaillerai tout à l'heure, on le vit bientôt, en toutes circonstances, accompagné d'un ami dont on aurait pu croire qu'il était imaginaire si on ne le connaissait pas : Woodrow Finn – Woody, ainsi que nous l'appelions –, plus beau, plus grand, plus fort, capable de tout, attentionné et toujours présent lorsque l'on avait besoin de lui.

Woody obtint rapidement parmi les Goldman-de-Baltimore un statut à part entière, et il devint à la fois l'un des leurs et l'un des nôtres, un neveu, un cousin, un fils et un frère. Son existence en leur sein fut une immédiate évidence, au point que – symbole ultime de son intégration –, lorsqu'on ne le voyait pas à une réunion de famille, on demandait aussitôt où il était. On s'inquiétait qu'il ne fût pas venu, faisant de sa présence, plus qu'une légitimité, une nécessité pour que l'unité familiale soit parfaite. Demandez à n'importe qui ayant connu cette époque de vous nommer les Goldman-de-Baltimore, et il citera Woody sans même se poser de question. Ils nous avaient donc encore battus : dans le match Montclair contre Baltimore, où il y avait jusqu'alors 3 partout, le score était désormais de 4 à 3.

Woody, Hillel et moi fûmes les amis les plus fidèles qu'il soit. C'est en présence de Woody que je passai mes plus belles années avec les Baltimore, celles qui menèrent nos existences des années 1990 à 1998, à la fois temps béni et toile de fond de tout ce qui préfigura le Drame. De l'âge de dix à dix-huit ans, nous fûmes tous les trois absolument inséparables. Nous constituâmes ensemble une entité fraternelle triface, triade ou trinité, que nous dénommâmes fièrement « Le Gang des Goldman ». Nous nous aimâmes comme peu de frères se sont aimés : nous fîmes les uns envers les autres les serments les plus solennels, nous mélangeâmes nos sangs, nous nous jurâmes fidélité et nous promîmes un amour mutuel éternel. Malgré tout ce qui allait se passer ensuite, je me remémorerai toujours ces années comme une période exceptionnelle : l'épopée de trois adolescents heureux dans une Amérique bénie des dieux.

Aller à Baltimore, être avec eux, était tout ce qui comptait pour moi. Je ne me sentais vraiment entier qu'en leur présence. Loués soient mes parents qui m'octroyèrent, à un âge où peu d'enfants voyageaient seuls, la permission d'aller à Baltimore les retrouver lors de week-ends prolongés, de me rendre seul à Baltimore retrouver ceux que j'aimais tant. Ce fut pour moi le commencement d'une nouvelle vie, ponctuée par le calendrier perpétuel des congés scolaires, des journées pédagogiques et des célébrations des héros de l'Amérique. L'approche de *Veterans Day*, *Martin Luther King Day* ou de *Presidents' Day* déclenchait en moi des sentiments de joie inouïs. L'excitation de les revoir me rendait intenable. Gloire aux soldats morts pour le pays, gloire au Docteur Martin Luther King Jr d'avoir été un homme si bon, gloire à nos Présidents, honnêtes et valeureux, qui nous donnaient congé tous les troisièmes lundis de février!

Pour gagner un jour, j'avais obtenu de mes parents de pouvoir partir directement après l'école. Les cours enfin terminés, je rentrais chez nous à la vitesse de l'éclair pour préparer mes affaires. Mon sac prêt, j'attendais que ma mère arrive de son travail pour m'emmener à la gare de Newark. Je m'asseyais sur le fauteuil de l'entrée, chaussures aux pieds et veste sur le dos, trépignant. J'étais en avance, elle était en retard. Pour faire passer le temps, je regardais les photos de nos deux familles posées sur le meuble à côté de moi. Il me semblait que nous étions aussi fades qu'ils étaient merveilleux. Je menais pourtant à Montclair, jolie banlieue du New Jersey, une vie privilégiée, faite de quiétude et de bonheur, et à l'abri de tout besoin. Mais nos voitures m'apparaissaient moins rutilantes, nos conversations moins amusantes, notre soleil moins éclatant et notre air moins pur.

Puis retentissait le klaxon de ma mère. Je me précipitais dehors et montais dans sa vieille Honda Civic. Elle était en train de rafraîchir son vernis à ongles, boire du café dans une tasse en carton, manger un sandwich ou remplir un formulaire de publicité. Parfois tout cela en même temps. Elle était élégante, toujours très bien apprêtée. Belle, joliment maquillée. Mais au retour du travail, elle gardait sur sa veste le badge avec son nom et la mention en dessous, «*pour vous servir*», que je trouvais terriblement humiliante. Les Baltimore étaient des servis, nous étions des servants.

Je blâmais ma mère pour son retard, elle me demandait pardon. Je ne le lui accordais pas et elle passait sa main dans mes cheveux avec tendresse. Elle m'embrassait, laissait du rouge à lèvres sur ma joue, qu'elle essuyait aussitôt d'un geste plein d'amour. Elle me conduisait ensuite à la gare, où je prenais un train en début de soirée pour Baltimore. Sur la route, elle me disait qu'elle m'aimait et que je lui manquais déjà. Avant de me laisser monter dans le wagon, elle me tendait un cornet en papier avec des sandwichs achetés là où elle avait acheté son café, puis elle me faisait promettre d'être «poli et sage». Elle me serrait contre elle et en profitait pour me glisser un billet de 20 dollars dans la poche, puis elle me disait: «Je t'aime, chaton.» Elle appuyait alors deux baisers sur ma joue, mais c'était parfois trois ou quatre. Elle disait qu'un seul, ce n'était pas assez, alors que, pour moi, c'était déjà trop. En y repensant aujourd'hui, je m'en veux de ne pas m'être laissé embrasser dix fois à chacun de mes départs. Je m'en veux même de l'avoir trop souvent quittée. Je m'en veux de ne m'être pas assez rappelé combien nos mères sont éphémères et de ne m'être pas assez répété: aime ta mère.

Deux heures de train à peine, et j'arrivais à la gare centrale de Baltimore. Le transfert de famille pouvait enfin commencer. Je me défaisais de mon costume trop étroit des Montclair et me drapais de l'étoffe des Baltimore. Sur le quai, dans la nuit naissante, elle m'attendait. Belle comme une reine, radieuse et élégante comme une déesse, celle dont le souvenir peuplait parfois et de façon honteuse mes jeunes nuits: ma tante Anita. Je courais jusqu'à elle, je l'enlaçais. Je sens encore sa main dans mes cheveux, je sens son corps contre moi. J'entends sa voix qui me dit: «Markie chéri, ça fait tellement plaisir de te voir.» Je ne sais pourquoi, mais le plus souvent, c'était elle qui venait me chercher, seule. La raison était certainement qu'Oncle Saul finissait en général tard à son cabinet, et sans doute ne voulait-elle pas s'embarrasser d'Hillel et Woody. Moi, j'en profitais pour la retrouver comme une fiancée: quelques minutes avant l'arrivée du train, j'arrangeais mes vêtements, je me recoiffais dans le reflet de la vitre, et lorsque le train s'arrêtait enfin, j'en descendais le cœur battant. Je trompais ma mère pour une autre.

Tante Anita conduisait une BMW noire qui valait probablement une année de salaire de mes deux parents réunis. Monter à bord était la première étape de ma transformation. Je reniais la Civic bordélique et m'adonnais à l'adoration de cette énorme voiture criante de luxe et de modernité, dans laquelle nous quittions le centre-ville pour rejoindre le quartier huppé d'Oak Park, où ils habitaient. Oak Park était un monde en soi : les trottoirs étaient plus larges, les rues bordées d'arbres immenses. Les maisons y étaient plus grandes les unes que les autres, les portails rivalisaient d'arabesques et les dimensions des clôtures étaient démesurées. Les promeneurs me paraissaient plus beaux, leurs chiens plus élégants, les coureurs du dimanche plus athlétiques. Si je n'avais connu dans notre quartier, à Montclair, que des maisons accueillantes, sans aucune barrière pour en ceindre les jardins, à Oak Park, elles étaient dans leur immense majorité protégées par des haies et des murs. Dans les rues calmes, un service de sécurité privé circulait à bord de voitures à gyrophares orange arborant la mention *Patrouille d'Oak Park* sur la carrosserie, veillant à la quiétude des habitants.

La traversée d'Oak Park avec Tante Anita déclenchait en moi la seconde phase de ma transformation : elle me faisait me sentir supérieur. Tout me paraissait évident : la voiture, le quartier, ma présence. Les agents de la patrouille d'Oak Park avaient pour coutume de saluer les habitants d'un geste de la main rapide en les croisant, et les habitants y répondaient. Un signe de la main pour confirmer que tout allait bien et que la tribu des riches pouvait se promener en confiance. À la première patrouille que nous croisions, l'agent faisait un signe, Anita répondait et je m'empressais de faire de même. J'étais l'un des leurs à présent. Arrivés à leur maison, Tante Anita klaxonnait deux fois pour nous annoncer, avant d'actionner une télécommande qui ouvrait les deux mâchoires d'acier du portail. Elle pénétrait dans l'allée et entrait dans le garage de quatre places. J'étais à peine descendu que la porte d'accès à la maison s'ouvrait dans un fracas joyeux et les voilà qui déboulaient et couraient vers moi en poussant des cris excités, Woody et Hillel, ces frères que la vie n'avait jamais voulu me donner. J'entrais chaque fois dans la maison avec un regard émerveillé : tout était beau, luxueux, colossal. Leur garage était grand comme notre salon. Leur cuisine grande comme notre maison. Leurs salles de bains grandes comme nos chambres et leurs chambres en nombre suffisant pour abriter plusieurs de nos générations.

Chaque nouveau séjour là-bas surpassait le précédent et ne faisait qu'augmenter davantage mon admiration pour mon oncle et ma tante, et surtout la chimie parfaite du Gang qu'Hillel, Woody et moi formions. Ils étaient comme mon sang, comme ma chair. Nous aimions les mêmes sports, les mêmes acteurs, les mêmes films, les mêmes filles, et ce, non pas par consensus ou concertation, mais parce que chacun de nous était l'extension de l'autre. Nous défiions la nature et la science : les arbres de nos ancêtres ne partageaient pas le même tronc, mais nos séquences génétiques suivaient pourtant les mêmes tortillons. Nous allions parfois rendre visite au père de Tante Anita, qui vivait dans une résidence pour personnes âgées – la « Maison des morts », ainsi que nous l'appelions –, et je me souviens que ses amis un peu séniles et à la mémoire effilochée posaient sans cesse des questions sur l'identité de Woody, nous confondant les uns les autres. Ils le désignaient de leurs doigts tordus et posaient sans gêne l'éternelle question : « Celui-là, c'est un Goldman-de-Baltimore ou un Goldman-de-Montclair ? » Si c'était Tante Anita qui répondait, elle leur expliquait, la voix débordant de tendresse : « C'est Woodrow, l'ami d'Hill'. C'est ce gamin qu'on a recueilli. Il est tellement gentil. » Avant de dire ça, elle vérifiait toujours que Woody n'était plus dans la même pièce, pour ne pas le heurter, même si au son de sa voix on comprenait immédiatement qu'elle était prête à l'aimer comme son propre fils. À la même question, Woody, Hillel et moi avions une réponse qui nous semblait plus proche de la réalité. Et lorsque, pendant ces hivers, dans ces couloirs où flottaient les drôles d'odeurs de la vieillesse, ces mains fripées nous retenaient par nos vêtements et nous sommaient de décliner nos noms pour combler l'inévitable érosion de leurs cerveaux malades, nous répondions : « Je suis l'un des trois cousins Goldman. »

*

Je fus interrompu au milieu de l'après-midi par mon voisin Leo Horowitz. Il était inquiet de ne pas m'avoir aperçu de la journée et venait s'assurer que tout allait bien.

— Tout va bien, Leo, le rassurai-je depuis le pas de la porte.

Il dut trouver étrange que je ne le fasse pas entrer et se douta que je lui cachais quelque chose. Il insista :

— Vous êtes certain ? demanda-t-il encore d'un ton curieux.

— Absolument. Rien de spécial. Je travaille.

Il vit soudain apparaître derrière moi Duke qui s'était réveillé et voulait voir ce qui se passait. Leo ouvrit de grands yeux.

— Marcus, que fait ce chien chez vous ?

Je baissai la tête, honteux.

— Je l'ai emprunté.

— Vous avez quoi ?

Je lui fis signe d'entrer rapidement et je fermai la porte derrière lui. Personne ne devait voir ce chien chez moi.

— Je voulais aller voir Alexandra, expliquai-je. Et j'ai vu le chien qui sortait de la propriété. Je me suis dit que je pourrais l'amener ici, le garder pour la journée et le ramener ce soir en faisant croire qu'il était venu chez moi de son propre chef.

— Vous êtes tombé sur la tête, mon pauvre ami. C'est un vol au sens propre du terme.

— C'est un emprunt, je n'ai pas l'intention de le garder. J'en ai juste besoin quelques heures.

Leo, tout en m'écoutant, se dirigea vers la cuisine, se servit sans rien demander d'une bouteille d'eau dans le frigo et s'assit au comptoir. Il était enchanté de la tournure inhabituellement distrayante que prenait sa journée. Il me suggéra d'un air radieux :

— Et si nous commencions par faire une petite partie d'échecs ? Ça vous détendrait.

— Non, Leo, je n'ai vraiment pas le temps pour ça maintenant.

Il se rembrunit et revint au chien qui lapait bruyamment de l'eau dans une casserole posée sur le sol.

— Alors expliquez-moi, Marcus : pourquoi avez-vous besoin de ce chien ?

— Pour avoir une bonne raison de retourner voir Alexandra.

— Ça, je l'ai bien compris. Mais pourquoi vous faut-il une raison d'aller la voir ? Ne pouvez-vous pas simplement passer lui dire bonjour comme une personne civilisée, au lieu de kidnapper son chien ?

— Elle m'a demandé de ne pas la recontacter.

— Pourquoi a-t-elle fait cela ?

— Parce que je l'ai quittée. Il y a huit ans.

— Diable. Effectivement, ce n'était pas très gentil de votre part. Vous ne l'aimiez plus ?

— Au contraire.

— Mais vous l'avez quittée.

— Oui.

— Pourquoi ?

— À cause du Drame.

— Quel Drame ?

— C'est une longue histoire.

*

Baltimore.
Années 1990.

Les moments de bonheur avec les Goldman-de-Baltimore étaient contrebalancés deux fois par an, lorsque nos deux familles se réunissaient : à Thanksgiving, chez les Baltimore, et pour les vacances d'hiver à Miami, en Floride, chez nos grands-parents. À mes yeux, plus qu'à des retrouvailles, ces rendez-vous familiaux s'apparentaient à des matchs de football. D'un côté du terrain, les Montclair, de l'autre les Baltimore, et au centre, les grands-parents Goldman, qui officiaient en tant qu'arbitres et comptaient les buts.

Thanksgiving marquait le sacre annuel des Baltimore. La famille se réunissait dans leur immense et luxueuse maison d'Oak Park et tout y était parfait, du début à la fin. Je dormais pour mon plus grand bonheur dans la chambre d'Hillel, et Woody, qui occupait la chambre voisine, traînait son matelas dans la nôtre pour que nous ne soyons pas séparés, même dans notre sommeil. Mes parents occupaient l'une des chambres d'amis avec salle de bains, et mes grands-parents une autre.

C'était Oncle Saul qui allait chercher mes grands-parents à l'aéroport, et pendant la première demi-heure qui suivait leur arrivée chez les Baltimore, la conversation tournait autour du confort de sa voiture. « Si vous voyiez ça, s'exclamait Grand-mère, c'est vraiment épatant ! Vous avez de la place pour les jambes, comme nulle part ! Je me souviens être montée dans ta voiture, Nathan [mon père], en me disant : plus jamais ! Et puis sale, mon Dieu ! Qu'est-ce que ça coûte de passer un coup d'aspirateur ? Celle de Saul est comme neuve. Le cuir des sièges est parfait, on sent qu'elle est entretenue avec beaucoup de soin. » Puis, quand elle n'avait plus rien à dire sur la voiture, elle s'extasiait à propos de la maison. Elle en explorait les couloirs comme si c'était sa première visite et s'émerveillait du bon goût de la décoration, de la qualité des meubles, du chauffage au sol, de la propreté, des fleurs, des bougies qui embaumaient les pièces.

Pendant le repas de Thanksgiving, elle ne se lassait pas de saluer la perfection des plats. Chacune de ses bouchées était accompagnée de bruits enthousiastes. C'est vrai que le repas était somptueux : soupe au potimarron, dinde moelleuse rôtie au sirop d'érable et à la sauce au poivre, macaronis au fromage, tarte à la courge, purée de pommes de terre crémeuse, côtes de bettes fondantes, haricots délicats. Les desserts n'étaient pas en reste : mousse au chocolat, gâteau au fromage, tarte aux noix de pécan et tarte aux pommes à la pâte fine et croustillante. Après le repas et les cafés, Oncle Saul mettait sur la table des bouteilles d'alcool fort dont les noms, à cette époque, ne me disaient rien, mais je me souviens que Grand-père prenait les bouteilles en main comme si c'était une potion magique et s'émerveillait du nom, de l'âge ou de la couleur, tandis que Grand-mère en rajoutait une couche sur la qualité du repas et, par extension, de leur maison et de leur vie, avant le grand bouquet final (toujours le même) : « Saul, Anita, Hillel et Woody, mes chéris : merci, c'était extraordinaire. »

J'aurais bien voulu qu'elle vienne avec Grand-père séjourner à Montclair, pour que nous lui montrions de quoi nous étions capables. Je lui en avais fait une fois la demande, du haut de mes dix ans. « Grand-mère, est-ce que Grand-père et toi viendrez une fois dormir chez nous à Montclair ? » Mais elle avait répondu : « Nous ne pouvons plus venir chez vous, tu sais, mon chéri. Ce n'est pas assez grand et pas assez confortable. »

La deuxième grande réunion annuelle des Goldman avait lieu à Miami, à l'occasion des fêtes de fin d'année. Jusqu'à nos treize ans, les grands-parents Goldman habitaient un appartement suffisamment grand pour loger nos deux familles, et nous passions une semaine tous ensemble, sans nous quitter d'une semelle. Ces séjours floridiens étaient pour moi l'occasion de constater l'ampleur de l'admiration de mes grands-parents pour les Baltimore, ces Martiens formidables, qui, au fond, n'avaient rien en commun avec le reste de la famille. Je pouvais voir les liens de parenté évidents entre mon grand-père et mon père. Ils se ressemblaient physiquement, avaient les mêmes manies et souffraient tous les deux du syndrome du côlon spastique, à propos duquel ils avaient des discussions interminables. Le côlon spastique était l'un des sujets de conversation préférés de Grand-père. J'ai le souvenir de mon grand-père, doux, distrait, tendre et surtout constipé. Il partait déféquer comme on part à la gare. Il annonçait, son journal sous le bras : « Je vais aux toilettes. » Il donnait à Grand-mère un petit baiser d'adieu sur la bouche et elle lui disait : « À tout à l'heure, mon chéri. »

Grand-père s'inquiétait qu'un jour je sois moi aussi frappé par le mal des Goldman-pas-de-Baltimore : le fameux côlon spastique. Il me faisait promettre de manger beaucoup de légumes fibreux et de ne jamais retenir mes selles si j'avais besoin de faire « la grosse commission ». Le matin, tandis que Woody et Hillel se gavaient de céréales sucrées, Grand-père me forçait à me gaver d'All-Bran. J'étais le seul à être obligé d'en manger, preuve que les Baltimore devaient avoir des enzymes supplémentaires que nous n'avions pas. Grand-père me parlait des futurs problèmes de digestion que je connaîtrais en tant que fils de mon père : « Mon pauvre Marcus, ton père a un côlon comme le mien. Tu verras, tu n'y couperas pas non plus. Mange beaucoup de fibres, fiston, c'est le plus important. Il faut commencer maintenant pour entretenir le système. » Il se tenait derrière moi pendant que j'enfournais mes All-Bran et posait sur mon épaule une main pleine d'empathie. Bien évidemment, à force d'ingurgiter des quantités de fibres, je passais mon temps aux cabinets, et en ressortant je croisais le regard de Grand-père qui semblait me dire : « Tu l'as, mon garçon. C'est foutu. » Cette histoire de côlon avait une grande emprise sur moi. Je consultais régulièrement les dictionnaires médicaux de la bibliothèque municipale, guettant avec appréhension les premiers symptômes de la maladie. Je me disais que si je ne l'avais pas, c'est que j'étais peut-être différent, différent comme un Baltimore. Car au fond, mes grands-parents se réclamaient de mon père, mais c'était Oncle Saul qu'ils révéraient. Et moi j'étais le fils de l'un mais je regrettais souvent de n'avoir pas été le fils de l'autre.

Le mélange des Montclair et des Baltimore était pour moi le révélateur du profond fossé qui scindait mes deux vies : l'une officielle, un Goldman-de-Montclair, et l'autre confidentielle, un Goldman-de-Baltimore. De mon deuxième prénom, Philip, je gardais la première lettre et inscrivais sur mes cahiers d'école et mes devoirs *Marcus P. Goldman*. Puis je rajoutais une rondeur au P qui devenait Marcus B. Goldman. J'étais le P qui devenait parfois un B. Et la vie, comme pour me donner raison, me jouait des drôles de tours : seul à Baltimore, je me sentais l'un des leurs. En arpentant le quartier avec Hillel et Woody, les agents de la patrouille nous saluaient et nous appelaient par nos prénoms. Mais quand je me rendais avec mes parents à Baltimore pour fêter Thanksgiving, je me souviens de la honte qui me parcourait au moment de franchir les premières rues d'Oak Park à bord de notre vieille voiture, sur le pare-chocs de laquelle il était inscrit que nous n'appartenions pas à la dynastie des Goldman d'ici. Si nous croisions une patrouille de sécurité, je faisais le signe secret des initiés, et ma mère, qui ne comprenait rien me réprimandait : « Mais Markie, veux-tu bien cesser de faire l'imbécile et de faire des signes stupides à cet agent ? »

Le comble de l'horreur était de nous égarer dans Oak Park, où les rues, circulaires, pouvaient facilement prêter à confusion. Ma mère s'énervait, mon père s'arrêtait au milieu d'un carrefour, et ils débattaient de la bonne direction jusqu'à ce qu'une patrouille déboule pour voir ce qui se tramait avec cette bagnole cabossée, donc suspecte. Mon père expliquait les raisons de notre présence, tandis que moi je faisais le signe de la confrérie secrète pour que l'agent ne pense pas qu'il puisse exister un quelconque lien de filiation entre ces deux étrangers et moi. Il arrivait que l'agent nous indique simplement notre chemin mais, parfois, suspicieux, il nous escortait jusqu'à la maison des Goldman pour s'assurer de nos bonnes intentions. Oncle Saul, nous voyant arriver, sortait aussitôt.

— Bonsoir, M'sieur Goldman, disait l'agent, pardon de vous déranger, je voulais juste m'assurer que ces gens étaient bien attendus chez vous.

— Merci, Matt (ou autre selon le prénom sur le badge, mon oncle appelait toujours les gens par le prénom sur le badge, au restaurant, au cinéma, au péage sur l'autoroute). Oui, c'est en ordre, merci, tout va bien.

Il disait : tout va bien. Il ne disait pas : Matt, petit malotru, comment as-tu pu te montrer soupçonneux de mon propre sang, de la chair de ma chair, de mon frère chéri ? Le tsar aurait fait empaler celui de ses gardes qui aurait traité ainsi les membres de sa famille. Mais à Oak Park, Oncle Saul félicitait Matt comme un bon chien de garde que l'on récompense d'avoir aboyé pour être certain qu'il aboiera toujours. Et lorsque l'agent partait, ma mère disait : « Oui, oui, voilà, c'est ça, fichez le camp, vous voyez bien que nous ne sommes pas des bandits », tandis que mon père la suppliait de se taire et ne pas se faire remarquer. Nous n'étions que des invités.

Dans le patrimoine des Baltimore, un seul endroit échappait à la contamination des Montclair : la maison de vacances des Hamptons où mes parents avaient le bon goût de ne s'être jamais rendus – du moins en ma présence. Pour qui ne sait pas ce que sont devenus les Hamptons depuis les années 1980, il s'agissait d'un coin tranquille et modeste du bord de l'océan aux portes de la ville de New York, transformé en l'un des lieux de villégiature les plus huppés de la côte Est. La maison des Hamptons avait ainsi connu plusieurs vies successives et Oncle Saul ne se lassait jamais de raconter comment, lorsqu'il avait acheté pour une bouchée de pain cette petite bicoque en bois à East Hampton, tout le monde s'était moqué de lui en affirmant que c'était le pire investissement qu'il ait pu faire. C'était sans compter le boom de Wall Street des années 1980, qui annonçait le début de l'âge d'or d'une génération de traders : les nouvelles fortunes avaient pris d'assaut les Hamptons, la région s'était soudain embourgeoisée et la valeur de l'immobilier avait décuplé.

J'étais trop petit pour m'en souvenir, mais on m'a raconté qu'à mesure qu'Oncle Saul avait gagné des procès, la maison s'était vue légèrement améliorée jusqu'au jour où elle avait été rasée pour laisser place à une nouvelle maison, magnifique et pleine de charme et de confort. Spacieuse, lumineuse, savamment couverte de lierre, avec, à l'arrière, une terrasse entourée de buissons d'hortensias bleus et blancs, une piscine et un kiosque recouvert d'aristoloche sous lequel nous prenions nos repas.

Après Baltimore et Miami, les Hamptons étaient la conclusion du triptyque géographique annuel du Gang des Goldman. Chaque année, mes parents m'autorisaient à aller y passer le mois de juillet. C'est là-bas, dans la maison de vacances de mon oncle et ma tante, que j'ai passé les étés les plus heureux de ma jeunesse en compagnie de Woody et Hillel. C'est également là-bas que se plantèrent les graines du Drame qui allait les frapper. Je garde malgré tout de ces séjours le souvenir du bonheur le plus absolu. De ces étés bénis, je me souviens de jours tous identiques où flottait le parfum de l'immortalité. Ce que nous faisions là-bas ? Nous vivions notre jeunesse triomphale. Nous allions dompter l'océan. Nous chassions les filles comme des papillons. Nous allions pêcher. Nous allions nous trouver des rochers pour sauter dans l'océan et nous mesurer à la vie.

L'endroit que nous préférions parmi tous était la propriété d'un couple adorable, Seth et Jane Clark, des gens relativement âgés, sans enfants, très riches – je crois que lui possédait un fonds d'investissement à New York –, avec qui Oncle Saul et Tante Anita s'étaient liés au fil des années. Leur propriété, baptisée *Le Paradis sur Terre*, se trouvait à un mile de chez les Baltimore. C'était un endroit fabuleux : je me rappelle le parc verdoyant, les arbres de Judée, les massifs de rosiers et la fontaine en cascade. À l'arrière de la maison, une piscine surplombait une plage privée de sable blanc. Les Clark nous laissaient jouir de leur propriété autant que nous le voulions, et nous étions sans cesse fourrés chez eux, à sauter dans la piscine ou nager dans l'océan. Il y avait même un petit canot accroché à un ponton en bois que nous utilisions de temps en temps pour explorer la baie. Pour remercier les Clark de leur gentillesse, nous leur rendions fréquemment de menus services, essentiellement des travaux de jardin, domaine dans lequel nous excellions pour des raisons que j'expliquerai tout à l'heure.

Dans les Hamptons, nous perdions le compte des dates et des jours. Peut-être est-ce ce qui m'a trompé : cette impression que tout durerait toujours. Que nous durerions toujours. Comme si dans cet endroit magique, dans les rues et les maisons, les gens pouvaient échapper au temps et à ses dégâts.

Je me souviens de la table sur la terrasse de la maison où Oncle Saul organisait ce qu'il appelait son « bureau ». Juste à côté de la piscine. Après le petit déjeuner, il y installait ses dossiers, il tirait le téléphone jusque-là, et il travaillait au moins jusqu'à la mi-journée. Sans trahir le secret professionnel, il nous parlait des affaires sur lesquelles il travaillait. J'étais fasciné par ses explications. Nous lui demandions comment il comptait gagner et il nous répondait: «Je vais gagner parce que je le dois. Les Goldman ne perdent jamais.» Il nous demandait comment nous ferions à sa place. Nous nous imaginions alors tous les trois grands hommes de loi et nous beuglions toutes les idées qui nous passaient par la tête. Il souriait, nous disait que nous ferions de très bons avocats et que nous pourrions un jour tous travailler dans son cabinet. Cette seule évocation me faisait rêver.

Quelques mois plus tard, de passage à Baltimore, je découvrais les coupures de presse relatant ces procès préparés dans les Hamptons et que Tante Anita conservait précieusement. Oncle Saul avait gagné. Toute la presse parlait de lui. Je me souviens encore de certains titres:

L'imbattable Goldman.
Saul Goldman, l'avocat qui ne perd jamais.
Goldman frappe encore.

Il n'avait pour ainsi dire jamais perdu une affaire. Et les découvertes de ces victoires renforçaient encore la passion que j'éprouvais pour lui. Il était le plus grand des oncles et le plus grand des avocats.

*

C'était le début de la soirée lorsque je réveillai Duke en pleine sieste pour le ramener chez lui. Il se trouvait bien chez moi et me fit comprendre qu'il n'avait pas particulièrement envie de bouger. Je dus le traîner jusqu'à ma voiture garée devant la maison puis le porter pour le mettre dans le coffre. Leo m'observait, amusé, depuis le porche de sa maison. «Bonne chance, Marcus, je suis certain que si elle ne veut plus vous voir, ça veut dire qu'elle vous aime bien.» Je roulai jusqu'à la maison de Kevin Legendre et sonnai à l'interphone.

3.

Coconut Grove, Floride.
Juin 2010. Six ans après le Drame.

C'était l'aube. J'étais installé sur la terrasse de la maison où vivait désormais mon oncle, à Coconut Grove. Il y avait déjà quatre ans qu'il s'était installé ici.

Il arriva sans faire de bruit et je sursautai lorsqu'il me dit :

— Déjà debout ?

— Bonjour, Oncle Saul.

Il tenait deux tasses de café et en déposa une devant moi. Il remarqua mes feuillets annotés. J'étais en train d'écrire.

— Quel est le sujet de ton nouveau roman, Markie ?

— Je ne peux pas te le dire, Oncle Saul. Tu m'as déjà posé cette question hier.

Il sourit. Me regarda écrire un moment. Puis, avant de partir, alors qu'il rentrait sa chemise dans son pantalon et serrait sa ceinture, il me demanda d'un air solennel :

— Un jour je serai dans un de tes livres, hein ?

— Bien sûr, lui répondis-je.

Mon oncle avait quitté Baltimore en 2006, deux ans après le Drame, pour venir vivre dans cette maison petite mais cossue du quartier de Coconut Grove, au sud de Miami. Il y avait une petite terrasse sur le devant, entourée de manguiers et d'avocatiers, chaque année plus chargés de fruits, et qui apportaient, lors des pics de chaleur, une fraîcheur bienfaisante.

Le succès de mes romans m'offrait la liberté de venir retrouver mon oncle autant que je le voulais. La plupart du temps, je m'y rendais en voiture. Je quittais New York sur un coup de tête: je prenais la décision parfois le matin même. J'entassais quelques affaires dans un sac que je jetais sur la banquette arrière, et je partais. J'empruntais l'autoroute I-95, je roulais jusqu'à Baltimore et je continuais ma descente vers le Sud, jusqu'en Floride. La route prenait deux jours entiers, avec un arrêt à mi-chemin vers Beaufort, en Caroline du Sud, dans un hôtel où j'avais désormais mes habitudes. Si c'était l'hiver, je quittais New York balayée par les vents polaires, ma voiture battue par la neige, vêtu d'un pull épais, un café brûlant dans une main, le volant dans l'autre. Le temps de descendre la Côte et j'arrivais dans une Miami brûlant sous 30 degrés, où les promeneurs, en t-shirts, se prélassaient sous le soleil éclatant de l'hiver tropical.

Parfois je prenais l'avion et louais une voiture à l'aéroport de Miami. La durée du voyage s'en trouvait divisée par dix, mais la puissance du sentiment qui m'envahissait en arrivant chez lui était moindre. L'avion grevait ma liberté des horaires des vols, des réglementations des compagnies aériennes, des queues interminables et de l'attente vaine suscitée par les procédures de sécurité auxquelles les aéroports s'étaient condamnés depuis les attentats du 11 Septembre. En revanche, la sensation de liberté que j'éprouvais lorsque, la veille au matin, j'avais décidé de monter simplement dans ma voiture et de rouler sans m'arrêter en direction du Sud, était quasi totale. Je partais quand je voulais, je m'arrêtais quand je voulais. Je devenais maître du rythme et du temps. Au fil de ces milliers de miles d'autoroute que je connaissais à présent par cœur, je ne me lassais jamais de la beauté du paysage et ne cessais de m'émerveiller de la taille de ce pays, qui semblait ne jamais se terminer. Et enfin c'était la Floride, puis Miami, puis Coconut Grove, puis sa rue. Lorsque j'arrivais devant sa maison, je le trouvais installé sous le porche. Il m'attendait. Sans que je lui aie annoncé ma venue, il m'attendait. Fidèlement.

Je me trouvais à Coconut Grove depuis deux jours. J'étais venu, comme à chaque fois, à l'improviste et lorsqu'il m'avait vu débarquer, mon oncle Saul, fou de joie que je vienne rompre sa solitude, m'avait pris dans ses bras. J'avais serré fort contre mon torse cet homme vaincu par la vie. J'avais caressé du bout des doigts l'étoffe de ses chemises bon marché et, fermant les yeux, j'avais respiré son parfum agréable qui était la seule chose qui n'avait pas changé. Et en retrouvant cette odeur, je m'étais imaginé sur la terrasse de sa luxueuse maison de Baltimore, ou sous le porche de sa maison d'été des Hamptons, du temps de la gloire. Je m'étais imaginé ma magnifique tante Anita à côté de lui, et Woody et Hillel, mes deux cousins merveilleux. À travers une seule bouffée de son odeur, j'étais retourné dans les tréfonds de mes souvenirs, dans le quartier d'Oak Park, et j'avais revécu, l'espace d'un instant, le bonheur de les avoir côtoyés.

À Coconut Grove, je passais mes journées à écrire. C'était l'endroit où je me sentais suffisamment au calme pour travailler. Je réalisais que si je vivais à New York, je n'y avais jamais véritablement écrit. J'avais toujours eu besoin d'aller ailleurs, de m'isoler. Je travaillais sur sa terrasse lorsqu'il faisait doux, ou, s'il faisait trop chaud, dans la fraîcheur de l'air conditionné dans le bureau qu'il avait aménagé spécialement pour moi dans la chambre d'amis.

En général, en fin de matinée, je faisais une pause et je passais au supermarché pour lui dire bonjour. Il aimait que je vienne le trouver au supermarché. Au début, ce fut difficile pour moi : j'étais gêné. Mais je savais combien cela lui faisait plaisir que je vienne au magasin. Chaque fois que j'arrivais au supermarché, je ressentais un petit pincement au cœur. Les portes automatiques s'ouvraient devant moi et je le voyais, à la caisse, affairé à répartir les achats des clients dans des sacs selon leur poids et leur nature plus ou moins périssable. Il portait le tablier vert des employés sur lequel était accroché un pin's avec son prénom écrit dessus, *Saul.* J'entendais les clients lui dire : « Merci beaucoup, Saul. Passez une bonne journée. » Il était toujours jovial, d'humeur égale. J'attendais qu'il ne soit plus occupé pour signaler ma présence et je voyais son visage s'illuminer. « Markie ! » s'écriait-il joyeusement à chaque fois comme si c'était ma première visite.

Il disait à la caissière à côté de lui : « Regarde, Lindsay, c'est mon neveu Marcus. »

La caissière me regardait comme un animal curieux et me disait :

— C'est toi l'écrivain célèbre ?

— C'est lui ! répondait mon oncle à ma place comme si j'étais le président des États-Unis.

Elle me faisait une sorte de révérence et promettait de lire mon livre.

Les employés du supermarché aimaient bien mon oncle et, lorsque j'arrivais, il trouvait toujours quelqu'un pour le remplacer. Il m'emmenait alors à travers les rayons faire la tournée de ses collègues. « Tout le monde veut te dire bonjour, Markie. Certains ont apporté leur livre pour que tu le leur signes. Ça ne te dérange pas ? » Je m'exécutais toujours volontiers, puis nous finissions notre visite par le comptoir de café et de jus derrière lequel se tenait un garçon que mon oncle avait pris en affection, un Noir grand comme une montagne et doux comme une femme, qui s'appelait Sycomorus.

Sycomorus avait à peu près mon âge. Il rêvait d'être chanteur et attendait la gloire en pressant à la demande des jus de légumes revitalisants. Dès qu'il en avait l'occasion, il s'enfermait dans la salle de repos et se filmait avec son téléphone portable en fredonnant des airs à la mode et en claquant des doigts, puis il partageait ses vidéos sur les réseaux sociaux pour attirer l'attention du reste du monde sur son talent. Il rêvait de participer à un télé-crochet intitulé *Chante !* et diffusé sur une chaîne nationale, dans lequel s'affrontaient des chanteurs qui espéraient percer et devenir célèbres.

En ce début du mois de juin 2010, Oncle Saul l'aidait à remplir des formulaires de participation pour déposer sa candidature à l'émission sous forme d'un enregistrement vidéo. Il était question de décharge et de droit à l'image, et Sycomorus n'y comprenait rien. Ses parents étaient très soucieux qu'il devienne célèbre. N'ayant visiblement rien de mieux à faire, ils occupaient leur journée en venant rendre visite à leur garçon sur son lieu de travail pour s'inquiéter de son avenir. Ils étaient accrochés au comptoir des jus et, entre deux clients, le père houspillait son fils et la mère jouait les médiateurs.

Le père était un joueur de tennis raté. La mère aurait rêvé de devenir actrice. Le père avait voulu que Sycomorus soit champion de tennis. La mère aurait voulu qu'il soit un grand acteur. À l'âge de six ans, il était un forçat des courts et avait tourné dans une publicité pour un yaourt. À l'âge de huit ans, il vomissait le tennis et se promettait de ne plus jamais toucher une raquette de sa vie. Il s'était mis à courir les castings avec sa mère, à la recherche du rôle qui lancerait sa carrière d'enfant-vedette. Mais le rôle n'était jamais venu et aujourd'hui, sans diplôme ni formation, il pressait des jus.

— Plus je réfléchis à tes histoires d'émission télévisée, plus je pense que c'est du grand n'importe quoi, répétait le père.

— Tu comprends pas, P'a. Cette émission va lancer ma carrière.

— Pfff! ça va surtout te couvrir de ridicule! À quoi cela va te servir de te donner en spectacle à la télévision? Tu n'as jamais aimé chanter. Tu aurais dû devenir joueur de tennis. Tu avais toutes les qualités. Dommage que ta mère t'ait rendu paresseux.

— Mais P'a, suppliait Sycomorus qui cherchait désespérément la reconnaissance de son père, tout le monde parle de cette émission.

— Laisse-le tranquille, George, puisque c'est son rêve, intervenait doucement la mère.

— Oui, P'a! La chanson c'est ma vie.

— Tu mets des légumes dans une centrifugeuse, voilà ce que tu fais de ta vie. Tu aurais dû être un champion de tennis. Tu as tout gâché.

En général, Sycomorus finissait par se mettre à pleurer. Pour se calmer, il attrapait sous son comptoir le classeur qu'il transportait chaque jour de chez lui au supermarché et qui renfermait la collection d'articles qu'il avait précieusement glanés et triés au sujet d'Alexandra Neville, recensant tous les faits la concernant et qu'il jugeait dignes d'intérêt.

Alexandra était le modèle de Sycomorus : son obsession. En matière de musique, il ne s'en remettait qu'à elle. Sa carrière, ses chansons, sa façon de les réinterpréter pendant ses concerts : à ses yeux elle n'était que perfection. Il avait suivi chacune de ses tournées, dont il était revenu avec des t-shirts souvenirs pour adolescentes qu'il portait régulièrement. « Si je connais tout d'elle, je pourrai peut-être faire une carrière comme la sienne », disait-il. Il tirait l'essentiel de sa matière la concernant des tabloïds qu'il lisait avidement et dont il découpait soigneusement les articles durant son temps libre.

Sycomorus se consolait en tournant les pages de son classeur et s'imaginait, lui aussi, devenir un jour une grande vedette. Sa mère, le cœur fendu, l'encourageait :

— Regarde ton classeur, mon chéri, ça te fait du bien.

Sycomorus en admirait les pages plastifiées, les effleurant des mains.

— M'a, un jour je serai comme elle... disait-il.

— Elle est blonde et blanche, s'agaçait son père. Tu veux être une fille blanche ?

— Non, P'a, je voudrais être célèbre.

— C'est bien le problème, tu ne veux pas être chanteur, tu veux être célèbre.

Sur ce point, le père de Sycomorus n'avait pas tort. Il y a eu une époque où les vedettes de l'Amérique étaient des cosmonautes et des scientifiques. Aujourd'hui, nos vedettes sont des gens qui ne font rien et passent leur temps à se photographier, eux-mêmes ou leur assiette. Tandis que le père argumentait devant son fils, la file des clients en quête d'un jus revitalisant s'impatientait. La mère finissait par tirer son mari par la manche :

— Tais-toi maintenant, George, grondait-elle. Il va être renvoyé à cause de tes scènes. Tu veux que ton fils soit renvoyé de son travail à cause de toi ?

Le père s'agrippait au comptoir dans un geste désespéré et murmurait à son fils une dernière requête, comme s'il n'avait pas vu l'évidence :

— Fais-moi juste une promesse. Quoi qu'il arrive, je t'en prie, ne deviens jamais un pédé.

— Promis, Papa.

Et les parents allaient se promener à travers les rayons du magasin.

Durant cette même période, Alexandra Neville était en pleine tournée de concerts. Elle se produisait notamment à l'American Airlines Arena de Miami, ce dont tout le supermarché avait été informé car Sycomorus, qui avait réussi à se procurer un billet pour le concert, avait affiché un décompte des jours dans la salle de repos et avait rebaptisé le jour du concert *Alexandra Day*.

Quelques jours avant le concert, alors que nous profitions de la douceur d'un début de soirée sur la terrasse de la maison de Coconut Grove, Oncle Saul me demanda :

— Marcus, tu pourrais peut-être arranger une rencontre entre Sycomorus et Alexandra ?

— C'est impossible.

— Vous êtes toujours fâchés ?

— Cela fait des années que nous ne nous parlons plus. Même si je le voulais, je ne saurais pas comment la joindre.

— Il faut que je te montre ce que j'ai retrouvé en mettant de l'ordre, dit Oncle Saul en se levant de sa chaise.

Il disparut un instant avant de revenir avec une photo à la main. « Elle était entre les pages d'un livre qui appartenait à Hillel », m'expliqua-t-il. C'était cette fameuse photo de Woody, Hillel, Alexandra et moi, adolescents à Oak Park.

— Que s'est-il passé entre Alexandra et toi ? demanda Oncle Saul.

— Peu importe, répondis-je.

— Markie, tu sais combien j'apprécie ta présence ici. Mais parfois je m'inquiète. Tu devrais sortir plus, t'amuser plus. Avoir une petite copine…

— Ne t'inquiète pas, Oncle Saul.

Je lui tendis la photo pour la lui rendre.

— Non, garde-la, me dit-il. Il y a un mot derrière.

Je retournai le cliché et reconnus son écriture. Elle avait écrit :

JE VOUS AIME, LES GOLDMAN.

4.

À Boca Raton, en ce mois de mars 2012 où je retrouvai Alexandra, je me mis à voler tous les matins son chien Duke. Je l'amenais chez moi, où il passait la journée à mes côtés, et le soir je le ramenais à la maison de Kevin Legendre.

Le chien se plaisait tellement avec moi qu'il se mit à m'attendre devant la clôture de la propriété de Kevin. J'arrivais au petit matin et il était là, assis, guettant ma venue. Je descendais de voiture et il se précipitait sur moi, manifestant sa joie en essayant de me lécher le visage pendant que je me baissais pour le caresser. J'ouvrais le coffre, il sautait gaiement à l'intérieur et nous partions tout de go pour passer la journée chez moi. Puis, n'y tenant plus, Duke se mit à venir tout seul. Tous les matins à six heures, il s'annonçait en jappant devant ma porte, avec une précision que les humains n'auront jamais.

Nous nous amusions bien ensemble. Je lui achetai tout l'attirail des chiens heureux: balles en caoutchouc, jouets à mâcher, nourriture, gamelles, friandises, couvertures pour qu'il soit confortable. À la fin de la journée, je le ramenais chez lui et nous retrouvions ensemble, et avec la même joie, Alexandra.

Les retrouvailles furent d'abord brèves. Alexandra me remerciait, s'excusait du dérangement et me renvoyait chez moi, sans même me proposer d'entrer un instant.

Puis, il y eut cette fois où elle était absente de la maison. Ce fut cet enquiquineur tout en muscles de Kevin qui m'accueillit et réceptionna Duke. «Alex n'est pas là», me dit-il d'un ton amical. Je le chargeai de la saluer pour moi et m'apprêtais à repartir lorsqu'il me proposa de rester dîner avec lui. J'acceptai. Et je dois dire que nous passâmes une soirée très agréable. Il avait quelque chose d'éminemment sympathique. Un côté gentil père de famille, sur le point de prendre sa retraite à trente-sept ans avec quelques millions sur son compte en banque! Il amènerait les enfants à l'école, entraînerait leur équipe de foot, organiserait des barbecues pour les anniversaires. Le type qui n'en fichait pas une, c'était lui.

Justement, ce soir-là, Kevin m'expliqua qu'il était blessé à l'épaule et que l'équipe l'avait mis au repos. Il faisait de la rééducation le jour, cuisait des steaks le soir, regardait la télévision, dormait. Il trouva judicieux de me raconter qu'Alexandra lui faisait des massages divins, qui l'apaisaient beaucoup. Puis il me fit l'inventaire de tous les gestes qui lui faisaient mal et me parla encore de ses exercices de physiothérapie. C'était un homme simple au sens propre du mot, et je me demandais ce qu'Alexandra pouvait bien lui trouver.

Pendant que les steaks cuisaient, il proposa d'inspecter la haie pour trouver comment Duke s'enfuyait. Il inspecta une moitié de la haie, je me chargeai de l'autre. Je trouvai rapidement l'énorme trou que Duke avait creusé dans la pelouse pour passer de l'autre côté de la barrière, et bien évidemment je ne le signalai pas à Kevin. Je lui affirmai que ma moitié de la haie était intacte (ce qui n'était pas un mensonge), il me confirma que la sienne aussi, et nous allâmes manger nos steaks. Il était perturbé par les évasions de Duke.

— Je comprends pas pourquoi il fait ça. C'est la première fois. Ce chien, pour Alex, c'est toute sa vie. J'ai peur qu'il finisse par se faire écraser par une voiture.

— Quel âge a-t-il?

— Huit ans. C'est vieux pour un chien de cette taille.

Je calculai rapidement dans ma tête. Huit ans, cela signifiait qu'elle avait acheté Duke juste après le Drame.

Nous bûmes quelques bières. Surtout lui. Moi, je profitais de les vider discrètement sur la pelouse pour le pousser à la consommation. J'avais besoin de l'amadouer. Je finis par aborder le sujet d'Alexandra, et l'alcool aidant, il se confia.

Il me raconta que cela faisait quatre ans qu'ils étaient ensemble. Le début de leur liaison datait de la fin de l'année 2007.

— À l'époque, je jouais pour l'équipe des Prédateurs de Nashville, où elle habitait. On avait une amie commune, et ça faisait pas mal de temps que j'essayais de la séduire. Et puis, le soir de la Saint-Sylvestre, nous étions dans une même soirée, chez cette amie justement, et c'est là que tout a commencé.

J'eus envie de vomir rien qu'à imaginer leurs premiers ébats un soir de Nouvel an trop arrosé.

— Le coup de foudre, quoi, dis-je pour faire l'idiot.

— Non, ça a été dur au début, me répondit Kevin, touchant de sincérité.

— Ha?

— Oui. Apparemment, j'étais sa première histoire depuis qu'elle avait rompu avec son précédent petit copain. Elle n'a jamais voulu me parler de lui. Il s'est passé quelque chose de grave. Mais j'ignore quoi. Je ne veux pas la brusquer. Un jour, quand elle sera prête, elle me le racontera.

— Elle l'aimait?

— Le précédent? Plus que tout, je crois. J'ai cru que je n'arriverais pas à le lui faire oublier. Je n'en parle jamais. Tout va pour le mieux aujourd'hui entre nous, et je préfère ne pas rouvrir les plaies du passé.

— Tu as bien raison. C'était certainement une tache, ce mec.

— J'en sais rien. J'aime pas juger les gens que je ne connais pas.

Kevin était agaçant de gentillesse. Il avala une gorgée de bière et je finis par poser la question qui me tracassait le plus.

— Toi et Alexandra, vous n'avez jamais songé à vous marier?

— Je lui ai proposé. Il y a deux ans. Elle a pleuré. Pas de joie, si tu vois ce que je veux dire. J'ai compris que ça voulait dire «pas pour l'instant».

— Désolé d'apprendre ça, Kevin.

Il posa amicalement son épaisse main sur mon bras.

— Je l'aime, cette fille, dit-il.

— Ça se voit, répondis-je.

J'éprouvai soudain de la honte à l'idée de m'immiscer ainsi dans la vie d'Alexandra. Elle m'avait demandé de rester à l'écart, et je m'étais empressé de sympathiser avec son chien et d'apprivoiser son petit ami.

Je rentrai chez moi avant qu'elle ne revienne.

Au moment où je tournais la clé dans la serrure de la porte de ma maison, j'entendis la voix de Leo, installé sous son porche mais caché par l'obscurité.

— Vous avez raté notre partie d'échecs, Marcus, me dit-il.

Je me rappelai lui avoir promis que nous jouerions à mon retour de chez Kevin, sans imaginer que je resterais dîner.

— Pardonnez-moi, Leo, j'ai complètement oublié.

— Ce n'est vraiment pas grave.

— Vous venez prendre un verre ?

— Volontiers.

Il me rejoignit et nous nous installâmes sur la terrasse, où je nous servis du scotch. Il faisait très doux dehors, des grenouilles dans le lac faisaient chanter la nuit.

— Elle vous trotte dans la tête, cette petite, hein ? me dit Leo.

J'acquiesçai :

— Ça se voit tant que ça ? demandai-je.

— Oui. J'ai fait mes recherches.

— À propos de quoi ?

— À propos de vous et Alexandra. Eh bien, j'ai trouvé quelque chose de très intéressant : il n'y a rien. Et croyez-moi, moi qui passe mes journées sur Google, c'est justement quand il n'y a rien qu'il faut creuser. Qu'est-ce qui se passe, Marcus ?

— Je n'en suis moi-même pas sûr.

— Je ne savais pas que vous étiez sorti avec cette actrice de cinéma, Lydia Gloor. C'est sur Internet.

— Brièvement.

— Ce n'est pas elle qui joue dans l'adaptation de votre premier bouquin ?

— Si.
— C'était avant ou après Alexandra ?
— Après.
Leo eut un air circonspect.
— Vous l'avez trompée avec cette actrice, c'est ça ? Alexandra et vous, c'était le bonheur. Le succès vous est un peu monté à la tête, vous avez vu cette actrice qui se pâmait devant vous et vous vous êtes oublié, l'espace d'une nuit torride. Ai-je raison ?
Je souris, amusé par son imagination.
— Non, Leo.
— Oh, Marcus, cessez de me faire mariner, voulez-vous ? Que s'est-il passé entre Alexandra et vous ? Et que s'est-il passé avec vos cousins ?
En me posant ces questions, Leo ne réalisait pas qu'elles étaient liées. Je ne savais pas par où commencer. De qui fallait-il parler en premier ? D'Alexandra ou du Gang des Goldman ?
Je décidai de commencer par mes cousins, car pour parler d'Alexandra, il me fallait d'abord parler d'eux.

★

Je vous raconterai d'abord Hillel, parce qu'il fut le premier. Nous étions nés la même année et il était pour moi comme un frère, dont le génie tenait à un mélange d'intelligence fulgurante et de sens inné de la provocation. C'était un garçon très maigre, mais son apparence physique était contrebalancée par une verve redoutable doublée d'un aplomb exceptionnel. Son corps malingre cachait une grande âme et surtout un sens de la justice à toute épreuve. Je me souviens encore comment il me défendit, alors que nous avions à peine huit ans – à cette époque Woody n'était encore pas apparu dans nos vies –, pendant un camp de sport en plein air à Reading, en Pennsylvanie, où Oncle Saul et Tante Anita l'avaient envoyé passer les vacances de printemps pour l'aider à se développer physiquement et où je l'avais accompagné, fraternité oblige. Outre le bonheur de sa compagnie, je crois que j'étais allé à Reading pour protéger Hillel d'éventuelles brutes parmi les participants, lui qui, à l'école, était le bouc émissaire habituel des autres élèves à cause de sa petite taille. Mais c'était sans savoir que le camp de Reading était organisé pour les enfants malingres, mal développés ou convalescents, et je m'étais retrouvé au milieu d'atrophiés et de bigleux parmi lesquels j'avais l'apparence d'un dieu grec, ce qui me valut d'être chaque fois désigné d'office par les moniteurs pour débuter les exercices quand tous les autres regardaient leurs chaussures.

Le deuxième jour fut consacré à des exercices aux agrès. Le moniteur nous réunit devant des anneaux, des poutres, des barres parallèles et d'immenses poteaux droits. «Nous allons commencer par un premier exercice basique : la montée à la perche.» Il désigna la rangée de poteaux d'au moins huit mètres de haut. «Voilà, vous allez monter un par un, puis une fois en haut, si vous vous en sentez capables, passez sur la perche d'à côté puis laissez-vous glisser jusqu'en bas, comme des pompiers. Qui veut commencer ?»

Il s'attendait probablement à ce que nous nous précipitions sur les poteaux mais nous restâmes immobiles.

— Vous avez peut-être une question ? demanda-t-il.

— Oui, fit Hillel en levant la main.

— Je t'écoute.

— Vous voulez vraiment qu'on monte là-haut ?

— Absolument.

— Et si on veut pas ?

— Vous êtes obligés.

— Obligés par qui ?

— Par moi.

— Au nom de quoi ?

— Parce que c'est comme ça. Je suis le moniteur et c'est moi qui décide.

— Vous savez que nos parents paient pour nous envoyer ici ?

— Oui, et alors ?

— Alors, techniquement, vous êtes notre employé et vous nous devez une totale obéissance. On pourrait donc aussi bien vous demander de nous couper les ongles de pied si on voulait.

Le moniteur regarda Hillel d'un drôle d'air. Il essaya de reprendre le contrôle de sa leçon et ordonna d'une voix qu'il s'efforça de rendre autoritaire :

— Allez, hop ! Que quelqu'un se lance, on perd du temps.

— Ça a l'air vraiment drôlement haut, continua Hillel. Ça fait quoi, dans les huit ou dix mètres ?

— Je pense, répondit le moniteur.

— Comment ça, *vous pensez* ? s'indigna Hillel. Vous ne connaissez même pas votre matériel ?

— Tais-toi, maintenant, s'il te plaît. Et puisque personne ne veut se lancer, je vais en désigner un.

Évidemment, le moniteur me désigna, moi. Je protestai que c'était toujours moi qui devais commencer, mais le moniteur ne voulait rien entendre.

— Allez, m'ordonna-t-il, monte à cette perche.

— Et pourquoi vous montez pas vous-même ? intervint de nouveau Hillel.

— Quoi ?

— Vous n'avez qu'à commencer, vous.

— Je n'ai pas l'intention de me laisser commander par un enfant, se défendit le moniteur.

— Vous avez peur de monter ? demanda Hillel. À votre place, j'aurais peur. Ça m'a l'air drôlement dangereux, ces barres. Vous savez, je suis pas du genre hypocondriaque, mais j'ai lu quelque part qu'une chute de trois mètres suffit à vous rompre la colonne vertébrale et vous finissez paralysé à vie. Qui veut être paralysé à vie ? interrogea-t-il à la cantonade.

— Pas moi ! nous répondîmes tous.

— Taisez-vous ! hurla le moniteur.

— Vous êtes sûr que vous avez un diplôme de moniteur de gym ? s'enquit encore Hillel.

— Évidemment ! Arrête, maintenant !

— Je crois qu'on serait tous rassurés de voir votre diplôme, continua Hillel.

— Mais je ne l'ai pas ici, enfin ! protesta le moniteur dont l'assurance se dégonflait comme une baudruche.

— Vous ne l'avez pas ici, ou vous ne l'avez pas du tout ? répliqua Hillel.

— Le diplôme ! Le diplôme ! nous nous écriâmes tous.

Nous scandâmes jusqu'à ce que le moniteur, à bout, saute comme un singe sur le poteau et grimpe pour nous montrer de quoi il était capable. Il voulut certainement nous impressionner en faisant des tas de mouvements inutiles et ce qui devait arriver arriva : ses mains glissèrent et il tomba du sommet du poteau, soit de sept mètres cinquante pour être précis. Il s'écrasa au sol et poussa des hurlements terribles. Nous essayâmes bien de le consoler, mais les médecins de l'ambulance nous expliquèrent qu'il avait les deux jambes cassées et que nous ne le reverrions plus de tout notre séjour. Hillel fut renvoyé du camp de sport et moi aussi par la même occasion. Tante Anita et Oncle Saul vinrent nous chercher et ils nous emmenèrent à l'hôpital du comté pour présenter en personne nos excuses au pauvre moniteur.

C'est un an après cet épisode qu'Hillel rencontra Woody. Il avait désormais neuf ans, c'était toujours un enfant très maigre et très petit, et toujours le souffre-douleur de ses camarades d'école, qui l'appelaient Crevette. Il se faisait tellement embêter par tous les autres enfants qu'en deux ans il avait été changé trois fois d'école. Mais chaque fois, il était aussi malheureux dans son nouvel établissement que dans les précédents. Lui ne rêvait que d'une vie normale, d'avoir des copains dans le quartier et une existence similaire à celle des autres enfants de son âge. Il avait une passion absolue : le basket-ball. Il adorait ça. Le week-end, parfois, il téléphonait à des camarades de classe. « Allô ? C'est Hillel... Hillel. Hillel Goldman. » Il répétait son nom jusqu'au moment où pour finir il disait : « C'est Crevette... » Et l'autre, au bout du fil, parfois sans mauvaise intention, finissait par comprendre. « Je voulais savoir si t'allais au terrain de sport cet après-midi. » Au bout du fil, on lui répondait que non, pas du tout. Mais Hillel savait qu'on lui mentait. Il raccrochait poliment, et une heure plus tard, il disait à ses parents : « Je sors jouer au basket-ball avec mes copains. » Il enfourchait son vélo et il partait pour la journée. Il allait sur le terrain de sport où ses copains, qui ne devaient pas y être, y étaient évidemment. Il ne leur reprochait rien, il s'asseyait sur le banc et il espérait qu'on le laisserait participer. Mais personne ne voulait de Crevette dans son équipe. Il rentrait à la maison, triste, s'efforçant malgré tout de faire bonne figure. Il ne voulait pas que ses parents se fassent du souci pour lui. Ils passaient à table, il avait son maillot de Michael Jordan sur le dos, duquel sortaient deux bras comme des brindilles.

— T'as un peu joué aujourd'hui ? demandait Oncle Saul.

Il haussait les épaules.

— Bof. Les autres disent que je suis pas fort.

— Je suis sûr que tu te débrouilles comme un champion.

— Non, c'est vrai que je suis assez nul. Mais si personne ne me donne ma chance, comment tu veux que je m'améliore ?

Il était difficile pour mon oncle et ma tante de trouver un juste milieu entre le surprotéger et lui laisser faire l'expérience de ce monde difficile. Ils optèrent finalement pour une école privée très réputée, Oak Tree, toute proche de chez eux.

L'école leur plut tout de suite. Ils furent reçus par le principal, Monsieur Hennings, qui leur fit visiter les bâtiments en expliquant combien son établissement était exceptionnel : « L'école d'Oak Tree est l'une des meilleures du pays. Cours de première qualité, donnés par des professeurs recrutés aux quatre coins de la nation et programmes adaptés. » L'école encourageait la créativité : elle comptait des ateliers de peinture, de musique, de poterie et s'enorgueillissait de la parution d'un journal hebdomadaire intégralement rédigé par les élèves au sein d'un bureau de rédaction dernier cri. Puis le principal Hennings acheva de convaincre Oncle Saul et Tante Anita en entonnant les premières notes de sa symphonie miraculeuse pour parents désespérés : « Enfants heureux, motivation, orientation, responsabilisation, réputation, qualité, le corps et l'esprit, sports en tous genres, terreau pour champions d'équitation. »

J'ignore comment Hillel réussit l'exploit de se mettre à dos tous ses camarades de l'école d'Oak Tree en l'espace de quelques jours seulement. Fort de cette prouesse, il parvint ensuite à s'aliéner une bonne partie du corps enseignant en relevant des coquilles dans les livres d'exercices, en reprenant un professeur sur sa prononciation d'un mot latin, puis en posant des questions qui furent considérées comme n'étant pas de son âge.

— Tu apprendras ça en troisième, lui dit le professeur.

— Et pourquoi pas maintenant, puisque je vous pose la question ?

— Parce que c'est comme ça. C'est pas dans le programme, et le programme, c'est le programme.

— Peut-être que votre programme n'est pas adapté à votre classe.

— Peut-être que c'est toi qui n'es pas adapté à ta classe, Hillel.

Dans les couloirs de l'école, on ne pouvait que le remarquer. Il s'habillait avec une chemise à carreaux boutonnée jusqu'au cou pour cacher le maillot de basket-ball qu'il portait toujours en dessous, dans l'espoir de réaliser un jour son rêve : défaire ses boutons, apparaître en athlète invincible et marquer des paniers sous les vivats des autres élèves. Son sac à dos était lourd des livres qu'il empruntait à la bibliothèque municipale et il ne se séparait jamais de son ballon de basket-ball.

Il ne fallut pas plus d'une semaine à Oak Tree pour que sa vie quotidienne devienne un enfer. Il fut rapidement pris en grippe par la terreur de sa classe, un obèse court sur pattes prénommé Vincent, mais que ses camarades surnommaient Porc.

Il serait difficile de dire qui débuta les hostilités. Car il faut préciser d'emblée que Porc, ne serait-ce que par son sobriquet, était la cible de moqueries de la part des autres enfants. Dans le préau, tous lui criaient en se bouchant le nez : « Si ça pue le caca, c'est parce que Porc est là ! » Porc se jetait sur eux pour les tabasser, mais tous fuyaient comme un troupeau de zébus effrayés dont le membre le plus faible, Hillel, finissait par se faire rattraper et payait pour les autres. En général, Porc se contentait de lui tordre le bras, de peur de se faire surprendre par un enseignant, et lui disait : « À tout à l'heure, Crevette. Fais-toi beau, ça va être ta fête ! » Après les cours, Porc se précipitait sur le terrain de basket à proximité de l'école, où Hillel allait tirer des paniers, et l'y tabassait joyeusement, tandis que tous les élèves de la classe venaient assister au spectacle. Porc l'attrapait au collet, le traînait par terre et le giflait, encouragé par des salves d'applaudissements.

À force de toujours attraper Hillel, Porc se mit à le martyriser systématiquement. Dès son arrivée à l'école, il le harponnait et ne le lâchait plus. Et les autres élèves le considérèrent alors comme un paria. Après seulement trois semaines, Hillel supplia sa mère de ne plus l'envoyer à Oak Tree, mais Tante Anita lui demanda de faire un effort. « Hillel, mon chéri, on ne peut pas te changer sans cesse d'école. Si cela continue ainsi et si tu es incapable de t'adapter à un milieu scolaire, il faudra t'envoyer dans une école spécialisée... » Elle le disait avec beaucoup de tendresse et une pointe de fatalisme. Hillel, qui ne voulait ni faire de peine à sa mère ni surtout finir dans une école spécialisée, dut se résoudre aux raclées quotidiennes d'après les cours.

Je sais que Tante Anita l'emmenait faire les magasins et essayait de s'inspirer des garçons de son âge qu'elle connaissait pour le pousser à s'habiller de façon plus conventionnelle. En le déposant à l'école le matin, elle le suppliait : « Ne te fais pas remarquer, d'accord ? et fais-toi des amis. » Elle ajoutait des brioches à son goûter pour qu'il puisse en donner à ses camarades et se faire aimer. Il lui disait : « Tu sais, Maman, on n'achète pas ses amis avec des brioches. » Elle le regardait avec un air un peu désarmé. À la pause, Porc lui vidait son sac par terre, ramassait les brioches et les lui fourrait toutes de force dans la bouche. Le soir, Tante Anita demandait : « Tes amis ont aimé les brioches ? — Beaucoup, M'an. » Le lendemain, elle en remettait davantage sans savoir qu'elle condamnait son fils à des prouesses d'élasticité buccale. Le spectacle des brioches connut rapidement un triomphe phénoménal : les élèves se réunissaient autour d'Hillel dans la cour de récréation pour voir Porc lui enfoncer la demi-douzaine de petits pains jusqu'au fond de la gorge. Et tous criaient : « Bouffe ! Bouffe ! Bouffe ! Bouffe ! » Le professeur, alerté par le brouhaha, finit par donner un mauvais point à Hillel et nota dans son carnet d'évaluation « *A le sens du spectacle, mais pas celui du partage* ».

Tante Anita fit part de ses inquiétudes au pédiatre qui suivait Hillel.

— Docteur, il dit qu'il n'aime pas l'école. Il dort mal la nuit, il mange peu. Je sens bien qu'il n'est pas heureux.

Le médecin se tourna vers Hillel :

— Est-ce que ce que ta maman dit est vrai, Hillel ?

— Oui, docteur.

— Pourquoi n'aimes-tu pas l'école ?

— Ce n'est pas l'école, c'est plutôt les autres enfants.

Tante Anita soupira :

— C'est toujours pareil, docteur. Il dit que ce sont les autres enfants. Mais nous l'avons déjà changé plusieurs fois d'école...

— Tu as compris que si tu ne fais pas un effort pour t'intégrer, tu iras dans une école spécialisée, Hillel ?

— Pas une *école spéciale*... Je ne veux pas.

— Pourquoi ?

— Je veux aller à l'école normale.

— Alors la balle est dans ton camp, Hillel.

— Je le sais, docteur, je le sais.

Porc le cognait, le volait, l'humiliait. Il lui faisait boire des bouteilles remplies de liquide jaunâtre, lui faisait lamper des flaques d'eau croupie, lui tartinait le visage avec de la boue. Il le soulevait comme s'il était une brindille, le secouait comme des maracas, il lui criait : « T'es qu'une crevette, une merde de chien, une face de con ! » et lorsqu'il était à court de vocabulaire, il lui flanquait des coups de poing dans le ventre qui lui coupaient la respiration. Hillel était d'une maigreur effrayante et Porc le faisait voler en l'air comme un avion en papier, le frappait à coups de cartable, lui cabossait la tête, lui tordait les bras dans tous les sens et lui disait finalement : « J'arrête seulement si tu lèches mes chaussures. » Et pour qu'il cesse, Hillel obéissait. Devant tout le monde, il se mettait à quatre pattes et il léchait les semelles de Porc, qui lui assénait au passage quelques coups de pied au visage. Une moitié des autres élèves riaient et l'autre moitié, dans un mouvement de fièvre populaire, se précipitaient sur lui et le tabassaient à leur tour. Ils lui sautaient dessus, écrasaient ses mains, lui tiraient les cheveux. Tous n'y trouvaient qu'un but : leur propre salut. Tant que Porc serait occupé avec Hillel, il ne s'en prendrait pas à eux.

Le spectacle terminé, tous s'en allaient. « Si tu caftes, on te bute ! » éructait Porc en le gratifiant d'un dernier crachat dans les yeux. « Ouais, on te bute ! » répétait le chœur des suiveurs. Hillel restait par terre, comme un scarabée qu'on aurait mis sur sa carapace, puis, l'agitation dissipée, il se relevait, attrapait son ballon, et pouvait enfin accéder au terrain de basket désert. Il tirait des paniers, jouait des matchs imaginaires, et rentrait chez lui pour l'heure du dîner. Lorsque Tante Anita découvrait sa silhouette déglinguée et ses vêtements déchirés, elle s'écriait épouvantée : « Hillel, mon Dieu, que s'est-il passé ? » Et lui d'un sourire éclatant, masquant sa peine pour ne pas en faire à sa mère, répondait : « Oh rien, on a juste fait un match du tonnerre, M'an. »

À une vingtaine de miles de là, dans les quartiers Est de Baltimore, Woody était le pensionnaire d'un foyer pour enfants difficiles dont le directeur, Artie Crawford, était un ami de longue date d'Oncle Saul et Tante Anita. Ils y étaient des bénévoles actifs : Tante Anita organisait des consultations médicales gratuites, tandis qu'Oncle Saul avait mis sur pied une permanence juridique pour aider les pensionnaires et leurs familles dans leurs démarches administratives et procédures diverses.

Woody avait le même âge que nous, mais il était l'exact opposé d'Hillel : il était physiquement beaucoup plus mûr et développé, et paraissait nettement plus vieux. Loin de la douceur d'Oak Park, les quartiers Est de Baltimore étaient rongés par une criminalité explosive, le trafic de drogue et la violence. Le foyer avait de la peine à assurer la scolarisation des enfants, qui se laissaient dévorer par leurs mauvaises fréquentations et pour qui l'appel de la reconstruction d'une cellule familiale manquante autour d'un gang était grand. Woody était de ceux-là : un enfant bagarreur mais pas mauvais, facilement influençable et sous l'emprise d'un garçon plus âgé que lui, Devon, tatoué, vendeur de drogue occasionnel et qui ne se séparait jamais d'un pistolet rangé dans son caleçon et qu'il aimait exhiber à l'abri d'une ruelle.

Oncle Saul connaissait Woody pour avoir dû intervenir à plusieurs reprises pour lui. C'était un enfant adorable et poli, mais comme il passait son temps à se battre, il finissait régulièrement par se faire ramasser par une patrouille. Oncle Saul l'aimait bien parce qu'il se battait toujours pour une cause noble : une mamie qu'on avait insultée, un ami dans le pétrin, l'un de ses camarades de foyer plus petit qu'on rackettait ou qu'on bousculait, et le voilà qui allait rendre la justice avec ses poings. Chaque fois qu'il avait dû intervenir en sa faveur, Oncle Saul était parvenu à convaincre les policiers de relâcher Woody sans entamer une procédure. Jusqu'au soir où Artie Crawford, le directeur du foyer, lui téléphona relativement tard pour l'informer que Woody avait de nouveau des ennuis et que, cette fois-ci, c'était très grave : il avait frappé un policier.

Oncle Saul se rendit immédiatement au commissariat d'Eastern Avenue, où était détenu Woody. En route, il prit même la peine de déranger l'adjoint du chef de la police, qu'il connaissait bien, pour préparer le terrain : il aurait peut-être besoin d'un coup de main de tout en haut pour empêcher un juge zélé de mettre la main sur le dossier. En arrivant au commissariat, il trouva Woody non pas dans une cellule ou menotté sur un banc, mais confortablement installé dans une salle d'interrogatoire en train de lire une bande dessinée et de boire un chocolat chaud.

— Woody, est-ce que tout va bien ? lui demanda Oncle Saul en entrant dans la pièce.

— Bonsoir, Monsieur Goldman, répondit le garçon. Je regrette que vous vous soyez dérangé pour moi. Tout va bien, les policiers sont drôlement gentils.

Il n'avait même pas dix ans et pourtant il avait la carrure d'un garçon de treize ou quatorze. Les muscles déjà saillants et des hématomes virils sur le visage. Et voilà qu'il avait fait fondre le cœur des flics du quartier, qui lui préparaient de bons petits chocolats chauds.

— C'est comme ça que tu les remercies ? répliqua Oncle Saul, légèrement agacé. En leur donnant des coups de poing dans la gueule ? Woody, enfin, qu'est-ce qui t'a pris ? Frapper un policier ? Tu sais ce que ça coûte ?

— Je ne savais pas que c'était un policier, Monsieur Goldman. Je le jure. Il était en civil.

Woody raconta avoir été mêlé à une bagarre : alors qu'il était en train de dégommer trois types de deux fois son âge, un policier en civil était intervenu pour les séparer et, dans la foulée, il avait reçu un coup de poing qui l'avait envoyé au tapis.

À cet instant, un inspecteur entra dans la pièce ; il avait un énorme œil au beurre noir.

Woody se leva et lui donna une accolade tendre.

— Encore désolé, inspecteur Johns, je vous ai pris pour un sale type.

— Bah, ça peut arriver. N'en parlons plus. Tiens, si tu as besoin d'aide un jour, tu peux toujours me passer un coup de fil.

L'inspecteur lui tendit sa carte.

— Ça veut dire que je peux partir, inspecteur ?

— Oui. Mais la prochaine fois que tu vois une bagarre, tu appelles la police, tu ne vas pas la régler toi-même.

— Promis.

— Tu veux un autre chocolat chaud ? demanda encore l'inspecteur.

— Non, il ne veut pas un autre chocolat chaud, aboya Oncle Saul. Enfin, inspecteur, un peu de dignité : il vous a quand même frappé !

Il emmena Woody hors de la salle et lui fit la morale :

— Woody, tu comprends que tu vas finir par avoir de vrais ennuis. Il n'y aura pas toujours des gentils flics et des gentils avocats pour te sortir de la merde. Tu peux finir en prison, tu comprends ça ?

— Oui, Monsieur Goldman. Je sais bien.

— Alors, pourquoi est-ce que tu continues ?

— Je crois que c'est comme un don. J'ai le don de la bagarre.

— Eh bien, trouve-toi un autre don, s'il te plaît. Et puis, un garçon de ton âge n'a rien à faire dehors la nuit. La nuit, toi, tu devrais dormir.

— J'arrive pas. J'aime pas trop être dans ce foyer. J'avais envie d'aller me promener.

Ils arrivèrent à l'accueil du commissariat, où les attendait Artie Crawford.

Woody remercia encore Oncle Saul :

— Vous êtes mon sauveur, Monsieur Goldman.

— Je n'ai pas été très utile cette fois.

— Mais vous êtes toujours là pour moi.

Woody sortit sept dollars de sa poche et les lui tendit.

— Qu'est-ce que c'est ? demanda Oncle Saul.

— C'est tout mon argent. C'est pour vous payer. Pour vous remercier de me sortir de la merde.

— On ne dit pas *merde*. Et tu n'as pas besoin de me payer.

— Vous avez dit *merde* avant.

— Je n'aurais pas dû. Je regrette.

— M'sieur Crawford dit qu'il faut toujours payer les gens d'une façon ou d'une autre pour les services rendus.

— Woody, tu veux me payer ?

— Oui, Monsieur Goldman. Je voudrais beaucoup.

— Alors, fais en sorte de ne plus te faire arrêter. Ce sera ma plus grande paie, mon plus beau salaire. Te voir dans dix ans, et savoir que tu es dans une bonne université. Voir un beau jeune homme accompli et pas un délinquant qui aura déjà passé la moitié de sa vie dans une prison pour mineurs.

— Je le ferai, Monsieur Goldman. Vous serez fier de moi.

— Et au nom du ciel, cesse de m'appeler Monsieur Goldman. Appelle-moi Saul.

— Oui, Monsieur Goldman.

— Allez, file maintenant et deviens quelqu'un de bien.

Mais Woody était un gamin qui avait le sens de l'honneur. Il voulait absolument remercier mon oncle pour son aide et le lendemain, il se présenta à son cabinet.

— Pourquoi tu n'es pas à l'école ? s'agaça Oncle Saul en le voyant débarquer dans son bureau.

— Je voulais vous voir. Il y a forcément quelque chose que je peux faire pour vous, M'sieur Goldman. Vous avez été si bon avec moi.

— Considère ça comme un coup de pouce de la vie.

— Je pourrais tondre votre pelouse si vous voulez.

— Je n'ai pas besoin que quelqu'un tonde ma pelouse.

Woody insista. Il trouvait son idée de tondre la pelouse formidable.

— Non, mais moi je vous ferai ça de façon impeccable. Vous aurez une pelouse extraordinaire.

— Ma pelouse va très bien. Pourquoi tu n'es pas à l'école ?
— À cause de votre pelouse, Monsieur Goldman. Ça me ferait rudement plaisir de tondre votre pelouse pour vous remercier de votre gentillesse avec moi.
— Ce n'est pas la peine.
— J'aimerais beaucoup, Monsieur Goldman.
— Woodrow, lève la main droite, s'il te plaît, et répète après moi.
— Oui, Monsieur Goldman.
Il leva la main droite et Oncle Saul déclama :
— Moi, Woodrow Marshall Finn, je jure de ne plus me mettre dans la merde.
— Moi, Woodrow Marshall Finn, je jure de ne plus me mettre dans la… Vous avez dit que je devais plus dire *merde*, Monsieur Goldman.
— Très bien. Alors : je jure de ne plus avoir d'ennuis.
— Je jure de ne plus avoir d'ennuis.
— Voilà, tu m'as payé. On est quittes. Maintenant tu peux retourner à l'école. Dépêche-toi.
Woody maugréa, résigné. Il n'avait pas envie de retourner à l'école, il voulait tondre la pelouse d'Oncle Saul. Il se dirigea vers la porte en traînant des pieds et remarqua alors des photos sur un meuble.
— C'est votre famille ? demanda-t-il.
— Oui. Voici ma femme, Anita, et mon fils, Hillel.
Woody prit un cadre et observa les visages sur la photo.
— Ils ont l'air chouettes. Vous avez de la chance.
À ce moment-là, la porte du bureau s'ouvrit et Tante Anita entra précipitamment, trop bouleversée pour le remarquer.
— Saul ! s'écria-t-elle, les yeux rougis par les larmes. Il s'est encore fait tabasser à l'école ! Il dit qu'il ne veut plus y retourner. Je ne sais plus quoi faire.
— Que s'est-il passé ?
— Il dit que tous les autres enfants se moquent de lui. Il dit qu'il ne veut plus jamais aller nulle part.
— Nous l'avons changé d'école en mai, soupira Oncle Saul. Puis encore durant l'été pour le mettre dans celle-ci. On ne peut pas de nouveau le changer. C'est infernal.
— Je sais… Oh, Saul ! je suis désespérée…

5.

À Boca Raton, en ce début mars 2012, mon dîner avec Kevin me rapprocha d'Alexandra.

Les jours qui suivirent, quand je ramenai Duke de ses évasions, elle me permit de rentrer dans la maison, puis elle m'offrit même à boire. C'était en général une bouteille d'eau ou une cannette de soda, avalée debout dans la cuisine, mais c'était déjà ça.

— Merci pour l'autre soir, me dit-elle une fin d'après-midi où nous étions seuls. Je ne sais pas ce que tu as fait à Kevin, mais il t'a beaucoup aimé.

— J'ai été moi-même.

Elle sourit.

— Merci de ne lui avoir rien dit pour nous deux. Je tiens énormément à Kevin, je ne voudrais pas qu'il s'imagine qu'il y a encore des sentiments entre toi et moi.

À ces mots, je ressentis un douloureux pincement au cœur.

— Kevin m'a raconté que tu avais refusé sa demande en mariage.

— Ce ne sont pas tes affaires, Marcus.

— Kevin est très gentil, mais il ne te correspond pas.

Je m'en voulus aussitôt d'avoir parlé ainsi. De quoi est-ce que je me mêlais ? Elle se contenta de hausser les épaules, avant de rétorquer :

— Toi, tu as Lydia.

— Comment sais-tu pour Lydia ? demandai-je.

— Je l'ai lu dans ces magazines stupides.

— Tu me parles d'une histoire vieille de quatre ans. Nous ne sommes plus ensemble depuis longtemps… C'était une passade.

Je voulus changer de sujet et je décidai de montrer à Alexandra la photo que j'avais emportée avec moi.

— Tu te souviens de cette photo ?

Elle eut un sourire nostalgique et caressa l'image du bout des doigts.

— Qui aurait pensé à cette époque que tu deviendrais un écrivain célèbre ? dit-elle.

— Et toi une vedette de la chanson ?

— Je ne le serais pas devenue sans toi…

— Arrête.

Il y eut un silence. Soudain elle m'appela comme elle m'appelait avant : Markie.

— Markie, murmura-t-elle, ça fait huit ans que tu me manques.

— Toi aussi. J'ai suivi toute ta carrière.

— J'ai lu tes romans.

— Tu as aimé ?

— Oui. Beaucoup. Il m'arrive souvent de relire des passages de ton premier roman. J'y retrouve tes cousins. J'y retrouve le Gang des Goldman.

Je souris. Je regardai encore le cliché que je tenais entre mes mains.

— Tu as l'air fasciné par cette photo, me dit-elle.

— Je ne sais pas si elle me fascine ou si elle me hante.

Je rangeai l'image dans ma poche et je repartis.

En passant en voiture le portail de la propriété de Kevin ce jour-là, je ne remarquai pas le van noir garé dans la rue, ni l'homme qui m'observait au volant.

Je m'engageai sur la route, et il me suivit.

*

Baltimore, Maryland.
Novembre 1989.

Depuis qu'il lui en avait fait part, le désir de Woody de tondre la pelouse des Goldman trottait dans la tête d'Oncle Saul. Surtout lorsque Artie vint dîner chez eux et raconta qu'il avait une peine folle à le cadrer.

— Au moins, il aime l'école, dit Artie. Il aime apprendre, et il a la tête bien faite. Mais dès que les cours sont terminés, il fait n'importe quoi, et on ne peut pas avoir un œil sur lui en permanence.

— Et ses parents ? demanda Oncle Saul.

— La mère a disparu du paysage il y a longtemps.

— Une junkie ?

— Même pas. Elle a juste foutu le camp. Elle était jeune. Le père aussi. Il s'est cru capable d'éduquer le môme, mais le jour où il s'est trouvé une copine sérieuse, ça a été le bordel à la maison. Le petit débordait de colère, il voulait cogner tout le monde. L'assistante sociale est intervenue, un juge pour enfants aussi. Il a été placé dans le foyer, soi-disant provisoirement, puis la copine du père s'est fait muter à Salt Lake City et le père en a profité pour la suivre à l'autre bout du pays, l'épouser et lui faire des enfants. Woodrow est resté à Baltimore, il ne veut pas entendre parler de Salt Lake City. Ils se parlent de temps en temps au téléphone. Le père lui écrit un peu. Ce qui m'inquiète pour Woodrow, c'est qu'il est tout le temps avec ce type, Devon, un délinquant à la petite semaine qui fume du crack et fait joujou avec un calibre.

Oncle Saul avait alors songé que si Woody était occupé à tondre des pelouses après l'école, il n'aurait pas le temps de traîner dans la rue. Il en parla à Dennis Bunk, un vieux jardinier qui détenait le quasi-monopole de l'entretien des jardins d'Oak Park.

— J'engage personne, M'sieur Goldman. Surtout pas des petits connards délinquants.

— C'est un garçon très valable.

— C'est un délinquant.

— Vous avez besoin d'aide, vous avez de plus en plus de mal à assumer votre charge de travail.

Oncle Saul disait vrai : Bunk ne s'en sortait plus et il était trop radin pour se payer un employé.

— Qui paiera son salaire ? demanda Bunk sur un ton vaincu.

— Moi, répondit Oncle Saul. 5 dollars de l'heure pour lui et 2 pour vous, pour votre rôle de formateur.

Après une dernière hésitation, Bunk accepta en pointant un doigt menaçant dans la direction d'Oncle Saul.

— Je vous préviens. Si ce petit con casse mon matériel ou me vole, ce sera à vous de payer.

Mais Woody ne fit rien de tout cela. Il fut enchanté de la proposition que lui fit Oncle Saul de travailler pour Bunk.

— Est-ce que je m'occuperai de votre jardin aussi, Monsieur Goldman ?

— Parfois peut-être. Mais il faut surtout aider Monsieur Bunk. Et lui obéir.

— Je vous promets de bien travailler.

Après l'école et le week-end, Woody sautait dans le bus municipal et rejoignait Oak Park. Bunk l'attendait à bord de sa camionnette dans une rue proche de l'arrêt de bus et ils faisaient leur tournée des jardins.

Il s'avéra que Woody était un aide dévoué et appliqué. Quelques semaines passèrent, et l'automne s'installa sur le Maryland. Les arbres centenaires des rues d'Oak Park se couvrirent de rouge et de jaune avant de déverser leur pluie de feuilles mortes sur les allées. Il fallait nettoyer les pelouses, préparer les plantes pour l'hiver et bâcher les piscines.

Pendant ces mêmes semaines, à l'école d'Oak Tree, Porc continuait de tourmenter Hillel. Il lui lançait des pommes de pin et des pierres, l'attachait et le forçait à manger de la terre ainsi que des sandwichs retrouvés dans des ordures. « Mange ! Mange ! Mange ! » chantaient gaiement les autres enfants tandis que Porc lui serrait le nez pour qu'il ouvre la bouche et enfourne. Lorsqu'il trouvait la force de le narguer, Hillel le remerciait chaleureusement : « Merci pour ce bon déjeuner, je n'avais justement pas assez mangé à midi.» Et les coups pleuvaient de plus belle. Porc vidait son cartable par terre, jetait les livres et les cahiers à la poubelle. Durant son temps libre, Hillel avait commencé un cahier de poésie qui termina inévitablement entre les mains de Porc, qui lui en fit manger certaines pages à mesure qu'il lisait à haute voix ses textes, avant de brûler ce qui restait. De l'autodafé, Hillel put sauver une poésie, écrite pour son amour secret, Helena, une mignonne petite blonde qui ne ratait aucun des spectacles de Porc. Il y vit un signe et, prenant son courage à deux mains, offrit son poème à Helena. Celle-ci en fit des photocopies qu'elle afficha dans l'école. Lorsque Madame Chariot, la responsable du journal, tomba dessus, elle félicita la petite Helena pour ses talents de poétesse, lui donna un bon point et publia le texte dans le journal de l'école sous le nom d'Helena.

La liste des séjours d'Hillel chez le médecin s'allongeait de façon inquiétante – notamment pour des infections de la bouche à répétition – et Tante Anita finit par aller trouver le principal Hennings.

— Principal, je crois que mon fils se fait maltraiter dans votre école, lui dit-elle.

— Non, non, personne ne se fait maltraiter à Oak Tree, nous avons des surveillants, des règles, une charte du vivre-ensemble. Nous sommes une école du bonheur.

— Hillel revient tous les jours avec des vêtements déchirés, des cahiers abîmés ou manquants.

— Il doit apprendre à faire attention à ses affaires. Vous savez, s'il néglige ses cahiers, il aura un mauvais point dans son bulletin.

— Principal Hennings, il ne néglige rien. Je crois qu'il est le souffre-douleur de quelqu'un. Je ne sais pas ce qui se passe dans cette école, mais nous payons vingt mille dollars par an pour voir notre fils revenir de l'école avec des bactéries plein la bouche. Il y a un problème, non?

— Se lave-t-il bien les mains?

— Oui, principal, il se lave bien les mains.

— Parce que vous savez, à cet âge-là, les garçons sont souvent des petits cochons...

Tante Anita, agacée, voyant que la conversation tournait en rond, finit par dire :

— Principal Hennings, mon fils a des bleus au visage en permanence. Je ne sais plus ce que je dois faire. Le forcer à s'intégrer ou le mettre dans une institution spécialisée ? Parce que, pour être franche avec vous, il y a des matins où je me demande ce qui va lui arriver quand je l'envoie dans votre école…

Elle éclata en sanglots et comme le principal Hennings ne voulait surtout pas de troubles à Oak Tree, il la consola, lui promit de remédier à la situation et il convoqua Hillel pour essayer de la régler.

— Mon garçon, l'interrogea-t-il, as-tu des soucis au sein de l'école ?

— Disons que je me fais chercher des noises sur le terrain de basket derrière l'école après les cours.

— Ha ! Et comment décrirais-tu cela ? Dirais-tu qu'il s'agit de chahut ?

— Je dirais qu'il s'agit d'agressions.

— Agressions ? Non, non. Il n'y a pas d'agressions à Oak Tree. Il y a peut-être du chahut. Tu sais, c'est normal de faire un peu de chahut quand on est un garçon. Les garçons aiment les bousculades.

Hillel haussa les épaules.

— J'en sais rien, principal Hennings. Tout ce que je voudrais, moi, c'est jouer au basket-ball tranquillement.

Le principal se gratta la tête, scruta cet enfant tout maigre mais plein d'aplomb, et lui suggéra alors :

— Tu pourrais faire partie de l'équipe de basket de l'école, qu'en dis-tu ?

Hennings considérait que le garçon pourrait ainsi jouer au ballon mais sous la protection d'un adulte. L'idée plut à Hillel, et le principal l'emmena aussitôt voir le responsable de l'éducation physique.

— Shawn, demanda le principal Hennings au professeur d'éducation physique, pourrions-nous intégrer ce jeune champion à l'équipe de basket ?

Shawn toisa le minuscule squelette aux yeux suppliants.

— Impossible, répondit-il.

— Et pourquoi ?

Shawn se pencha à l'oreille du principal et lui murmura :

— Frank, on est une équipe de basket, pas un centre pour handicapés.

— Hé, je suis pas handicapé ! s'insurgea Hillel, qui avait entendu.

— Non, mais t'es tout maigre, rétorqua Shawn. Tu seras un handicap pour nous.

— Et si on faisait un essai ? suggéra le principal.

Le professeur de gym se pencha à nouveau vers lui :

— Frank, l'équipe est complète. Et il y a une liste d'attente longue comme le bras. Si on fait une exception pour le petit, ça va faire des histoires avec les parents d'élèves. Et moi, j'ai horreur d'avoir des histoires. Et je vous dis : quand je vais le mettre sur le terrain, on va perdre. Et je dois vous dire aussi que cette année, on n'est déjà pas au top. Nos résultats au basket ne sont en général pas formidables, mais alors là…

Hennings acquiesça et se tourna vers Hillel en inventant des articles du règlement interne pour expliquer de long en large qu'on ne pouvait changer la composition de l'équipe de basket en cours d'année. Une horde d'enfants déboula soudain dans la salle pour un entraînement, et Hillel et le principal s'assirent sur un banc au bas des gradins.

— Alors, qu'est-ce que je dois faire, principal Hennings ? demanda finalement Hillel.

— Tu peux me donner le nom des chahuteurs. Je les convoquerai pour une bonne explication. Et nous pourrons organiser un atelier anti-chahut.

— Non, ce serait pire. Et vous le savez aussi.

— Et pourquoi tu ne les évites pas alors, ces zigotos ? s'agaça Hennings. Tu n'as qu'à pas aller sur le terrain de sport si tu ne veux pas de bousculade, voilà tout.

— Je ne renoncerai pas à aller jouer au basket.

— Être têtu est un vilain défaut, mon garçon.

— Je ne suis pas têtu. Je résiste aux fascistes.

Hennings devint tout blanc.

— Où as-tu entendu ce drôle de mot ? J'espère qu'on ne t'apprend pas des mots pareils en classe ? À l'école d'Oak Tree, on n'apprend pas ce genre de mots.

— Non, je l'ai lu dans un livre.

— Quel livre?

Hillel ouvrit son sac et en sortit un livre d'histoire.

— Mais qu'est-ce que c'est que cette horreur? chevrota Hennings.

— Un livre que j'ai emprunté à la bibliothèque.

— À la bibliothèque de l'école?

— Non, à la bibliothèque municipale.

— Ah ouf! Eh bien, je te prie de ne pas emporter cet affreux livre à l'école et de garder ce genre de réflexion pour toi. Je n'ai pas envie d'avoir des ennuis, moi. Mais je vois que tu sais des tas de choses. Tu devrais utiliser cette force pour te défendre.

— Mais je n'ai pas de force! C'est bien ça le problème.

— Ta force, c'est ton intelligence. Tu es un petit garçon drôlement intelligent… Et dans les fables, l'intelligent gagne toujours à la fin contre le costaud…

La suggestion du principal Hennings ne resta pas sans écho. L'après-midi même, installé dans la salle de rédaction de l'école, Hillel rédigea un texte qu'il transmit ensuite à Madame Chariot, pour publication dans la prochaine édition du journal. Il y racontait l'histoire d'un petit garçon, élève dans une école privée pour riches, qui à chaque récréation se fait attacher à un arbre par ses camarades pour y subir toutes sortes de supplices, et notamment des inventions aussi sournoises que dégoûtantes, qui donnaient au jeune héros des infections buccales terribles. Aucun adulte ne remarque le martyre, et surtout pas le principal de l'école: il est occupé avec le professeur de gymnastique à masser les pieds des parents d'élèves. À la fin de l'histoire, les élèves finissent par mettre le feu à l'arbre et au petit garçon, et se mettent à danser autour du bûcher en chantant une ode de remerciement au corps enseignant qui les laisse si tranquillement tabasser les plus faibles.

À la lecture du texte, Madame Chariot prévint aussitôt le principal Hennings, qui en fit interdire la publication et convoqua Hillel dans son bureau.

— Est-ce que tu te rends compte que ton texte est truffé

de mots qui ne sont pas admis ici ? tonna Hennings. Et je ne parle même pas du fond de cette histoire ridicule et du culot de t'en prendre au corps professoral !

— Ce que vous faites s'appelle de la censure, protesta Hillel, et ça aussi, les fascistes le faisaient, je l'ai lu dans mon livre.

— Arrête avec ces histoires de fascisme, veux-tu ? Ce n'est pas de la censure, mais du bon sens ! Nous avons une charte morale à Oak Tree et tu l'as transgressée !

— Et ma lettre à Helena, publiée dans le précédent numéro ?

— Je te l'ai déjà expliqué, Madame Chariot pensait que c'était un poème écrit par elle.

— Mais dès la publication du journal, je lui ai dit que c'était moi qui étais l'auteur de ce poème !

— Tu as bien fait de l'en informer.

— Mais elle aurait dû annuler la diffusion du journal !

— Et pour quelle raison ?

— Parce que la publication de cette lettre était affreusement humiliante pour moi !

— Allons, Hillel, cesse tes caprices ! Ce poème était très joli, contrairement à ce texte qui n'est qu'un ramassis de grossièretés abominables.

Le principal Hennings envoya ensuite Hillel voir le psychologue de l'école.

— J'ai lu ton texte, dit le psychologue, je l'ai trouvé intéressant.

— Vous êtes bien le seul.

— Le principal Hennings m'a raconté que tu lis des livres sur le fascisme…

— J'en ai emprunté un à la bibliothèque.

— Est-ce que c'est cela qui t'a inspiré ton texte ?

— Non, ce qui m'a inspiré, c'est la nullité de cette école.

— Peut-être que tu ne devrais pas lire ces livres…

— Peut-être que ce sont justement les autres qui devraient lire ces livres.

De leur côté, Oncle Saul et Tante Anita supplièrent leur fils de faire un effort : « Hillel, ça ne fait même pas trois mois que tu es dans cette école. Tu dois vraiment essayer d'apprendre à vivre en harmonie avec les autres.»

Il y eut enfin une grande discussion avec tous les élèves dans l'amphithéâtre sur le thème «Chahut et gros mots». Hennings parla longuement des valeurs morales et éthiques d'Oak Tree et expliqua pourquoi les chahuts pas plus que les gros mots n'étaient admis dans la charte de l'école. Puis les élèves répétèrent un slogan: «Les gros mots, c'est pas beau!», à scander s'ils surprenaient un camarade en flagrant délit de grossièreté. Un débat s'ensuivit, où les élèves purent poser les questions qui les taraudaient.

— Demandez tout ce que vous voulez, déclara Hennings, avant de décocher un clin d'œil narquois à Hillel et d'ajouter: il n'y a pas de censure.

Une forêt de mains s'éleva dans l'auditoire.

— Est-ce du chahut de jouer au ballon dans le préau? demanda un garçon.

— Non, c'est de l'exercice, répondit Hennings. À condition de ne pas envoyer le ballon dans la tête de ses petits copains.

— L'autre jour, j'ai vu une araignée dans la cafétéria et j'ai crié parce que j'ai eu peur, confessa une fille un peu honteuse. Ai-je commis un acte de chahut?

— Non, crier parce qu'on a peur est autorisé. Mais crier pour casser les oreilles de ses camarades est un chahut.

— Mais si quelqu'un crie pour faire du chahut et qu'il fait croire ensuite qu'il a vu une araignée pour ne pas être puni? interrogea un élève inquiet que la loi puisse être contournée.

— Ce serait malhonnête de faire ça. Et c'est pas bien d'être malhonnête.

— Qu'est-ce que ça veut dire *malhonnête*?

— C'est ne pas assumer ses actes. Par exemple, si vous faites semblant d'être malade pour ne pas aller à l'école, c'est être très malhonnête. Une autre question?

Un petit garçon leva la main et Hennings lui donna la parole.

— Est-ce que *sexe* est un gros mot? demanda-t-il.

L'assemblée retint son souffle et Hennings eut un instant d'embarras.

— *Sexe* n'est pas un gros mot... mais c'est un mot, disons... inutile.

Un brouhaha envahit soudain la salle. Si *sexe* n'était pas un gros mot, pouvait-on l'employer sans violer la charte d'Oak Tree ?

Hennings tapa sur son pupitre pour ramener le calme, constatant là un chahut général, ce qui fit immédiatement taire tout le monde.

— *Sexe* est un mot qu'on ne doit pas dire. C'est un mot interdit, voilà.

— Pourquoi est-ce interdit si ce n'est pas un gros mot ?

— Parce que... Parce que c'est mal. Le sexe c'est mal, voilà. C'est comme la drogue : c'est quelque chose d'affreux.

Tante Anita, informée par le principal Hennings du texte écrit par Hillel, se trouva complètement désemparée. Elle en était arrivée au point où elle ne savait plus si Hillel était une victime innocente ou s'il payait le prix de ses provocations : elle avait conscience que son ton pouvait parfois être agaçant, ou perçu comme arrogant. Il comprenait plus vite que les autres enfants, il était toujours en avance sur tout : en classe il s'ennuyait vite, il était impatient. Tout cela énervait les autres enfants. Et si, au fond, Hillel n'était que victime d'un chahut dont il était lui-même le déclencheur, comme le disait Hennings ? Elle disait encore à son mari : « Lorsqu'une personne se met tout le monde à dos, n'est-ce pas parce que cette personne ne se montre pas assez aimable, non ? »

Elle décida de sensibiliser les camarades d'Hillel à la problématique du harcèlement scolaire et de leur expliquer qu'il arrive qu'en voulant trop s'intégrer, on se mette tout le monde à dos. Elle fit le tour des maisons d'Oak Park pour parler aux parents des élèves de l'école, et elle expliqua longuement aux enfants que « parfois on pense juste que le chahut est un jeu et on ne réalise pas qu'on fait beaucoup de mal à son camarade ». C'est à peu près en ces termes qu'elle s'adressa à Monsieur et Madame Reddan, les parents du petit Vincent, alias Porc. Les Reddan habitaient une magnifique maison proche de celle des Goldman-de-Baltimore. Porc écouta attentivement Tante Anita et aussitôt qu'elle eut fini de parler, il se livra à un extraordinaire numéro de sanglots et de larmes : « Pourquoi mon ami Hillel ne m'a-t-il pas dit qu'il se sentait rejeté à l'école, c'est vraiment horrible ! Nous l'aimons tous tellement, je ne comprends pas pourquoi il se sent mis à l'écart. » Tante Anita lui expliqua qu'Hillel était un peu différent, et lui, hoqueta, se moucha et en guise de bouquet final il invita, solennel, Hillel à son anniversaire qui avait lieu le samedi suivant.

À la fête en question, aussitôt que les parents Reddan eurent le dos tourné, Hillel eut le bras tordu, fut forcé d'embrasser et de renifler les fesses du chien de la maison avant de se faire savonner le visage avec le glaçage du gâteau d'anniversaire et d'être jeté tout habillé dans la piscine. Entendant le bruit des éclaboussures et les rires des enfants, Madame Reddan accourut, réprimanda vivement Hillel pour s'être baigné sans permission préalable, puis lorsqu'elle découvrit le saccage du millefeuille et que son fils, en pleurs, lui expliqua qu'Hillel avait voulu manger le gâteau avant même qu'il ait soufflé les bougies et sans partager avec personne, elle téléphona à Tante Anita, lui intimant de venir chercher son garçon sur-le-champ. En arrivant devant le portail des Reddan, Tante Anita trouva la mère qui tenait fermement Hillel par le bras, et à côté d'elle, Porc, en larmes, dans le rôle de sa vie, et qui expliquait, entre deux sanglots, qu'Hillel avait gâché toute la fête. Sur le chemin du retour, Tante Anita lança à son fils un regard désapprobateur. Elle finit par soupirer : « Pourquoi as-tu toujours besoin de te faire remarquer, Hillel ? N'as-tu pas envie de te faire quelques bons copains ? »

Hillel se vengea par la rédaction d'un nouveau texte. Cette fois-ci, pas question de passer par le journal de l'école. Il décida d'éditer et photocopier lui-même l'histoire qu'il avait écrite. Le jour de la parution du journal de l'école, il remplaça les exemplaires officiels dans les présentoirs par le numéro de son cru. En découvrant la supercherie, Madame Chariot se précipita dans le bureau du principal Hennings avec tous les exemplaires du pamphlet qu'elle avait pu récolter. « Frank, Frank ! Regarde ce qu'Hillel Goldman a encore fait ! Il a édité un journal pirate avec un texte affreux ! » Hennings attrapa l'une des copies que Madame Chariot lui tendait, la lut et manqua de s'étouffer. Il convoqua immédiatement Oncle Saul, Tante Anita et Hillel.

Le texte s'intitulait *Petit Porc*. Hillel y racontait l'histoire d'un élève obèse prénommé Porc qui prend un malin plaisir à terroriser ses camarades. Ceux-ci, excédés, finissent par le tuer dans les toilettes de l'école, l'y dépècent et le mettent dans le frigo à viande de la cantine, le mélangeant aux pièces de viande livrées le jour même. L'absence du garçon déclenche des recherches menées par la police. Le lendemain, à l'heure du déjeuner, des policiers viennent à la cafétéria interroger les élèves. « Il faudrait vraiment que l'on retrouve mon petit bichon », gémit la mère de Porc, qui a toutes les caractéristiques de la dernière des imbéciles. Un inspecteur questionne les élèves tour à tour. Ceux-ci déjeunent gaiement d'un rôti de porc. « Vous n'avez pas vu votre camarade ? » demande le policier. « Pas vu, M'sieur », répondent en chœur les élèves, la bouche pleine.

— Monsieur et Madame Goldman, expliqua calmement Hennings à Oncle Saul et Tante Anita, votre fils a de nouveau écrit un texte intolérable. Il s'agit d'une apologie de la violence et il est tout à fait inacceptable d'avoir ce genre de publication au sein d'Oak Tree.

— Liberté d'écrire, liberté d'opinion ! protesta Hillel.

— Ah non, mais ça suffit ! s'agaça Hennings. Cesse de nous comparer à un gouvernement fasciste !

Hennings prit ensuite un air très embêté et expliqua à Oncle Saul et Tante Anita qu'il ne pourrait pas garder Hillel très longtemps au sein de l'école s'il ne faisait pas un effort d'intégration. À la demande de ses parents, Hillel promit de ne plus récidiver en matière de pamphlet. Il fut également convenu qu'il devrait rédiger une lettre d'excuses qui serait affichée dans l'école.

En remplaçant les exemplaires du journal de l'école par sa propre création, Hillel priva les élèves de leur copie habituelle. Pour épargner Hillel, le principal Hennings avait demandé aux enseignants de ne pas en mentionner les raisons exactes. Tous les exemplaires devaient être réimprimés d'ici la fin de la journée. Mais Madame Chariot, de nature fragile et excédée par les plaintes des élèves qui ne comprenaient pas pourquoi le journal n'était pas prêt au jour habituel, finit par perdre ses nerfs et hurla aux protestataires qui prenaient d'assaut la petite salle de rédaction d'ordinaire si tranquille: «À cause d'un certain élève qui se croit supérieur à tout le monde, il n'y aura pas de journal cette semaine! Voilà! Le numéro est tout simplement annulé! Annulé, vous m'entendez? Annulé! Les élèves qui se sont donné de la peine pour écrire des articles ne les verront jamais publiés. Jamais! Jamais! Vous pouvez tous remercier Goldman.» Les élèves, obéissants, remercièrent Hillel à coups de pied et de cahiers. Porc, après l'avoir durement cogné, le mit tout nu devant la ronde de ses camarades. Il lui ordonna: «Baisse ton froc.» Hillel, s'essuyant le nez en sang, tremblant de peur, s'exécuta et tous rirent. «T'as la plus petite queue que j'aie jamais vue», s'enthousiasmait Porc. Et ils s'esclaffèrent de plus belle. Puis il exigea son pantalon et son slip qu'il lança dans les branches hautes d'un arbre. «Rentre chez toi, maintenant. Il faut que tout le monde voie ta minuscule queue!» Ce fut un voisin qui, passant en voiture, avait vu Hillel à moitié nu dans la rue et l'avait ramené chez lui. À sa mère, il expliqua qu'un chien l'avait poursuivi et lui avait pris son pantalon.

— Un chien? Hillel...

— Oui, M'an, je te promets. Il s'accrochait tellement à mon pantalon qu'il a fini par le déchirer et partir avec.

— Et avec ton slip?

— Oui, M'an.

— Hillel chéri, qu'est-ce qui se passe?

— Rien, M'an,

— On t'embête à l'école?

— Non, M'an. Je te jure.

Hillel, profondément humilié, décida qu'il fallait se venger de la vengeance de la vengeance. L'occasion se présenta quelques jours plus tard lorsque Porc fut absent de l'école deux jours, suite à une grosse indigestion. Les élèves préparaient un spectacle pour les parents à l'occasion de Thanksgiving sous la forme de plusieurs tableaux, racontant les actions de grâce offertes par les colons anglais aux Indiens Wampanoag en remerciement de leur aide, et qui continuaient à être célébrées quatre cents ans plus tard par l'octroi de trois jours de liberté pour les braves élèves américains. Cette allusion à l'aspect moderne de la fête devait clore le spectacle sous la forme d'un poème déclamé par un élève. Et comme aucun des enfants présents ne voulait se porter volontaire pour réciter la poésie, ce fut Porc qui fut désigné d'office par le professeur. La poésie était la suivante :

Les bons ingrédients de Maman, par William Sharburgh

C'est Thanksgiving,
La fête des familles.
Une bonne odeur se répand dans la maison.
Maman fait rôtir une belle dinde.

Attirés par les effluves,
Papa, l'enfant et le chien vont tous dans la cuisine.
Maman aux fourneaux s'active,
Tous hument et la félicitent de cette délicieuse odeur.

Papa se réjouit,
L'enfant applaudit.
Le chien se lèche les babines,
Vivement le repas !

L'enfant, gourmand, demande s'il peut goûter.
Maman plonge une cuillère dans la casserole de sauce et l'enfant goûte.
– C'est si bon ! s'exclame-t-il. Qu'y a-t-il dedans ?
– Des ingrédients… répond Maman.
– Quels ingrédients ?
– Mes ingrédients à moi. Tu aimes ?
– C'est si bon ! J'en veux encore ! Je veux tout manger !
– Non, petit gourmand, tu devras attendre le repas.

L'enfant boude et plonge le visage dans la tunique de sa mère.
C'est tout doux. Il sourit.
Il sait qu'un jour sa mère lui livrera

Le secret de ses ingrédients,
Pour qu'il puisse aussi les mettre dans la dinde,
Qu'il fera cuire pour ses enfants.

Par souci de réconciliation, l'enseignante chargea Hillel d'apporter la poésie à Porc et de lui annoncer son rôle dans le spectacle de Thanksgiving. Hillel se rendit chez Porc le jour même. C'est sa mère qui lui ouvrit la porte et le conduisit à la chambre de son fils. Il le trouva dans son lit, en train de lire des bandes dessinées. Après lui avoir expliqué les consignes, il lui donna le texte.

— Montre-moi ! hurla la mère de Porc au comble de l'excitation de savoir que son fils allait apparaître seul sur scène.

— Ne regarde pas ! beugla Porc. Personne ne doit voir ! Ce sera la grande surprise pour le spectacle !

Il se dressa sur son lit et après avoir mis Hillel et sa mère à la porte, il fit de bruyantes vocalises. Il avait toujours eu le sens du spectacle, il allait impressionner tout le monde. Sa mère lui acheta un costume trois pièces pour l'occasion et convoqua toute la famille pour voir son Porc réciter si bien. Son petit garçon était spécial et tout le monde allait enfin s'en rendre compte.

Le jour du spectacle, l'auditorium de l'école était comble. Les Reddan au premier rang, filmant, photographiant, battant des mains à tout rompre. La série de tableaux sur les Wampanoag remporta un vif succès, ceux sur l'approche moderne de Thanksgiving aussi. Puis Porc apparut sur scène, la lumière se braqua sur lui, il prit une ample respiration et récita sa poésie :

Les bons excréments de Maman, par William Sharburgh

C'est Thanksgiving,
La fête des familles.
Une bonne odeur se répand dans la maison.
Maman fait rôtir une belle dinde.

Attirés par les effluves,
Papa, l'enfant et le chien vont tous dans la cuisine.
Maman aux fourneaux s'applique à flatuler,
Tous hument et la félicitent de cette délicieuse odeur.

Papa se réjouit,
L'enfant applaudit.
Le chien se lèche les testicules,
Vivement le repas !
L'enfant, gourmand, demande s'il peut goûter.
Maman plonge une cuillère dans la casserole de sauce et l'enfant goûte.
– C'est si bon ! s'exclame-t-il. Qu'y a-t-il dedans ?
– Des excréments… répond Maman.
– Quels excréments ?
– Mes excréments à moi. Tu aimes ?
– C'est si bon ! J'en veux encore ! Je veux tout manger !
– Non, petit gourmand, tu devras attendre le repas.

L'enfant boude et plonge le visage dans le pubis de sa mère.
C'est tout doux. Il sourit.
Il sait qu'un jour sa mère lui livrera
Le secret de ses excréments.
Pour qu'il puisse aussi les mettre dans la dinde,
Qu'il fera cuire pour ses enfants.

Son poème terminé, Porc effectua une courbette pour saluer le public et récolter la salve d'applaudissements qu'il attendait. Un silence terrifiant envahit la salle. Le public, interdit et muet, dévisageait Porc, qui ne comprenait pas ce qu'il avait fait de faux. Il s'enfuit dans les coulisses et découvrit l'enseignante et le principal Hennings qui le dévisageaient.

— Mais qu'est-ce qui se passe, enfin ? gémit Porc.

— Vincent, sais-tu ce que sont des excréments ? interrogea Hennings.

— J'en sais rien, principal Hennings. Moi j'ai juste appris la poésie qu'on m'a donnée.

Hennings vira au pourpre. Il se tourna vers l'enseignante :

— Mademoiselle, pouvez-vous m'expliquer cela ?

— Je ne comprends pas, Monsieur le principal, j'avais confié à Hillel Goldman le soin de transmettre le texte à Vincent. Il en a certainement changé les mots.

— Et vous n'avez pas jugé bon de répéter le spectacle entre-temps ? hurla Hennings dont on entendait les cris jusque dans la salle.

— Si, bien sûr ! Mais Vincent refusait de réciter devant les autres enfants. Il disait qu'il voulait faire la surprise.

— Pour une surprise, c'est une surprise !

— C'est quoi des excréments ? demanda Porc.

L'enseignante se mit à pleurer.

— C'est vous qui nous dites de laisser faire les élèves comme ils veulent ! gémit-elle.

— Arrêtez de pleurer, voulez-vous, lui dit Hennings en lui tendant un mouchoir. Ça n'arrangera rien. Nous allons convoquer cet enquiquineur d'Hillel !

Mais tandis que le spectacle continuait avec la classe suivante, Porc s'était déjà lancé aux trousses d'Hillel. On les vit quitter l'auditorium par l'issue de secours, traverser la cour de récréation, puis le terrain de basket avant de se diriger vers le quartier d'Oak Park. Il y avait la silhouette malingre d'Hillel qui galopait, juste derrière lui Porc, dans son magnifique complet-cravate, qui chargeait comme un animal fou, et un peu plus en arrière un groupe d'élèves qui suivaient Porc pour assister à la scène.

« Je vais te tuer ! hurlait Porc. Je vais te tuer pour toujours ! »

Hillel courait du plus vite qu'il pouvait mais il entendait les pas de Porc se rapprocher. Il allait bientôt être rattrapé. Il prit la direction de sa maison. Avec un peu de chance, il arriverait à l'atteindre et à s'y réfugier. Mais juste avant d'arriver à la maison des Baltimore, il se prit le pied dans un vélo d'enfant laissé à l'entrée d'une allée et s'écrasa par terre.

6.

Baltimore, le jour du spectacle de Thanksgiving.
Novembre 1989.

Hillel, poursuivi par Porc, venait de se prendre les pieds dans la bicyclette et s'étala sur le trottoir. Il savait qu'il ne pouvait plus échapper aux coups et se roula en boule pour se protéger. Porc lui bondit dessus et commença à lui envoyer une pluie de coups de pied dans le ventre, puis il l'attrapa par les cheveux et voulut le soulever. Une voix soudain se fit entendre.

« Lâche-le ! »

Il se retourna. Derrière lui se tenait un garçon qu'il n'avait jamais vu, dont la capuche du pull relevé sur la tête lui donnait un air menaçant. « Lâche-le », répéta le garçon. Porc repoussa Hillel par terre et se dirigea vers le garçon, fermement décidé à en découdre avec lui. Il n'eut pas le temps de faire trois pas qu'il reçut un coup de poing magistral en plein visage, qui le terrassa. Il roula sur le sol en se tenant le nez et éclata en sanglots.

« Mon nez ! pleurnicha-t-il. Tu m'as pété le nez. » À ce moment, déboulèrent les élèves de l'école qui avaient suivi le début de la poursuite entre Porc et Hillel.

— Venez voir, cria l'un d'eux, il y a Porc qui pleure comme une fille !

— Ça fait drôlement mal ce qu'il m'a fait ! geignit Porc entre deux sanglots.

— T'es qui toi ? demanda l'un des enfants à Woody.

— Je suis le garde du corps d'Hillel. Si vous l'embêtez, je vous collerai à tous des coups de poing dans le nez.

Ils montrèrent leurs paumes en signe de paix.

— Nous on aime tous Hillel, dit un autre, sans descendre de son vélo. On ne lui veut pas d'ennuis. Pas vrai, Hillel? D'ailleurs, si tu veux, on peut pisser sur Porc.

— On ne pisse pas sur les gens, répondit Hillel toujours au sol.

Woody releva Porc et le pria de dégager: «Allez, tire-toi maintenant, gros patapouf, et va te mettre de la glace sur le nez.» Porc disparut sans demander son reste, toujours en sanglots, puis Woody releva Hillel à son tour.

— Merci, vieux, lui dit Hillel. Tu… Tu m'as vraiment sauvé la mise.

— Avec plaisir. Je m'appelle Woody.

— Comment tu sais qui je suis?

— Y a ta tronche en photo partout dans le bureau de ton père.

— Tu connais mon père?

— Il m'a sorti deux ou trois fois de la merde…

— On ne dit pas *merde*.

Woody sourit.

— Tu es bien le fils de Monsieur Goldman.

— Et comment tu connais mon prénom?

— J'ai entendu tes parents parler dans le bureau de ton père l'autre jour.

— Mes parents? Tu connais mes parents?

— Comme je te disais, je connais ton père. Grâce à lui, je travaille pour le jardinier Bunk. J'étais occupé à nettoyer des pelouses quand je t'ai vu arriver poursuivi par ce gros garçon. Et comme je sais aussi que tout le monde t'embête parce que, quand j'étais dans le bureau de ton père l'autre jour, j'ai vu ta mère arriver – qui est vachement belle d'ailleurs – et…

— Berk, t'es deg'! Parle pas de ma mère comme ça!

— Ouais, bon bref, ta mère est venue dans le bureau de ton père et elle disait qu'elle était inquiète parce que tout le monde veut te casser la tête à l'école. Alors, du coup, j'étais content que tu te fasses cogner par ce gros lard, comme ça j'ai pu te défendre, histoire de remercier ton père de m'avoir défendu.

— Je comprends rien à ton histoire. Mon père t'a défendu de quoi ?

— J'ai eu des ennuis dans des bagarres et il m'a aidé à chaque fois.

— Des bagarres ?

— Ouais, je me bagarre tout le temps.

— Tu pourrais m'apprendre à me battre, suggéra Hillel. Combien de temps il faudrait pour que je sois aussi fort que toi ?

Woody eut une moue.

— Ben, tu m'as l'air assez nul pour la bagarre. Donc je dirais que ça va probablement te prendre toute la vie. Mais je pourrais t'accompagner à l'école. Comme ça, personne n'oserait plus t'embêter.

— Tu ferais ça ?

— Bien sûr.

À partir du jour où il rencontra Woody, Hillel n'eut plus jamais d'ennuis à l'école. Tous les matins, en sortant de chez lui, il retrouvait Woody à l'arrêt du bus scolaire. Ils montaient à bord tous les deux et Woody l'escortait jusque dans les couloirs de l'école, se fondant dans la foule des autres élèves. Porc gardait ses distances. Il ne voulait pas avoir d'histoires avec Woody.

À la sortie des cours, Woody était là de nouveau. Ils allaient tous les deux sur le terrain de basket et ils faisaient quelques parties endiablées, puis Woody raccompagnait Hillel chez lui.

— Faut que je me dépêche, Bunk me croit en train de tailler des plantes chez tes voisins. S'il me voit avec toi, je suis mort.

— Comment ça se fait que t'es tout le temps ici ? demandait Hillel. T'as pas école ?

— Si, mais je finis plus tôt. J'ai le temps de venir ici.

— Tu vis où ?

— Dans un foyer des quartiers Est.

— T'as pas de parents ?

— Ma mère avait plus le temps de s'occuper de moi.
— Et ton père?
— Il habite en Utah. Il a une nouvelle femme. Il est très occupé.
En arrivant à proximité de la maison des Goldman, Woody saluait Hillel et disparaissait. Hillel lui offrait toujours de rester dîner.
— Je peux pas, répondait systématiquement Woody.
— Pourquoi?
— Je dois aller travailler avec Bunk.
— T'as qu'à venir quand t'auras fini et dîner avec nous, insistait Hillel.
— Non. Ça me gêne.
— Qu'est-ce qui te gêne?
— Tes parents. Je veux dire, pas tes parents à toi. Juste les adultes.
— Mes parents sont plutôt cool.
— Je le sais bien.
— Wood', pourquoi tu me protèges?
— Je te protège pas. C'est juste que j'aime bien être avec toi.
— Moi, je crois que tu me protèges.
— Alors toi, tu me protèges aussi.
— Je te protège de quoi? Je suis tout minus.
— Tu me protèges d'être tout seul.
Et ce qui devait être le remboursement d'une dette de Woody envers Oncle Saul se transforma en une amitié indéfectible entre Woody et Hillel. Il venait tous les jours jusqu'à Oak Park. Les jours de semaine, il remplissait son rôle de garde du corps. Le samedi, c'est Hillel qui l'accompagnait dans sa journée de travail avec Bunk, et le dimanche, ils allaient ensemble passer la journée au square ou sur le terrain de basket. Woody se postait dès l'aube sur le trottoir, dans le froid et l'obscurité, et attendait Hillel. « Pourquoi tu rentres pas prendre un chocolat chaud? insistait Hillel. Tu vas geler dehors. » Mais Woody refusait systématiquement.

Un samedi matin, lorsque Woody arriva dans l'obscurité devant le portail des Goldman-de-Baltimore, il trouva Oncle Saul qui buvait son café. Il lui fit un signe de la tête.

— Woodrow Finn… Ça alors ! C'est donc toi qui rends mon fils si heureux…

— J'ai rien fait de mal, Monsieur Goldman. Je vous le promets.

Oncle Saul sourit.

— Je le sais bien. Allez, viens à l'intérieur.

— Je préfère rester dehors.

— Tu ne peux pas rester dehors, il fait glacial. Allez, viens.

Woody le suivit timidement dans la maison.

— T'as pris ton petit déjeuner ? demanda Oncle Saul.

— Non, M'sieur Goldman.

— Pourquoi ? Il faut manger le matin. C'est important. Surtout si tu jardines ensuite.

— Je sais.

— Comment ça va au foyer ?

— Ça va.

Oncle Saul le fit asseoir au comptoir de la cuisine et lui prépara un chocolat chaud et des pancakes. Le reste de la maison dormait encore.

— Tu sais que grâce à toi Hillel a retrouvé le sourire ? demanda Oncle Saul.

Woody haussa les épaules à nouveau.

— J'en sais rien, M'sieur Goldman.

Oncle Saul lui sourit.

— Merci, Woody.

Woody haussa les épaules encore.

— C'est rien.

— Comment je peux te remercier ?

— Rien. Rien, M'sieur Goldman. Au début j'étais venu vous voir à cause du service que je vous devais… Et puis je suis tombé sur Hillel et on est devenus amis.

— Eh bien, considère que tu es mon ami désormais. Et si tu as besoin de quoi que ce soit, tu viens me demander. Et d'ailleurs, je voudrais que tu viennes prendre le petit déjeuner tous les week-ends. Je ne veux pas que tu ailles jouer au basket-ball le ventre vide.

S'il finit par accepter de rentrer dans la maison les samedis et dimanches matin, Woody refusait catégoriquement de rester dîner le soir. Il fallut que Tante Anita déploie des trésors de patience pour l'apprivoiser. Elle attendit d'abord devant la maison qu'ils rentrent du terrain de basket. Elle saluait Woody, qui souvent rougissait en la voyant et s'enfuyait comme un animal sauvage. Hillel s'énervait: «Maman, pourquoi tu fais ça! Tu vois bien que tu lui fais peur!» Elle éclatait de rire. Puis elle attendit ensuite avec des biscuits et du lait et, avant que Woody n'ait le temps de fuir, elle lui proposait de venir picorer, tout en restant dehors. Elle profita d'un jour de pluie pour le convaincre de rentrer à l'intérieur. Elle l'appelait «le fameux Woody». Il rougissait terriblement, il devenait pourpre et balbutiait. Il la trouvait très belle. Une après-midi, elle lui dit:

— Dis-moi, le fameux Woody: tu voudrais rester dîner ce soir?

— Je peux pas, je dois encore aller aider Monsieur Bunk à planter des bulbes.

— Tu n'as qu'à venir ensuite.

— Il vaudrait mieux que je rentre au foyer ensuite. Ils vont s'inquiéter si je ne rentre pas et j'aurai des ennuis.

— Je peux appeler Artie Crawford et lui demander la permission, si tu veux. Ensuite je te ramènerai au foyer.

Woody accepta que Tante Anita téléphone et il reçut la permission de rester dîner. Après le repas, il dit à Hillel:

— Tes parents sont vraiment gentils.

— Je te l'avais dit. Ils sont très relax, tu peux venir ici autant que tu veux.

— J'ai trouvé génial comme ta mère a appelé Crawford pour lui dire que je restais dîner chez vous. Personne ne m'a jamais fait me sentir comme ça.

— Te faire sentir comment?

— Important.

Woody trouva dans les Goldman-de-Baltimore la famille qu'il n'avait jamais eue et gagna bientôt une place à part entière auprès d'eux. Le matin des week-ends, il arrivait de bonne heure. Oncle Saul le faisait entrer et il s'installait à la table du petit déjeuner, rapidement rejoint par Hillel. Ils partaient ensuite tous les deux aider Dennis Bunk. Le soir, Woody restait régulièrement pour dîner. Il insistait pour se rendre utile: il voulait absolument aider à préparer le repas, à dresser la table, à desservir, à faire la vaisselle, à sortir les poubelles. Un matin qu'il l'observait s'affairer à ranger la cuisine, Hillel lui dit :

— C'est le matin. Relax. T'es pas obligé de faire tout ça.

— Je veux faire, je veux faire. Je veux pas que tes parents croivent que je profite.

— *Croient*, pas *croivent*. Tiens, viens t'asseoir, finis tes céréales et lis le journal. Lis-le, sinon tu sauras jamais rien.

Hillel le forçait à s'intéresser à tout. Il lui parlait des livres qu'il lisait, des documentaires qu'il avait vus à la télévision. Le week-end, par tous les temps, ils hantaient le terrain de basket. Ils formaient un duo du tonnerre. À eux deux, ils affrontaient sans trembler les équipes de la NBA. Des légendaires Chicago Bulls, ils ne faisaient qu'une bouchée.

Tante Anita m'expliqua un jour qu'elle avait réalisé que Woody avait réellement intégré la famille la fois où, ayant emmené Hillel faire des courses au supermarché, elle le vit choisir un paquet de céréales aux marshmallows. « Je croyais que tu n'aimais pas les marshmallows », dit-elle. Et Hillel de répondre avec la tendresse d'un frère : « Moi, j'aime pas ça, mais elles sont pour Woody. Ce sont ses préférées. »

La présence de Woody chez les Baltimore s'imposa bientôt comme une évidence. Avec l'accord d'Artie Crawford, il fut désormais des soirées pizza du mardi, des films du samedi, des sorties à l'aquarium où Hillel n'allait jamais assez, et des excursions à Washington où ils visitèrent même la Maison Blanche.

Les soirs où il avait dîné chez les Goldman, Woody insistait pour rentrer en bus jusqu'au foyer. Il avait peur qu'à trop s'occuper de lui, les Goldman se lassent et le chassent. Mais Tante Anita lui interdisait de rentrer seul. C'était dangereux. Elle le raccompagnait en voiture, et en le déposant devant le bâtiment austère elle demandait :

— T'es sûr que ça va ?

— Vous inquiétez pas, M'dame Goldman.

— Si, je m'inquiète un peu.

— Faut pas vous déranger pour moi, M'dame Goldman. Vous êtes déjà tellement gentille avec moi.

Un vendredi soir, en s'arrêtant devant l'immeuble décrépit, elle eut le cœur noué. Elle dit:

— Woody, peut-être que tu devrais dormir chez nous ce soir.

— Faut pas vous déranger pour moi, M'dame Goldman.

— Tu ne déranges personne, Woody. La maison est assez grande pour tout le monde.

Ce fut la première fois qu'il dormit chez les Goldman.

Un dimanche matin, alors qu'il arrivait très tôt devant la maison et qu'une pluie terrible s'abattait sur Baltimore, Oncle Saul le découvrit trempé et frigorifié. Il fut décidé que Woody aurait une clé de la maison. À partir de ce jour, il arriva plus tôt encore, mettait la table, préparait des toasts, du jus d'orange et du café. Oncle Saul était le premier à descendre. Ils s'installaient côte à côte et prenaient le petit déjeuner ensemble, partageant le journal. Arrivait ensuite Tante Anita, qui le saluait en lui ébouriffant les cheveux et, si Hillel tardait trop à se lever, Woody montait dans sa chambre le réveiller.

Un lundi matin de janvier 1990, en allant prendre le bus, Hillel trouva Woody en pleurs, caché dans les taillis.

— Woody, qu'est-ce qui se passe?

— Au foyer, ils ne veulent plus que je vienne ici.

— Pourquoi?

Woody baissa la tête.

— Ça fait quelque temps que je vais plus à l'école.

— Quoi? Mais pourquoi?

— Je me sentais mieux ici. Je voulais être avec toi, Hill'! Artie est furieux. Il a téléphoné à ton père. Il m'a dit que le travail avec Bunk, c'était terminé.

— Et il t'a quand même laissé venir ici?

— Je me suis enfui! Je ne veux pas y retourner! Je veux rester avec toi!

— Personne ne va nous empêcher de nous voir, Wood'. Je vais trouver une solution!

La solution fut d'installer Woody le jour même dans le pavillon de la piscine des Baltimore. Il y serait tranquille jusqu'à l'été, personne n'y venait jamais. Hillel lui donna des couvertures, de la nourriture et un talkie-walkie pour communiquer.

Ce soir-là, Artie Crawford passa chez les Baltimore leur annoncer la disparition de Woody.

— Comment ça, *disparu* ? demanda Tante Anita.

— Il n'est pas revenu au foyer. Nous avons découvert qu'il n'allait plus en classe depuis des semaines.

Oncle Saul se tourna vers Hillel :

— As-tu vu Woody aujourd'hui ? demanda-t-il.

— Non, P'a.

— Tu es sûr ?

— Oui, P'a.

— Tu as une idée de l'endroit où il pourrait être ? l'interrogea Artie.

— Non, je voudrais bien pouvoir vous aider.

— Hillel, je sais que Woody et toi êtes très liés. Si tu sais quelque chose, tu dois me le dire, c'est très important.

— Il y a bien quelque chose… Il a parlé d'aller en Utah, retrouver son père. Il voulait prendre le bus jusqu'à Salt Lake City.

Cette nuit, ils se parlèrent au moyen de leur talkie-walkie. Hillel chuchotait, caché sous ses couvertures, pour être certain que ses parents ne puissent pas l'entendre :

— Woody ? Tout va bien ? À toi.

— Tout va bien, Hill. À toi.

— Crawford est venu ce soir à la maison. À toi.

— Il voulait quoi ? À toi.

— Il te cherchait. À toi.

— Tu lui as dit quoi ? À toi.

— Que tu étais en Utah. À toi.

— Bien joué. Merci. À toi.

— De rien, mon pote.

Durant les trois jours qui suivirent, Woody resta caché dans le pavillon. Le matin du quatrième jour, il en sortit à l'aube et se cacha dans la rue pour attendre Hillel et l'accompagner à l'école.

— T'es fou, lui dit Hillel. Si quelqu'un te voit, t'es cuit !

— J'étouffe dans le pavillon. J'ai besoin de me dégourdir

les jambes. Et si Porc ne me voit plus à l'école, j'ai peur qu'il s'en prenne à toi.

Woody accompagna Hillel jusque dans la cour de l'école, où il se mêlait à la foule des autres élèves. Mais ce matin-là, le principal Hennings remarqua ce garçon qu'il n'avait encore jamais vu et dont il sut immédiatement qu'il n'était pas un élève de l'école. Il songea au signalement qu'on lui avait donné et prévint la police. Dans la minute qui suivit, une patrouille arriva aux abords de l'école. Woody la remarqua aussitôt et voulut s'enfuir mais il se cogna contre Hennings.

— Excusez-moi, jeune homme, qui êtes-vous ? demanda Hennings d'un ton sévère en posant une main ferme sur son épaule pour le retenir.

— Cours, Woody ! s'écria Hillel. Sauve-toi !

Woody se dégagea de la main de Hennings et prit ses jambes à son cou. Mais déjà les policiers l'avaient rattrapé et le maîtrisaient. Hillel courut vers eux, en criant : « Laissez-le ! Laissez-le ! Vous n'avez pas le droit ! » Il voulut repousser les policiers mais Hennings s'interposa et le retint. Hillel éclata en sanglots. « Laissez-le ! hurla-t-il aux policiers qui emmenaient Woody. Il n'a rien fait ! Il n'a rien fait ! »

Tous les élèves dans la cour de récréation regardèrent, médusés, Woody être embarqué dans la voiture de police avant que Hennings et les enseignants ne les dispersent en les sommant de regagner leurs classes.

Hillel passa la matinée à pleurer à l'infirmerie. À l'heure du déjeuner, Hennings vint le trouver.

— Allons, mon garçon, va en classe maintenant.

— Pourquoi vous avez fait ça ?

— Le directeur du foyer de Woody m'avait averti que je le verrais probablement ici. Ton ami a fait une fugue, tu comprends ce que cela signifie ? C'est quelque chose de grave.

Le cœur lourd, Hillel retourna en classe pour les cours de l'après-midi. Porc l'y attendait impatiemment. « L'heure de la vengeance a sonné, Crevette, lui dit-il. Maintenant que ton petit copain Woody n'est plus là, je vais pouvoir m'occuper de toi dès que les cours seront terminés. J'ai une belle merde de chien qui t'attend. Tu as déjà mangé de la merde de chien ? Non ? Ce sera ton dessert. Tu vas la manger jusqu'au dernier morceau. Miam, miam ! »

Au moment où sonna la cloche annonçant la fin de la journée, Hillel s'enfuit de la classe avec Porc à ses trousses. « Attrapez la Crevette ! hurla Porc. Attrapez-le, on va lui faire sa fête. » Hillel galopa à travers les couloirs puis, au moment de sortir du côté du terrain de basket, il profita de sa petite taille pour se faufiler à contre-courant à travers une nuée d'enfants qui descendaient les escaliers depuis leurs salles de classe. Il remonta au premier étage puis traversa les couloirs déserts jusqu'à un local de conciergerie. Il s'y terra longuement, retenant sa respiration. Le sang battait ses tempes, le bruit de son cœur résonnait dans ses oreilles. Lorsqu'il osa sortir, il faisait nuit. Les couloirs étaient éteints et déserts. Il se déplaça sur la pointe des pieds, cherchant la sortie, et reconnut bientôt le couloir qui menait à la salle de rédaction du journal. En passant devant, il remarqua que la porte était entrebâillée et il perçut de drôles de bruits. Il s'immobilisa et écouta. Il distingua la voix de Madame Chariot. Puis il entendit le son d'une claque suivi d'un gémissement. Il regarda par l'entrebâillement de la porte mal fermée et vit le principal Hennings, assis sur une chaise. Avec, étendue sur lui et lui présentant ses fesses, Madame Chariot, la jupe et la culotte baissées. D'une main ferme, il la fessait amoureusement et à chaque coup, elle gémissait délicieusement.

— Salope ! déclara-t-il à l'intention de Madame Chariot.

— Oui, je suis une grosse salope dégoûtante, répéta-t-elle.

— Salope ! confirma-t-il.

— J'ai été une très vilaine élève, Monsieur le principal, avoua-t-elle.

— Tu as été une vilaine petite salope ? interrogea encore Hennings.

Hillel, qui ne comprenait rien de la scène qui se déroulait sous ses yeux, poussa brusquement le battant de la porte et s'écria :

— Les gros mots, c'est pas beau !

Madame Chariot se dressa d'un bond et poussa un hurlement strident.

— Hillel? bégaya Hennings tandis que Madame Chariot relevait sa jupe avant de s'enfuir.

— Qu'est-ce que vous fabriquez? demanda Hillel.

— On faisait un jeu, répondit Hennings.

— Ça ressemble surtout à un chahut, constata Hillel.

— Nous… Nous faisions de l'exercice. Et toi, qu'est-ce que tu fais là?

— Je me cachais parce que les autres enfants veulent me taper et me faire avaler du caca de chien, expliqua Hillel au principal qui ne l'écoutait plus et cherchait Madame Chariot dans le couloir.

— C'est très bien, dit Hennings. Adeline? Adeline, tu es là?

— Est-ce que je peux rester caché? demanda Hillel. J'ai vraiment peur de ce que Porc va me faire.

— Oui, c'est très bien, mon garçon. As-tu vu Madame Chariot?

— Elle est partie.

— Partie où?

— Je sais pas, vers là-bas.

— Bon, occupe-toi un instant, je reviens tout de suite.

Hennings longea le couloir en appelant: «Adeline? Adeline, où es-tu?» Il trouva Madame Chariot recroquevillée dans un coin.

— Ne t'inquiète pas, Adeline, lui dit-il, le petit n'a rien vu.

— Il a tout vu! hurla-t-elle.

— Non, non. Je t'assure.

— Vraiment? demanda-t-elle, la voix tremblante.

— Certain. Tout va bien, tu n'as aucune inquiétude à avoir. Et puis, ce n'est pas le genre à faire des histoires. Ne t'en fais pas, je vais lui parler.

Mais de retour à la salle de rédaction du journal, Hennings ne put que constater qu'Hillel n'y était plus. Il le retrouva une heure plus tard, chez lui, lorsque Hillel sonna à la porte de sa maison.

— Bonjour, Monsieur le principal.

— Hillel? Mais qu'est-ce que tu fais ici?

— Je crois que j'ai quelque chose qui vous appartient, dit Hillel en sortant de son sac une culotte de femme.

Hennings ouvrit des yeux comme des billes et battit l'air de ses mains.

— Range-moi cette saleté ! ordonna-t-il. Je ne sais pas de quoi tu parles !

— Je pense que c'est à Madame Chariot. Vous lui avez baissé la culotte pour la battre et elle a oublié de la remettre. C'est étrange parce que, si moi j'oubliais de mettre ma culotte, je sentirais les courants d'air sur le zizi. Mais peut-être que les femmes, comme elles ont le zizi à l'intérieur, elles ne sentent pas les courants d'air.

— Tais-toi et fiche le camp ! siffla Hennings.

On entendit depuis le salon la voix de la femme de Monsieur Hennings demander qui avait sonné.

— Rien, chérie, répondit Hennings d'une voix de miel. Un élève en difficulté.

— Peut-être qu'on devrait demander à votre femme si c'est sa culotte ? suggéra Hillel.

D'un geste maladroit, Hennings essaya d'attraper la culotte mais comme il n'y parvint pas, il cria à l'attention de sa femme :

— Chérie, je vais faire trois pas dehors !

Il sortit sur le trottoir en pantoufles et entraîna Hillel avec lui.

— T'es pas fou de venir ici ?

— J'ai vu qu'il y avait un kiosque qui vend des glaces là-bas, dit Hillel.

— Je ne vais pas t'acheter une glace. C'est l'heure de dîner. Et puis, comment tu es venu ici ?

— Je me demande si Madame Chariot aime mettre de la glace sur ses fesses toutes rouges ? continua Hillel.

— Viens, nous allons t'acheter une glace.

Chacun un cornet de glace en main, ils déambulèrent dans le quartier.

— Pourquoi vous avez donné une fessée à cette pauvre Madame Chariot ? demanda Hillel.

— C'était un jeu.

— À l'école, on nous a parlé de la maltraitance. C'était de la maltraitance ? Ils nous ont donné un numéro de téléphone.

— Non, mon garçon. C'était quelque chose que nous voulions tous les deux.

— Jouer à la fessée ?

— Oui. Ce sont des fessées spéciales. Elles ne font pas mal. Elles font du bien.

— Ah ! Mon copain Luis il a reçu une fessée de son père et il a dit que ça faisait drôlement mal.

— Là, c'est différent. Ce sont des fessées que se donnent les adultes. Ils en parlent avant, pour être sûrs que tout le monde est d'accord.

— Ah, fit Hillel. Alors quoi, vous avez dit à Madame Chariot : « Dis donc, Madame Chariot, ça vous dérange pas si je vous baisse vot' culotte pour vous donner une fessée » et elle a répondu : « Pas du tout. »

— En quelque sorte.

— Ça me semble bizarre.

— Tu sais, mon garçon, les adultes sont des gens bizarres.

— Je le sais.

— Non, je veux dire : plus bizarres que tu peux imaginer.

— Vous aussi ?

— Moi aussi.

— Vous savez, je sais de quoi vous parlez. Des amis de mes parents ont dû faire un divorce. Ils sont venus un soir tous les deux dîner à la maison, et une semaine après, la femme est venue dormir chez nous. Elle n'arrêtait pas de parler de son mari avec des mots interdits. Il faisait des choses avec la nounou des enfants.

— Les hommes font ça parfois.

— Pourquoi ?

— Pour des tas de raisons. Pour se sentir mieux, pour se sentir plus fort. Pour se sentir plus jeune. Pour assouvir des pulsions.

— C'est quoi une pulsion ?

— C'est quelque chose qui sort de nous sans qu'on sache bien pourquoi. Notre tête ne peut plus réfléchir et notre corps fait n'importe quoi, et après on regrette.

— L'autre jour, j'ai retrouvé un paquet de bonbons derrière mon lit. C'étaient mes bonbons préférés, mais Maman m'a dit de pas y toucher parce qu'on allait bientôt dîner, mais j'ai pas pu m'empêcher de les manger parce que c'étaient mes bonbons préférés, mais après j'ai regretté parce que je me sentais ballonné et j'avais pas faim pour le dîner que maman avait préparé. C'était une pulsion, ça?

— Si on veut.

— Et vous, pourquoi vous faites le jeu de la fessée avec Madame Chariot? Vous n'aimez plus votre femme, comme les amis de mes parents?

— Au contraire, j'aime ma femme. Je l'aime énormément.

— Mais alors, c'est à elle qu'il faut donner des fessées d'amour!

— Elle ne veut pas. Tu sais, parfois les hommes ont des besoins. Ils doivent les assouvir. Mais ça ne veut pas dire qu'ils n'aiment pas leur femme. M'enfermer dans la salle de rédaction avec Madame Chariot, c'est un moyen de rester avec ma femme. Et j'aime ma femme. Je ne voudrais pas qu'elle soit triste. Elle serait triste si elle apprenait ça. Tu comprends? Je suis certain que tu comprends.

— Oui, moi, je comprends. Mais vous êtes le supérieur de Madame Chariot et ça va faire des tas d'histoires, c'est sûr. Et puis je suis sûr que les parents seront déçus que les chaises sur lesquelles leurs enfants s'assoient dans la salle de rédaction soient utilisées pour y mettre une enseignante cul nu et...

— Bon! le coupa Hennings. J'ai compris! Qu'est-ce que tu veux?

— Je voudrais une place gratuite à l'école pour mon copain Woody.

— Tu es fou! Tu crois que j'ai 20 000 dollars à sortir de mon chapeau?

— Vous gérez le budget. Je suis sûr que vous saurez vous débrouiller. Il n'y a qu'à rajouter une chaise au fond de la classe. C'est pas très compliqué. Et puis, comme ça, vous pourrez continuer d'aimer votre femme en donnant des fessées à Madame Chariot.

Le lendemain matin, le principal Hennings contactait Artie Crawford pour lui dire que l'Association des parents d'élèves de l'école d'Oak Tree était très heureuse d'octroyer une bourse à Woody. Après discussion avec mon oncle et ma tante, ceux-ci proposèrent, au plus grand bonheur d'Hillel, que Woody s'installe chez eux pour vivre à proximité de l'école. Le soir de l'intégration de Woody à Oak Tree, le principal Hennings écrivit dans son journal de bord : *Décision prise aujourd'hui d'octroi d'une bourse exceptionnelle à un drôle de gamin, Woodrow Finn. Le petit Hillel Goldman semble émerveillé par lui. Nous verrons bien si la venue de ce nouvel élève lui permet de révéler son potentiel, comme je l'espère depuis longtemps.*

C'est ainsi que Woody entra dans la vie des Goldman-de-Baltimore et qu'il s'installa dans l'une des chambres d'amis, réaménagée pour qu'il s'y sente bien. Oncle Saul et Tante Anita ne virent pas Hillel plus heureux que pendant les années qui suivirent. Woody et lui allaient à l'école ensemble, ils en revenaient ensemble. Ils déjeunaient ensemble, ils se faisaient coller ensemble, ils faisaient leurs devoirs ensemble et, sur les terrains de sport, malgré leur différence de gabarit, il fallait qu'ils soient dans la même équipe. Ce fut le début d'une période de tranquillité et de bonheur absolu.

Woody intégra l'équipe de basket-ball de l'école, qu'il mena à la conquête du championnat pour la première fois de son histoire. Hillel, lui, développa le journal de l'école, de manière spectaculaire : il ajouta une partie consacrée au suivi de l'équipe de basket-ball et mit les exemplaires en vente les soirs de match. L'argent récolté alimentait le tout nouveau « Fonds de l'Association des parents d'élèves pour les bourses d'études ». Il s'attira les honneurs de ses professeurs, le respect de ses camarades et, dans ses notes personnelles, Hennings écrivit à propos d'Hillel : *Élève sensationnel, doté d'une intelligence exceptionnelle. Est un apport indéniable pour l'école. A réussi à fédérer ses camarades autour du projet de journal et a organisé la venue du maire dans l'école pour une conférence sur la politique. Un seul mot : stupéfiant.*

Bientôt, le terrain derrière l'école ne leur suffit plus. Il leur fallait plus grand, il leur fallait un endroit à la hauteur de leurs ambitions. Après les cours, ils allèrent rêvasser dans la salle de sport du lycée de Roosevelt High, près de l'école. Ils arrivaient avant l'entraînement de l'équipe de basket, se faufilaient jusqu'au parquet et, fermant les yeux, s'imaginaient le Forum de Los Angeles, le Madison Square Garden, et la foule en délire qui scandait leurs noms. Hillel grimpait sur les gradins, Woody allait se placer au bout de la salle. Hillel feignait d'avoir un micro en main : « À deux secondes de la fin du match, les Bulls sont menés de deux points. Mais si leur ailier Woodrow Finn marque ce panier, ils remportent les playoffs ! » Woody, dans un instant de grâce, les yeux mi-clos, les muscles bandés, tirait. Son corps s'élançait dans les airs, ses bras se détendaient, le ballon fendait la salle dans un silence absolu et venait atterrir dans le panier. Hillel poussait un hurlement de joie : « Viiiiiiiiiiiiiictoire des Chicago Bulls par ce panier décisif de l'incroyaaaaaable Woodrow Finn ! » Ils se jetaient dans les bras l'un de l'autre, faisaient un tour d'honneur et s'enfuyaient ensuite, craignant d'être surpris.

Il arrivait que Woody vienne trouver Tante Anita et lui demande, en chuchotant :

— Madame Goldman, je… je voudrais bien essayer de téléphoner à mon père. Je voudrais lui donner des nouvelles.

— Bien entendu, trésor. Utilise le téléphone autant que tu veux.

— M'dame Goldman, c'est que… je voudrais pas qu'Hillel sache. Je veux pas trop parler de ça avec lui.

— Monte dans notre chambre. Le téléphone est à côté du lit. Appelle ton père quand tu veux et autant que tu veux. Tu n'as pas besoin de demander, trésor. Monte, je m'occupe de distraire Hillel.

Woody se glissa discrètement jusqu'à la chambre d'Oncle Saul et Tante Anita. Il attrapa le téléphone et s'assit sur la moquette. Il sortit un morceau de papier de sa poche, sur lequel était inscrit le numéro et le composa. Personne ne décrocha. Le répondeur téléphonique s'enclencha et il laissa un message : « *Salut P'a, c'est Woody. Je te laisse un message parce que… Je voulais te dire : je vis chez les Goldman maintenant, ils sont drôlement gentils avec moi. Je joue au basket dans l'équipe de ma nouvelle école. Je réessayerai de t'appeler demain.* »

*

Quelques mois plus tard, à l'approche des vacances de Noël 1990, lorsque Oncle Saul et Tante Anita proposèrent à Woody de les accompagner en vacances à Miami, sa première réaction fut de refuser. Il considérait que les Goldman étaient déjà suffisamment généreux avec lui et qu'un tel voyage représentait beaucoup d'argent.

«Viens avec nous, on va se marrer, insistait Hillel. Tu vas faire quoi? Passer les vacances au foyer?» Mais Woody ne cédait pas. Un soir, Tante Anita vint le trouver dans sa chambre. Elle s'assit sur le bord de son lit.

— Woody, pourquoi tu veux pas venir en Floride?

— Je ne veux pas. C'est tout.

— Ça nous ferait tellement plaisir de t'avoir avec nous.

Il éclata en sanglots, elle le prit contre elle et le serra fort.

— Woody chéri, que se passe-t-il?

Elle passa sa main dans ses cheveux.

— C'est que... personne ne s'est jamais occupé de moi comme vous le faites. Personne ne m'a jamais emmené en Floride.

— Nous le faisons avec beaucoup de plaisir, Woody. Tu es un garçon sensationnel, nous t'aimons beaucoup.

— M'dame Goldman, j'ai volé... Oh, je suis tellement désolé, je ne mérite pas de vivre avec vous.

— Qu'est-ce que tu as volé?

— L'autre jour, quand je suis monté dans votre chambre, il y avait cette photo de vous sur un meuble...

Il se leva de son lit en ravalant ses larmes, ouvrit son sac et en sortit une photo de la famille. Il la tendit à Tante Anita.

— Pardon, sanglota-t-il. Je ne voulais pas voler, mais je voulais avoir une photo de vous. J'ai peur qu'un jour vous me laissiez.

Elle lui caressa les cheveux.

— Personne ne va te laisser, Woody. D'ailleurs, tu as bien fait de me parler de la photo: il manque quelqu'un dessus.

Le week-end suivant, les Goldman-de-Baltimore, désormais au nombre de quatre, firent des photos de famille au centre commercial.

De retour à la maison, Woody téléphona à son père. Il tomba de nouveau sur le répondeur et laissa un autre message : « *Salut, P'a, c'est Woody. Je vais t'envoyer une photo, tu vas voir, elle est sensas ! Il y a moi avec les Goldman. On part tous en Floride à la fin de la semaine. J'essayerai de t'appeler de là-bas.* »

Je me souviens bien de cet hiver 1990 en Floride, au cours duquel Woody entra dans ma vie pour ne plus jamais en ressortir. La connivence entre nous trois fut immédiate. De ce jour commença l'aventure savoureuse du Gang des Goldman. Je crois que c'est à partir de la rencontre avec Woody que je me mis à vraiment aimer la Floride, qui, jusque-là, m'avait paru un peu ennuyeuse. Je fus moi aussi, comme l'avait été Hillel, subjugué par ce garçon costaud et charmeur.

À la fin de leur première année scolaire ensemble à Oak Tree, à la veille de la photo du *yearbook*, Hillel apporta un paquet à Woody.

— Pour moi ?

— Oui. C'est pour demain.

Woody défit le paquet : c'était un t-shirt jaune portant l'inscription *Amis pour la vie*.

— Merci, Hill' !

— Je l'ai trouvé au centre commercial. J'ai pris le même pour moi. Comme ça, on aura le même t-shirt sur la photo. Enfin, si tu veux… J'espère que tu trouves pas ça trop débile.

— Non, pas débile du tout !

Le hasard de l'alphabet voulut que Woodrow Marshall Finn apparaisse à côté d'Hillel Goldman. Et sur la photo du *yearbook* 1990-1991 de l'école d'Oak Tree, où ils apparaissent tous les deux côte à côte pour la première fois, de Woody ou d'Hillel, on ne saurait dire lequel était le plus Goldman des deux.

7.

Jusqu'à ma rencontre avec Duke en 2012, je n'avais jamais pris conscience de la fulgurance des liens qui pouvaient unir un chien et un homme. À force de le côtoyer, je finis inévitablement par m'attacher à lui. Qui n'aurait pas succombé à son charme malicieux, à la tendresse de sa tête qui se pose sur vos genoux pour réclamer une caresse, ou à son regard suppliant chaque fois que vous ouvrez votre frigo ?

J'avais constaté que plus mes liens avec Duke se resserraient, plus la situation semblait s'apaiser avec Alexandra. Elle avait baissé un peu la garde. Il lui arrivait de m'appeler Markie, comme avant. Je retrouvais sa tendresse, sa douceur, ses éclats de rire à mes blagues stupides. Les instants volés avec elle me remplissaient d'une joie que je n'avais plus ressentie depuis longtemps. Je réalisai que je n'avais toujours voulu qu'elle, et les moments où je lui ramenais Duke à la maison de Kevin étaient les plus heureux de mes journées. Je ne sais pas si c'était mon imagination débordante qui me jouait des tours, mais j'avais l'impression qu'elle s'arrangeait pour que nous soyons un peu seuls. Si Kevin faisait de l'exercice sur la terrasse, elle m'emmenait à la cuisine. S'il était à la cuisine en train de se préparer des boissons protéinées ou de faire mariner ses steaks, elle m'emmenait sur la terrasse. Il y avait des gestes, des effleurements, des regards, des sourires qui faisaient s'accélérer mon cœur. J'avais l'impression, un court instant, d'être à nouveau en osmose avec elle. Et lorsque je remontais dans ma voiture j'étais tout bouleversé. J'avais terriblement envie de l'inviter à dîner dehors. De passer une soirée entière juste tous les deux, sans son joueur de hockey qui continuait de me gratifier du récit détaillé de ses séances de physiothérapie. Mais je n'osai pas en prendre l'initiative, je ne voulais pas tout gâcher.

Par crainte de tout compromettre, il m'arriva à une seule reprise de renvoyer Duke chez lui. C'était un matin où je m'étais réveillé avec une conscience coupable, et j'avais eu le pressentiment que je finirais par me faire démasquer. Quand Duke avait jappé à six heures précises, je lui avais ouvert, il m'avait offert une sublime démonstration de joie et je m'étais accroupi près de lui. «Tu ne peux pas rester, lui avais-je dit en lui caressant la tête. J'ai peur d'éveiller les soupçons. Il faut que tu rentres chez toi.»

Il avait fait sa tête de chien triste et s'était couché sous le porche, les oreilles basses. Je m'étais efforcé de m'en tenir à ma décision. J'avais fermé la porte et je m'étais assis derrière. Aussi malheureux que lui.

J'avais à peine travaillé ce jour-là. Il me manquait la présence de Duke. J'avais besoin de lui, j'avais besoin qu'il soit en train de mâchonner ses jouets en plastique ou de ronfler sur mon canapé.

Le soir, quand Leo était venu chez moi pour jouer aux échecs, il avait immédiatement constaté ma mine effroyable.

— Quelqu'un est mort? me demanda-t-il lorsque je lui ouvris la porte.

— Je n'ai pas vu Duke aujourd'hui.

— Il n'est pas venu?

— Si, mais j'ai dû le renvoyer chez lui. La peur d'être pris.

Il me dévisagea d'un air curieux.

— Vous ne seriez pas un peu malade mental sur les bords?

Le lendemain, quand Duke jappa à six heures, je lui avais préparé de la viande de première qualité. Comme je devais passer au bureau de poste, je l'emmenai avec moi. Je ne résistai pas ensuite à l'envie d'aller nous promener en ville: je le conduisis chez un toiletteur et l'emmenai manger une glace à la pistache dans un petit établissement artisanal que j'affectionnais. Nous étions installés sur la terrasse et je lui tenais son cône en biscuit qu'il léchait avec passion lorsque j'entendis une voix d'homme qui m'interpellait :

— Marcus ?

Je me tournai, terrifié de savoir qui m'avait pris en flagrant délit. C'était Leo.

— Leo, bon sang, vous m'avez fait peur !

— Marcus, mais vous êtes complètement timbré ! Qu'est-ce que vous faites ?

— Nous mangeons une glace.

— Vous vous promenez en ville avec le chien, au vu et au su de tous ! Vous voulez qu'Alexandra découvre le pot aux roses ?

Leo avait raison. Et je le savais. Peut-être que c'était ce que je voulais au fond : qu'Alexandra découvre tout. Qu'il se passe quelque chose. Je voulais davantage que nos moments volés. Je réalisais que je voulais que tout redevienne comme avant. Mais huit ans avaient passé et elle avait refait sa vie.

Leo me somma de ramener Duke à Alexandra avant qu'il ne me prenne l'envie de l'emmener au cinéma ou de faire je-ne-sais-quelle-imbécillité. Je lui obéis. À mon retour, je le trouvai devant sa maison, occupé à écrire. Je pense qu'il s'était installé là pour me guetter. J'allai le trouver.

— Alors ? lui demandai-je en désignant de la tête son cahier toujours vierge. Comment avance votre roman ?

— Pas mal. Je me dis que je pourrais écrire l'histoire d'un vieux type qui voit son jeune voisin aimer une femme à travers un chien.

Je soupirai et je m'assis sur la chaise à côté de la sienne.

— Je ne sais pas ce que je dois faire, Leo.

— Faites comme avec le chien. Faites-vous choisir. Le problème des gens qui achètent un chien, c'est qu'ils ne réalisent souvent pas qu'on ne choisit pas un chien, mais bien l'inverse : c'est lui qui décide de ses affinités. C'est le chien qui vous adopte, feignant d'obéir à toutes vos règles pour ne pas vous peiner. S'il n'y a pas de connivence, c'est foutu. J'en veux pour preuve cette histoire épouvantable mais véridique survenue dans l'État de Géorgie, où une mère célibataire, très grande paumée devant l'Éternel, avait acheté un teckel vairon, baptisé Whisky, pour animer un peu son quotidien et celui de ses deux enfants. Mais pour son malheur, Whisky ne lui correspondait pas du tout, et la cohabitation devint intenable. Faute de réussir à s'en débarrasser, la femme décida d'employer les grands moyens : elle le fit s'asseoir devant sa maison, l'aspergea d'essence et lui mit le feu. Le clébard en flammes, hurlant à la mort, s'élança dans une course endiablée et finit par entrer dans la maison, dans laquelle les deux enfants étaient avachis devant la télévision. La baraque brûla intégralement, Whisky et les deux enfants avec, et les pompiers n'en retrouvèrent que des cendres. Vous comprenez maintenant pourquoi il faut laisser le chien vous choisir.

— J'ai peur de n'avoir rien compris à votre histoire, Leo.

— Vous devez vous y prendre de la même façon avec Alexandra.

— Vous voulez que je la brûle vive ?

— Non, imbécile. Cessez de jouer les amoureux transis : faites-vous choisir par elle.

Je haussai les épaules.

— De toute façon, je crois qu'elle va bientôt rentrer à Los Angeles. Il était question qu'elle reste le temps de la convalescence de Kevin, et il est quasiment remis sur pied.

— Alors quoi, vous allez vous laisser faire ? Arrangez-vous pour qu'elle reste ! Et puis, allez-vous me raconter à la fin ce qui s'est passé entre vous deux ? Vous ne m'avez toujours pas parlé de votre rencontre.

Je me levai.

— La prochaine fois, Leo. Promis.

Le lendemain matin, mon copain Duke se fit repérer pendant son évasion. Il jappa comme d'habitude devant ma porte à six heures du matin, mais en ouvrant la porte, je découvris derrière lui Alexandra, mi-amusée, mi-incrédule, vêtue de ce qui semblait être son pyjama.

— Il y a un trou dans le fond du jardin, me dit-elle. Je l'ai vu ce matin. Il passe sous la haie et il vient directement ici ! Tu peux y croire ?

Elle éclata de rire. Elle était toujours aussi belle, même en pyjama et sans maquillage.

— Tu veux entrer boire un café ? lui proposai-je.

— Je veux bien.

Je réalisai soudain que les affaires de Duke étaient éparpillées dans mon salon.

— Attends une seconde, je dois mettre un pantalon.

— Tu portes déjà un pantalon, me fit-elle remarquer.

Je ne répondis rien et lui refermai simplement la porte au nez en la priant d'avoir un instant de patience. Je me précipitai à travers la maison et ramassai tous les jouets de Duke, les gamelles, la couverture et les jetai en vrac dans ma chambre.

Je retournai aussitôt ouvrir la porte d'entrée, et Alexandra me lança un regard amusé. En refermant la porte derrière elle, je ne remarquai pas l'homme qui nous observait depuis sa voiture et prenait des photos.

8.

Baltimore.
1992-1993.

Selon un calendrier immuable, tous les quatre ans, Thanksgiving est précédé par une élection présidentielle. En 1992, le Gang des Goldman participa de façon active à la campagne de Bill Clinton.

Oncle Saul était un démocrate convaincu, ce qui avait généré des tensions régulières lors de nos vacances d'hiver en Floride, durant le Nouvel an 1992. Ma mère affirmait que Grand-père avait toujours voté républicain, mais que depuis que le Grand Saul votait libéral, Grand-père faisait de même. Quoi qu'il en fût, Oncle Saul fit notre première éducation citoyenne en nous faisant rallier la cause de Bill Clinton. Nous allions sur nos douze ans et l'épopée du Gang des Goldman battait son plein. Je ne vivais que pour eux, que pour ces moments ensemble. Et la seule idée de faire campagne avec eux – peu importait pour qui – m'emplissait de joie.

Woody et Hillel n'avaient jamais cessé de travailler pour Bunk. Non seulement ils en tiraient du plaisir, mais ils arrondissaient leur argent de poche. Ils travaillaient vite et bien, et certains habitants d'Oak Park, agacés par la lenteur de Bunk, les contactaient même directement pour effectuer des travaux de jardin. Dans ces cas-là, ils retranchaient 20 % de leurs gains, qu'ils reversaient à Bunk sans que celui-ci ne s'en rende compte, en déposant l'argent dans la poche de sa veste ou dans la boîte à gants de sa camionnette. Lorsque je venais à Baltimore, j'avais un plaisir fou à les aider, surtout s'ils travaillaient pour leurs propres clients. Ils s'étaient créé une petite clientèle fidèle, et portaient un t-shirt qu'ils avaient fait fabriquer dans une mercerie avec, cousu au niveau du cœur, l'inscription *Goldman Jardiniers, depuis 1980*. Ils m'en avaient fabriqué un également, et je ne me suis jamais senti aussi fier qu'en déambulant dans Oak Park avec mes deux cousins, tous trois vêtus de nos uniformes magnifiques.

J'étais très admiratif de leur esprit d'entreprise et très fier de gagner un peu d'argent à la sueur de mon front. C'était une ambition que j'avais depuis que j'avais découvert les talents de *self-made-man* de l'un de mes amis d'école à Montclair, Steven Adam. Steven était un garçon très gentil avec moi : il m'invitait souvent chez lui pour passer l'après-midi et me proposait de rester dîner ensuite. Mais une fois à table, il lui arrivait de piquer des colères terribles. À la moindre contrariété, il se mettait à insulter sa mère de façon terrifiante. Il suffisait que la nourriture ne soit pas à son goût, et soudain il tapait du poing, envoyait valdinguer son assiette et hurlait : « J'en veux pas de ton jus de poubelle, c'est dégueulasse ! » Le père se levait aussitôt : la première fois que j'en fus témoin, je pensais que c'était pour donner une magistrale paire de gifles à son fils, mais à ma grande surprise, le père alla attraper une tirelire en plastique sur une commode. C'était depuis toujours le même cirque. Le père se mettait à courir derrière Steven en piaillant : « La tirelire à gros mots ! Trois gros mots, soixante-quinze cents !
— Dans ton cul, ta tirelire de mes deux ! répondait Steven en courant à travers le salon et en brandissant son doigt du milieu. — Tirelire à gros mots ! Tirelire à gros mots ! » ordonnait le père d'une voix tremblante.

Steven disait à son père : « Tais-toi, rat crevé ! Fils du Diable ! » Et le père, trottant toujours avec sa tirelire qu'on aurait crue trop lourde pour ses bras maigres : « Tirelire à gros mots ! Tirelire à gros mots ! » Comme dans les fables, la fin était toujours la même. Le père, lassé, cessait sa danse grotesque. Pour garder la face, il disait d'un ton sophiste :

« Bon, je vais t'avancer l'argent, mais je le retiendrai sur ton argent de poche ! » Il sortait de sa poche un billet de 5 dollars qu'il glissait dans les fesses du cochon avant de se rasseoir à table, penaud. Steven revenait alors à sa place, sans être grondé, avalait le dessert en rotant, puis s'enfuyait de nouveau en s'emparant de la tirelire au passage et s'enfermait dans sa chambre pour cacher le butin pendant que sa mère me ramenait chez moi et que je lui disais : « Merci beaucoup, Madame Adam, pour ce délicieux repas. »

Steven avait le sens des affaires. Non content d'encaisser l'argent que produisaient ses propres gros mots, il gagnait chichement sa vie en cachant les clés de voiture de son père, qu'il ne rendait que contre rançon. Le matin, lorsque son père s'en rendait compte, il venait supplier derrière la porte de sa chambre : « Steven, s'il te plaît, rends-moi les clés... Je vais être en retard au travail. Tu sais ce qui se passera pour moi si je suis encore en retard, je vais être renvoyé. C'est mon patron qui me l'a dit. » La mère arrivait à la rescousse et cognait contre la porte comme une furie.

— Ouvre, Steven ! Nom de Dieu, ouvre immédiatement, tu entends ? Tu veux que ton père perde son travail et qu'on vive dans la rue ?

— Je m'en fous ! C'est 20 balles si vous voulez vos clés pourries !

— D'accord, pleurnichait le père, d'accord.

— Glisse le fric sous la porte ! ordonnait Steven.

Le père s'exécutait, puis la porte s'ouvrait brusquement et il recevait ses clés en plein visage.

— Merci, gros lard ! hurlait Steven avant de claquer la porte.

Chaque semaine, à l'école, Steven nous montrait des liasses de billets toujours plus volumineuses, avec lesquels il nous offrait généreusement des tournées de glaces. Comme dans les effets de mode, le pionnier est souvent imité et rarement égalé : je sais que mon copain Lewis s'aventura à essayer de gagner de l'argent en insultant son père, mais il reçut pour tout salaire une paire de claques à lui faire tourner la tête et n'essaya plus jamais. J'étais donc fier de rentrer à Montclair riche des dollars gagnés à travailler comme jardinier, qui me permettaient, à moi aussi, de payer des tournées de glaces, et d'impressionner mes camarades.

Bunk était toujours réticent à me verser un salaire. En me voyant arriver, il bougonnait d'emblée qu'il ne me paierait pas, qu'Hillel et Woody lui coûtaient déjà assez cher, mais mes cousins partageaient toujours leurs gains de la journée avec moi. Même s'il ne faisait que râler, nous aimions Bunk. Il nous appelait ses «petits sacs à merde», et nous l'appelions Skunk[1], à cause de son odeur. C'était un homme d'une vulgarité rare et, à chaque fois que nous écorchions son nom, il éructait des monceaux d'injures pour notre plus grand plaisir: «Je m'appelle *Bunk*! *Bunk*! C'est pas compliqué, non? Bande de petits tas de merde! *Bunk* avec un *B*! Comme Bordel! Ou Botter le cul!»

En février 1992, malgré son échec aux primaires du New Hampshire, Bill Clinton restait un candidat sérieux à l'investiture démocrate. Nous nous procurâmes des autocollants de soutien que nous collâmes sur les boîtes aux lettres et les pare-chocs des clients de Bunk ainsi que sur sa camionnette. Ce printemps-là, l'Amérique s'embrasa d'émeutes après l'acquittement de six policiers accusés d'avoir sauvagement battu un citoyen noir au terme d'une course-poursuite; les images du passage à tabac filmé par un badaud avaient secoué le pays. Ainsi débuta ce que le monde entier connut sous le nom de l'affaire Rodney King.

— J'ai rien compris, dit Woody, la bouche pleine. Ça veut dire quoi, *récuser*?

— Woody chéri, avale avant de parler, le réprimanda gentiment Tante Anita.

Hillel se lança dans une explication.

— Le procureur dit que le jury n'est pas neutre et qu'il faut le remplacer. En totalité ou en partie. C'est ça que ça veut dire, *récuser*.

— Mais pourquoi? demanda Woody, qui s'était empressé de déglutir pour ne rien manquer de la conversation.

— Parce qu'ils sont noirs. Et Rodney King est noir aussi.

[1] *Skunk* est le nom donné aux putois en Amérique du Nord.

Le procureur a dit qu'avec un jury composé de Noirs, le verdict ne serait pas neutre. Donc il a demandé que les jurés soient récusés.

— Oui, mais si on fait le même raisonnement, du coup, un jury composé de Blancs sera du côté des flics !

— Exactement ! C'est bien le problème. Le jury blanc a acquitté des policiers blancs d'avoir tabassé un type noir. C'est pour ça qu'il y a ces émeutes.

La table des Goldman-de-Baltimore était animée d'une seule conversation : l'affaire King. Hillel et Woody suivaient les événements avec passion. L'affaire éveilla en Woody sa curiosité pour la chose politique et quelques mois plus tard, à l'automne 1992, c'est tout naturellement qu'Hillel et lui passèrent leurs week-ends à faire campagne pour l'élection de Bill Clinton, rejoignant le stand de l'antenne démocrate locale sur le parking du supermarché d'Oak Park. Ils étaient de loin les deux plus jeunes militants du groupe et un jour, repérés par une équipe de la télévision locale, ils furent même tous les deux interrogés dans le cadre d'un reportage.

— Pourquoi tu votes démocrate, petit ? demanda le journaliste à Woody.

— Parce que mon copain Hillel dit que c'est bien.

Le journaliste, un peu embarrassé, se tourna alors vers Hillel et l'interrogea à son tour.

— Et toi, mon garçon, tu penses que Clinton va gagner ?

Il écouta alors, médusé, la réponse de ce garçon de douze ans :

— Il faut voir les choses de façon claire. C'est une élection difficile. George Bush a connu beaucoup de victoires durant son mandat, et il y a quelques mois encore je l'aurais donné gagnant. Mais aujourd'hui le pays est en récession, le chômage est très élevé et les récentes émeutes suite à l'affaire Rodney King n'ont rien arrangé pour lui.

Cette période électorale coïncida avec l'arrivée d'un nouvel élève dans la classe de Woody et Hillel : Scott Neville, un garçon atteint de mucoviscidose et à la morphologie encore plus chétive qu'Hillel.

Le principal Hennings était venu expliquer aux enfants ce qu'était la mucoviscidose. Ils n'en retinrent que le fait que Scott éprouvait de grandes difficultés respiratoires, ce qui lui valut d'hériter du sobriquet de « Demi-poumon ».

Scott, qui avait de la peine à courir et donc à s'enfuir, devint la nouvelle victime désignée de Porc. Mais cela ne dura que quelques jours car, aussitôt que Woody s'en rendit compte, il menaça Porc de coups de poing dans le nez, ce qui le persuada de cesser immédiatement.

Woody veilla sur Scott comme il avait veillé sur Hillel, et les trois garçons se découvrirent rapidement de fortes affinités.

J'entendis très vite parler de Scott, et je dois avouer que je fus quelque peu jaloux de voir que mes cousins formaient un trio avec quelqu'un d'autre que moi : Scott fut des sorties à l'aquarium, il allait avec eux au square, et le soir des élections, tandis que je m'ennuyais à Montclair, Hillel et Woody, accompagnés d'Oncle Saul, de Scott et de son père, Patrick, allèrent suivre les élections dans le quartier général démocrate de Baltimore. Ils sautèrent de joie au moment de la proclamation des résultats, puis ils allèrent célébrer la victoire dans les rues. À minuit, ils s'arrêtent au *Dairy Shack* d'Oak Park, où ils commandèrent chacun un énorme milk-shake à la banane. En ce soir du 3 novembre 1992, mes cousins de Baltimore avaient fait élire le nouveau Président. Moi, j'avais rangé ma chambre.

Cette nuit-là, il était plus de deux heures du matin lorsqu'ils finirent par se coucher. Hillel tomba comme une pierre sur son lit, mais Woody ne parvint pas à s'endormir. Il écouta autour de lui : tout semblait indiquer qu'Oncle Saul et Tante Anita dormaient à présent. Il ouvrit doucement la porte de la chambre, et se faufila discrètement jusque dans le bureau d'Oncle Saul. Il s'empara du téléphone et composa le numéro qu'il connaissait par cœur. Il était trois heures de moins dans l'Utah. À sa plus grande joie, on répondit.

— Allô ?

— Salut, P'a, c'est Woody !

— Oh, Woody... Woody comment ?

— Ben... Woody Finn.

— Oh, Woody ! Bon sang, 'scuse fiston ! Tu sais, avec le son du téléphone, je t'ai pas reconnu. Comment ça va, fils ?

— Ça va bien. Super-bien ! P'a, ça fait si longtemps qu'on s'est pas parlé ! Pourquoi tu réponds jamais ? T'as eu mes messages sur le répondeur ?

— Fiston, quand t'appelles, c'est le milieu de l'après-midi pour nous, il n'y a personne à la maison. On bosse, tu sais. Et puis j'essaie bien de rappeler des fois, mais au foyer on me dit que t'es jamais là.

— C'est parce que je vis chez les Goldman, maintenant. Tu sais bien...

— Bien sûr, les Goldman... Héhé, alors dis-moi, champion, comment tu vas ?

— Oh, P'a, on a participé à la campagne pour Clinton, c'était trop génial. Et ce soir on a fêté la victoire avec Hillel et son père. Hillel, il dit que c'est un peu grâce à nous. Tu sais pas combien de week-ends on a passé sur le parking du centre commercial à distribuer des autocollants aux gens.

— Bah, fit le père avec une voix peu enjouée, perds pas ton temps avec ces conneries, fiston. Les politicards, c'est tous des pourris !

— T'es fier de moi, quand même, P'a ?

— Bien sûr ! Bien sûr, fiston ! J'suis très fier.

— Non, parce que tu disais que la politique c'était du pourri...

— Non, si t'aimes ça, c'est bien.

— Qu'est-ce que t'aimes, toi, P'a ? On pourrait aimer quéqu' chose ensemble ?

— J'aime le football, fils ! J'aime les Cowboys de Dallas ! Ça, c'est une équipe ! Tu suis un peu le football, mon garçon ?

— Pas vraiment. Mais je vais le faire maintenant ! Et dis, tu viendras me rendre visite ici, P'a ? Je pourrais te présenter les Goldman. Ils sont drôlement chouettes.

— Volontiers, fils. Je vais venir bientôt, je te le promets.

Après avoir raccroché, Woody resta longtemps immobile sur le fauteuil d'Oncle Saul, le combiné dans la main.

Du jour au lendemain, Woody n'éprouva plus aucun intérêt pour le basket. Il ne voulait plus jouer et ni Jordan, ni les Bulls ne le passionnaient plus. Il ne jurait désormais que par les Cow-Boys de Dallas. Il continuait de jouer avec l'équipe de basket-ball de l'école, mais il n'y mettait plus de cœur. Il lançait négligemment le ballon dans les airs, qui finissait dans le panier de toute façon. Lorsqu'un samedi matin il déclara à Hillel qu'il ne voulait pas aller jouer au basket-ball et qu'il n'y jouerait probablement jamais plus, Hillel s'énerva. Ce fut leur première véritable dispute.

— C'est quoi cette obsession tout d'un coup ? s'agaça Hillel, qui n'y comprenait rien. On aime le basket, non ?

— Qu'est-ce que ça peut te faire ? J'aime le football, c'est tout.

— Et pourquoi Dallas ? Pourquoi pas les Redskins de Washington ?

— Parce que je fais ce que je veux.

— T'es bizarre ! Ça fait une semaine que t'es bizarre !

— Et toi, ça fait une semaine que t'es con !

— Ben, t'énerve pas ! Je trouve juste que le football c'est nul, voilà tout. Moi, je préfère le basket.

— T'as qu'à jouer tout seul, pauvre nul, si t'aimes pas le football !

Woody s'enfuit en courant, et malgré les appels d'Hillel il ne se retourna pas et disparut. Hillel attendit un moment, espérant qu'il reviendrait. Et comme il ne revint pas, il se mit à sa recherche. Sur le terrain de sport, au *Dairy Shack*, au square, le long des rues qu'ils hantaient ensemble habituellement. Il se dépêcha d'aller prévenir ses parents.

— Comment ça, vous vous êtes disputés ? demanda Tante Anita.

— Il est devenu obsédé de foot, M'an. Je lui ai demandé pourquoi et il s'est énervé.

— Ça arrive, mon cœur. Ne t'inquiète pas. Les amis se disputent parfois. Il ne doit pas être allé très loin.

— Oui, mais là, il était vraiment très fâché.

Comme Woody ne rentrait pas à la maison, ils firent le tour du quartier en voiture. En vain. Oncle Saul rentra de son cabinet et écuma Oak Park également, mais Woody restait introuvable. Tante Anita prévint Artie Crawford de la situation. À l'heure du dîner, toujours sans nouvelles de Woody, Artie activa son contact au sein de la police de Baltimore pour lancer un avis de recherche.

Oncle Saul passa une partie de la soirée dehors à la recherche de Woody. À son retour, aux environs de minuit, ils étaient toujours sans nouvelles. Tante Anita envoya Hillel se coucher. En le bordant, elle s'efforça de le rassurer : « Je suis certaine qu'il va bien. Demain, tout sera oublié. »

Oncle Saul veilla encore une partie de la nuit. Il s'endormit sur le canapé et fut réveillé par le téléphone vers trois heures du matin. « Monsieur Saul Goldman ? C'est la police de Baltimore. C'est à propos de votre fils, Woodrow. »

Une demi-heure après l'appel de la police, Oncle Saul était à l'hôpital où Woody avait été conduit.

— Vous êtes son père ? demanda la réceptionniste.

— Pas exactement.

Un agent de police vint le chercher à l'accueil.

— Que s'est-il passé ? demanda Oncle Saul en suivant le policier à travers les couloirs.

— Rien de grave. On l'a ramassé dans une rue des quartiers sud. Il a quelques contusions. Il est drôlement solide ce petit. Vous pouvez le ramener chez vous. Vous êtes qui, au fait ? Son père ?

— Pas exactement.

Woody avait traversé Baltimore en bus et sans un sou. Son projet initial avait été de prendre un car jusqu'en Utah. Il avait voulu rejoindre la gare routière, mais il s'était trompé de ligne deux fois, avant de continuer à pied et de se perdre dans un mauvais quartier, où il avait fini par se faire agresser par une bande qui en voulait à l'argent qu'il n'avait pas. Il avait amoché l'un des types de la bande, mais s'était fait salement cogner par les autres.

Saul entra alors dans la chambre et trouva Woody en pleurs, le visage tuméfié. Il le prit contre lui.

— Pardon, Saul, murmura Woody dans un sanglot. Pardon de t'avoir dérangé. Je… je savais pas quoi dire. J'ai dit que t'étais mon père. Je voulais juste que quelqu'un vienne vite me chercher.

— Tu as bien fait…

— Saul… je crois que j'ai pas de parents.

— Ne dis pas ça.

— En plus, je me suis fâché avec Hillel. Il doit me détester.

— Pas du tout. Les amis parfois ont des mots. C'est normal. Viens, je te ramène à la maison. Je te ramène chez nous.

Il fallut l'intervention d'Artie Crawford pour que les policiers acceptent finalement de laisser partir Woody avec Oncle Saul.

Dans la nuit d'automne, la maison des Baltimore était la seule du quartier à être illuminée. Ils poussèrent la porte et Tante Anita et Hillel, qui attendaient dans le salon, inquiets, se précipitèrent vers eux.

— Mon Dieu, Woody ! s'écria Tante Anita lorsqu'elle vit le visage de l'enfant.

Elle conduisit Woody dans une salle de bains ; elle passa de la pommade sur ses blessures et vérifia le pansement sur son arcade sourcilière, qui avait été recousue.

— Ça fait mal ? demanda-t-elle doucement.

— Non.

— Enfin, Woody, qu'est-ce qui t'a pris ? Tu aurais pu te faire tuer !

— Je suis désolé. Si vous me détestez tous, je comprendrai.

Elle le serra contre sa poitrine.

— Oh, trésor, enfin… Comment peux-tu penser des choses pareilles ! Comment voudrais-tu que quelqu'un te déteste ? Nous t'aimons comme un fils. Tu ne dois jamais douter de cela !

Elle le prit contre elle, toucha encore son visage marqué et le conduisit dans sa chambre. Il se coucha, elle s'allongea à côté de lui et caressa ses cheveux jusqu'à ce qu'il s'endorme.

La vie reprit son cours chez les Goldman-de-Baltimore. Mais le matin, Hillel emportait désormais un ballon de football avec lui. Après les cours, Woody et lui n'allaient plus à la salle de basket de Roosevelt High, mais sur le terrain de sport où s'entraînait habituellement l'équipe de football. Ils traversaient le terrain et orchestraient des actions de match décisives. Scott, qui était un fan absolu de football, les accompagnait et officiait comme arbitre et commentateur, jusqu'à ce que son souffle l'empêche de parler. «*Touchdown* victorieux dans les dernières secondes de la finale du championnat!» s'écriait-il, les mains en porte-voix, tandis que, les bras en l'air, Woody et Hillel allaient saluer les gradins vides où la foule en délire scandait leurs noms avant d'envahir le terrain pour porter en triomphe le duo invincible. Puis ils s'en allaient célébrer la victoire dans les vestiaires, où Scott jouait les recruteurs de la NFL[1], la prestigieuse Ligue nord-américaine de football, et leur faisait signer des feuilles d'exercices de mathématiques en guise de contrats mirobolants. En général, le concierge, alerté par le bruit, débarquait dans les vestiaires déserts, et ils s'enfuyaient sans demander leur reste, Woody devant, Hillel juste derrière, et Scott à la traîne, soufflant et crachant.

Au printemps suivant, Woody se rendit à Salt Lake City pendant les vacances pour retrouver son père. Hillel lui confia son ballon de football pour qu'il puisse jouer là-bas avec son père et ses deux sœurs jumelles, qu'il ne connaissait pas.

La semaine en Utah fut catastrophique. Chez les Finn-de-Salt-Lake-City, Woody n'avait aucune place. Sa belle-mère n'était pas méchante, mais trop occupée avec les jumelles. Elle lui dit, le jour de son arrivée: «Tu m'as l'air débrouillard comme garçon. Fais comme chez toi, surtout. Tu te sers dans le frigo de ce que tu veux. Chacun mange un peu quand il a envie, les filles ont horreur de s'asseoir à table, elles n'ont aucune patience.» Le dimanche, son père lui proposa de regarder le football à la télévision. Ils y passèrent l'après-midi. Mais il ne fallait pas parler pendant les matchs et, à la mi-temps, son père se précipitait à la cuisine pour se préparer des nachos ou du pop-corn. À la fin de la journée, le père était très agacé: les équipes sur

[1] NFL: *National Football League*.

lesquelles il avait parié avaient toutes perdu. Il avait encore une séance de travail à préparer pour le lendemain et il partit au bureau au moment où Woody pensait qu'il allait l'emmener dîner quelque part.

Le lendemain, de retour d'une promenade dans le quartier, Woody, poussant la porte d'entrée, tomba sur son père qui s'apprêtait à partir faire son jogging et qui le regarda d'un air déçu et étonné. Il lui dit : « Bah alors, Woody, tu sonnes pas quand tu rentres chez les gens ? »

Woody se sentait comme un étranger chez son père. Il en était terriblement blessé. Sa véritable famille était à Baltimore. Son frère était Hillel. Il ressentit le besoin de l'entendre et lui téléphona :

— Je m'entends pas avec eux, je les aime pas, tout est nul ici ! se plaignit-il

— Et tes sœurs ? demanda Hillel.

— Je les déteste.

Une voix de femme se fit entendre en arrière-fond : « Woody, tu es encore au téléphone ? J'espère que ce n'est pas un appel longue distance. Tu sais ce que ça coûte ? »

— Hill', il faut que je raccroche. Je me fais tout le temps engueuler ici, de toute façon.

— OK, mon vieux. Tiens bon...

— Je vais essayer... Hill' ?

— Oui ?

— Je veux rentrer à la maison.

— Je sais, mon vieux. Bientôt.

La veille de son retour à Baltimore, Woody se fit promettre par son père qu'ils dîneraient le soir tous les deux ensemble. De tout son séjour, il n'avait pas eu un moment en tête à tête avec lui. À dix-sept heures, Woody se posta devant la maison. À vingt heures, sa belle-mère lui apporta un soda et des chips. À vingt-trois heures, son père rentra.

— Woody ? dit-il en le devinant dans l'obscurité. Qu'est-ce que tu fais dehors à une heure pareille ?

— Je t'attends. On devait dîner ensemble, tu te souviens ?

Le père avança vers lui et déclencha les lumières automatiques. Woody vit son visage rougi par l'alcool.

— Désolé, mon petit gars, j'ai pas vu l'heure.

Woody haussa les épaules et lui tendit une enveloppe.

— Tiens, dit-il, c'est pour toi. Tu vois, au fond, je savais que ça allait finir comme ça.

Le père ouvrit l'enveloppe et en sortit une feuille de papier sur laquelle il était inscrit *FINN*.

— Qu'est-ce que c'est ? demanda-t-il.

— C'est ton nom. Je te le rends. Je n'en veux plus. Je sais qui je suis désormais.

— Et qui es-tu ?

— Un Goldman.

Woody se leva et entra dans la maison sans ajouter un mot de plus.

— Attends ! s'écria son père.

— Au revoir, Ted, répondit Woody sans même le regarder.

Woody rentra un peu assombri de chez les Finn-de-Salt-Lake-City. Sur le terrain de Roosevelt High, il expliqua à Hillel et Scott :

— Je voulais faire du football pour être comme mon père, mais mon père, c'est juste un con qui s'est tiré et m'a abandonné. Du coup, je sais pas si j'aime vraiment le football.

— Wood', il faut que tu fasses quelque chose d'autre, pour ton plaisir.

— Ouais, mais je sais pas ce qui me fait plaisir.

— C'est quoi ta passion dans la vie ?

— Ben, j'en sais rien justement.

— Tu veux faire quoi plus tard ?

— Ben… je veux faire comme toi.

Hillel l'attrapa par les épaules et le secoua comme un arbre.

— C'est quoi ton rêve dans la vie, Wood' ? Quand tu fermes les yeux et que tu rêves, tu te vois comment ?

Woody eut un immense sourire.

— Je veux être une vedette du football.

— Eh ben voilà !

Sur le terrain de Roosevelt où le concierge les traquait assidûment, ils reprirent de plus belle leur vie de joueurs de football. Ils s'y aventuraient tous les jours après l'école et le week-end. Les jours de match, ils prenaient place dans les gradins et suivaient bruyamment la partie dont, une fois qu'elle était terminée, ils rejouaient les actions jusqu'à ce que le concierge à nouveau déboule pour les chasser. Scott avait de plus en plus de peine à courir, même sur une courte distance. Depuis qu'il avait failli faire un malaise après une course pour échapper au concierge, Woody ne se séparait plus d'une large brouette empruntée à Skunk dans laquelle Scott se précipitait s'il fallait fuir.

— Encore vous? s'écriait le concierge, levant un poing rageur. Vous n'avez pas le droit d'être là! Donnez-moi vos noms! Je vais téléphoner à vos parents!

— Saute dans la brouette! criait Woody à Scott, qui s'y précipitait, aidé par Hillel, tandis que Woody soulevait les brancards.

— Arrêtez-vous! intimait le vieil homme qui se mettait à trotter du plus vite qu'il pouvait.

Woody, de ses bras puissants, poussait le convoi à toute allure, Hillel ouvrant la course pour le guider, et ils déboulaient à toute vitesse à travers Oak Park, où l'on ne s'étonnait plus de voir passer un étrange convoi de trois enfants, dont l'un, chétif et pâle, mais rayonnant de joie, était assis au fond d'une brouette.

Au début de l'année scolaire suivante, Tante Anita inscrivit Woody dans l'équipe de football communale d'Oak Park. Deux fois par semaine, elle venait le chercher après l'école et le conduisait à l'entraînement. Hillel l'accompagnait toujours et assistait à ses exploits depuis les gradins. C'était l'année 1993. Onze ans avant le Drame, dont le décompte avait commencé.

9.

C'est un soir de la mi-mars 2012 que je finis par prendre mon courage à deux mains. Un soir où Kevin était absent, après avoir déposé Duke, je revins sur mes pas et sonnai à nouveau au portail de la maison.

— Tu as oublié quelque chose ? me demanda Alexandra par l'interphone.

— Il faut que je te parle.

Elle m'ouvrit et me rejoignit devant la maison. Je ne descendis pas de voiture, me contentant de baisser la vitre.

— Je voudrais t'emmener quelque part.

Tout ce qu'elle répondit fut :

— Qu'est-ce que je dois dire à Kevin ?

— Ne lui dis rien. Ou dis-lui ce que tu veux.

Elle ferma la maison et monta à la place du passager.

— Où allons-nous ? me demanda-t-elle.

— Tu verras.

Je démarrai et je quittai son quartier pour rejoindre l'autoroute en direction de Miami. C'était la tombée du soir. Les lumières des immeubles du bord de mer scintillaient autour de nous. L'autoradio diffusait les chansons du moment. Je sentis son parfum dans l'habitacle. Je me revoyais dix ans plus tôt, elle et moi, traversant le pays avec ses premières maquettes pour essayer de convaincre les radios de les diffuser. Puis, comme si le destin jouait avec nos cœurs, la station que nous écoutions dans la voiture passa le premier succès d'Alexandra. Je vis des larmes couler le long de ses joues.

— Tu te souviens quand on a entendu cette chanson à la radio pour la première fois ? me demanda-t-elle.

— Oui.

— C'est grâce à toi, Marcus, tout ça. C'est toi qui m'as poussée à me battre pour mes rêves.

— C'est grâce à toi-même. Et à personne d'autre.

— Tu sais que ce n'est pas vrai.

Elle pleurait. Je ne savais pas quoi faire. Je posai une main sur son genou et elle l'attrapa. Elle la serra fort.

Nous roulâmes en silence jusqu'à Coconut Grove. Je traversai les rues résidentielles et elle ne dit rien. Puis nous arrivâmes enfin devant la maison de mon oncle. Je me garai sur le bas-côté et je coupai le moteur.

— Où sommes-nous ? demanda Alexandra.

— C'est dans cette maison que s'est terminée l'histoire des Goldman-de-Baltimore.

— Qui habitait ici, Marcus ?

— Oncle Saul. Il a vécu ici les cinq dernières années de sa vie.

— Quand… quand est-il mort ?

— En novembre dernier. Cela va faire quatre mois.

— Je suis désolée, Marcus. Pourquoi ne m'as-tu rien dit l'autre jour ?

— Je n'avais pas envie d'en parler.

Nous sortîmes de voiture et nous nous assîmes devant la maison. Je me sentais bien.

— Que faisait ton oncle en Floride ? me demanda Alexandra.

— Il a fui Baltimore.

La nuit était tombée sur la rue calme. Nous étions dans une semi-obscurité propice à la confidence. La pénombre m'empêchait de voir ses yeux, mais je comprenais qu'Alexandra me regardait.

— Ça fait huit ans que tu me manques, Marcus.

— Toi aussi…

— Je voudrais juste être heureuse.

— Tu n'es pas heureuse avec Kevin ?

— Je voudrais être heureuse avec lui comme je l'ai été avec toi.

— Est-ce que toi et moi…

— Non, Marcus. Tu m'as fait trop de mal. Tu m'as abandonnée…

— Je suis parti parce que tu aurais dû me dire ce que tu savais, Alexandra…

Elle s'essuya les yeux du revers de son bras.

— Arrête, Marcus. Arrête de te comporter comme si tout était ma faute. Mais qu'est-ce que ça aurait changé si je te l'avais dit? Tu crois qu'ils seraient encore vivants? Est-ce que tu comprendras un jour que tu n'aurais pas pu sauver tes cousins?

Elle éclata en sanglots.

— Nous aurions dû finir notre vie ensemble, Marcus.

— Tu as Kevin maintenant.

Elle sentit que je la blâmais.

— Qu'est-ce que tu aurais voulu que je fasse, Marcus? Que je t'attende toute ma vie? Je t'ai suffisamment attendu. Je t'ai tellement attendu. Je t'ai attendu pendant des années. Des années, tu m'entends. Je t'ai d'abord remplacé par un chien. Pourquoi penses-tu que j'ai pris Duke? J'ai meublé ma solitude, en espérant que tu réapparaîtrais. Après ton départ, j'ai passé trois ans à espérer tous les jours te revoir. Je me disais que tu étais bouleversé, que tu avais besoin de temps…

— Moi aussi, je n'ai jamais cessé de penser à toi pendant toutes ces années, dis-je.

— Arrête tes salades, Markie! Si tu avais tant envie de me revoir, tu l'aurais fait. Tu as préféré te taper cette actrice de seconde zone.

— C'était trois ans après notre séparation! m'écriai-je. Et puis ça n'a pas compté.

Ma relation avec Lydia Gloor avait débuté sur un malentendu. Cela s'était passé à l'automne 2007, à New York. À ce moment-là, les droits de mon premier roman, *G comme Goldstein*, avaient été vendus à la Paramount et le tournage était prévu pour l'été suivant à Wilmington, en Caroline du Nord. Un soir, je fus invité à aller voir sur Broadway une adaptation d'*Une chatte sur un toit brûlant* qui connaissait un succès formidable. Dans le rôle de Maggie : Lydia Gloor, une jeune actrice de cinéma très à la mode à ce moment-là et que les réalisateurs s'arrachaient. Apparemment Lydia Gloor dans le rôle de Maggie était la révélation de l'année. La pièce se jouait à guichets fermés. La critique était unanime, le Tout-New-York s'y pressait. Mon avis à la fin de la pièce fut que Lydia Gloor jouait comme un pied : elle était bien durant les vingt premières minutes. Elle reproduisait l'accent du Sud à la perfection. Le problème était qu'elle le perdait peu à peu et qu'à la fin de la représentation, son accent avait des résonances d'allemand.

Cette histoire se serait arrêtée là si le hasard de la vie n'avait pas voulu que, le lendemain, je tombe sur elle dans le café en bas de chez moi, où je me rends tous les jours. J'étais assis à une table, à lire le journal et à boire mon café tranquillement. Je ne la vis que lorsqu'elle s'approcha de moi.

— Salut, Marcus, me dit-elle.

Nous ne nous étions jamais rencontrés et je fus étonné qu'elle connaisse mon prénom.

— Salut, Lydia. Enchanté.

Elle désigna la chaise vide devant elle.

— Je peux m'asseoir ? demanda-t-elle.

— Bien sûr.

Elle s'assit. Elle semblait gênée. Elle se mit à jouer avec son gobelet de café.

— Il paraît que tu étais à la pièce hier soir...

— Oui, c'était magnifique.

— Marcus, je voulais... Je voulais te remercier.

— Me remercier ? De quoi ?

— D'avoir accepté que je joue dans le film. Je trouve chouette que t'aies accepté. J'ai... j'ai adoré le livre, je n'ai jamais eu l'occasion de te le dire.

— Attends, attends : de quel film parles-tu ?

— Ben, de *G comme Goldstein*.

Et voilà qu'elle m'apprit alors qu'elle allait tenir le rôle d'Alicia (en fait Alexandra). Je n'y comprenais rien. Le casting avait été fait, j'avais approuvé chacun des acteurs. Elle n'était pas Alicia. C'était impossible.

— Il y a un malentendu, lui dis-je d'un ton très maladroit. Il y a bien le tournage du film, mais je peux t'assurer que tu ne figures pas au casting. Tu dois confondre.

— Confondre ? Non, non. J'ai signé le contrat. Je pensais que tu savais… en fait, je pensais que tu avais donné ton accord.

— Non. Je te le dis, il y a un malentendu. J'ai effectivement approuvé le casting et tu ne joues pas le rôle d'Alicia.

Elle répéta qu'elle était certaine de ce qu'elle avançait. Qu'elle avait parlé à son agent le matin même. Qu'elle avait lu mon livre deux fois pour s'imprégner de l'ambiance. Qu'elle l'avait aimé. Tout en parlant, elle continuait de jouer nerveusement avec son café qui finit par se renverser et se répandit sur la table jusque sur moi. Elle se précipita sur moi pour éponger ma chemise avec des serviettes en papier et même avec son foulard en soie, s'excusant mille fois, complètement paniquée, et moi, probablement excédé, je finis par prononcer cette phrase que j'allais vite regretter :

— Écoute, tu ne peux pas jouer Alicia. D'abord, tu ne lui ressembles pas du tout. Et puis, je t'ai vue dans *Une chatte sur un toit brûlant*, et je ne suis pas convaincu.

— Comment ça, *pas convaincu* ? s'étrangla-t-elle.

Je ne sais pas ce qui me prit. Je lui dis :

— Je pense que tu n'es pas assez douée pour jouer dans ce film. Un point c'est tout. Je ne veux pas de toi. Je ne veux pas de toi dans ma vie.

Manque de tact évident de ma part, phrase prononcée dans un moment d'agacement sans aucun doute. Le résultat ne se fit pas attendre : Lydia éclata en sanglots. L'actrice du moment pleurait à ma table de café. J'entendis la rumeur des clients alentour, dont certains se mirent à prendre des photos de nous. Je m'empressai de la consoler, je me confondis en excuses, je lui dis que ma parole avait dépassé ma pensée, mais il était trop tard. Elle pleurait en silence et je ne savais pas ce que je devais faire. Je finis par m'enfuir, et je rentrai chez moi en courant.

Je savais que je m'étais mis dans le pétrin et les conséquences ne tardèrent pas : quelques heures après l'incident, j'étais convoqué par Roy Barnaski, influent personnage du cinéma et producteur de l'adaptation cinématographique de *G comme Goldstein*, qui justement se trouvait à New York cette semaine-là. Il me reçut dans son bureau des hauteurs d'un gratte-ciel de Lexington Avenue.

«Vous les écrivains, vous n'êtes qu'un peuple de névrosés et d'attardés mentaux!» hurla-t-il à mon attention, suant, écarlate, sur le point d'exploser dans sa chemise trop étroite.

— Vous faites pleurer l'actrice la plus aimée du pays sur une terrasse de café? Mais quel genre d'animal êtes-vous, Goldman? Une espèce de détraqué? Un maniaque?

— Écoutez, Roy, bredouillai-je, c'est un malentendu…

— Goldman, m'interrompit-il d'un ton solennel, vous êtes le plus jeune et le plus prometteur écrivain que je connaisse, mais vous êtes aussi une intarissable source d'emmerdes!

Sur Internet étaient publiées les premières photos de Lydia et moi prises par des clients du café. La rumeur était en marche: pourquoi l'écrivain Marcus Goldman faisait-il pleurer Lydia Gloor? En s'enfuyant du café de Soho, elle avait téléphoné à son agent, qui avait téléphoné à un ponte de la Paramount, qui avait téléphoné à Barnaski, qui m'avait fait rappliquer séance tenante pour me faire l'une de ces scènes dont il avait le secret. Son assistante, Marisa, recherchait sur Internet les publications concernant le «malentendu», et à mesure qu'elles fleurissaient, les imprimait puis faisait irruption dans le bureau à intervalles réguliers en hurlant de sa voix de crécelle:

— Un nouvel article, Monsieur Barnaski!

— Lisez, ma brave Marisa, lisez-nous les dernières nouvelles du naufrage Goldman, que j'évalue l'ampleur du désastre.

— C'est tiré du site Aujourd'hui en Amérique: «*Que se passe-t-il entre l'écrivain à succès Marcus Goldman et l'actrice Lydia Gloor? Plusieurs témoins auraient assisté à une terrible dispute entre les deux jeunes vedettes. Développement à suivre.*» Il y a déjà des commentaires en ligne, Monsieur Barnaski.

— Lisez-les, Marisa! hurla Roy. Lisez-les!

— Lisa F., du Colorado, dit: «*Ce Marcus Goldman est vraiment un sale type.*»

— Vous entendez, Goldman ? Toutes les femmes d'Amérique vous haïssent !

— Quoi ? Mais enfin, Roy, ce n'est qu'une internaute anonyme !

— Méfiez-vous des femmes, Goldman, elles sont comme un troupeau de bisons : si vous faites du mal à l'une d'entre elles, toutes les autres partent à sa rescousse et vous piétinent jusqu'à la mort.

— Roy, coupai-je, je vous promets que je ne fréquente pas cette femme.

— Mais je le sais bien, bougre d'emmerdeur ! C'est bien le problème. Regardez, je me tue à la tâche pour votre carrière, je vous prépare le film du siècle et vous foutez tout en l'air. Vous savez, Goldman, vous allez finir par me tuer avec votre perpétuelle folie de tout saccager. Et que ferez-vous quand je serai mort, hein ? Vous viendrez pleurnicher sur ma tombe parce qu'il n'y aura plus personne pour vous aider. Aviez-vous besoin de dire des horreurs à cette mignonne jeune femme, qui est une actrice que tout le monde adore ? Quand vous faites pleurer une actrice que tout le monde adore, eh bien tout le monde vous déteste ! Et si tout le pays vous déteste, personne n'ira voir le film tiré de votre bouquin ! Voulez-vous que tout le monde vous déteste ? Regardez, c'est déjà sur Internet : méchant Marcus et gentille Lydia.

— Mais c'est elle qui est venue me raconter qu'elle était sur le casting du film, me justifiai-je. Je lui ai simplement dit qu'elle se trompait.

— Mais elle figure au casting, grand génie ! Elle est même l'actrice phare du film !

— Enfin, Roy, nous avons vu le casting ensemble ! Nous avons validé ensemble le choix des acteurs ! Où est passée l'actrice que nous avions initialement choisie ?

— Virée !

— Virée ?

— Parfaitement. Vi-rée.

— Mais pour quelle raison ?

— Lors de son dernier film, elle bouffait tous les beignets pendant la pause !

— Oh, Roy, qu'est-ce que c'est que ces sornettes !
— C'est la vérité. J'ai appelé son agent et je lui ai dit : dis donc toi, reprends-moi cette empiffreuse et va-t'en ! C'est un plateau de cinéma, pas un élevage de gorets !
— Roy, assez ! Pourquoi Lydia Gloor se retrouve-t-elle dans le film ?
— La Paramount a changé le casting.
— Mais pourquoi ? Et de quel droit ?
— Il manquait d'acteurs *bankables*. Lydia Gloor est très *bankable*. Bien plus que les acteurs à la mords-moi-le-nœud que vous aviez choisis, dont on aurait cru qu'ils étaient tout droit sortis des égouts de New York.
— *Bankable* ?
— *Bankable*, c'est un terme de cinéma. C'est un rapport entre le salaire versé à un acteur par la production et l'argent que rapporte le film ensuite. La petite Good semble très *bankable* : si elle joue dans le film, plus de gens voudront aller voir le film. Cela signifie plus d'argent pour vous, pour moi, pour eux, pour tout le monde.
— Je sais ce que *bankable* signifie.
— Non, vous ne savez pas ! Parce que si vous le saviez, vous seriez en train de lécher les semelles de mes chaussures pour me remercier de l'avoir fait engager.
— Mais pourquoi diable est-ce que vous vous pliez à tous les désirs de la Paramount ? Je refuse qu'elle interprète Alicia, un point c'est tout.
— Oh, Marcus, vous ne pouvez rien refuser. Vous voulez vraiment que je vous montre toutes les clauses minuscules et incompréhensibles que vous avez signées ? On vous a laissé suivre le casting pour vous faire plaisir... Vous verrez, ça va être un grand succès. Elle coûte une fortune en salaire. Ce qui est cher est bien. Tout le monde se précipitera pour aller voir le film. Quant à vous, si vous continuez à jouer les bourreaux des cœurs, attendez-vous à ce que des groupuscules féministes brûlent vos livres sur la place publique et manifestent devant chez vous.
— Roy, vous êtes pire que tout.
— Voilà comment vous remerciez celui qui assure votre avenir ?

— Mon avenir, c'est les livres, répondis-je. Pas votre film stupide.

— Oh, je vous en prie, cessez vos chansonnettes de révolutionnaire auxquelles plus personne ne croit. Le livre, c'est le passé, mon pauvre Marcus.

— Oh, Roy, comment pouvez-vous dire ça?

— Allons, ne soyez pas triste, mon petit Goldman. Dans vingt ans les gens ne liront plus. C'est comme ça. Ils seront trop occupés à faire les zozos sur leurs téléphones portables. Vous savez, Goldman, l'édition c'est fini. Les enfants de vos enfants regarderont les livres avec la même curiosité que nous regardons les hiéroglyphes des pharaons. Ils vous diront: «Grand-père, à quoi servaient les livres?» et vous leur répondrez: «À rêver. Ou à couper des arbres, je ne sais plus.» À ce moment-là, il sera trop tard pour se réveiller: la débilité de l'humanité aura atteint son seuil critique et nous nous entretuerons à cause de notre bêtise congénitale (ce qui d'ailleurs est déjà plus ou moins le cas). L'avenir n'est plus dans les livres, Goldman.

— Ah bon? Et où se trouve notre avenir, Roy?

— Dans le cinéma, Goldman. Le cinéma!

— Le cinéma?

— Le cinéma, Goldman, le voilà l'avenir! Désormais les gens veulent de l'image! Les gens ne veulent plus réfléchir, ils veulent être guidés! Ils sont asservis du matin au soir, et quand ils rentrent chez eux, ils sont perdus: leur maître et patron, cette main bienfaitrice qui les nourrit, n'est plus là pour les battre et les conduire. Heureusement, il y a la télévision. L'homme l'allume, se prosterne, et lui remet son destin. Que dois-je manger, Maître? demande-t-il à la télévision. Des lasagnes surgelées! lui ordonne la publicité. Et le voilà qui se précipite pour mettre au micro-ondes son petit plat dégoûtant. Puis, le voilà qui revient à genoux et demande encore: Et, Maître, que dois-je boire? Du Coca ultra-sucré! hurle la télévision, agacée. Et elle ordonne encore: Bouffe, cochon, bouffe! Que tes chairs deviennent grasses et molles. Et l'homme obéit. Et l'homme se goinfre. Puis, après l'heure du repas, la télé se fâche et change ses publicités: Tu es trop gros! tu es trop laid! Va vite faire de la gymnastique ! Sois beau ! Et il vous faut acheter des électrodes qui vous sculptent, des crèmes qui font gonfler vos muscles pendant que vous dormez, des pilules magiques qui font à votre place toute cette gymnastique que vous n'avez plus du tout envie de faire parce que vous digérez votre pizza ! Ainsi va le cycle de la vie, Goldman. L'homme est faible. Par instinct grégaire, il aime s'entasser dans les salles sombres qu'on appelle cinémas. Et bam ! On vous envoie la pub, le pop-corn, la musique, les magazines gratuits, avec des bandes-annonces qui précèdent votre film et qui vous disent : « Pauvre cloche, tu t'es trompé de film, va voir plutôt celui-là, il est beaucoup mieux ! » Oui, mais voilà : vous avez payé votre place, vous êtes coincé ! Donc vous devrez revenir voir cet autre film dont une autre bande-annonce vous indiquera que vous n'êtes une fois de plus qu'un pauvre benêt, et, malheureux et déprimé, vous irez engloutir des sodas et des glaces au chocolat vendus hors de prix pendant l'entracte pour oublier votre condition misérable. Il n'y aura peut-être plus que vous, et une poignée de résistants, entassés dans la dernière librairie du pays, mais vous ne pourrez pas lutter indéfiniment : le peuple des zombies et des esclaves finira par gagner.

Je me laissai tomber dans un fauteuil, dépité.

— Vous êtes fou, Roy. C'est une plaisanterie, hein ?

En guise de réponse, il regarda sa montre et en tapota le cadran.

— Allez, filez maintenant, Goldman. Vous allez être en retard.

— En retard ?

— Pour votre dîner avec Lydia Gloor. Passez chez vous, aspergez-vous de parfum et mettez un costume, c'est un restaurant très chic.

— Oh, Roy, pitié ! Qu'avez-vous encore fait ?

— Elle a reçu un bouquet de fleurs et un très gentil mot écrit de votre main.

— Mais je ne lui ai rien envoyé !

— Je le sais bien ! Si je devais attendre que vous vouliez bien vous remuer les fesses, on ne serait pas encore couché. Tout ce que je vous demande, c'est de dîner avec elle. Dans un lieu public. Que tout le monde voie comme vous êtes un gentil garçon.

— Jamais, Roy!

— Il n'y a pas de «jamais»! Cette fille, c'est notre lingot d'or. Nous allons la chérir! Nous allons l'aimer!

— Roy, vous ne comprenez pas. Je n'ai plus rien à dire à cette fille.

— Vous êtes terrible, Goldman: vous êtes jeune, vous êtes riche, vous êtes beau, vous êtes un écrivain célèbre et que faites-vous? Vous vous plaignez. Vous gémissez! Cessez de jouer les pleureuses grecques, voulez-vous?

Ce fameux soir, Lydia et moi dinâmes au *Pierre*. Je pensais que ce n'était qu'un dîner pour apaiser les esprits. Mais Roy avait tout orchestré: il y avait des paparazzis en embuscade et dès le lendemain, sur Internet, des photos d'une prétendue romance entre nous deux, à laquelle tout le monde avait cru.

— J'ai lu un article à propos de vous dans un magazine, me dit Alexandra après avoir écouté mon récit sous le porche de la maison de mon oncle. Tous les tabloïds en ont parlé.

— C'était du bidon. Un coup monté.

Elle détourna la tête.

— Le jour où j'ai vu l'article est le jour où j'ai décidé de tourner la page. Jusque-là, je t'avais attendu, Marcus. Je pensais que tu reviendrais. Tu m'as brisé le cœur en deux.

*

Nashville, Tennessee.
Novembre 2007.

Il était 21 heures lorsque Samantha, l'une de ses amies proches, débarqua chez elle. Elle avait essayé de la joindre toute la journée, sans succès. Comme personne ne répondait à l'interphone, Samantha escalada la grille et se dirigea vers la maison. Elle tambourina contre la porte.

«Alex? Ouvre-moi. C'est Sam. J'ai passé la journée à

essayer de te joindre.» Pas de réponse. «Alex, je sais que tu es là, il y a ta voiture garée dehors.»

Un bruit de serrure se fit entendre et Alexandra ouvrit la porte. Elle avait la mine défaite et les yeux gonflés par les pleurs.

— Alex, mon Dieu! Que se passe-t-il?

— Oh, Sam…

Alexandra se jeta dans ses bras et éclata en sanglots. Elle était incapable d'articuler le moindre mot. Samantha l'installa au salon et alla à la cuisine lui préparer un thé. Elle vit les tabloïds étalés sur la table. Elle en attrapa un au hasard et lut le titre.

LYDIA GLOOR EN COUPLE AVEC L'ÉCRIVAIN GOLDMAN.

Alexandra la rejoignit dans la cuisine, suivie par Duke.

— Il est avec elle. Il sort avec Lydia Gloor, murmura Alexandra.

— Oh, ma chérie… Je suis désolée. Pourquoi tu ne m'as rien dit?

— J'avais envie d'être seule.

— Oh, Alex… Tu ne dois plus être seule. Je ne sais pas ce qui s'est passé avec ce Marcus, mais il faut que tu laisses tomber. Tu as tout pour toi! Tu es belle, intelligente, tu as le monde à tes pieds.

Alexandra haussa les épaules.

— Je ne sais même plus comment on drague.

— Oh, arrête, s'il te plaît!

— C'est la vérité! protesta Alexandra.

Samantha était mariée à l'un des joueurs phares de l'équipe de hockey des Prédateurs de Nashville.

— Écoute, Alex, dit-elle. Il y a ce joueur, Kevin Legendre… Il est très sympa et il est dingue de toi. Ça fait des mois qu'il me bassine pour que j'organise une rencontre. Viens dîner chez nous vendredi. Je l'inviterai aussi. Qu'est-ce que ça coûte, hein?

*

— Je suis allée à ce dîner, me dit Alexandra. Il fallait que je t'oublie. C'est ce que j'ai fait.

— À ce moment-là, je n'étais pas avec Lydia ! m'écriai-je. Moi aussi, je t'attendais, Alexandra ! Au moment de la parution de ces photos, il ne s'était absolument rien passé entre nous.

— Pourtant, vous avez eu une relation tous les deux, non ?

— C'était après !

— Après quoi ?

— Après avoir vu les photos de Kevin et toi dans les tabloïds ! J'en ai été dévasté. Je me suis consolé avec Lydia. Ça n'a pas duré très longtemps. Parce que je n'ai jamais pu t'oublier, Alexandra.

Elle eut un regard triste. Je vis une larme perler au coin de son œil et descendre le long de sa joue.

— Qu'est-ce que nous nous sommes fait, Marcus ?

10.

Coconut Grove, Floride.
Juin 2010. Six ans après le Drame.

Tous les jours depuis mon arrivée, je passais au supermarché pour déjeuner avec Oncle Saul. Nous allions nous asseoir sur l'un des bancs dehors, devant le supermarché, et nous y déjeunions d'un sandwich ou d'une salade poulet-mayonnaise, accompagnée d'un Dr Pepper.

Il était fréquent que Faith Connors, la gérante du Whole Foods, sorte pour me saluer. C'était une femme adorable. Elle avait la cinquantaine, était célibataire et, de ce que je voyais, mon oncle Saul lui plaisait bien. Il lui arrivait de s'asseoir avec nous pour fumer une cigarette. Parfois, en l'honneur de ma présence en Floride, elle octroyait à mon oncle une journée de congé pour que nous puissions profiter l'un de l'autre. C'est ce qu'elle fit ce jour-là.

— Filez tous les deux, nous dit-elle en arrivant devant le banc.

— T'es sûre ? demanda Oncle Saul.

— Certaine.

Nous ne nous fîmes pas prier. J'embrassai Faith sur les deux joues et elle rit en nous regardant nous éloigner.

Nous marchâmes à travers le parking pour retourner à nos voitures. Oncle Saul arriva à la sienne, garée tout près. Sa vieille Honda Civic pourrie rachetée au rabais.

— Je suis garé là-bas, dis-je.

— Nous pouvons aller nous promener, si tu veux.

— Avec plaisir. Qu'est-ce que tu as envie de faire ?

— Que dirais-tu d'aller à Bal Harbor ? Ça me rappellera quand on se promenait avec ta tante.

— Ça me va bien. On se retrouve à la maison. Comme ça je peux laisser ma voiture.

Avant de monter dans sa vieille Honda Civic, il tapota la carrosserie en souriant.

— Tu te souviens, Markie ? Ta mère avait la même.

Il démarra et je le regardai s'éloigner avant de retourner à ma Range Rover noire qui valait – j'avais compté – cinq ans de son salaire annuel.

À l'époque de leur gloire, les Goldman-de-Baltimore aimaient aller à Bal Harbor, une banlieue chic du nord de Miami. Il y avait là-bas un centre commercial à ciel ouvert composé uniquement de boutiques de luxe. Mes parents avaient cet endroit en horreur, mais ils me laissaient y aller avec mon oncle, ma tante et mes cousins. En m'installant sur la banquette arrière de leur voiture, je retrouvais ces sensations d'insolent bonheur que je ressentais lorsque j'étais seul avec eux. Je me sentais bien, je me sentais Baltimore.

— Tu te rappelles quand nous venions ici ? me demanda Oncle Saul alors que nous arrivions dans le parking du centre commercial.

— Bien sûr.

Je garai ma voiture et nous déambulâmes le long des bassins du rez-de-chaussée, dans lesquels nageaient des tortues aquatiques et d'énormes carpes chinoises qui, jadis, nous passionnaient, Hillel, Woody et moi.

Nous achetâmes du café dans des gobelets et nous nous assîmes sur un banc, à observer les passants déambuler. En regardant le bassin devant nous, je rappelai à Oncle Saul cette fois où, nous étant mis en tête d'attraper une tortue, nous avions fini, Hillel, Woody et moi, dans l'eau. Mon récit le fit éclater de rire et son rire me fit du bien. C'était son rire d'avant. Un rire solide, puissant, heureux. Je le vis quinze ans plus tôt, dans ses vêtements de prix, faisant les boutiques du même centre commercial au bras de Tante Anita, tandis que nous, le Gang des Goldman, crapahutions sur les rochers artificiels des bassins. Chaque fois que je retourne là-bas, je revois ma tante Anita, sa beauté sublime, sa tendresse merveilleuse. J'entends sa voix, sa façon de passer sa main dans mes cheveux. Je revois l'éclat de ses yeux, sa bouche fine. Sa façon amoureuse de tenir la main d'Oncle Saul, ses gestes attentionnés, les baisers discrets qu'elle lui déposait sur la joue.

Est-ce que, enfant, j'aurais voulu changer mes parents en Saul et Anita Goldman ? Oui. Sans infidélité aux miens, je peux l'affirmer aujourd'hui. Cette pensée fut, de fait, le premier acte de violence que je commis à l'encontre de mes parents. Longtemps, je crus avoir été le plus tendre des fils. Pourtant, je me montrais violent à leur égard chaque fois que j'éprouvais de la honte envers eux. Et ce moment n'arriva que trop vite : au cours de l'hiver 1993, lorsque, pendant nos traditionnelles vacances en Floride, je pris réellement conscience de la supériorité de mon oncle Saul. C'était juste après que les grands-parents Goldman avaient décidé de quitter leur appartement de Miami pour aller dans une résidence pour personnes âgées d'Aventura. Leur appartement vendu, le camping des Goldman-tous-ensemble ne pouvait plus continuer. Lorsque ma mère me l'annonça, je crus d'abord que nous ne retournerions plus jamais en Floride. Mais elle me rassura : « Markie chéri, nous irons à l'hôtel. Cela ne change rien du tout. » En réalité, cela changea absolument tout.

Il y avait eu un âge où nous nous étions contentés du complexe résidentiel où les grands-parents Goldman avaient leur appartement. Pendant plusieurs années, nous ne connûmes que le camping dans le salon, les courses-poursuites à travers les étages, la piscine un peu sale, le petit restaurant crasseux, et nous ne demandions pas mieux. Il nous suffisait de traverser la rue pour aller sur la plage, et il y avait, juste à côté, un immense centre commercial qui nous offrait mille promesses les jours de pluie. Cela suffisait amplement à notre bonheur. Tout ce qui comptait pour Hillel, Woody et moi était que nous soyons ensemble.

Après le déménagement, il fallut nous réorganiser. Oncle Saul avait connu des années extrêmement fastes : ses conseils se monnayaient à prix d'or. Il s'acheta un appartement dans une résidence haut de gamme de West Country Club Drive qui s'appelait la Buenavista, et qui allait bouleverser mon échelle de référence. La Buenavista était un complexe incluant une tour de trente étages d'appartements avec service hôtelier, une gigantesque salle de gym, mais surtout une piscine comme il ne me fut plus jamais donné de voir, entourée de palmiers, avec des chutes d'eau, des petites îles artificielles et deux bras serpentant comme une rivière au milieu d'une épaisse végétation. Un bar pour le service des baigneurs avait été creusé dans le sol, offrant, à l'ombre d'un toit en paille, un comptoir au niveau de l'eau avec des sièges fixés dans l'eau. Il y avait un second bar, traditionnel, sous une hutte, servant les clients sur la terrasse, et juste à côté, un restaurant à l'usage exclusif des habitants de la résidence. La Buenavista était un endroit totalement privé, dont le seul accès était un portail fermé vingt-quatre heures sur vingt-quatre, qui ne s'ouvrait que lorsque vous aviez montré patte blanche à un agent de sécurité armé d'une matraque installé dans une guérite.

J'étais absolument fasciné par cet endroit. J'y découvris un monde merveilleux dans lequel nous pouvions évoluer en totale liberté, de l'appartement du 26e étage à la piscine à toboggans ou à la salle de gym, où s'exerçait Woody. Une seule journée à la Buenavista balaya d'un trait toutes les années passées en Floride jusqu'alors. Évidemment, les conditions de séjour que le budget limité de mes parents nous imposait souffrirent immédiatement de la comparaison. Ils dénichèrent un motel à proximité, le Dolph'Inn. Tout dans cet endroit me déplaisait : les chambres vieillottes, le petit déjeuner qui se prenait dans un espace étriqué à côté de la réception, où des tables en plastique étaient disposées tous les matins, ou encore la piscine en forme de haricot à l'arrière du bâtiment, dont l'eau était tellement chlorée qu'il suffisait de marcher au bord pour que les yeux et la gorge vous piquent. De surcroît, pour faire des économies, mes parents ne prenaient qu'une seule chambre : ils dormaient dans le lit double, et moi sur un lit d'appoint à côté d'eux. Je me souviens du moment d'hésitation qu'eut ma mère chacun des hivers où nous restâmes là-bas, lorsque nous prenions possession de la chambre. Elle ouvrait la porte et elle avait un instant d'arrêt parce qu'elle trouvait certainement comme moi que cette chambre était lugubre, puis, se ressaisissant aussitôt, elle posait sa valise par terre, allumait la lumière et déclarait en battant les coussins du lit qui crachaient alors un nuage de poussière : « On n'est pas bien ici ? » Non, nous n'étions pas bien là-bas. Pas à cause de l'hôtel, ni du lit d'appoint, ni de mes parents. Mais à cause des Goldman-de-Baltimore.

Après notre passage quotidien à la résidence des grands-parents, nous allions tous à la Buenavista. Hillel, Woody et moi, nous dépêchions de monter à l'appartement pour passer nos maillots de bain, puis nous descendions nous jeter dans les cascades de la piscine, où nous restions jusqu'au soir.

En général, mes parents ne restaient pas longtemps. Le temps de déjeuner, puis ils s'en allaient. Je savais quand ils voulaient partir parce qu'ils avaient cette manie de se tenir près de la hutte du bar, à essayer d'attirer mon attention. Ils attendaient que je les voie et moi, je faisais comme si je ne les voyais pas. Puis je me résignais et je nageais jusqu'à eux. « Markie, on va y aller, disait Maman. On a deux ou trois courses à faire. Tu peux venir avec nous, mais tu peux rester ici à t'amuser avec tes cousins si tu veux. » Je choisissais toujours de rester à la Buenavista. Pour rien au monde je n'aurais perdu ne serait-ce qu'une heure loin de cet endroit.

Il me fallut longtemps pour comprendre pourquoi mes parents fuyaient la Buenavista. Ils ne revenaient qu'à la fin de la journée. Parfois nous restions tous dîner à l'appartement de mon oncle et ma tante, parfois nous sortions tous dîner dehors. Mais il arrivait que mes parents me proposent de dîner tous les trois. Ma mère me disait : « Marcus, tu veux venir manger une pizza avec nous ? » Je n'avais pas envie d'être avec eux. Je voulais être avec les autres Goldman. Je lançais alors un regard en direction de Woody et Hillel, et ma mère comprenait aussitôt. Elle me disait : « Reste t'amuser, nous viendrons te chercher vers onze heures.» Je mentais en regardant Hillel et Woody: c'étaient Oncle Saul et Tante Anita que je regardais en réalité. C'était avec eux que je voulais rester plutôt qu'avec mes parents. Je me sentais traître. Comme ces matins où ma mère voulait aller au centre commercial, et moi je demandais que l'on me dépose avant à la Buenavista. Je voulais y être au plus vite, car si j'y arrivais de bonne heure, je pouvais prendre le petit déjeuner à l'appartement d'Oncle Saul et échapper à celui du Dolph'Inn. Nous prenions notre petit déjeuner entassés dans l'entrée du Dolph'Inn, à manger dans la vaisselle jetable des beignets mous réchauffés au micro-ondes. Les Baltimore prenaient le petit déjeuner sur la table en verre de leur balcon qui, même quand j'arrivais à l'improviste, était dressée pour cinq. Comme s'ils m'attendaient. Les Goldman-de-Baltimore et le rescapé de Montclair.

Il m'était arrivé de convaincre mes parents de me déposer de bonne heure à la Buenavista. Woody et Hillel dormaient encore. Oncle Saul parcourait ses dossiers en buvant son café. Tante Anita lisait le journal à côté de lui. J'étais fasciné par son calme à elle, sa capacité à gérer toute la maison en plus de son travail. Quant à Oncle Saul, malgré ses dossiers, ses rendez-vous, ses retours souvent tardifs les soirs de semaine, il faisait tout pour qu'Hillel et Woody ne remarquent pas ses horaires. Il n'aurait manqué pour rien au monde une visite de l'aquarium de Baltimore avec eux. À la Buenavista, c'était pareil. Il était disponible, présent, détendu, malgré les appels incessants de son bureau, les fax, et les longs moments passés, entre une heure et trois heures du matin, à réviser ses notes et préparer ses mémos.

Dans mon lit d'appoint du Dolph'Inn, peinant à trouver le sommeil pendant que mes parents ronflaient de bon cœur, j'aimais imaginer les Baltimore dans leur appartement, dormant tous sauf Oncle Saul, qui travaillait encore. Son bureau était la seule pièce éclairée de la tour. Par la fenêtre ouverte s'engouffrait le vent tiède de la nuit floridienne. Si j'avais été chez eux, je me serais faufilé jusqu'au seuil de la pièce pour l'admirer toute la nuit.

Qu'y avait-il de si fabuleux à la Buenavista ? Tout. C'était à la fois époustouflant et terriblement douloureux, car contrairement aux Hamptons, où je pouvais me sentir Goldman-de-Baltimore, la présence de mes parents en Floride me coinçait dans une peau de Goldman-de-Montclair. C'est grâce ou à cause de cela que je réalisai pour la première fois ce que je n'avais pas compris dans les Hamptons : il y avait un fossé social qui s'était creusé au sein des Goldman, dont il allait me falloir longtemps pour comprendre les enjeux. Le signe le plus évident à mes yeux était la déférence avec laquelle l'agent de sécurité à l'entrée de la résidence saluait les Goldman-de-Baltimore et leur ouvrait la grille par anticipation, dès qu'il les voyait arriver. Lorsqu'il s'agissait de nous, les Goldman-de-Montclair, bien que nous connaissant, il nous demandait toujours :

— C'est pour quoi ?

— Nous venons rendre visite à Saul Goldman. Appartement 2609.

Il demandait une pièce d'identité, tapait sur son ordinateur, décrochait son téléphone, appelait l'appartement. « Monsieur Goldman ? Il y a un certain Monsieur Goldman pour vous à l'entrée... Très bien, merci, je laisse passer. » Il déclenchait l'ouverture de la grille et il nous disait « C'est bon », en accompagnant ses mots d'un hochement magnanime de la tête.

Mes journées à la Buenavista avec les Baltimore étaient baignées de soleil et de bonheur. Mais tous les soirs, ma merveilleuse existence de Baltimore était gâchée par mes parents, sans qu'ils soient coupables de quoi que ce soit. Leur crime ? Venir me chercher. Comme tous les autres soirs, je m'installais sur la banquette arrière de la voiture de location, le visage fermé. Et comme à chaque fois, ma mère me demandait : « Alors, tu t'es bien amusé, mon chéri ? » J'aurais eu envie de leur dire combien ils étaient nuls. Et d'avoir le courage d'énumérer à haute voix la liste des « pourquoi ? » qui me brûlait la langue à chaque fois que je quittais les Baltimore pour retrouver les Montclair. Pourquoi n'avions-nous pas une maison d'été, comme Oncle Saul ? Pourquoi n'avions-nous pas un appartement en Floride ? Pourquoi est-ce que Woody et Hillel pouvaient dormir ensemble à la Buenavista, et que moi je devais me farcir le lit de camp d'une chambre minable du Dolph'Inn ? Pourquoi, au fond, était-ce Woody qui avait été l'enfant élu, l'enfant choisi ? Woody le chanceux, qui avait vu ses parents nuls changés pour Oncle Saul et Anita. Pourquoi est-ce que cela n'avait pas été moi ? Mais au lieu de tout cela, je me contentais d'être un gentil Goldman-de-Montclair et de ravaler cette question qui brûlait ma bouche tout entière : pourquoi n'étions-nous pas, nous, les Goldman-de-Baltimore ?

Dans la voiture ma mère me sermonnait : « Lorsqu'on sera rentré à Montclair, il ne faudrait pas que tu oublies de téléphoner à Oncle Saul et Tante Anita. Ils ont de nouveau été si gentils avec toi. » Je n'avais pas besoin que l'on me rappelle de les remercier. J'appelais chez eux à chaque retour de vacances. Par politesse et par nostalgie. Je disais : « Merci pour tout, Oncle Saul », et lui me répondait : « C'est vraiment rien, rien du tout. Tu n'as pas besoin de me remercier tout le temps. C'est moi qui te remercie d'être un aussi chouette gars et du plaisir qu'on a de passer du temps avec toi. » Et lorsque c'était Tante Anita qui décrochait le téléphone, elle me disait : « Markie chaton, c'est normal, tu es de la famille. » Je rougissais au téléphone quand elle m'appelait « chaton ». De même que je rougissais quand elle me voyait et qu'elle me complimentait : « Tu es de plus en plus beau », ou quand, palpant mon torse, elle s'exclamait : « Dis donc, tu es de plus en plus musclé, toi. » Les jours suivants, je me regardais dans la glace, avec un sourire béat et convaincu. Étais-je, adolescent, tombé amoureux de ma tante Anita ? Sans doute. Probablement même à chaque fois que je la revoyais.

Des années plus tard, l'hiver qui suivit le succès de mon premier roman, c'est-à-dire environ trois ans après le Drame, je m'offris le luxe de passer les fêtes dans un hôtel à la mode de South Beach. C'était la première fois que je revenais à Miami depuis la Buenavista. J'arrêtai ma voiture devant la grille.

L'agent de sécurité sortit la tête de sa guérite.

— Bonjour, Monsieur, puis-je vous renseigner?

— Oui, je voudrais entrer un moment si c'est possible.

— Êtes-vous résident ici?

— Non, mais je connais bien cet endroit. J'ai connu des gens qui ont vécu ici.

— Désolé, Monsieur, si vous n'êtes ni un résident, ni un invité, je dois vous demander de partir.

— Ils habitaient au 26e étage, appartement 2609. Famille Goldman.

— Je n'ai pas de « Goldman » sur mon registre, Monsieur.

— Qui habite aujourd'hui l'appartement 2609 ?

— Je ne suis pas autorisé à vous donner ce genre d'information.

— Je voudrais juste entrer dix minutes. Je voudrais juste aller voir la piscine. Voir si ça a changé.

— Monsieur, je crains de devoir vous demander de partir, maintenant. C'est une propriété privée. Sinon, j'appelle la police.

11.

Par un chaud mardi matin à Boca Raton, Alexandra débarqua chez moi, utilisant le prétexte de son chien qui s'était enfui, comme tous les jours.

— Qu'est-ce que ton chien ferait chez moi ?

— Je ne sais pas.

— Si je l'avais vu, je te l'aurais ramené.

— C'est vrai. Excuse-moi de t'avoir dérangé.

Elle faisait mine de partir et moi je la retenais.

— Attends... Tu veux boire un café ?

Elle souriait.

— Oui, je veux bien...

Je la priai de patienter un instant.

— Donne-moi deux minutes, s'il te plaît. C'est très mal rangé à l'intérieur.

— C'est pas grave, Markie...

Je frémissais quand elle m'appelait comme ça. Je ne me laissai pas pour autant distraire.

— C'est une honte de recevoir les gens comme ça. Donne-moi un instant.

Je me précipitai sur la terrasse arrière. C'était le début des grosses chaleurs et Duke se prélassait dans une piscine gonflable pour enfant que je lui avais achetée.

Je la renversai pour la vider de son eau et Duke avec. Il prit un air malheureux. « Désolé, mon vieux, il faut que tu te tires d'ici. » Il s'assit et me regarda fixement. « Allez hop ! Tire-toi ! Il y a ta patronne à l'entrée. » Comme il ne bronchait pas, je lui lançai sa balle en caoutchouc aussi loin que je pus. Elle atterrit dans le lac et Duke se précipita vers elle.

Je me dépêchai de faire entrer Alexandra. Nous nous installâmes dans la cuisine, je mis du café à filtrer, et comme elle regardait par la fenêtre, elle remarqua son chien qui nageait dans le lac.

— Ça alors ! s'écria-t-elle. Duke est là-bas.

Je pris un air étonné et vins à côté d'elle pour constater cette extraordinaire coïncidence.

Nous sortîmes Duke de l'eau, sa balle dans la gueule. Elle la lui retira. « Les gens jettent n'importe quoi dans ce lac », dis-je.

Elle resta un bon moment chez moi. Lorsqu'il fut pour elle le moment de repartir, je la raccompagnai jusque sous mon porche. Je donnai une tape amicale à Duke. Elle me regarda longuement sans parler : je crois qu'elle était sur le point de m'embrasser. Soudain, elle tourna la tête et elle s'en alla.

Je la regardai descendre les marches de ma maison et rejoindre sa voiture. Elle partit. C'est à ce moment-là que je remarquai un van noir garé dans la rue avec, au volant, un homme qui m'observait. Au moment où il croisa mon regard, il enclencha son moteur. Je me précipitai dans sa direction. Il démarra en trombe. Je lui courus après en le sommant de s'arrêter. Il disparut avant que j'aie la présence d'esprit de relever le numéro de sa plaque.

Leo apparut sous son porche, alerté par le bruit.

— Est-ce que tout va bien, Marcus ? me cria-t-il.

— Il y avait un drôle de type dans un van, répondis-je hors d'haleine. Il avait l'air vraiment bizarre.

Leo me rejoignit sur la rue.

— Un van noir ? me demanda-t-il.

— Oui.

— Je l'ai vu à plusieurs reprises. Mais je pensais que c'était un voisin.

— C'était tout sauf un voisin.

— Vous pensez être menacé ?

— Je... Je n'en sais rien, Leo.

Je décidai d'appeler la police. Une patrouille se présenta

une dizaine de minutes plus tard. Malheureusement, je n'avais pas la moindre piste à leur donner. Tout ce que j'avais vu, c'était un van noir. Les policiers me recommandèrent de les appeler si je remarquais quoi que ce soit d'étrange et promirent de faire quelques passages dans la rue pendant la nuit.

*

Baltimore.
Janvier 1994.

Le Gang des Goldman fut toujours une trinité. Mais je ne saurais pas dire si j'en fus un élément constitutif ou si, au fond, il existait par la seule union d'Hillel et Woody, auxquels se greffait un élément tiers. L'année de la Buena-vista fut celle où Scott Neville prit davantage de place dans la vie de mes cousins, au point que j'eus l'impression qu'il s'était vu offrir la récompense de leur amitié et le troisième siège du Gang.

Scott était drôle, incollable au sujet du football, et il n'était pas rare, lorsque je leur téléphonais, que mes cousins me disent: «Tu ne devineras jamais ce que Scott a fait aujourd'hui à l'école...»

J'étais affreusement jaloux de lui: pour l'avoir rencontré, je savais qu'il dégageait quelque chose d'éminemment sympathique. De surcroît, sa maladie lui valait de tous une tendresse particulière. Le pire était quand je l'imaginais dans sa brouette, poussé par Woody et Hillel, paradant comme un roi africain sur une chaise à porteurs.

Au retour des vacances de Noël, il obtint même d'intégrer l'équipe des *Goldman Jardiniers* après un incident qui immobilisa Skunk pendant quelque temps.

Pendant l'hiver, Skunk se chargeait de déblayer la neige devant les garages et sur les allées des maisons de ses clients. C'était un travail physique et astreignant, et surtout un éternel recommencement les années où il neigeait passablement.

Un samedi matin, alors que Woody et Hillel pelletaient des monceaux de neige devant le garage d'une cliente, Skunk arriva, furieux :

— Dépêchez-vous, les sacs à merde ! Vous n'avez pas encore terminé ici ?

— On fait ce qu'on peut, Monsieur Skunk, se défendit Hillel.

— Eh bien, faites plus ! Et je m'appelle *Bunk* ! *Bunk* ! Pas *Skunk* !

Comme il le faisait souvent, il agita devant eux une pelle, comme s'il menaçait de les frapper.

— J'ai eu Madame Balding au téléphone. Elle dit que vous n'êtes pas passés chez elle la semaine dernière et qu'elle a failli ne pas pouvoir sortir de sa maison.

— On était en vacances, plaida Woody.

— Je m'en fous, les sacs à merde ! Dépêchez-vous !

— Vous inquiétez pas, M'sieur Skunk, le rassura Hillel, on va travailler dur.

Bunk devint pourpre.

— *Bunk* ! hurla-t-il. JE M'APPELLE BUNK ! BUNK ! Comment il faut vous le dire ? *Bunk* avec un *B* ! Un *B* comme… *B* comme…

— *B* comme Bunk peut-être ? suggéra Hillel.

— *B* comme Baffe-dans-ta-gueule-sacré-nom-de-Dieu ! explosa Skunk avant de subitement s'écrouler par terre.

Woody et Hillel se précipitèrent. Il se tordait comme un ver. « Mon dos ! souffla-t-il comme s'il était paralysé. Mon dos, bordel de merde ! » Le pauvre Skunk avait crié tellement fort qu'il s'était bloqué le dos. Hillel et Woody le traînèrent jusque chez eux. Tante Anita l'installa sur le canapé du salon et l'examina. Apparemment, c'était un nerf coincé. Rien de grave, un repos total s'imposait. Elle lui prescrivit des calmants et ramena Skunk chez lui. Oncle Saul, Woody et Hillel la suivirent avec la camionnette de jardinage récupérée dans la rue voisine. Après avoir installé Skunk dans son lit, Tante Anita et Oncle Saul allèrent chercher des médicaments et lui faire quelques courses, tandis que Woody et Hillel lui tenaient compagnie. Installés au bord de son lit, ils virent soudain une larme perler de son œil et rouler dans le sillon d'une ride qui creusait sa vieille peau tannée par les années passées dehors. Skunk pleurait.

— Pleurez pas, M'sieur Skunk, lui dit gentiment Woody.

— Je vais perdre mes clients. Si je ne peux pas travailler, je vais perdre tous mes clients.

— Faut pas vous inquiéter pour ça, M'sieur Skunk. Nous, on va s'occuper de tout.

— Les petits sacs à merde, faites-moi la promesse que vous allez bien vous occuper de mes clients.

— On vous le promet, pauvre petit Monsieur Skunk.

Le soir de l'incident, lorsque mes cousins me firent part de la situation, je me déclarai prêt à venir à Baltimore sur-le-champ pour les aider. Le Gang des Goldman avait un sens de l'honneur à toute épreuve : nous n'avions qu'une parole et nous comptions bien la tenir.

Mais lorsque je demandai à ma mère la permission de rater l'école pour aller à Baltimore aider mes cousins à déblayer la neige devant les garages d'Oak Park, elle ne me l'octroya évidemment pas. Et comme mes cousins manquaient de bras, ce fut Scott qui eut l'honneur de compléter l'équipe des jardiniers Goldman.

Il pelletait avec ferveur, ce qui l'obligeait à s'interrompre régulièrement pour reprendre sa respiration. Ses parents, Patrick et Gillian Neville, s'inquiétèrent de le voir constamment dehors. Ils vinrent trouver Woody et Hillel chez les Baltimore pour leur expliquer qu'il fallait faire très attention à la santé de Scott.

Woody et Hillel promirent de veiller sur lui. Lorsque les beaux jours revinrent et qu'il fut question de préparer les jardins pour le printemps, Gillian Neville fut très réticente à ce que son fils poursuive son travail avec le Gang. Patrick, au contraire, trouvait que son fils s'épanouissait au contact des deux garçons. Il emmena Woody et Hillel boire un milk-shake au *Dairy Shack* et leur expliqua la situation.

— La maman de Scott est un peu inquiète de le voir jardiner. C'est fatigant pour lui, et il est exposé à la saleté et à la poussière. Mais Scott aime être avec vous. Ça lui fait beaucoup de bien au moral et c'est important aussi.

— Vous inquiétez pas, M'sieur Neville, le rassura Hillel. On fera très gaffe à Scott.

— Il doit beaucoup boire, prendre des pauses pour respirer régulièrement, et bien se laver les mains après avoir manipulé les outils.

— On fera tout ça, M'sieur Neville. Promis.

Cette année-là, je me rendis à Baltimore pour les vacances de printemps. Je compris pourquoi mes cousins aimaient tant la compagnie de Scott : c'était un garçon très attachant. Nous nous rendîmes tous chez lui un après-midi où son père nous demanda de l'aide pour ses plantes. C'était la première fois que je rencontrais les Neville. Patrick avait l'âge d'Oncle Saul et Tante Anita. C'était un bel homme, athlétique et très affable. Sa femme, Gillian, n'était pas vraiment belle mais elle dégageait quelque chose de très attirant. Scott avait une sœur, que mes cousins n'avaient encore jamais vue. Je crois que c'était la première fois qu'ils se rendaient au domicile des Neville.

Patrick nous emmena dans la partie arrière de son jardin : de l'extérieur, sa maison ressemblait à celle des Baltimore, en un peu plus moderne. Contre le flanc ouest, deux rangées d'hortensias maigrichons cuisaient au soleil. Pas loin, un massif de rosiers ternes boudait.

Woody observa les plantes d'un œil expert.

— Je sais pas qui vous a planté ça, mais les hortensias sont mal orientés. Ils n'aiment pas trop le soleil, vous savez. Et ils ont l'air d'avoir soif. Est-ce que votre arrosage automatique est branché ?

— Je crois...

Woody envoya Hillel contrôler le système d'arrosage, puis il examina les feuilles du rosier.

— Il est malade votre rosier, diagnostiqua-t-il. Il faut le traiter.

— Vous pouvez faire ça ?

— Bien sûr.

Hillel revint.

— Il y a une fuite sur l'un des conduits d'arrosage. Il faut le changer.

Woody opina.

— À mon avis, ajouta-t-il, il faudrait songer à transplanter vos hortensias de l'autre côté. Mais il faudra demander à Monsieur Bunk ce qu'il en pense.

Patrick Neville nous dévisagea d'un air amusé.

— Je t'avais dit qu'ils étaient forts, Papa, lui dit Scott.

Il faisait chaud et Patrick nous proposa à boire, ce que nous acceptâmes volontiers. Comme il avait les chaussures pleines de terre, il passa la tête par l'une des portes-fenêtres et appela : «Alexandra, est-ce que tu peux apporter de l'eau pour les garçons s'il te plaît ?»

— Qui est Alexandra ? demanda Hillel.

— Ma sœur, répondit Scott.

Elle arriva quelque instant plus tard, les bras chargés d'un plateau de petites bouteilles d'eau de source.

Nous restâmes sans voix. Elle était d'une beauté parfaite. Des yeux légèrement en amandes. Des cheveux blonds qui ondulaient au soleil, un visage fin et un nez élégant. Elle était coquette. Elle portait des petits diamants étincelants aux oreilles et ses doigts étaient vernis de rouge. Elle nous sourit de ses dents droites et très blanches, et nos cœurs se mirent à battre plus fort. Et comme nous avions jusqu'alors toujours tout partagé, nous décidâmes d'aimer tous les trois cette fille au regard rieur.

— Salut, les gars, nous dit-elle. Alors c'est vous dont Scott parle sans cesse ?

Après un moment de balbutiements, nous nous présentâmes tour à tour.

— Vous êtes frères ? demanda-t-elle.

— Cousins, corrigea Woody. Nous sommes les trois cousins Goldman.

Elle nous adressa un autre sourire ravageur.

— Très bien, les cousins Goldman, j'ai été heureuse de vous rencontrer.

Elle embrassa son père sur la joue, lui dit qu'elle sortait un moment et disparut, laissant pour seule trace un parfum de shampooing à l'abricot.

Scott trouva dégoûtant que nous nous amourachions ainsi de sa sœur. Nous n'y pouvions rien. Alexandra venait de s'installer dans nos cœurs pour toujours.

Le lendemain de cette première rencontre avec elle, nous nous rendîmes au bureau de poste d'Oak Park, à la demande de Tante Anita, pour acheter des timbres. En sortant, Woody proposa de nous arrêter au *Dairy Shack* et de nous offrir un lait frappé, idée qui reçut une approbation générale. Et voilà qu'au moment où nous nous installions à une table avec nos commandes, elle entra. Elle nous vit, remarqua certainement que nous étions médusés, incrédules, éclata de rire et se glissa à notre table en nous saluant chacun par notre nom.

C'est l'une des qualités qu'elle n'a jamais perdues : tout le monde vous dira qu'elle est gentille, merveilleuse et douce. Malgré le succès planétaire, la gloire, l'argent et tout ce qui vient avec, elle est restée cette personne authentique, tendre et délicieuse qui, du haut de nos treize ans, nous faisait rêver.

— Donc vous habitez le quartier, fit-elle en attrapant une paille qu'elle enfonça dans nos milk-shakes pour les goûter.

— On habite Willowick Road, répondit Hillel.

Elle sourit. Lorsqu'elle souriait, ses yeux en amandes lui donnaient un air mutin.

— Moi, j'habite Montclair, New Jersey, me sentis-je obligé de préciser.

— Et vous êtes donc cousins ?

— Mon père et son père sont frères, expliqua Hillel.

— Et toi ? demanda-t-elle à Woody.

— Moi, je vis avec Hillel et ses parents. On est comme des frères.

— Du coup on est tous cousins, conclus-je.

Elle éclata d'un rire merveilleux. C'est ainsi qu'elle entra dans nos vies, elle que nous allions tous les trois tant aimer. *A-lex-an-dra*. Une poignée de lettres, quatre petites syllabes qui allaient bouleverser notre monde tout entier.

12.

Baltimore, Maryland.
Printemps-Automne 1994.

Durant les deux années qui suivirent, elle illumina nos existences.

Mes cousins adorés, si vous étiez encore là, nous nous raconterions comment nous avons été subjugués par elle.

Durant l'été 1994, je suppliai mes parents de me laisser, après mon séjour dans les Hamptons, passer deux semaines à Baltimore. Pour être avec elle.

Elle nous avait pris en affection et nous étions sans cesse fourrés chez les Neville. En principe, les grandes sœurs et les petits frères ne s'entendent pas. C'est du moins le constat que j'avais fait avec mes copains de Montclair. Ils se traitaient de tous les noms et se faisaient des crasses. Chez les Neville, c'était différent. Certainement à cause de la maladie de Scott.

Alexandra appréciait notre compagnie. Elle la recherchait même. Et Scott adorait la présence de sa sœur. Elle l'appelait « chou » et multipliait les gestes de tendresse à son égard. Quand je la voyais le cajoler, l'enlacer, lui caresser la nuque, lui embrasser les joues, j'avais soudain très envie d'avoir moi aussi la mucoviscidose. Moi, à qui on avait toujours accordé un intérêt digne d'un Montclair, j'étais subjugué qu'un enfant puisse recevoir autant d'attention.

Je promis mille merveilles au Ciel en échange d'une belle mucoviscidose. Pour accélérer le processus divin, je léchais en cachette les fourchettes de Scott et je buvais dans son verre. Quand il avait des quintes de toux, je m'approchais de lui, la bouche grande ouverte, pour récolter des miasmes.

Je me rendis chez le médecin, qui me trouva malheureusement dans une forme éblouissante.

— J'ai la mucoviscidose, lui annonçai-je pour aider le diagnostic.

Il éclata de rire.

— Hé! m'insurgeai-je. Un peu de respect pour les malades.

— Tu n'as pas la mucoviscidose, Marcus.

— Qu'est-ce que vous en savez?

— Je le sais parce que je suis ton médecin. Tu es en pleine forme.

Il n'y eut plus de week-end à Baltimore sans Alexandra. Elle était tout ce dont nous pouvions rêver: drôle, intelligente, belle, douce et rêveuse. Ce qui nous fascinait le plus chez elle était certainement son don pour la musique. Nous fûmes son premier véritable public: elle nous faisait venir chez elle, elle prenait sa guitare et elle jouait pour nous. Nous l'écoutions, envoûtés.

Elle pouvait jouer pendant des heures, et nous ne nous en lassions jamais. Elle partageait avec nous ses compositions, nous demandait notre avis. Il ne fallut pas plus de quelques mois pour que Tante Anita accepte d'inscrire Hillel et Woody à un cours de guitare, tandis qu'à Montclair ma mère me les refusait avec un argument redoutable: «Des cours de guitare? Pour quoi faire?» Je pense qu'elle n'aurait pas vu d'inconvénient à ce que je fasse du violon ou de la harpe. Elle m'aurait vu virtuose, chanteur d'opéra. Mais quand je lui parlais de devenir vedette de la pop music, elle me voyait saltimbanque aux cheveux longs et sales.

Alexandra devint le premier et unique membre féminin du Gang des Goldman. En une seconde elle fit partie de notre groupe, au point que nous nous demandions comment nous avions pu vivre si longtemps sans elle. Elle fut de nos soirées pizza à la table des Baltimore, elle fut de nos visites au père de Tante Anita à la «Maison des morts», où elle remporta même notre prestigieux trophée inter-Goldman de course en chaise roulante. Elle était capable de descendre d'une traite autant de Dr Pepper que nous trois, et de roter aussi fort.

La famille Neville dans son ensemble me plaisait énormément. C'était à croire qu'à Baltimore, toute la population avait été gratifiée de gènes supérieurs. J'en voulais pour preuve que les Neville au grand complet étaient une famille aussi belle et attirante que les Goldman. Patrick travaillait pour une banque et Gillian était trader. Ils étaient arrivés de Pennsylvanie quelques années plus tôt, mais étaient tous les deux originaires de New York. Ils se montraient profondément bons avec nous. Leur maison nous était grande ouverte.

La présence d'Alexandra à Baltimore – voire la découverte de la famille Neville – décupla à la fois mon excitation à l'idée de retourner là-bas, et le désarroi de devoir en repartir. Car aux sentiments de tristesse se mêla une sensation que jamais auparavant je n'avais éprouvée envers mes cousins : de la jalousie. Seul à Montclair, je me faisais des films absurdes : j'imaginais Woody et Hillel rentrer de l'école et passer chez elle. Je l'imaginais se frottant contre chacun d'eux et je devenais fou de rage. Je fulminais en me représentant Alexandra pendue aux lèvres d'Hillel le génie, ou reluquant les muscles saillants de Woody l'athlète. Et moi, qu'étais-je ? Ni vraiment athlète, ni vraiment génial, je n'étais qu'un Montclair. Dans un moment de désarroi profond, je lui écrivis même une lettre, pendant un cours de géographie, pour lui dire combien je regrettais de ne pas vivre à Baltimore moi aussi. J'avais recopié la lettre sur du beau papier, je l'avais réécrite trois fois pour que chaque mot soit parfait et je l'avais postée en express avec accusé de réception pour être certain qu'elle la recevrait. Mais elle ne me répondit jamais. Je téléphonai une quinzaine de fois à la poste pour donner mon numéro de référence et être certain que l'envoi avait été délivré à Alexandra Neville, Hanson Crescent, à Oak Park, Maryland. Elle l'avait bien reçue. Elle avait signé l'accusé de réception. Pourquoi ne me répondait-elle pas? Était-ce sa mère qui avait intercepté la lettre? Ou avait-elle des sentiments qu'elle n'osait pas m'avouer et qui, du coup, l'empêchaient de m'écrire en retour? Lorsque enfin je retournai à Baltimore, la première chose que je lui demandai en la voyant fut de savoir si elle avait reçu ma lettre. Elle me répondit: «Oui, Markikette. Merci d'ailleurs.» Je lui avais envoyé une belle lettre, et elle me disait simplement *Merci, Markikette*. Hillel et Woody éclatèrent de rire en entendant le sobriquet qu'elle venait de m'inventer.

— Markikette! s'esclaffa Woody.

— Une lettre à propos de quoi? demanda Hillel, goguenard.

— Ça ne vous regarde pas, dis-je.

Mais Alexandra répondit:

— Une très gentille lettre dans laquelle il me disait qu'il aurait aimé vivre à Baltimore, lui aussi.

Hillel et Woody se mirent à rire comme des imbéciles et moi je restais mortifié et cramoisi de honte. Je me mis à penser qu'il se passait réellement quelque chose entre Alexandra et l'un de mes deux cousins et, à des signes que je pouvais observer, tout portait à croire que c'était Woody, ce qui n'avait rien d'étonnant puisque toutes les filles et même toutes les femmes se pâmaient devant lui, beau, musclé, ténébreux et mystérieux. Moi aussi, j'aurais bien voulu que mes parents m'abandonnent si c'était pour finir beau et fort dans la maison des Goldman-de-Baltimore!

Quand le week-end touchait à sa fin, que j'entendais de sa bouche un dernier «au revoir, Markikette», je sentais mon cœur se serrer. Elle me demandait:

— Tu reviens le week-end prochain?

— Non.

— Oh, c'est dommage! Tu reviens quand?

— Je ne sais pas encore.

Dans ces moments-là, j'avais presque l'impression de me sentir spécial à ses yeux, mais aussitôt mes deux cousins s'esclaffaient comme des macaques et disaient: «T'inquiète pas, Alexandra, tu recevras bientôt une lettre d'*amouuuur.*» Elle riait aussi et moi je m'en allais, penaud.

Tante Anita me raccompagnait à la gare. Sur le quai, un petit garçon sale et laid m'attendait. Je devais me dévêtir devant lui et lui remettre la toison magnifique des Baltimore tandis qu'il me tendait un sac-poubelle dans lequel était le costume crasseux et puant des Montclair. Je le revêtais, j'embrassais ma tante et je montais dans le train. Une fois à bord, je ne pouvais jamais m'empêcher de pleurer. Et malgré mes nombreuses prières, de tous les ouragans, les tornades, les tempêtes de neige et les cataclysmes qui balayèrent l'Amérique durant ces années, aucun n'eut la bonne idée de se produire lorsque j'étais à Baltimore et de prolonger mon séjour. Jusqu'au dernier instant, j'espérais une catastrophe naturelle soudaine, ou une panne du réseau ferroviaire qui empêcherait le départ du train. N'importe quoi pour retrouver ma tante et retourner à Oak Park où m'attendaient Oncle Saul, mes cousins et Alexandra. Mais le train s'ébranlait toujours et m'emmenait vers le New Jersey.

*

L'automne 1994 marqua notre entrée au lycée, et Hillel et Woody quittèrent l'enseignement privé pour rejoindre le lycée public de Buckerey High, dont l'équipe de football était très réputée. Oncle Saul et Tante Anita n'auraient sans doute jamais songé à inscrire Hillel dans un lycée public si l'entraîneur de l'équipe de Buckerey n'était pas venu en personne recruter Woody. Cela s'était passé quelques mois plus tôt, avant la fin de leur dernière année scolaire à Oak Tree. Un dimanche, un visiteur avait sonné à la maison des Goldman-de-Baltimore. L'homme n'était pas un inconnu pour Woody, qui venait de lui ouvrir la porte. Bien que son visage lui fût familier, il fut incapable de se rappeler où il l'avait vu.

— Tu es Woodrow, c'est ça ? demanda l'homme sur le pas de la porte.

— Tout le monde m'appelle Woody.

— Je m'appelle Augustus Bendham, je suis le coach de l'équipe de football du lycée de Buckerey High. Tes parents sont là ? Je voudrais vous parler à tous les trois.

Le coach Bendham fut reçu en audience par Tante Anita, Oncle Saul, Woody et Hillel. Ils s'installèrent tous les cinq dans la cuisine.

— Voilà, expliqua-t-il en jouant nerveusement avec son verre d'eau, pardonnez-moi de débarquer à l'improviste, mais je suis venu pour vous faire une proposition un peu inhabituelle. Ça fait un moment que j'observe Woodrow jouer au sein de son équipe de football. Il est doué. Il est vraiment doué. Il a un potentiel immense. Je voudrais le prendre dans l'équipe du lycée. Je sais que vos enfants sont scolarisés dans le privé et que Buckerey est un établissement public, mais mon équipe est au top cette année et je pense qu'avec un joueur de la trempe de Woody, on a toutes les chances de remporter un titre. Et puis, il va stagner dans l'équipe locale, alors que s'il joue le championnat scolaire, il va pouvoir vraiment s'améliorer. Je crois que c'est une opportunité à la fois pour Buckerey et pour Woody. En principe, je ne me permets jamais de demander à des parents d'inscrire leur gamin à Buckerey juste pour avoir un talent de plus dans mon équipe. Je compose avec ce qu'il y a, ça fait partie de mon boulot. Mais là, c'est différent. Je ne me rappelle pas avoir vu un joueur pareil à cet âge. Je voudrais beaucoup que Woodrow intègre notre équipe dès la rentrée.

— Buckerey n'est pas le lycée public le plus proche de chez nous, releva Tante Anita.

— C'est vrai, mais vous n'avez pas à vous inquiéter pour ça. La répartition des élèves entre les différents établissements est facilement arrangeable. Si votre garçon veut aller à Buckerey, alors ce sera Buckerey.

Oncle Saul se tourna vers Woody.

— Qu'en penses-tu ?

Il prit un instant de réflexion puis demanda au coach Bendham :

— Pourquoi moi ? Pourquoi vous voudriez tant que je vienne dans votre lycée ?

— Parce que je t'ai vu jouer. Et que de ma carrière, je n'avais encore jamais vu ça. T'es costaud, lourd, et pourtant tu cours à la vitesse de la lumière. À toi seul, tu vaux deux ou trois de mes joueurs. Je dis pas ça pour que tu prennes la grosse tête. T'es loin de ton meilleur niveau. Tu vas devoir travailler comme un chien. Te donner comme jamais. J'y veillerai personnellement. Je n'ai aucun doute que grâce au football, tu pourras obtenir une bourse pour n'importe quelle université du pays. Mais je pense que tu n'auras pas le temps d'aller à l'université.

— Que voulez-vous dire ? demanda Oncle Saul.

— Je pense que ce petit gars va devenir une vedette de la NFL. Croyez-moi, en règle générale je suis plutôt avare de compliments. Mais ce que j'ai vu sur le terrain ces derniers mois...

La proposition du coach Bendham fut l'unique sujet de conversation à la table du dîner des Goldman-de-Baltimore durant les jours qui suivirent. Chacun avait ses raisons de penser que la possible intégration de Woody au sein de l'équipe de football de Buckerey était une grande nouvelle. Oncle Saul et Tante Anita, pragmatiques, considéraient que c'était pour Woody une chance unique de pouvoir ensuite aller étudier dans une bonne université. Hillel et Scott – qui avaient été immédiatement prévenus des oracles du coach – lui prédisaient la gloire et l'argent. «Tu sais combien se font les footballeurs professionnels ? s'excita Hillel. Des millions ! Ils gagnent des millions de dollars. Wood', c'est énorme ! »

Renseignements pris, Buckerey High était un bon lycée, exigeant, et son équipe de football renommée. Lorsque le coach Bendham revint chez les Baltimore pour connaître le verdict final, il trouva devant la maison Woody, Hillel et Scott qui l'attendaient. « Je viens à Buckerey jouer au football si vous vous arrangez pour faire transférer également mes copains Hillel et Scott dans ce lycée. »

Il fallut ensuite convaincre les parents de Scott de laisser leur fils rejoindre un lycée public, ce à quoi ils étaient réticents. À l'invitation de Tante Anita, ils vinrent dîner un soir chez les Baltimore, sans leur fils.

— Les enfants, nous apprécions ce que vous faites pour Scott, dit Madame Neville à Woody et Hillel. Mais vous devez comprendre que la situation est compliquée. Scott est malade.

— On sait qu'il est malade, mais il doit bien aller à l'école, non ? rétorqua Woody.

— Mes chéris, expliqua doucement Tante Anita, Scott serait peut-être mieux dans une école privée.

— Mais Scott a envie de venir à Buckerey avec nous, insista Hillel. Ce serait injuste de l'en priver.

— Il faut vraiment faire très attention à lui, expliqua Gillian. Je sais que vous ne pensez pas à mal, mais avec toutes vos histoires de football…

— Ne vous inquiétez pas, Madame Neville, dit Hillel, il ne court pas. Nous le mettons dans une brouette et Woody le pousse.

— Les enfants, il n'est pas habitué à toute cette agitation.

— Mais il est heureux avec nous, Madame Neville.

— Les autres enfants vont se moquer de lui. Dans une école privée, il est mieux protégé.

— Si des élèves se moquent de lui, nous leur casserons à chacun le nez, promit gentiment Woody.

— Personne ne va casser le nez de personne ! s'énerva Oncle Saul.

— Pardon, Saul, répondit Woody. Je voulais juste aider.

— Ça n'aide pas du tout.

Patrick prit la main de sa femme.

— Gil', Scott est tellement heureux avec eux. Nous ne l'avons jamais vu comme ça. Il vit enfin.

Patrick et Gillian finirent par autoriser Scott à rejoindre Buckerey High, où il débarqua avec Hillel et Woody à l'automne 1994. Mais leurs craintes étaient fondées : dans l'univers privilégié d'Oak Tree, leur fils avait été à l'abri. Dès son premier jour au lycée, à cause de son aspect maladif il devint la cible des autres élèves. Il fut l'objet de regards et de moqueries. Cette même première journée, désorienté dans l'immensité des couloirs du nouveau bâtiment, il demanda la direction de sa salle de classe à une fille dont le petit ami, un costaud de dernière année, le coinça dans un couloir à la fin de la journée, lui tordit le bras devant tout le monde avant de lui coincer la tête dans un casier sans porte. Woody et Hillel l'y récupérèrent en sanglots. «Ne dites rien à mes parents, supplia Scott. S'ils savent, ils vont me changer d'école.»

Il fallait faire quelque chose pour Scott. Après une brève concertation entre Hillel et Woody, il fut décidé que ce dernier donnerait une raclée au costaud dès le lendemain matin, afin que tous les autres élèves soient clairement informés des conséquences de toute atteinte contre leur ami.

Que le costaud – Rick de son prénom – soit un pratiquant assidu d'arts martiaux n'impressionna pas Woody, ni ne fut d'une quelconque utilité au pauvre garçon. Comme convenu, le lendemain matin à la pause, Woody alla trouver Rick et le terrassa d'un coup de poing dans le nez, sans sommation. Rick étendu par terre, Hillel en profita pour lui verser son jus d'orange sur la tête et Scott dansa autour de son corps, les bras levés, criant victoire. Rick fut emmené à l'infirmerie et les trois autres dans le bureau de Monsieur Burdon, le principal du lycée, où furent convoqués d'urgence Oncle Saul et Tante Anita, Patrick et Gillian Neville et le coach Bendham.

— Bravo à vous trois, les félicita le principal Burdon. Deuxième jour d'école de votre première année ici, et vous tabassez déjà un de vos camarades.

— Vous êtes devenus fous? les réprimanda le coach Bendham.

— Vous êtes devenus fous? répétèrent les parents Neville.

— Vous êtes devenus fous? reprirent Oncle Saul et Tante Anita.

— Ne vous inquiétez pas, Monsieur le principal, expliqua Hillel, nous ne sommes pas des brutes. C'était une guerre préventive. Votre élève Rick prend un malin plaisir à terroriser les plus faibles que lui. Mais il se tiendra tranquille désormais. Parole de Goldman.

— Silence, au nom du Ciel! s'énerva Burdon. De toute ma carrière, je n'ai encore jamais vu pareil ergoteur. C'est le lendemain de la rentrée et vous êtes déjà en train de donner des coups de poing dans le nez de vos camarades? Record battu ! Je ne veux plus avoir affaire à vous ! C'est compris ? Quant à toi, Woody, c'est un comportement indigne d'un membre de l'équipe de football. Encore un écart de ce genre, et je te fais exclure de l'équipe.

À Buckerey personne ne s'en prit plus jamais à Scott. Quant à Woody, sa réputation était faite. Respecté dans les couloirs du lycée, il le fut rapidement sur les terrains de football où il brillait avec les Chats Sauvages de Buckerey. Tous les jours, après les cours, il se rendait à l'entraînement de football sur le terrain du lycée, accompagné d'Hillel et Scott qui, avec l'accord du coach Bendham, s'installaient sur le banc des entraîneurs et observaient l'équipe.

Scott était passionné de football. Il commentait les gestes des joueurs et expliquait longuement les règles à Hillel, qui devint bientôt intarissable sur le sujet et se découvrit dans la foulée un talent dont il n'avait jamais rien soupçonné : celui d'un bon entraîneur. Il avait une bonne vision du jeu et décelait immédiatement les faiblesses des joueurs. Depuis le banc, il s'autorisait parfois à crier des instructions de jeu aux joueurs, ce qui amusait le coach Bendham. Celui-ci lui disait : « Dis donc, Goldman, tu vas bientôt me piquer ma place ! » Hillel souriait, sans avoir remarqué que lorsque le coach prononçait le nom de Goldman, Woody tournait instinctivement la tête également.

13.

À Boca Raton, après avoir surpris l'homme au volant de son van noir, Leo et moi passâmes deux nuits à surveiller la rue, cachés dans ma cuisine. Dans l'obscurité, nous scrutions le moindre mouvement suspect. Mais à part une voisine qui partait faire son jogging au milieu de la nuit, une patrouille de police qui passait à intervalles réguliers et des ratons laveurs qui vinrent piller des poubelles laissées dehors, il ne se passa rien.

Leo prenait des notes.

— Qu'est-ce que vous écrivez ? lui demandai-je en chuchotant.

— Pourquoi est-ce que vous chuchotez ?

— Je ne sais pas. Qu'est-ce que vous écrivez ?

— Je note les signes suspects. La folle qui court, les ratons laveurs…

— Notez les flics, tant que vous y êtes.

— Je l'ai fait. Vous savez, c'est souvent le flic le coupable. Ça ferait un bon roman. Qui sait où cela peut nous mener ?

Cela ne nous mena nulle part. Il n'y eut plus aucun signe du van ou de son conducteur. J'étais préoccupé de savoir ce qu'il cherchait. Voulait-il s'en prendre à Alexandra ? Devais-je la mettre au courant ?

Mais je n'allais pas tarder à comprendre qui il était.

Cela se produisit à la fin du mois de mars 2012, environ un mois et demi après mon installation à Boca Raton.

*

Baltimore.
1994.

Au fil de la saison, Hillel et Scott s'impliquèrent de plus en plus au sein des Chats Sauvages. Ils étaient là à tous les entraînements, se changeant avec les joueurs dans le vestiaire pour passer un survêtement de sport, avant de rejoindre leur banc d'observation. Les jours de match à l'extérieur, ils voyageaient dans le bus de l'équipe, vêtus d'un costume-cravate, comme tous les autres. Leur omniprésence aux côtés de l'équipe en fit rapidement des membres à part entière. Bendham, touché par leur engagement, voulut leur offrir un rôle plus officiel, leur proposant de devenir préposés au matériel. L'essai ne dura pas plus d'un quart d'heure : les bras d'Hillel étaient trop frêles pour porter quoi que ce fût, et Scott n'avait pas de souffle.

Le coach les fit asseoir sur le banc des entraîneurs et leur suggéra de dispenser des conseils aux joueurs. C'est ce qu'ils firent, analysant le jeu de chacun avec une précision rare. Ils appelaient ensuite les gars tour à tour, qui venaient les consulter comme la Pythie de Delphes. « Tu gaspilles ton énergie en courant comme un cheval quand t'as pas besoin. Garde ton poste et bouge quand l'action vient à toi. » Chacun des géants casqués les écoutait avec attention. Hillel et Scott devinrent les premiers et uniques élèves de l'histoire du lycée de Buckerey à porter le blouson ocre et noir des Chats Sauvages sans faire officiellement partie de l'équipe. Et quand, au terme d'un entraînement, le coach Bendham lançait un « Bon boulot, Goldman », Woody et Hillel se retournaient en même temps et répondaient d'une seule voix : « Merci, coach. »

À la table du dîner des Goldman-de-Baltimore, il ne fut bientôt plus question que de football. De retour de l'entraînement, Woody et Hillel racontaient en long et en large leurs exploits du jour.

— Et les cours, avec tout ça ? demandait Tante Anita. Tout va bien ?

— Ça va, répondait Woody. Pas évident, mais Hillel me donne un coup de main. Il a pas besoin de travailler, lui, il comprend tout du premier coup.

— Moi, je m'ennuie un peu, P'a, expliquait souvent Hillel. Le lycée, c'est vraiment pas comme j'imaginais.

— Tu imaginais ça comment ?

— Je sais pas. Plus stimulant peut-être. Mais bon, heureusement il y a le football.

Cette année-là, les Chats Sauvages de Buckerey atteignirent les quarts de finale du championnat. Au retour des vacances d'hiver, la saison de football étant terminée, Woody, Hillel et Scott se mirent en quête d'une nouvelle occupation. Scott aimait le théâtre. Il se trouva que c'était une activité recommandée pour travailler son souffle. Ils s'inscrivirent au cours d'art dramatique que dispensait Mademoiselle Anderson, leur professeur de littérature, une jeune femme d'une grande gentillesse.

Hillel avait un talent naturel de meneur d'hommes. Sur le terrain de football, il était entraîneur. Sur les planches, il devint metteur en scène. Il suggéra à Mademoiselle Anderson de monter une adaptation des *Souris et des hommes,* ce qu'elle accepta avec enthousiasme. Et c'est là que de nouveaux ennuis commencèrent.

Il décida de la distribution des rôles après avoir organisé une audition truquée parmi les participants au cours. Scott, à sa plus grande joie, obtint le rôle de George et Woody, celui de Lennie.

— Tu as le rôle du débile, expliqua Hillel à Woody.

— Hé, je veux pas jouer un débile... Mademoiselle Anderson, vous ne pouvez pas trouver quelqu'un d'autre ? En plus, je suis nul à ces trucs. Moi, ce que je sais faire, c'est jouer au football.

— Ta gueule, Lennie, ordonna Hillel. Va prendre ton texte, on va faire des essais. Allez, tout le monde se met en place.

Mais après la première répétition, plusieurs parents d'élèves se plaignirent au principal Burdon de la teneur du texte que l'on voulait faire jouer aux élèves. Celui-ci leur donna raison et pria Mademoiselle Anderson de choisir un texte plus approprié. Furieux, Hillel s'en alla trouver le principal Burdon dans son bureau pour lui demander des explications.

— Pourquoi avez-vous interdit à Mademoiselle Anderson de nous faire jouer *Des souris et des hommes* ?

— Des parents d'élèves se sont plaints de la pièce et je trouve qu'ils ont raison.

— Je serais curieux de savoir de quoi ils se sont plaints.

— Le texte est truffé de gros mots, et tu le sais très bien. Allons, Hillel, veux-tu vraiment que ce spectacle, censé être la fierté de l'école, soit un ramassis d'argot et de grossièretés blasphématoires ?

— Mais c'est John Steinbeck, enfin ! Êtes-vous complètement fou, principal ?

Burdon le fusilla du regard.

— C'est toi, Hillel, qui es fou d'oser me parler sur ce ton. Je vais t'accorder une faveur et faire comme si je n'avais rien entendu.

— Mais enfin, vous ne pouvez pas interdire un texte de Steinbeck !

— Steinbeck ou pas, je refuse que ce livre épouvantable et provocateur soit lu dans cette école.

— Eh bien, cette école est nulle !

Hillel, furieux, décida d'abandonner le cours d'art dramatique. Il était fâché contre Burdon, contre ce qu'il représentait, contre le lycée. Il arbora son air triste des mauvais moments d'Oak Tree, il se sentait déprimé. Ses résultats scolaires devinrent catastrophiques et ses parents furent convoqués par Mademoiselle Anderson. Tante Anita et Oncle Saul, qui n'avaient rien vu venir, découvrirent un aspect d'Hillel très différent du garçon lumineux qu'il pouvait être. Il avait perdu tout intérêt pour l'école, il se montrait insolent avec ses professeurs et enchaînait les mauvais résultats.

— Je crois qu'il n'est pas attentif parce qu'il n'est pas motivé, expliqua gentiment Mademoiselle Anderson.

— Mais alors, que faut-il faire ?

— Hillel est vraiment très intelligent. Il s'intéresse à tellement de choses. Il en sait beaucoup plus sur tout que la plupart de ses camarades. La semaine dernière, j'ai essayé péniblement d'expliquer à la classe les bases du fédéralisme et le fonctionnement de l'État américain. Lui, il connaît déjà la politique sur le bout des doigts et il me faisait des comparaisons avec la Grèce antique.

— Oui, il est passionné par l'Antiquité, s'amusa tristement Tante Anita.

— Monsieur et Madame Goldman, Hillel a quatorze ans et il lit des livres sur le droit romain…

— Qu'est-ce que vous essayez de nous dire ? demanda Oncle Saul.

— Qu'Hillel serait peut-être plus heureux dans une école privée. Avec un programme adapté. Il y serait tellement plus stimulé.

— Mais il en vient… Et puis, il ne voudra jamais être séparé de Woody.

Oncle Saul et Tante Anita essayèrent de lui parler pour comprendre ce qui se passait.

— Le problème, c'est que je crois que je suis nul, dit Hillel.

— Mais comment peux-tu dire une chose pareille ?

— Parce que j'arrive à rien. J'arrive pas du tout à me concentrer. Même si je le voulais, je n'y arriverais pas. Je comprends rien aux cours, je suis complètement perdu !

— Comment ça, *tu ne comprends rien* ? Hillel, enfin, tu es un garçon tellement intelligent ! Tu dois te donner les moyens d'y arriver.

— Je promets d'essayer de faire un effort, répondit Hillel.

Tante Anita et Oncle Saul demandèrent également un rendez-vous au principal Burdon.

— Hillel s'ennuie peut-être en classe, dit Burdon, mais Hillel est surtout un pleurnicheur qui n'aime pas la contrariété ! Il a commencé le cours de théâtre et, soudain, il a tout lâché.

— Il a abandonné parce que vous avez censuré sa pièce…

— *Censuré* ? Pfff ! mon cher Monsieur Goldman, la pomme ne tombe jamais loin de l'arbre, je croirais entendre votre fils. Steinbeck ou pas, les grossièretés n'ont pas leur place dans un spectacle de lycée. On voit que ce n'est pas vous qui avez les parents d'élèves sur le dos ensuite. Hillel n'avait qu'à choisir une pièce plus appropriée ! Qui veut mettre en scène du Steinbeck à quatorze ans ?

— Peut-être qu'Hillel est un garçon en avance sur son âge, suggéra Tante Anita.

— Oui, oui, oui, répondit Burdon en soupirant, je connais la chanson : « Mon enfant est tellement intelligent qu'on pourrait croire qu'il est débile. » Je l'entends constamment celle-là, vous savez. « Mon enfant est très spécial et bla-bla-bla », « et il a besoin d'attention et bla-bla-bla ». La vérité, c'est que nous sommes un lycée public, Monsieur et Madame Goldman, et que dans un lycée public tout le monde est logé à la même enseigne. On ne peut pas commencer à édicter des consignes particulières pour Untel, même pour de bonnes raisons. Vous imaginez si chacun des élèves devait avoir son propre petit programme parce qu'il est « spécial » ? J'ai déjà assez de soucis avec la cantine et tous ces enquiquineurs d'hindous, de juifs et de musulmans qui ne sont pas fichus de manger comme tout le monde.

— Alors, que suggérez-vous ? demanda Oncle Saul.

— Eh bien, peut-être qu'Hillel devrait travailler plus, tout simplement. Si vous saviez le nombre d'enfants que j'ai eus dans ce lycée dont les parents pensaient qu'ils étaient des génies et que vous recroisez quelques années plus tard à la caisse d'une station-service.

— Quel est le problème avec les gens qui travaillent dans les stations-service ? demanda Oncle Saul.

— Aucun ! Aucun ! Bon sang, si on ne peut même pas s'exprimer. Vous êtes drôlement agressifs dans cette famille ! Tout ce que je dis, c'est qu'Hillel a peut-être besoin de travailler au lieu de penser qu'il sait déjà tout et qu'il est plus malin que tous ses professeurs réunis. S'il a des mauvais résultats, c'est qu'il ne travaille pas assez, un point c'est tout.

— Bien évidemment qu'il ne travaille pas assez, Monsieur Burdon, expliqua Tante Anita. C'est bien le problème, et c'est pour ça que nous sommes là. Il ne travaille pas parce qu'il s'ennuie. Il a besoin d'être stimulé. Il a besoin d'être poussé. D'être encouragé. Il est en train de gâcher son potentiel…

— Monsieur et Madame Goldman, j'ai regardé attentivement ses résultats. Je comprends que ça soit difficile à accepter pour vous, mais en règle générale, quand on a des mauvais résultats, cela veut dire qu'on n'est pas très intelligent.

— Vous savez que j'entends tout ce que vous dites, principal Burdon, fit remarquer Hillel qui assistait à la conversation.

— Et voilà le petit insolent qui s'y remet. Il faut toujours qu'il ait la bouche ouverte, celui-là ! Je suis en train d'avoir une discussion avec tes parents pour le moment, Hillel. Tu sais, si c'est de cette façon que tu te comportes avec tes professeurs, ce n'est pas étonnant qu'ils te détestent tous. Quant à vous, Monsieur et Madame Goldman, j'ai bien entendu votre comptine sur le mode « mon enfant a des mauvaises notes parce qu'il est surdoué », mais je regrette de devoir vous dire que cela s'appelle du déni. Les surdoués, on ne les voit même pas passer et, à douze ans, ils sont déjà diplômés de Harvard !

Woody décida de prendre les choses en main et de remotiver Hillel en lui permettant de faire ce qu'il faisait le mieux : entraîner l'équipe de football. Il n'y avait pas d'entraînement d'équipe régulier en dehors de la saison ; c'était interdit par le règlement de la Ligue. Mais rien n'empêchait les joueurs de se réunir entre eux pour des exercices collectifs. Aussi, à la demande de Woody, toute l'équipe se mit à se réunir deux fois par semaine pour s'entraîner sous les ordres d'Hillel, assisté de Scott. L'objectif de ces préparations était de remporter le championnat l'automne suivant, et à mesure que les semaines passaient, les joueurs s'imaginaient soulevant le trophée, tous, y compris Scott, qui confia un jour à Hillel :

— Hill', je voudrais jouer. J'aime pas être entraîneur. Je voudrais jouer au football. Moi aussi je voudrais être sur le terrain l'année prochaine. Je voudrais faire partie de l'équipe.

Hillel le regarda d'un air désolé.

— Mais Scott, tes parents ne seront jamais d'accord.

Scott eut une mine affligée. Il s'assit sur le gazon et arracha des brins d'herbe. Hillel s'assit à côté de lui et passa son bras autour de ses épaules.

— T'inquiète pas, dit-il. On va arranger ça. Il suffit que tu fasses attention, ton père l'a dit. Bien boire, faire des pauses et te laver les mains.

C'est ainsi que Scott rejoignit officiellement l'équipe non officielle des Chats Sauvages. Il s'échauffait comme il pouvait, et participait à quelques exercices. Mais il était vite à bout de souffle. Il rêvait de jouer au poste d'ailier : recevoir un ballon aux 50 yards, effectuer un sprint spectaculaire, passer toute la défense adverse et marquer un *touchdown*. Être porté en triomphe par le reste de l'équipe, entendre le stade hurler son nom. Hillel lui attribua le poste d'ailier, mais il était évident qu'il ne pouvait pas courir plus de dix mètres. Il fut donc décidé d'une nouvelle façon de procéder : Scott serait mis dans une brouette et poussé par un joueur jusqu'à la ligne de but où le pousseur renverserait la brouette, et Scott avec. Lequel au contact du sol, le ballon dans le bras, marquerait un *touchdown*. Cette nouvelle combinaison, appelée « brouette », connut un succès retentissant au sein de l'équipe. Une partie de l'entraînement fut bientôt dédiée à des séances de poussées de coéquipiers dans une brouette, ce qui eut le mérite d'augmenter de façon spectaculaire les qualités de sprinteurs des joueurs, qui, une fois lancés sans leur brouette, étaient de véritables fusées.

Je n'eus jamais la chance de voir de mes propres yeux une « brouette ». Mais le spectacle devait avoir quelque chose de saisissant, parce que, bientôt, les élèves de Buckerey se pressèrent pour assister aux entraînements, d'ordinaire uniquement suivis par quelques groupies. Hillel ordonnait à ses joueurs d'exécuter des actions de match et soudain, à son signal, déboulant de nulle part, l'un des joueurs les plus robustes – souvent Woody – traversait le terrain en poussant Scott, royalement installé dans sa brouette. Le quarterback lui envoyait le ballon depuis le fond du terrain : il fallait une agilité et une force exceptionnelles de la part du pousseur pour parvenir à ce que Scott reçoive le ballon, puis il fallait continuer jusqu'à la ligne de but en zigzaguant, évitant les stoppeurs qui ne se gênaient pas pour intercepter violemment Woody, la brouette et Scott. Mais lorsque la brouette arrivait à la ligne de but et que Scott, se jetant au sol, marquait, le public poussait des hurlements de joie. Et tous criaient : « La brouette ! La brouette ! » Et Scott se relevant, d'abord félicité par ses coéquipiers, allait saluer et célébrer son but avec la cohorte de ses fans, toujours grandissante. Puis il allait boire, reprendre son souffle et se laver les mains.

Ces quelques mois d'entraînement furent les plus heureux de la scolarité du Gang des Goldman reformé. Woody, Hillel et Scott étaient les vedettes de l'équipe de football et les gloires du lycée. Jusqu'à ce jour de printemps, peu après Pâques, où Gillian Neville, qui attendait son fils sur le parking du lycée, fut alertée par les cris de joie de la foule. Scott venait de réaliser un *touchdown*. Gillian marcha jusqu'au terrain pour voir ce qui s'y passait et découvrit son fils, dans une tenue dépareillée de footballeur, en train de traverser le terrain à bord d'une brouette. Elle se mit à hurler :

— Scott, au nom du Ciel ! Scott, qu'est-ce que tu fais là ?

Woody s'arrêta net. Les joueurs se figèrent, les spectateurs se turent. Il y eut un silence de mort.

— Maman ? fit Scott en enlevant son casque.

— Scott ? Mais tu m'as dit que tu étais au cours d'échecs.

Scott baissa la tête et descendit de sa brouette.

— Je t'ai menti, Maman. Je suis désolé...

Elle se précipita vers son fils et l'enlaça en étranglant un sanglot.

— Ne me fais pas ça, Scott. Ne me fais pas ça, s'il te plaît. Tu sais que j'ai peur pour toi.

— Je sais, je ne veux pas que tu t'inquiètes. On ne faisait vraiment rien de mal.

Gillian Neville releva la tête et vit Hillel, un bloc-notes à la main et un sifflet autour du cou.

— Hillel, cria-t-elle en se dirigeant vers lui, tu m'avais promis !

Elle perdit son sang-froid et, se précipitant, sur lui, lui décocha une gifle retentissante.

— Est-ce que tu comprends que tu vas tuer Scott avec tes imbécillités ?

Hillel resta sous le choc du coup reçu.

— Où est l'entraîneur ? hurla Gillian. Où est le coach

Bendham ? Est-il au moins au courant de ce que vous faites ?

Ce furent les prémices d'un scandale. Burdon fut prévenu, l'administration scolaire du Maryland saisie. Burdon réunit dans son bureau le coach, Scott et ses parents, Hillel, Oncle Saul et Tante Anita.

— Saviez-vous que vos joueurs organisaient des entraînements ? demanda le principal Burdon au coach.

— Oui, répondit Bendham.

— Et vous n'avez pas jugé bon d'y mettre un terme ?

— Pourquoi l'aurais-je fait ? Mes joueurs progressent. Vous connaissez le règlement, principal : les entraîneurs ne doivent pas avoir de contact avec les joueurs en dehors de la saison. Avoir Hillel qui organise des entraînements de groupe, c'est du pain bénit et parfaitement réglementaire.

Burdon soupira et se tourna vers Hillel :

— On ne t'a jamais dit qu'on ne doit pas mettre les petits enfants malades dans des brouettes ? C'est humiliant !

— M'sieur Burdon, protesta Scott, ce n'est pas ce que vous croyez ! Au contraire, je n'ai jamais été aussi heureux que ces derniers mois.

— Alors toi, on te promène en brouette, et tu es content ?

— Oui, principal Burdon.

— Mais enfin, pour l'amour du Ciel, c'est un lycée ici, pas un cirque !

Burdon congédia le coach, Scott et ses parents pour parler en privé avec les Goldman.

— Hillel, dit-il, tu es un garçon intelligent. Tu as vu dans quel état est le petit Scott Neville ? L'exercice est très dangereux pour lui.

— Au contraire, je crois qu'un peu d'exercice lui fait le plus grand bien.

— Es-tu médecin ? demanda Burdon.

— Non.

— Alors, garde tes avis pour toi, petit impertinent. Je ne te demande pas une faveur, je te donne un ordre. Cesse de mettre ce petit garçon malade dans une brouette ou de lui faire faire quelque gymnastique que ce soit. C'est très important.

— D'accord.

— Je veux plus que ça. Je veux que tu me le promettes.

— Je le promets.

— Bon. Très bien. Désormais, tes entraînements clandestins, c'est fini. Tu n'es pas membre de l'équipe, tu n'as rien à voir avec eux, je ne veux plus te voir dans leur bus, dans leur vestiaire, ou je ne sais pas où. Je ne veux plus avoir affaire à toi.

— D'abord le théâtre, maintenant le football. Vous me privez de tout ! s'indigna Hillel.

— Je ne te prive de rien, j'applique simplement les règles qui régissent le bien-vivre dans notre établissement.

— Je n'ai violé aucune règle, principal. Rien ne m'empêche d'entraîner l'équipe en dehors de la saison.

— Je te l'interdis.

— Et selon quelle base légale ?

— Hillel, souhaites-tu être renvoyé de ce lycée ?

— Non, quel problème il y a à ce que j'entraîne l'équipe en dehors de la saison ?

— Entraîner l'équipe ? Tu appelles ça un entraînement ? Mettre un enfant atteint de mucoviscidose dans une brouette pour lui faire traverser le terrain, tu appelles ça un entraînement ?

— J'ai lu le règlement, figurez-vous. Rien n'indique qu'il soit interdit qu'un joueur en transporte un autre qui tient le ballon.

— Bon, Hillel, éructa Burdon qui avait perdu son calme, tu veux jouer les avocats, c'est ça ? Tu es l'avocat des petits malades en brouette ?

— Je voudrais juste que vous ne soyez pas aussi psychorigide.

Le principal prit un air contrit et déclara à l'attention d'Oncle Saul et Tante Anita :

— Monsieur et Madame Goldman, Hillel est un gentil petit. Mais c'est le système public, ici. Si vous n'êtes pas satisfaits, il faut retourner dans le privé.

— Je vous rappelle que c'est le lycée de Buckerey qui est venu nous chercher, rétorqua Hillel.

— Woody, oui. Mais toi, c'est différent : tu es là parce que

Woody voulait que tu l'accompagnes et nous avons accepté qu'il en soit ainsi. Mais sens-toi libre de changer d'école si c'est ça que tu veux.

— C'est vraiment pas gentil de dire ça. Ça veut dire que vous vous en foutez de moi !

— Mais enfin, je ne m'en fous pas du tout ! Je pense que tu es un garçon très gentil, je t'apprécie beaucoup, mais tu es un élève comme un autre, voilà tout. Tu veux rester dans un lycée public, tu dois en accepter les règles. C'est comme ça que notre système fonctionne.

— Vous êtes médiocre, principal. Votre lycée est médiocre. Envoyer les gens dans le privé, c'est votre réponse à tout ? Vous nivelez tout par le bas ! Vous interdisez Steinbeck pour trois gros mots dans le texte, mais vous êtes incapable de comprendre la portée de son œuvre ! Et vous vous cachez derrière des règlements obscurs pour justifier votre manque d'ambition intellectuelle. Et ne venez pas parler d'un système qui fonctionne, car notre système scolaire public dysfonctionne totalement et vous le savez. Et un pays dont le système scolaire ne marche pas n'est ni une démocratie ni un État de droit !

Il y eut un long silence. Le principal soupira et finit par demander :

— Hillel, quel âge as-tu ?

— J'ai quatorze ans, principal Burdon.

— Quatorze ans. Et pourquoi n'es-tu pas en train de faire du skate avec tes autres camarades, au lieu de demander si la garantie de l'État de droit dépend de la qualité de son système scolaire ?

Burdon se leva et alla ouvrir la porte de son bureau pour signifier que l'entretien était terminé. Woody, qui attendait sur une chaise dans le couloir, entendit le principal dire à Oncle Saul et Tante Anita en leur serrant la main :

— Je crois que votre petit Hillel ne trouvera jamais sa place ici.

Hillel éclata en sanglots :

— Mais non, vous n'avez rien compris ! J'ai passé une heure à vous parler et vous n'avez même pas eu la décence de m'écouter. (Il se tourna vers ses parents.) Maman, Papa, je voudrais juste qu'on m'écoute! Je voudrais un peu de considération!

Pour calmer les esprits, les Baltimore allèrent tous les quatre boire un milk-shake au *Dairy Shack* d'Oak Park. Installés face à face sur deux banquettes, ils restèrent inhabituellement silencieux.

— Hillel chaton, finit par dire Tante Anita, avec ton père, nous avons beaucoup discuté de la situation... il y a cette école spécialement adaptée...

— Non, pas une *école spéciale*! s'écria Hillel. Pas ça, je vous en supplie! Vous ne pouvez pas me séparer de Woody.

Anita sortit une brochure de son sac et la déposa sur la table.

— Jettes-y au moins un œil. C'est un endroit qui s'appelle Blueberry Hill. Je crois que tu y serais bien. Je ne supporte plus de te voir si malheureux dans ce lycée.

Hillel, de mauvaise grâce, feuilleta le document.

— En plus, c'est à 60 miles d'ici! s'indigna-t-il. C'est hors de question! Je ne vais quand même pas faire 120 miles aller-retour tous les jours!

— Hillel chéri, mon ange... tu dormirais là-bas...

— Quoi? Non, non! Je ne veux pas!

— Chaton, tu rentrerais tous les week-ends. Ça te permettra d'apprendre tellement de choses. Tu t'ennuies à l'école...

— Non, Maman, je ne veux pas! JE NE VEUX PAS! Pourquoi est-ce que je devrais aller là-bas?

Ce soir-là, Woody et Hillel lurent ensemble la brochure de Blueberry Hill.

— Wood', il faut que tu m'aides! supplia Hillel, complètement paniqué. Je ne veux pas aller là-bas. Je ne veux pas qu'on soit séparés.

— Moi non plus, je ne veux pas. Mais je sais pas quoi faire pour toi: c'est toi le fortiche à l'école, en principe. Essaie d'arrêter de te faire remarquer. T'es capable de faire ça? Tu as fait élire le président Clinton! Tu connais tout sur tout! Fais un effort. Ne laisse pas ce stupide Burdon te démolir. Allez, t'inquiète pas, Hill', je vais pas te laisser partir.

Hillel, terrifié à l'idée d'être envoyé à l'*école spéciale*, n'eut plus le moral à faire quoi que ce soit. Le vendredi soir, Tante Anita entra dans la chambre de Woody. Il était à son bureau en train de faire ses devoirs.

— Woody, j'ai eu le coach Bendham au téléphone. Il dit que tu lui as laissé un mot lui signifiant que tu quittais l'équipe de football. Est-ce que c'est vrai ?

Woody baissa la tête.

— À quoi ça sert, de toute façon ? murmura-t-il.

— Qu'est-ce que tu veux dire, trésor ? demanda-t-elle en s'agenouillant près de lui pour être à sa hauteur.

— Si Hill' va à l'*école spéciale*, ça veut dire que je pourrai plus habiter chez vous, hein ?

— Non, Woody, bien sûr que non. C'est ta maison, ça ne change rien. Nous t'aimons comme un fils, tu le sais. L'*école spéciale* est un endroit pour Hillel, pour l'aider à s'épanouir. C'est pour son bien. Tu es chez toi pour toujours ici.

Il laissa couler une larme sur sa joue. Elle le prit contre lui et le serra fort contre sa poitrine.

Le dimanche, peu avant l'heure du déjeuner, le coach Bendham passa à l'improviste chez les Goldman-de-Baltimore. Il proposa à Woody d'aller déjeuner et l'emmena manger un hamburger dans un *diner* où il avait ses habitudes.

— Je suis désolé pour ma lettre, coach, s'excusa Woody à table. Je n'avais pas vraiment envie de quitter l'équipe. J'étais en colère à cause des histoires qu'on fait à Hillel.

— Tu sais, mon garçon, j'ai soixante ans. Ça doit faire à peu près quarante ans que j'entraîne des équipes de football, et de toute ma carrière je n'ai jamais été déjeuner avec un seul de mes gars. Moi, j'ai mes règles et ça, c'est pas dans mes règles. Pourquoi ferais-je cela ? J'en ai eu des types qui ont décidé qu'ils voulaient quitter l'équipe. Ils préféraient aller retrouver des nanas plutôt que courir avec un ballon dans les bras. C'était un signe, ça voulait dire qu'ils n'étaient pas sérieux. Je n'ai pas perdu de temps à essayer de les récupérer. Pourquoi perdre du temps avec des types qui ne voulaient pas jouer quand j'avais des gars qui se bousculaient au portillon pour rejoindre l'équipe ?

— Je suis sérieux, coach. Je vous le promets !

— Je le sais, mon garçon. C'est pour ça que je suis là.

Un serveur leur apporta leur commande. Le coach attendit qu'il fût parti pour reprendre :

— Écoute, Woody, je sais qu'il y a une bonne raison pour que tu m'aies écrit ce mot. Je voudrais que tu me dises ce qui se passe.

Woody expliqua les soucis que rencontrait Hillel, le principal Burdon qui ne voulait rien entendre et la menace de l'*école spéciale* qui planait.

— Il n'a pas de problème d'attention, dit Woody.

— Je le sais bien, mon garçon, répondit le coach. Y a qu'à l'entendre s'exprimer. Dans sa tête, il est déjà à un stade de développement plus élevé que la plupart de ses enseignants.

— Hillel a besoin d'un défi ! Il a besoin de se sentir tiré vers le haut. Il est heureux avec vous. Il est heureux sur le terrain !

— Tu veux qu'il rejoigne l'équipe ? Mais qu'est-ce qu'on va faire de lui ? C'est le type le plus maigre que j'aie vu de toute ma vie.

— Non, coach, ce n'est pas exactement à un poste de joueur que je pense. J'ai une idée, mais il va falloir que vous me fassiez confiance…

Bendham l'écouta attentivement, opinant du chef pour lui signifier qu'il approuvait sa proposition. Le repas terminé, il conduisit jusqu'à un quartier résidentiel proche. Il s'arrêta devant une petite maison bâtie sur un seul niveau, devant laquelle était garé un camping-car.

— Tu vois, mon garçon, c'est ma maison. Et le camping-car est à moi. Je me le suis acheté l'année dernière, mais je ne l'ai encore jamais vraiment utilisé. C'était une bonne affaire, je l'ai acheté pour ma retraite.

— Pourquoi vous me racontez ça, coach ?

— Parce que, dans trois ans, je prendrai ma retraite. Ça correspond à la fin de ton lycée. Tu sais ce qui me ferait plaisir ? Finir en remportant la coupe et en envoyant le meilleur joueur que j'aie jamais dirigé en NFL. Alors je vais accepter ton idée. En échange, je veux que tu me promettes de revenir à l'entraînement, de travailler aussi dur que tu l'as fait jusqu'à maintenant. Je veux te voir un jour en NFL, mon garçon. Et moi je prendrai mon camping-car et je sillonnerai la côte Est pour ne rien rater de tes matchs. Je te regarderai depuis les tribunes et je dirai aux types qui seront assis à côté de moi : je le connais bien ce gars-là, c'est moi qui l'ai entraîné au lycée. Promets-moi, Woodrow. Promets-moi que toi et le football, ce n'est que le début d'une grande aventure.

— Je vous le promets, coach Bendham.

L'homme sourit.

— Alors, viens maintenant, nous allons annoncer la nouvelle à Hillel.

Vingt minutes plus tard, dans la cuisine des Goldman-de-Baltimore, Hillel, Oncle Saul et Tante Anita écoutèrent le coach, médusés.

— Vous voulez que je devienne votre assistant, coach ? répéta Hillel incrédule.

— Exactement. À partir de la rentrée prochaine. Mon assistant officiel. J'ai le droit de t'engager, Burdon ne peut rien contre ça. Et puis tu feras un assistant du tonnerre : tu connais les gars, t'as une bonne vision du jeu, et je sais que tu fais des fiches sur les autres équipes.

— C'est Wood' qui vous l'a raconté ?

— Peu importe. Tout ça pour dire qu'on va avoir trois grosses saisons à venir, que je ne suis plus tout jeune et qu'un coup de main ne sera pas de trop.

— Oh, mon Dieu ! Oui ! Oui ! J'adorerais ça !

— Il y a une seule condition : pour être dans l'équipe, il faut avoir de bonnes notes. C'est dans le règlement. Les membres de l'équipe de football doivent avoir la moyenne dans toutes les branches, et c'est valable pour toi aussi. Donc si tu veux faire partie de l'équipe, il va falloir te reprendre en classe dès maintenant.

Hillel promit. Ce fut pour lui une résurrection.

14.

Le matin du 26 mars 2012, je fus réveillé par mon téléphone. Il était cinq heures du matin. C'était mon agent qui m'appelait depuis New York.

— C'est dans la presse, Marcus.

— De quoi tu me parles ?

— Alexandra et toi. Vous faites la une du torchon le plus lu du pays.

Je me ruai au supermarché le plus proche, ouvert vingt-quatre heures sur vingt-quatre. Ils étaient en train de décharger depuis une palette en bois des piles de magazines emballés dans de la cellophane.

J'en attrapai une, déchirai le plastique, saisis un magazine, et lus, effaré :

Que se passe-t-il
entre Alexandra Neville et Marcus Goldman ?
Récit d'une escapade secrète en Floride.

Le type dans le van noir était un photographe. Il avait passé plusieurs jours à nous observer et à nous suivre. Il avait vendu l'exclusivité à un magazine qui prenait tout le monde de court.

Il avait assisté à tout depuis le début : moi volant Duke, Alexandra et moi à Coconut Grove, Alexandra venant chez moi. Tout laissait à penser que nous avions une liaison.

Je rappelai mon agent.

— Il faut empêcher ça, lui dis-je.

— Impossible. Ils ont été très malins. Aucune fuite, aucune annonce sur Internet. Toutes les photos sont prises depuis la voie publique sans intrusion directe dans ta sphère intime. Tout est parfaitement ficelé.

— Je n'ai rien fait avec elle.

— Tu fais ce que tu veux.

— Je te dis qu'il n'y a rien ! Il doit bien y avoir un moyen d'empêcher que ce journal soit vendu.

— Ils ne font qu'émettre une supposition, Marcus. Ce n'est pas illégal.

— Est-ce qu'elle est au courant ?

— J'imagine. Et si ce n'est pas encore le cas, ce le sera dans l'heure.

J'attendis une heure avant d'aller sonner à la grille de la maison de Kevin. Je vis la caméra de l'interphone s'allumer, signe que quelqu'un me voyait, mais le portail resta fermé. Je sonnai encore, et finalement la porte de la maison s'ouvrit. C'était Alexandra. Elle vint jusque devant la grille et resta derrière.

— Tu as volé le chien ? dit-elle en me fusillant du regard. C'est pour ça qu'il était tout le temps chez toi ?

— Je l'ai fait une fois. Ou deux. Ensuite il est venu tout seul, je te le jure.

— Je ne sais plus si je dois te croire, Marcus. Est-ce que c'est toi qui as averti la presse ?

— Quoi ? Mais enfin, pourquoi aurais-je fait ça ?

— Je ne sais pas. Pour que je rompe avec Kevin, peut-être ?

— Enfin, Alexandra ! Ne me dis pas que tu penses ça !

— T'as eu ta chance, Marcus. C'était il y a huit ans. Ne viens pas saccager ma vie. Laisse-moi tranquille. Mes avocats vont te contacter pour que tu fasses un démenti.

*

Baltimore, Maryland.
Printemps-été 1995.

Je me sentais de plus en plus isolé à Montclair.

Pendant que j'étais coincé dans le New Jersey, une existence paradisiaque me tendait les bras à Oak Park. Il n'y avait pas une mais deux familles merveilleuses, les Baltimore et les Neville, qui, de surcroît, tissèrent des liens d'amitié. Oncle Saul et Patrick Neville devinrent partenaires de tennis. Tante Anita proposa à Gillian Neville de participer à des activités bénévoles dans le foyer pour enfants d'Artie Crawford. Hillel, Woody et Scott étaient tout le temps fourrés ensemble.

Un jour de début avril, Hillel, qui lisait tous les jours le *Baltimore Sun*, tomba sur un article à propos d'un concours musical organisé par une radio nationale. Les participants étaient invités à envoyer leur candidature sous la forme de deux compositions interprétées par eux, enregistrées ou filmées. Le gagnant pourrait enregistrer cinq titres dans un studio professionnel, dont l'un serait diffusé durant six mois par la station de radio. Bien évidemment, Oncle Saul possédait une formidable caméra dernier cri, et bien évidemment il accepta de la prêter à Hillel et Woody. Et depuis ma prison du New Jersey, je recevais tous les jours des appels excités de mes cousins pour me raconter que le projet allait bon train. Durant une semaine, Alexandra passa toutes ses fins d'après-midi à répéter chez les Goldman et, durant le week-end, Hillel et Woody la filmèrent. Je crevais de jalousie.

Mais concours ou pas, nous nous fîmes tous les trois, Woody, Hillel et moi, coiffer au poteau car Alexandra arriva bientôt chez les Baltimore avec Austin, son petit ami. Il fallait bien que ça arrive : Alexandra, dix-sept ans, belle comme le jour, n'allait pas jeter son dévolu sur des jardiniers de quinze ans dont la pousse des poils pubiens avait affiché un retard lamentable. Elle nous préféra un type de son lycée, un fils à papa beau comme un dieu et fort comme Hercule, mais bête comme un baudet. Il venait dans le sous-sol, se vautrait sur le canapé, n'écoutait pas les compositions d'Alexandra. Il se fichait de sa musique comme de l'an quarante, alors que sa musique, c'était toute sa vie, ce que cet imbécile d'Austin n'avait pas compris.

Il s'écoula deux mois jusqu'à la proclamation des résultats du concours. Alexandra passa entre-temps son permis de conduire, et les soirs de week-end, quand Austin la laissait tomber pour sortir avec ses copains, elle passait nous prendre chez les Baltimore. Nous allions nous chercher des milkshakes au *Dairy Shack*, nous allions nous garer dans une ruelle tranquille et nous nous étendions sur une pelouse, face à la nuit, à écouter la musique que diffusait l'autoradio par les portières ouvertes de la voiture. Alexandra chantait par-dessus et nous, nous imaginions sa chanson diffusée en boucle à la radio.

Dans ces moments-là, nous avions l'impression qu'elle était à nous. Nous discutions pendant des heures. Il arrivait fréquemment qu'Austin soit le sujet de notre conversation. Hillel osait les questions qui nous brûlaient à tous les trois les lèvres :

— Qu'est-ce que tu fais avec un con pareil ? demandait-il.

— Il est très loin d'être un con. Il est parfois un peu abrupt, mais c'est un chouette garçon.

— C'est vrai, se moquait Woody, ce doit être sa décapotable qui lui fait passer de l'air dans la tête.

— Non, sérieusement, le défendait Alexandra, il gagne à être connu.

— N'empêche, c'est un con, tranchait Hillel.

Elle finissait par dire :

— Je l'aime. C'est comme ça.

Quand elle disait « je l'aime », nos cœurs se déchiraient.

Alexandra ne remporta pas le concours. Elle reçut pour toute réponse une lettre sèche qui lui disait que sa candidature n'était pas retenue. Austin lui dit que si elle avait perdu, c'est parce qu'elle était nulle.

Pour être tout à fait franc avec vous, lorsque Woody et Hillel me téléphonèrent pour m'annoncer la nouvelle, une partie de moi fut soulagée : il m'aurait été pénible que sa carrière soit lancée grâce à un concours déniché par Hillel et une vidéo qui ait été une fabrication intégrale des Baltimore.

J'eus néanmoins beaucoup de peine pour elle, car je savais combien elle tenait à ce concours. Après avoir obtenu par l'opérateur son numéro de téléphone, je pris mon courage à deux mains et lui téléphonai, ce que je n'avais jamais osé faire malgré l'envie qui me dévorait depuis des mois. À mon grand soulagement, ce fut elle qui répondit, mais le coup de fil commença très mal :

— Salut, Alexandra, c'est Marcus.

— Marcus qui ?

— Marcus Goldman.

— Qui ?

— Marcus, le cousin de Woody et Hillel.

— Oh, Marcus, le cousin ! Bonjour, Marcus, comment vas-tu ?

Je lui dis que je téléphonais à propos du concours, que j'étais désolé qu'elle n'ait pas gagné et, à mesure que nous parlâmes, elle éclata en sanglots.

— Personne ne croit en moi, dit-elle. Je me sens si seule. Tout le monde s'en fout.

— Moi, je m'en fous pas, dis-je. S'ils ne t'ont pas prise, c'est que c'est un concours de nuls. Ils ne te méritent pas ! Ne te laisse pas abattre ! Fonce ! Enregistre une autre démo !

Après avoir raccroché, je rassemblai les économies que j'avais, les mis dans une enveloppe et les lui envoyai pour qu'elle puisse enregistrer une maquette professionnelle.

Quelques jours plus tard, je reçus un avis de retrait d'un envoi postal. Ma mère, inquiète, m'interrogea longuement pour savoir si j'avais acheté des vidéos pornographiques.

— Non, Maman.

— Promets-le moi.

— Je te le promets. Si c'était le cas, je les aurais fait envoyer ailleurs.

— Où ça ?

— Maman, c'était une plaisanterie. Je n'ai pas commandé de vidéos pornographiques.

— Alors, qu'est-ce que c'est ?

— Je ne sais pas.

Malgré mes protestations, elle tint à m'accompagner au

bureau de poste pour aller chercher l'envoi et se tint derrière moi au guichet.

— D'où vient l'envoi ? demanda-t-elle à l'employé de poste.

— Baltimore, répondit-il en me remettant une enveloppe.

— Est-ce que tu attends quelque chose de tes cousins ? demanda ma mère.

— Non, Maman.

Elle me somma d'ouvrir et je finis par lui dire :

— Maman, je crois que c'est personnel.

La terreur de la pornographie passée, son visage s'éclaira.

— Tu as une petite amie à Baltimore ?

Je la regardai sans répondre et elle me fit la grâce d'aller attendre dans la voiture. Je m'isolai dans un coin du bureau de poste et décachetai l'enveloppe avec précaution.

Cher Markikette,

Je m'en veux : je ne t'ai jamais remercié de m'avoir écrit pour me dire que tu aurais voulu vivre à Baltimore. J'ai été très touchée. Peut-être qu'un jour tu déménageras ici, qui sait ?

Je te remercie de ta lettre et de l'argent. Je ne peux pas accepter cet argent mais tu m'as convaincue d'utiliser mes économies pour enregistrer une maquette et persévérer.

Tu es une personne très spéciale. J'ai de la chance de te connaître. Merci de m'encourager à devenir musicienne, tu es le seul à croire en moi. Je ne l'oublierai jamais.

J'espère te revoir bientôt à Baltimore.
Tendrement,

Alexandra

PS : Il vaut mieux que tu ne dises pas à tes cousins que je t'ai écrit.

Je relus la lettre dix fois. Je la serrai contre mon cœur. Je dansai sur le sol en béton du bureau de poste. Alexandra m'avait écrit. À moi. Je sentais mon ventre serré par l'émotion. Je rejoignis ma mère dans la voiture et je ne dis pas un mot de tout le trajet. Puis, alors que nous arrivions dans notre allée, je lui dis :

— Je suis content de ne pas avoir la mucoviscidose, Maman.

— Tant mieux, mon chéri. Tant mieux.

15.

Ce 26 mars 2012, jour de la parution du journal, je restai enfermé chez moi.

Mon téléphone sonnait sans arrêt. Je ne répondais plus. C'était inutile : tout le monde voulait savoir si c'était vrai. Est-ce que j'étais en couple avec Alexandra Neville ?

Je savais qu'il n'allait pas falloir longtemps pour que des paparazzis s'installent devant ma porte. Je décidai d'aller faire suffisamment de courses pour n'avoir plus besoin de bouger de chez moi pour un bout de temps. En revenant du supermarché, le coffre de ma voiture rempli de sacs de nourriture, Leo, qui jardinait devant sa maison, me demanda si j'avais prévu de tenir un siège.

— Alors, vous n'êtes pas au courant ?

— Non.

Je lui montrai un exemplaire du magazine.

— Qui a pris ces photos ? demanda-t-il.

— Le type du van. C'était un paparazzi.

— Vous avez voulu devenir célèbre, Marcus. Et à présent votre vie ne vous appartient plus. Vous avez besoin d'un coup de main ?

— Non, merci, Leo.

Nous entendîmes soudain un aboiement derrière nous.

C'était Duke.

— Qu'est-ce que tu fais là, Duke ? lui demandai-je.

Il me fixa de ses yeux noirs.

— Va-t'en, lui ordonnai-je.

J'allai déposer une partie de mes sacs sous mon porche et le chien me suivit.

— Va-t'en ! m'écriai-je.

Il me regarda sans broncher.

— Va-t'en !

Il resta immobile.

À cet instant, j'entendis un bruit de moteur. Une voiture freina. C'était Kevin. Il était dans tous ses états. Il sauta hors de sa voiture et se dirigea vers moi, décidé à en découdre.

— Fils de pute ! me hurla-t-il au visage.

Je reculai.

— Il ne s'est rien passé, Kevin ! Ces photos sont un mensonge ! Alexandra tient à toi.

Il resta à distance.

— Tu t'es bien foutu de moi…

— Je ne me suis foutu de personne, Kevin.

— Pourquoi ne m'as-tu jamais dit ce qui s'était passé entre Alexandra et toi ?

— Ce n'était pas à moi de t'en parler.

Il pointa un doigt menaçant dans ma direction.

— Tire-toi de nos vies, Marcus.

Il attrapa Duke par le collier pour le traîner à la voiture. Celui-ci essaya de se dégager. « Viens ici ! » hurla-t-il en le secouant.

Duke gémit et essaya de se débattre. Kevin lui cria de se taire et le fit monter de force dans le coffre de son 4x4. En remontant dans sa voiture il me dit d'un ton menaçant :

— Ne t'approche plus jamais d'elle, Goldman. Ni d'elle, ni de ce chien, ni de personne. Vends cette maison, tire-toi loin. Tu n'existes plus à ses yeux. Tu m'entends ? Tu n'existes plus !

Il démarra en trombe.

Par la vitre, Duke me lança un regard plein de tendresse et aboya des mots que je ne compris pas.

*

Baltimore.
Automne 1995.

L'automne qui suivit, la rentrée scolaire marqua la reprise de la saison de football. Les Chats Sauvages de Buckerey High firent rapidement parler d'eux. Leur début de championnat fut triomphal. Le lycée tout entier se prit d'une passion dévorante pour cette équipe bientôt réputée invincible. Qu'avait-il bien pu se passer en quelques mois pour que les Chats Sauvages soient ainsi transformés ?

Le stade de Buckerey affichait complet à chaque rencontre. Et s'il s'agissait d'un match à l'extérieur, des cohortes de fans dévoués et bruyants faisaient le déplacement. Il n'en fallut pas plus pour que la presse locale rebaptise l'équipe « Les Invincibles Chats Sauvages de Buckerey ».

La réussite de l'équipe remplissait Hillel d'un immense sentiment de fierté. En devenant l'assistant du coach, il s'était trouvé une place à part entière parmi les Chats Sauvages.

L'état de santé de Scott s'était dégradé. Il y avait eu plusieurs alertes à la fin de l'été. Il avait mauvaise mine et se déplaçait désormais régulièrement avec une bouteille d'oxygène. Ses parents étaient inquiets. Il ne pouvait plus que suivre les matchs depuis les gradins. Chaque fois qu'il se levait pour célébrer un *touchdown*, il était envahi par la tristesse de ne pouvoir être sur le terrain. Son moral était en chute libre.

Un dimanche matin froid de septembre, au lendemain d'un match que les Chats Sauvages avaient brillamment remporté, il sortit de chez lui en cachette et se rendit au stade de Buckerey. Tout était désert. Il faisait très humide ; la pelouse était envahie par une brume opaque. Il se plaça à une extrémité du terrain et se mit à le traverser en courant, s'imaginant porteur du ballon. Il ferma les yeux et se vit en ailier puissant, un Invincible lui aussi. Rien ne pouvait l'arrêter. Il lui semblait entendre les vivats de la foule qui scandait son nom. Il était un joueur des Chats Sauvages et il allait marquer le point final. Grâce à lui ils allaient remporter le championnat. Il courut encore et encore, il sentait entre ses mains le ballon qu'il n'avait pas. Il courut jusqu'à en perdre la respiration, jusqu'à s'effondrer dans l'herbe mouillée, inerte.

C'est grâce à l'intervention d'un homme qui promenait son chien que Scott fut sauvé. Il fut emmené en ambulance à l'hôpital Johns Hopkins, où il subit une batterie d'examens. Son état s'était soudainement aggravé.

Ce fut Tante Anita qui informa Hillel et Woody de l'accident de Scott.

— Pourquoi était-il sur le terrain ? demanda Hillel.

— On n'en sait rien. Il est sorti sans prévenir ses parents.

— Et jusqu'à quand restera-t-il à l'hôpital ?

— En tout cas deux semaines.

Ils allèrent régulièrement rendre visite à Scott.

— Je voudrais faire comme vous, dit-il à Woody. Je voudrais être sur un terrain de football, je voudrais que la foule m'acclame. Je veux plus être malade.

Scott put finalement rentrer chez lui. Il dut rester au repos total. Tous les jours, après l'entraînement, Woody et Hillel passaient le voir. Parfois l'équipe tout entière venait. Les Chats Sauvages s'entassaient dans la chambre de Scott, lui narrant leurs exploits du jour. Tout le monde disait qu'ils allaient remporter la coupe. Jusqu'à aujourd'hui encore, aucune équipe de la Ligue des lycées n'a battu les records établis par eux durant la saison 1995-1996.

Un samedi après-midi de la mi-octobre, les Chats Sauvages jouèrent un match capital au stade de Buckerey. Avant de partir rejoindre l'équipe, Woody et Hillel s'arrêtèrent chez les Neville. Scott était dans son lit. Il paraissait très abattu.

— Tout ce que je voudrais, c'est être avec vous, les gars, leur dit-il. Je voudrais jardiner avec vous, jouer au football avec vous. Faire ce qu'on faisait avant.

— Tu peux pas venir assister au match ?

— Ma mère ne veut pas. Elle veut que je me repose, mais je ne fais que ça, me reposer.

Quand Hillel et Woody partirent, Scott se laissa envahir par le désarroi. Il descendit à la cuisine : la maison était déserte. Sa sœur était absente, son père était à un rendez-vous et sa mère était partie faire des courses. L'idée lui vint alors à l'esprit de s'enfuir et rejoindre les Chats Sauvages. Il n'y avait personne pour l'en empêcher.

Au stade de Buckerey, le match débuta. Les Chats Sauvages prirent rapidement l'avantage.

Scott avait pris son vieux vélo. Il était trop petit pour lui, mais il roulait toujours. C'était le plus important. Il se dirigea vers le lycée de Buckerey, s'arrêtant à intervalles réguliers pour reprendre son souffle.

Gillian Neville rentra chez elle. Elle appela Scott mais il ne répondit pas. Elle monta à l'étage, et en ouvrant la porte de la chambre, elle le trouva endormi dans son lit. Elle ne le dérangea pas et le laissa se reposer.

Scott arriva au stade de Buckerey à la fin du premier quart-temps. Les Chats Sauvages menaient déjà largement au score. Il laissa son vélo contre une barrière et se glissa dans les vestiaires.

Il entendit la voix du coach Bendham qui donnait ses consignes et se cacha dans les douches. Il ne voulait pas être spectateur. Il voulait jouer. Il attendit que se passe le quart-temps suivant. Il devait parler à Hillel.

Un étrange pressentiment poussa Gillian Neville à aller réveiller son fils. Elle entrouvrit la porte de sa chambre. Il dormait toujours. Elle s'approcha du lit et en touchant les draps elle réalisa qu'il n'y avait personne à l'intérieur : à la place de son fils, il n'y avait que des coussins, qui avaient parfaitement fait illusion.

Au troisième quart-temps, Scott parvint à attirer l'attention d'Hillel, qui le rejoignit dans les douches.

— Qu'est-ce que tu fais ici ?

— Je veux jouer !

— T'es fou ! C'est impossible.

— S'il te plaît. J'aimerais juste jouer une fois un match.

Gillian Neville parcourut Oak Park en voiture. Elle essaya de joindre Patrick, qui ne répondait pas. Elle se rendit chez les Goldman mais elle trouva porte close : ils étaient au match.

À la fin du troisième quart-temps, Hillel parla avec Woody et lui expliqua la situation. Il lui fit part de son idée. Woody profita d'un temps mort pour en parler aux autres joueurs. Puis il fit signe à Ryan, un ailier au gabarit léger, de venir vers lui et il lui détailla ce qu'il devait faire.

Gillian retourna à la maison. Toujours personne. Elle sentit la panique l'envahir et elle éclata en sanglots.

Il ne restait plus que cinq minutes dans la partie.

Ryan demanda à sortir du terrain.

— Je dois aller aux toilettes, coach.

— Ça peut pas attendre ?

— Désolé, c'est vraiment très pressant.

— Dépêche-toi !

Ryan entra dans le vestiaire et donna son maillot et son casque à Scott qui l'attendait.

Il ne restait que deux minutes de jeu. Le coach pesta contre Ryan qui ressortait enfin des vestiaires et lui ordonna de se remettre en place. Bendham était tellement concentré qu'il ne remarqua rien. L'action débuta. Ryan avait une drôle de démarche, et un mauvais placement. Le coach lui cria des ordres, sans réaction. Soudain, ce fut toute son équipe qui perdit la tête et se plaça en formation triangulaire. « Mais qu'est-ce que vous foutez, bon Dieu ! » hurla-t-il.

Puis Hillel cria : « Maintenant. » Il vit Woody monter au poste d'ailier et se placer aux côtés de Ryan. Le ballon repassa aux mains des Chats Sauvages et Woody le réceptionna. Tous les joueurs se mirent en ligne autour de Ryan, qui reçut le ballon et s'élança sur le terrain, escorté par tous les autres joueurs qui le protégeaient.

Le stade resta muet un instant. Les joueurs de l'équipe

adverse, complètement déstabilisés, regardèrent médusés la formation compacte traverser la pelouse. Scott passa la ligne des buts et posa le ballon au sol. Puis il leva les mains vers le ciel, enleva son casque et le stade tout entier se mit à hurler de joie.

« *Tooooooooouchdoooooown pour les Chats Sauvages de Buckerey qui remportent ce match !* » s'écria le speaker dans les haut-parleurs.

« C'est le plus beau jour de ma vie ! » exulta Scott en entamant quelques pas de danse sur le terrain. Tous les joueurs s'agglutinèrent autour de lui et le portèrent en triomphe. Le coach Bendham, resté un instant stupéfait, ne sut pas comment réagir et éclata de rire avant de se joindre aux acclamations qui scandaient le nom de Scott et réclamaient un tour de stade. Scott s'exécuta, envoyant des baisers à la foule et saluant à tout-va. Il parcourut la moitié du terrain, sentit son cœur qui s'emballait. Il avait de plus en plus de mal à respirer, il essaya de se calmer mais il eut l'impression qu'il étouffait. Et soudain il s'écroula.

16.

Le 28 mars 2012, Alexandra quitta Boca Raton et retourna à Los Angeles.

Le jour où elle partit, elle laissa une enveloppe devant ma porte. Leo assista à la scène et vint frapper chez moi.

— Vous venez de rater votre petite copine.

— Ce n'est pas ma petite copine.

— Un gros 4x4 noir vient de s'arrêter devant votre maison et elle a posé cette enveloppe devant votre porte.

Il me la tendit. Il était écrit :

Pour Markikette

— Je ne sais pas qui est Markikette, dis-je.

— Je crois que c'est vous, répondit Leo.

— Non. C'est une erreur.

— Ah. Dans ce cas je vais l'ouvrir.

— Je vous l'interdis.

— Je croyais que cette lettre n'était pas pour vous.

— Donnez-moi ça !

Je lui pris l'enveloppe des mains et la décachetai. À l'intérieur, elle avait simplement noté un numéro de téléphone, dont je supputai qu'il était le sien.

555-543-3984
A.

— Pourquoi me donnerait-elle son numéro de téléphone? Et surtout pourquoi le déposer devant ma porte quand elle sait que n'importe quel journaliste pourrait passer par là et la voir, ou même se saisir de l'enveloppe?

— Mon pauvre Markikette, me dit Leo, vous êtes tellement rabat-joie.

— Ne m'appelez pas Markikette. Et je ne suis pas rabat-joie.

— Bien sûr que vous l'êtes. Il y a cette femme, mignonne comme tout, qui est complètement perdue parce qu'elle meurt d'amour pour vous mais qu'elle ne sait pas comment vous le dire.

— Elle ne m'aime pas. C'était avant.

— Mais enfin, vous le faites exprès? Vous débarquez dans sa vie jusqu'alors calme et douillette, vous créez un chaos monumental, elle décide de fuir mais malgré tout, au moment de partir, elle vous indique comment la contacter. Il faut vous faire un dessin, ou quoi? Vous m'inquiétez, Marcus. On dirait que vous êtes nul de chez nul avec les histoires sentimentales.

Je regardai la feuille que je serrais entre mes doigts, puis je demandai à Leo:

— Alors, qu'est-ce que je dois faire, Monsieur le docteur des cœurs?

— Appelez-la, espèce d'andouille!

Il me fallut un bon moment pour me résoudre à lui téléphoner. Quand j'eus le courage d'essayer, son téléphone était coupé. Sans doute était-elle dans l'avion vers la Californie. Je refis une tentative quelques heures plus tard: il était tard en Floride, c'était le début de la soirée à Los Angeles. Elle ne répondit pas. Ce fut elle qui me rappela. Je décrochai mais elle ne parla pas. Nous restâmes longuement au bout du fil, en silence. Finalement elle dit:

«Tu te souviens, après la mort de mon frère… c'était toi que j'appelais. J'avais besoin de ta présence, alors nous restions au téléphone pendant des heures, sans rien dire. Juste pour que tu me tiennes compagnie.» Je ne répondis rien. Nous restâmes encore silencieux. Elle finit par raccrocher.

*

Baltimore, Maryland.
Octobre 1995.

Les secours ne parvinrent pas à refaire battre le cœur de Scott, dont le décès fut constaté sur la pelouse du terrain de Buckerey. Les cours du lendemain furent annulés au lycée de Buckerey High, et une cellule psychologique mise en place. À mesure que les élèves arrivaient dans l'établissement, ils étaient dirigés vers l'auditorium, tandis que résonnait en boucle dans les haut-parleurs des couloirs le message du principal Burdon : « En raison de la tragédie d'hier soir, tous les cours sont annulés aujourd'hui. Les élèves doivent tous se rendre à l'auditorium. » Devant le casier de Scott, s'amoncelèrent des fleurs, des bougies et des peluches.

Scott fut enterré dans un cimetière de la banlieue de New York, dont les Neville étaient originaires. Nous nous y rendîmes, Woody, Hillel et moi, accompagnés par Oncle Saul et Tante Anita.

Avant la cérémonie, ne la voyant pas, je cherchai Alexandra. Je la trouvai dans un salon funéraire, seule. Elle pleurait. Elle était vêtue en noir. Elle avait même mis du vernis noir sur ses ongles. Je m'assis à côté d'elle. Je lui pris la main. Je la trouvai tellement belle que j'eus cette envie érotique de lui embrasser la paume. Je le fis. Et comme elle ne retira pas sa main, je recommençai. Je lui baisai le dos de la main, chacun de ses doigts. Elle vint se blottir contre moi et elle me murmura dans le creux de l'oreille : « Ne lâche pas ma main, s'il te plaît, Markie. »

La cérémonie fut très pénible. Je n'avais jamais dû affronter pareille situation. Oncle Saul et Tante Anita nous y avaient préparés, mais c'était autre chose de le vivre. Alexandra était inconsolable : je voyais des larmes noires de son mascara couler sur nos mains. Je ne savais pas si je devais lui parler, la rassurer. J'aurais voulu essuyer le bord de ses yeux, mais j'avais peur d'être maladroit. Je me contentai de serrer sa main du plus fort que je pouvais.

La difficulté ne fut pas tant la tristesse du moment que les tensions que nous ressentions entre Patrick et Gillian. Patrick prononça pour son fils une oraison que je trouvai très belle. Il l'intitula *Résignation du père d'un enfant malade*. Il y rendit hommage à Woody et Hillel et les remercia pour le bonheur apporté à Scott. Il leur tint à peu près ces propos :

« Sommes-nous vraiment heureux, nous les gens aisés d'Oak Park ou de New York ? Qui ici peut affirmer l'être complètement ?

« Mon fils Scott a été heureux. Et cela grâce à deux petits gars qui l'ont sorti.

« J'ai vu mon fils avant Woody et Hillel, je l'ai vu après.

« Merci à vous deux. Vous lui avez donné un sourire que je ne lui avais jamais vu. Vous lui avez donné une force que je ne lui avais jamais connue.

« Qui peut, même au terme d'une longue vie, affirmer avoir rendu heureux l'un de ses semblables ? Vous le pouvez, Hillel et Woody. Vous le pouvez. »

Le discours de Patrick déclencha une très gênante altercation avec sa femme lors de la collation qui suivit l'enterrement. Nous étions tous dans le salon de la sœur de Gillian, en train de manger des petits fours, quand nous entendîmes des éclats de voix retentir depuis la cuisine. « Tu leur dis merci ? criait Gillian. Ils ont tué notre fils, et toi tu dis merci ! »

Ce fut une scène difficile à supporter. Je me remémorai soudain toutes les fois où j'avais haï Scott, où j'avais jalousé sa maladie et réclamé d'avoir moi aussi la mucoviscidose. J'eus envie de pleurer mais je ne voulais pas le faire devant Alexandra. Je sortis dans le jardin. Je me traitai de salopard. Salopard ! Salopard ! Puis je sentis une main sur mon épaule. Je me retournai : c'était Oncle Saul. Il m'étreignit et j'éclatai en sanglots.

Je n'oublierai jamais comment il me serra contre lui ce jour-là.

Il s'ensuivit des semaines de tristesse.

Hillel et Woody se sentaient coupables. Pour ne rien arranger, le principal Burdon exigea des sanctions.

Il convoqua Hillel et le coach Bendham. La réunion dura plus d'une heure. Woody faisait les cent pas derrière la porte, inquiet. La porte s'ouvrit enfin et Hillel sortit du bureau en larmes.

— Je suis viré de l'équipe ! hurla-t-il.

— Quoi ? Comment ça ?

Hillel ne répondit pas et s'enfuit en courant dans le couloir. Woody vit alors le coach Bendham sortir du bureau à son tour, avec une mine catastrophée.

— Coach, dites-moi que ce n'est pas vrai ! s'écria-t-il. Coach, que se passe-t-il ?

— Ce qui s'est passé est très grave. Hillel doit quitter l'équipe. Je suis vraiment désolé… Je ne peux rien faire.

Woody, furieux, entra sans frapper dans le bureau de Burdon.

— Principal Burdon, vous ne pouvez pas renvoyer Hillel de l'équipe de football !

— De quoi je me mêle, Woodrow ? Et qui te permet de débarquer comme ça dans mon bureau ?

— C'est une vengeance ? C'est ça ?

— Woodrow, je ne te le dirai pas deux fois : sors de ce bureau.

— Vous ne voulez même pas m'expliquer pour quel motif vous avez renvoyé Hillel ?

— Je ne l'ai pas renvoyé. Techniquement, il n'a jamais fait partie de l'équipe. Aucun élève ne peut avoir la charge d'autres élèves. Le coach Bendham n'aurait jamais dû lui proposer cette fonction d'assistant. Et puis, dois-je te rappeler qu'il a tué un élève, Woody ? Sans ses idées farfelues, Scott Neville serait encore en vie !

— Il n'a tué personne. C'était le rêve de Scott de jouer !

— Je n'apprécie pas du tout ce ton, Woodrow. Que veux-tu : ton petit copain se plaint que je ne fais pas mon boulot correctement. Je vais le faire, mon boulot. Tu vas voir. Va-t'en maintenant.

— Vous n'avez pas le droit de faire ça à Hillel !

— J'ai tous les droits. Je suis le principal de ce lycée. Vous n'êtes que les élèves. Vous n'êtes rien d'autre que des élèves. Tu comprends ça ?

— Vous le paierez !
— C'est une menace ?
— Non, c'est une promesse.
Personne ne put rien y faire. Ce fut la fin du football pour Hillel.
Au beau milieu de la nuit qui suivit, Woody se faufila hors de la maison des Goldman et se rendit à vélo jusqu'à la maison de Burdon. À la faveur de l'obscurité, il rampa à travers le jardin, sortit une bombe de peinture de son sac et inscrivit en lettres immenses sur toute la façade de la maison : *BURDON SAC À MERDE*. À peine eut-il terminé d'inscrire le dernier mot qu'il sentit un halo de lumière braqué sur sa nuque. Il se retourna mais ne put rien voir, aveuglé par la torche qu'on braquait sur lui. « Qu'est-ce que tu fabriques là, mon gars ? » interrogea fermement une voix d'homme. Et Woody comprit que c'était deux policiers.
Réveillés par un appel de la police, Oncle Saul et Tante Anita furent priés de se présenter au commissariat pour venir y chercher Woody.
— *Burdon sac à merde* ? se désola Tante Anita. T'as rien trouvé de mieux ? Oh, Woody, qu'est-ce qui t'a pris de faire un truc pareil ?
Il baissa la tête honteusement et marmonna :
— Je voulais me venger de ce qu'il a fait à Hillel.
— Mais on ne se venge pas ! lui répondit Oncle Saul d'un ton sans colère. Ce n'est pas comme ça que les choses fonctionnent, et tu le sais très bien.
— Qu'est-ce qui va m'arriver maintenant ? demanda Woody.
— Ça dépend si le principal Burdon porte plainte ou non.
— Est-ce que je vais être renvoyé du lycée ?
— Nous l'ignorons. Tu as fait une grave bêtise, Woody, et ton destin n'est plus entre tes mains.

Woody fut renvoyé du lycée de Buckerey.
Le coach Bendham fit tout pour le défendre face à Burdon, avec qui il eut une violente altercation quand celui-ci refusa de revenir sur la décision de renvoi.

— Mais pourquoi êtes-vous borné à ce point, Steve ? explosa Bendham.

— Parce qu'il y a des règles, coach, et qu'il faut les respecter. Vous avez vu ce que ce petit voyou a fait à ma maison ?

— Mais on parle d'une connerie de gamin ! Vous auriez dû lui faire balayer les chiottes de l'école pendant six mois, mais vous ne pouvez pas faire ça, vous ne pouvez pas écraser ces deux gamins comme vous l'avez fait.

— Augustus, c'est comme ça.

— Bon sang, Steve, vous dirigez une école, une école bordel de merde ! Vous êtes là pour construire les vies de ces gosses ! Pas pour les détruire.

— Justement, je dirige une école. Et vous ne semblez pas réaliser ce que cela implique comme responsabilités. Nous sommes là pour que ces enfants s'adaptent à notre société, et non l'inverse. Ils doivent apprendre qu'il y a des règles, et que si on ne les respecte pas, il y a des conséquences. Trouvez-moi cruel si vous voulez, je sais que je le fais pour eux et qu'un jour ils m'en remercieront. Des gamins comme ça, ils finissent en prison si personne ne les reprend en main.

— Des gamins comme ça, Steve, ils finissent stars de la NFL et Prix Nobel ! Vous verrez que dans dix ans, il y aura des caméras dans ce préau pour filmer la gloire des Goldman.

— Pfff ! la gloire des Goldman ! Ne me dites pas que vous croyez à ces conneries…

— Et devant les journalistes qui tendront leur micro, vous bafouillerez comme un minable qu'ils étaient vos élèves préférés, les meilleurs de votre lycée et que vous n'avez jamais douté de leur talent !

— Ça suffit, coach, vous dépassez les bornes. J'en ai assez entendu.

— Vous savez quoi, Steve, c'est moi qui en ai assez entendu : allez vous faire foutre !

— Pardon ? Avez-vous complètement perdu la tête ? Je vais faire un rapport, Augustus. Vous allez y passer aussi !

— Faites tous les rapports que vous voulez. Je me barre ! Je ne participerai pas à votre système merdique, qui n'a rien su faire d'autre que de priver deux gamins de leurs rêves. Je me tire, vous ne me reverrez plus !

Il était parti en claquant la porte de toutes ses forces et il avait démissionné de son poste avec effet immédiat, demandant sa mise à la retraite anticipée.

Le week-end qui suivit, Woody vint chez lui et le trouva en train de charger ses affaires dans son camping-car.

— Partez pas, coach… l'équipe a besoin de vous.

— Il n'y a plus d'équipe, Woody, répondit Bendham sans interrompre sa tâche. Ça fait longtemps que j'aurais dû prendre ma retraite.

— Coach, je suis venu pour vous demander pardon. Tout est ma faute.

Bendham posa son carton dans l'herbe.

— Non, Woody, pas du tout. C'est la faute de ce système merdique ! De ces profs pourris. C'est moi qui te demande pardon, Woody. Je n'ai pas été foutu de vous défendre correctement, Hillel et toi.

— Alors, vous fuyez ?

— Non, je prends ma retraite. Je vais traverser le pays, je serai en Alaska d'ici à cet été.

— Vous vous tirez dans votre foutu camping-car jusqu'en Alaska pour ne pas voir la réalité, coach.

— Pas du tout. J'ai toujours eu envie de faire ce voyage.

— Mais vous avez toute la vie pour aller jusque dans ce putain d'Alaska !

— La vie n'est pas si longue, mon garçon.

— Elle l'est suffisamment pour que vous restiez encore un peu.

Bendham l'attrapa par les épaules :

— Continue le football, mon garçon. Pas pour moi, ni pour Burdon, ni pour personne d'autre que toi.

— J'en ai rien à foutre, coach ! J'en ai rien à foutre de cette merde !

— Non, tu n'en as pas rien à foutre ! Le football, c'est toute ta vie !

*

Le couple de Patrick et Gillian ne résista pas à la mort de Scott.

Gillian ne pardonnait pas à son mari d'avoir encouragé Scott à faire du football. Elle avait besoin de réfléchir, elle avait besoin d'espace. Surtout, elle ne voulait plus vivre dans la maison d'Oak Park. Un mois après l'enterrement de Scott, elle décida de retourner à New York et loua un appartement à Manhattan. Alexandra la suivit. Elles déménagèrent en novembre 1995.

Mes parents m'autorisèrent à aller passer le week-end de leur départ à Oak Park, pour dire au revoir à Alexandra. Ce furent les jours les plus tristes que je vécus à Baltimore.

— C'est la fille qui t'écrit ? demanda ma mère en m'accompagnant à la gare de Newark.

— Oui.

— Tu la reverras un jour, me dit-elle.

— J'en doute.

— Je suis certaine que si. Ne sois pas trop triste, Markie.

J'essayai de me persuader que ma mère avait raison et que si Alexandra comptait vraiment, le destin la remettrait sur mon chemin, mais durant tout le trajet vers Baltimore, j'avais le cœur serré. Et dans la voiture de ma tante, je gardai la tête basse et n'eus même pas envie de saluer les agents de la patrouille.

Elle partit le lendemain, un samedi, à bord de la voiture de sa mère, dans une procession funèbre composée de deux camions de déménagement. Nous passâmes nos dernières heures ensemble dans sa chambre, totalement vide. Il ne restait pour toute trace de son passage que les marques des punaises qui avaient tenu les affiches représentant ses chanteurs préférés. Même sa guitare avait disparu.

— Je ne peux pas croire que je m'en vais, murmura Alexandra.

— Nous non plus, répondit Hillel la gorge étranglée.

Elle écarta grand les bras et Woody, Hillel et moi nous y blottîmes. Sa peau sentait ce parfum délicieux, ses cheveux cette odeur d'abricot. Nous fermâmes tous les trois les yeux et nous restâmes un moment ainsi. Jusqu'à ce que la voix de Patrick résonne depuis le rez-de-chaussée.

«Alexandra, tu es là-haut? Il faut partir, les déménageurs nous attendent.»

Elle descendit les escaliers et nous la suivîmes, la tête basse.

Devant la maison, elle nous demanda de faire une photo de tous les quatre. Son père nous immortalisa ensemble devant ce qui avait été leur maison. «Je vous l'enverrai, nous promit-elle. Nous nous écrirons.»

Elle nous enlaça une dernière fois, chacun notre tour.

— Au revoir, mes petits Goldman. Je ne vous oublierai pas.

— Tu es membre du Gang pour toujours, dit Woody.

Je vis une larme perler sur la joue d'Hillel et je l'essuyai du bout de mon pouce.

Nous la regardâmes monter dans la voiture de sa mère en lui faisant une dernière haie d'honneur. Puis la voiture démarra et roula lentement sur l'allée. Elle nous adressa un long signe de la main. Elle pleurait elle aussi.

Dans un dernier élan passionné, nous sautâmes sur nos vélos, et nous escortâmes la voiture à travers le quartier. Dans l'habitacle, nous la vîmes sortir une feuille de papier sur laquelle elle inscrivit quelques mots. Puis elle la plaqua contre la vitre arrière et nous pûmes lire:

JE VOUS AIME, LES GOLDMAN.

17.

Je n'ai jamais raconté à personne ce qui se passa, en novembre 1995, après le déménagement d'Alexandra et sa mère à New York.

Après l'enterrement de Scott, nous nous étions téléphoné sans cesse. Elle me réclamait et j'en ressentais une immense fierté. Elle disait qu'elle ne pouvait pas s'endormir sans la présence de quelqu'un et nous nous téléphonions, laissant le combiné à côté de notre tête pendant que nous dormions. Parfois, la communication restait établie jusqu'au lendemain.

Ma mère, en recevant le relevé des télécommunications, me fit une scène.

— Qu'est-ce que vous vous dites pendant des heures?

— C'est à cause du Petit Scott, lui expliquai-je.

— Oh, fit-elle, décontenancée.

J'allais découvrir que Scott pouvait continuer d'être un fantastique copain depuis l'au-delà. L'invocation de son nom avait un effet magique:

«Pourquoi as-tu eu une mauvaise note? — À cause du Petit Scott.»

«Pourquoi as-tu séché la classe? — À cause du Petit Scott.»

«Je voudrais manger de la pizza ce soir... — Ah, non pas encore. — S'il te plaît, ça me rappelle le Petit Scott.»

Le Petit Scott fut mon sésame pour aller voir Alexandra à New York autant que je voulais. Car ce qui n'avait été qu'une amourette téléphonique se transforma après son déménagement en une véritable relation. Montclair et Manhattan n'étaient distantes que d'une demi-heure de train, et je me mis à la retrouver plusieurs fois par semaine à Manhattan, dans un café à proximité de son école. Je prenais le train, le cœur battant à la perspective de l'avoir pour moi tout seul. Au début, nous ne fîmes que reprendre nos interminables conversations téléphoniques, mais face à face cette fois, mes yeux plongés dans les siens. C'est assis à côté d'elle qu'un jour, après lui avoir pris la main, je franchis le pas dont j'avais tant rêvé : je l'embrassai et elle me rendit mon baiser. Nous échangeâmes un long baiser sous-marin et ce fut pour moi le début d'une année où le Gang des Goldman me passionna moins, et où elle devint mon unique obsession. Plusieurs fois par semaine, je venais à New York la retrouver au café. Quelle joie de la voir, de l'entendre, de la toucher, de lui parler, de la caresser, de l'embrasser ! Nous déambulions dans les rues, nous échangions des baisers à l'abri des squares. Quand je la voyais arriver, mon cœur se mettait immédiatement à cogner dans ma poitrine. Je me sentais vivant, plus vivant que je ne l'avais jamais été. Sans oser me l'avouer, je savais que c'était un sentiment qui dépassait celui que j'éprouvais pour les Baltimore.

Elle disait que je lui permettais de surmonter son chagrin. Qu'elle se sentait différente quand j'étais avec elle. Nous recherchions notre présence mutuelle et notre relation se développa rapidement.

Je me sentis pousser des ailes, au point qu'un jour, pris d'un excès de confiance, je décidai de la surprendre à la sortie de son école. Je la vis sortir du bâtiment, entourée d'un groupe d'amies, et je me précipitai vers elle pour la prendre contre moi. En me voyant, elle eut un mouvement de recul, me tint à distance et se montra très froide avant de disparaître. Je rentrai à Montclair, penaud et décontenancé. Ce soir-là, elle me téléphona :

— Salut, Marcus…

— Est-ce qu'on se connaît ? demandai-je, vexé.

— Markie, ne m'en veux pas…

— Tu dois sans doute avoir une bonne explication pour ton comportement de tout à l'heure.

— Marcus, tu as deux ans de moins...
— Et alors?
— Alors, c'est embarrassant.
— Qu'est-ce qu'il y a d'embarrassant?
— Tu me plais bien, mais tu as deux ans de moins, quoi!
— Quel est le problème?
— Oh, mon pauvre petit bébé Marcus, tu es si naïf, ça te rend encore plus mignon. C'est un peu la honte.
— Il suffit de le dire à personne.
— Les gens le sauront forcément.
— Pas si tu ne le dis pas.
— Oh, laisse tomber, bébé Marcus! Si tu veux me voir, personne ne doit savoir.

J'acceptai. Nous continuâmes à nous retrouver au café. Parfois, elle venait à Montclair où, ne connaissant personne, elle ne risquait rien. Bénie soit Montclair, petite ville de banlieue peuplée d'inconnus.

Ma passion pour Alexandra ne tarda pas à avoir un effet dramatique sur mes résultats scolaires. En classe, je ne voyais plus qu'elle et je n'écoutais plus rien. Elle dansait dans ma tête, elle dansait sur mes cahiers, elle dansait devant le tableau, elle dansait avec la prof de sciences et murmurait: «Marcus... Marcus...» et je me levai pour danser avec elle. «Marcus! hurla la prof de sciences. As-tu perdu la tête? Retourne à ta place si tu ne veux pas que je te colle.» Mes parents furent convoqués par mon professeur principal, inquiet de mon déclin soudain. C'était ma première année de lycée et ma mère, pensant que j'avais peut-être d'insoupçonnées déficiences mentales, pleura pendant tout l'entretien, se consolant entre deux sanglots en se remémorant – ce que font presque toutes les mères qui découvrent que leur enfant connaît des problèmes scolaires – qu'Einstein lui-même avait eu de grandes difficultés en mathématiques. Einstein ou pas, la conséquence pour moi fut une interdiction de sortie doublée de cours intensifs de soutien scolaire à domicile. Je refusai, je suppliai, je me roulai par terre, je promis d'avoir à nouveau de bons résultats, mais rien n'y fit: tous les jours après l'école, quelqu'un viendrait m'aider à faire mes devoirs.

Je jurai alors d'être insolent, boudeur, imbécile, distrait et pétomane pendant mes leçons d'appui.

Au bord du désespoir, je finis par en parler à Alexandra, lui expliquant que nous étions condamnés à beaucoup moins nous voir. Le soir même, elle téléphonait à ma mère. Elle lui expliqua avoir été contactée par mon professeur de mathématiques pour me donner des cours de soutien à domicile. Ma mère lui expliqua avoir déjà contacté quelqu'un, mais lorsque Alexandra lui dit que ses cours étaient payés par le lycée de Montclair, ma mère accepta volontiers et l'engagea. C'était le genre de tour de magie dont Alexandra était capable.

Je n'oublierai jamais ce jour où elle sonna à la porte de notre maison. Alexandra, la déesse du Gang des Goldman, débarquait chez les Montclair.

La première phrase que ma mère prononça à l'attention de celle que j'aimais fut: «Vous verrez, j'ai rangé toute sa chambre. C'était une telle pagaille, on ne peut pas se concentrer dans le désordre. J'en ai aussi profité pour mettre tous ses vieux jouets dans l'armoire.»

Alexandra éclata de rire, et moi je virai au pourpre de honte.

— Maman! m'écriai-je.

— Oh, Markie, me dit ma mère, ce n'est un secret pour personne que tu laisses traîner tes slips sales partout.

— Merci de votre diligence, Madame Goldman, dit Alexandra. Maintenant nous allons aller dans la chambre de Marcus. Il a des devoirs à faire. Je vais le faire travailler dur.

Je la conduisis à ma chambre.

— C'est mignon que ta mère t'appelle Markie, me dit-elle.

— Je t'interdis de m'appeler comme ça.

— Et je me réjouis que tu me montres tes jouets.

Mes devoirs avec Alexandra furent de mettre ma langue dans sa bouche et de lui peloter les seins. J'étais à la fois terrifié et excité que ma mère puisse débarquer dans la chambre à tout moment pour nous apporter des biscuits. Mais elle ne le fit jamais. Je crus à l'époque que c'était le hasard qui me donnait un coup de main, je réalise aujourd'hui que je sous-estimais probablement ma mère, qui n'était pas dupe, et qui n'avait aucune intention de perturber son fils dans ses amours de jeunesse.

Ma mère tomba sous le charme d'Alexandra. Mes résultats scolaires remontèrent en flèche et je pus recouvrer ma liberté.

Je passai bientôt tous mes week-ends à New York. Lorsque sa mère n'était pas là, Alexandra m'invitait chez elle. J'arrivais devant sa maison le cœur battant, elle ouvrait la porte, me prenait par la main et m'emmenait dans sa chambre.

J'ai longtemps assimilé le rappeur Tupac à Alexandra. Elle avait collé au mur, au-dessus de son lit, un immense poster de lui. Nous nous jetions sur le matelas, elle se déshabillait et moi je voyais Tupac qui nous regardait et qui, soudain, levait le pouce pour me donner sa bénédiction. Aujourd'hui, il suffit encore que j'entende une de ses chansons à la radio pour que se déclenche en moi cet extraordinaire réflexe pavlovien de m'imaginer avec elle, nus dans son lit. C'est elle qui m'apprit à m'envoyer en l'air et je dois dire que je me débrouillais plutôt bien. Je pris de plus en plus d'assurance. J'arrivais dans sa chambre, je saluais Monsieur Tupac, nous nous débarrassions de nos vêtements et nous commencions nos ébats. Après le sexe, nous restions longtemps à parler. Elle enfilait un t-shirt ample et roulait un joint qu'elle allait fumer à la fenêtre. Oui, parce qu'il faut aussi que je vous dise qu'elle fut la première personne à me faire fumer de la marijuana. De retour à Montclair pour dîner à la table de mes parents, épuisé et défoncé, j'entendais ma mère me demander avec un sourire en coin : « Comment va la petite Alexandra ? »

Je ne saurai jamais si, au fond, je fus le premier du Gang des Goldman à connaître les joies de l'amour. Il me fut impossible de parler d'Alexandra à Woody et Hillel. J'avais l'impression de les trahir. De toute façon, il me fallait respecter le souhait d'Alexandra de ne parler à personne de notre relation.

Il m'arrivait de la voir traîner avec des garçons plus âgés à la sortie de ses cours. Je ne pouvais pas approcher. J'étais malade de jalousie. Quand je la retrouvais au café, je lui demandais :

— C'est qui ces cons qui te tournent autour?

Elle riait.

— Personne. Juste des amis. Rien d'important. Rien d'aussi important que toi.

— Est-ce qu'on pourrait pas sortir ensemble avec tes amis une fois? implorai-je.

— Non. Tu ne dois pas parler de nous.

— Mais pourquoi? Ça fait presque quatre mois maintenant. T'as honte de moi ou quoi?

— Arrête de te prendre la tête, Markikette. On est juste mieux si personne ne sait pour nous.

— Qui te dit que j'en ai parlé à personne?

— Je le sais. Parce que t'es différent. T'es un type bien, Markikette. T'es un garçon différent des autres et c'est pour ça que tu es précieux.

— Et arrête de m'appeler Markikette!

Elle souriait.

— D'accord, Markikette.

*

À la fin du printemps 1996, Patrick Neville, qui cherchait depuis plusieurs mois à déménager à New York pour se rapprocher de sa fille et essayer de sauver son mariage, obtint un poste important dans un fonds d'investissement basé à Manhattan et quitta à son tour Oak Park. Il s'installa dans un bel appartement de la 16e Avenue, proche de celui de sa femme. Alexandra se retrouva avec deux foyers et deux chambres à coucher, ce qui ne fit que multiplier davantage mes séjours à New York. Et quand Patrick et Gillian sortaient dîner ensemble pour tenter de se retrouver, nous ne savions plus où donner de la tête ni dans quel appartement nous retrouver.

J'étais sans cesse fourré chez elle et j'avais moi aussi envie qu'elle vienne une fois dormir chez moi, à Montclair. Le week-end de mon anniversaire, je réussis l'immense prouesse de me débarrasser de mes parents. Je décidai d'inviter Alexandra à Montclair pour la nuit. Par souci de romantisme, je décidai de m'introduire dans son lycée et, ayant repéré ce qui me sembla être son casier, j'y glissai une carte l'invitant à venir me retrouver le surlendemain. Le soir venu, je préparai un dîner romantique avec chandelles, fleurs et lumières tamisées. Je l'avais invitée pour dix-neuf heures. À vingt heures, sans nouvelles d'elle, je téléphonai chez sa mère qui m'indiqua qu'elle n'était pas là. Même son de cloche chez son père. À vingt-deux heures, je soufflai les chandelles. À vingt-trois heures, je jetai le dîner à la poubelle. À vingt-trois heures trente, j'ouvris la bouteille de vin volée à mon père et la sifflai tout seul. À minuit, ivre et seul, je me chantai à moi-même un pathétique «Joyeux anniversaire» et soufflai mes propres bougies. J'allai me coucher avec la tête qui tournait et le sentiment que je la détestais. Je ne lui donnai plus aucune nouvelle pendant deux jours. Je ne retournai plus à New York, je ne répondais plus à ses appels. Finalement, c'est elle qui vint me trouver à Montclair et m'intercepta à la sortie du lycée:

— Marcus, mais vas-tu me dire ce qui te prend?

— Ce qui me prend? Mais j'espère que tu plaisantes! Comment as-tu pu me faire un coup pareil?

— Mais de quoi tu parles?

— De mon anniversaire!

— Quoi, ton anniversaire?

— Tu m'as planté le soir de mon anniversaire! Je t'ai invitée chez moi et tu n'es pas venue!

— Comment tu veux que je sache que c'est ton anniversaire si tu ne me dis rien?

— J'ai mis une carte dans ton casier.

— Je ne l'ai jamais eue...

— Oh, fis-je un peu désarçonné.

Je m'étais donc trompé de casier...

— Et puis, Markie, t'es pas un peu crétin de me faire des jeux de piste au lieu de me passer un coup de téléphone pour me donner les informations? Dans un couple, il faut communiquer.

— Ha! Parce qu'on est un couple?

— Qu'est-ce que tu crois qu'on est, Markichiottes!

Elle planta ses yeux dans les miens et je me sentis envahi d'une immense sensation de bonheur. Nous étions un couple. C'était la première fois qu'une fille me disait que nous étions en couple. Elle m'attrapa, plongea devant tout le monde sa langue dans ma bouche, me repoussa en arrière et me dit : «Tire-toi, maintenant.»

J'étais en couple. Je n'en revenais pas. Ce dont je ne revins pas non plus, c'est que le week-end suivant, Alexandra vint me chercher en voiture à Montclair et m'emmena «faire un tour». Je ne compris d'abord pas où nous allions, jusqu'à ce que nous prîmes le Lincoln Tunnel.

— On va à Manhattan ?

— Oui, mon ange.

Puis je réalisai qu'on y passerait la nuit lorsqu'elle s'arrêta devant le Waldorf Astoria.

— Le Waldorf ?

— Oui.

— On va dormir à l'hôtel ?

— Oui.

— Mais j'ai pas d'affaires de rechange, dis-je.

— Je suis sûre qu'on te trouvera une brosse à dents et une chemise. Ils ont ce genre de choses à New York, tu sais.

— J'ai même pas prévenu mes parents...

— Ils ont dans cet hôtel des machines spéciales qu'on appelle téléphones et qui te permettent d'entrer en contact avec le reste de l'humanité. Tu vas appeler ta mère et lui dire que tu dors chez un copain, Markikette. Il est temps de prendre des risques dans la vie. Tu veux quand même pas rester un Montclair toute ta vie, non ?

— Qu'est-ce que tu viens de dire ?

— J'ai dit : tu ne veux quand même pas rester à Montclair toute ta vie, non ?

Je n'avais jamais mis les pieds dans un hôtel pareil. Avec un culot phénoménal, Alexandra brandit à la réception de l'hôtel une fausse carte d'identité qui lui donnait vingt-deux ans, paya avec une carte de crédit qu'elle sortit de je-ne-sais-où, puis demanda au réceptionniste : «Le jeune homme derrière moi a oublié toutes ses affaires. Si vous pouvez mettre dans la chambre un nécessaire de toilette complet, il vous en sera infiniment reconnaissant. » J'ouvris des yeux comme des billes. C'était ma première fois en couple, la première fois que je faisais l'amour dans un hôtel et la première fois que je mentais de façon éhontée à ma mère pour aller passer la nuit dans les bras d'une fille, et quelle fille !

Ce soir-là, elle m'emmena dans un café de West Village pourvu d'une petite scène pour des concerts intimistes. Elle s'installa sur la scène où l'attendait une guitare et joua durant plus d'une heure ses compositions. Tout le café la regardait, mais c'était moi qu'elle regardait. C'était l'une des premières soirées douces du printemps. Après le concert, nous déambulâmes longuement dans le quartier. Elle disait que c'était là qu'elle se voyait vivre un jour, dans un appartement avec une grande terrasse, pour passer ses soirées dehors à regarder la ville. Elle parlait et moi je buvais ses paroles.

De retour au Waldorf Astoria, alors que ma mère me croyait chez mon copain Ed, nous fîmes longuement l'amour. Le mur de la chambre était orné d'un grand miroir et je me vis entre ses cuisses. Observant dans le reflet notre nudité et nos gestes, je nous trouvai très beaux ; nous l'étions. Sur elle, du haut de mes seize ans, je me sentais fort comme un homme. Sûr de moi et téméraire, j'imprimais en elle le mouvement et la cadence que je savais lui plaire et qui finissaient par la faire se cambrer de plus en plus, en demander encore et s'accrocher à mon dos au moment où venait en elle la décharge de plaisir qui la faisait gémir une dernière fois, marquant ma peau du bout de ses ongles délicatement vernis. Un silence complice envahissait la pièce. Elle relevait ses cheveux d'un geste de la main, s'effondrait sur une pile de coussins, le souffle court, m'offrant la vision de sa poitrine perlée de sueur.

C'est Alexandra qui me poussa à oser vivre ma vie. Quand elle s'apprêtait à commettre quelque chose d'un peu interdit et qu'elle pressentait ma réticence, elle m'attrapait la main, me regardait avec ses yeux de feu et me disait : « T'as peur, Markie ? T'as peur de quoi ? » Et elle serrait ma main encore et m'entraînait dans son monde. J'appelais ça le monde d'Alexandra. Elle m'impressionnait tellement qu'un jour, je finis par lui dire :

— Peut-être que je suis un peu amoureux de toi.

Elle attrapa mon visage entre ses mains et plongea ses yeux dans les miens.

— Markikette, il y a des choses qu'il faut éviter de dire à une fille.

— Je plaisantais, dis-je en me défaisant de son étreinte.

— C'est ça.

Avant de vous le confier ici, je n'ai jamais raconté à personne l'amour absolu que j'ai partagé avec Alexandra Neville durant l'année 1995-1996. Je n'ai jamais raconté non plus à personne qu'elle me brisa le cœur après dix mois de relation. Elle m'avait rendu si heureux, il était inévitable qu'elle finisse un jour par me faire de la peine.

À la fin de l'été 1996, elle partit pour une université du Connecticut. Elle vint me trouver à Montclair pour me l'annoncer, courageusement, la veille de son départ, alors que nous nous promenions dans mon quartier.

— Le Connecticut, ce n'est pas si loin, dis-je. Et puis, je suis en train de passer mon permis de conduire...

Elle eut un regard plein de tendresse.

— Markikette...

À la seule façon dont elle avait prononcé mon nom, je compris.

— Alors tu veux plus de moi...

— Markie, c'est pas ça... C'est l'université... C'est une nouvelle étape pour moi, je veux être libre. Toi, tu... Tu es encore au lycée.

Je pinçai mes lèvres pour ne pas éclater en sanglots.

— Alors au revoir, dis-je simplement.

Elle me prit la main, je me dégageai. Elle vit mes yeux briller.

— Markikette, tu ne vas pas pleurer quand même...

Elle me serra dans ses bras.

— Pourquoi tu voudrais que je pleure ? dis-je.

Longtemps ma mère me demanda des nouvelles de la « petite Alexandra ». Et lorsqu'une de ses amies lui confiait que son fils avait besoin d'appui scolaire, elle se lamentait : « Dommage, disait ma mère, la petite Alexandra, elle était drôlement bien. Votre Gary l'aurait beaucoup aimée. »

Pendant des années, ce fut la ritournelle de ma mère : « Qu'est devenue la petite Alexandra ? » Et moi : « Je ne sais pas. — Tu n'as plus jamais eu de nouvelles ? — Plus jamais. — C'est dommage », concluait ma mère sur un ton visiblement déçu.

Longtemps, elle crut que je ne l'avais plus jamais revue.

18.

L'été 1996, celui de ma rupture avec Alexandra, eut quelque chose d'un peu apocalyptique.

Elle me quitta juste avant mon départ pour les Hamptons et pour la première fois de ma vie, je me rendis là-bas le cœur lourd. En y arrivant, je réalisai que c'était tout le Gang des Goldman qui était d'humeur morose. L'année écoulée avait été difficile : après la mort de Scott, la routine paisible de mes cousins s'était disloquée.

En l'espace de quelques mois, Hillel et Woody s'étaient vus doublement séparés. D'abord en octobre, après le renvoi de Woody de Buckerey. Puis en janvier, lorsque Hillel fut envoyé à l'*école spéciale*, après une fin de semestre catastrophique. Il ne dormait plus à Oak Park que les week-ends.

J'avais l'impression que tout se déréglait. Et je n'étais pas au bout de mes surprises : le jour de mon arrivée, nous nous rendîmes, mes cousins et moi, au *Paradis sur Terre* pour saluer les gentils Clark. Nous découvrîmes un panneau *À VENDRE* planté dans le gazon de la propriété.

Jane nous ouvrit la porte, la mine déconfite. Dans le salon, Seth était sur une chaise roulante. Il avait fait une attaque et était très diminué. Il n'était plus capable de rien. Et la maison, avec ses marches et ses escaliers, n'était plus adaptée pour lui. Jane voulait la vendre au plus vite. Elle savait qu'elle n'aurait ni le temps ni l'énergie de continuer à l'entretenir et elle voulait s'en séparer en bon état. Elle était prête à la céder pour un très bon prix : c'était une opportunité à ne pas manquer. Certains parlaient de l'affaire du siècle.

La maison était déjà sur les lèvres de tous les courtiers de la région lorsque Oncle Saul et Tante Anita envisagèrent son achat. Jane Clark, par amitié pour eux, leur donna même la priorité sur la vente. Nous en parlions sans cesse. À chaque repas nous demandions à Oncle Saul s'il avait avancé dans ses réflexions.

— Allez-vous acheter *Le Paradis sur terre*?

— Nous ne savons pas encore, répondait Oncle Saul, un sourire au coin des lèvres.

Il ne quittait plus son bureau estival installé sous le kiosque. Je le voyais passer de ses dossiers juridiques à des plans financiers pour la maison, jonglant sans difficulté entre les appels de son cabinet de Baltimore et les coups de fil à la banque. Les années passaient et je ne cessais de le trouver de plus en plus impressionnant.

*

Nos journées dans les Hamptons passées à pêcher et à nager depuis le ponton des Clark nous firent du bien. La réunion du Gang des Goldman chassait notre vague à l'âme. Nous nous étions mis au service de Jane Clark, pour qui nous éprouvions beaucoup d'affection: nous l'aidions à faire ses courses ou à descendre Seth sur sa chaise pour qu'il puisse profiter de la terrasse à l'ombre d'un parasol.

Tous les matins, Woody partait courir. Je l'accompagnais presque à chaque fois. J'aimais bien ce moment seul à seul avec lui, où nous discutions tout au long du parcours.

Je compris qu'il avait du mal à supporter la séparation d'avec Hillel. Il avait désormais un statut de fils unique chez les Baltimore. Il se levait seul, prenait le bus seul, et déjeunait seul. Nostalgique, il allait parfois traîner son ennui dans la chambre d'Hillel et se vautrait sur son lit en lançant une balle de base-ball en l'air. Oncle Saul lui avait appris à conduire. Il avait obtenu rapidement son permis. Le mardi, il était désormais seul avec Tante Anita pour leur traditionnelle soirée pizza. Ils commandaient leur repas et s'installaient devant la télévision, côte à côte sur le canapé.

Pour le motiver dans sa pratique du football, Oncle Saul avait pris un abonnement pour assister aux matchs des Washington Redskins. Ils y allaient tous les trois, en famille, la tête couverte de la même casquette aux couleurs de leur équipe. Tante Anita s'asseyait entre ses deux hommes et ils dévoraient du pop-corn et des hot-dogs. Mais, malgré les efforts de mon oncle et ma tante, Woody était redevenu un peu sauvage, je crois qu'il évitait de passer trop de temps à la maison. Au lycée, après les cours, il s'entraînait avec d'autres membres de l'équipe dans l'enceinte du stade pour être à son meilleur niveau lorsque la saison de football reprendrait à l'automne suivant. Tante Anita venait souvent l'observer. Elle s'inquiétait un peu pour lui. Elle s'asseyait dans les travées du stade et l'encourageait. L'entraînement terminé, elle l'attendait à la sortie des vestiaires. Il apparaissait enfin, douché, les muscles gonflés, magnifique.

— Saul a réservé au *Steak House* que tu aimes. Tu nous rejoins là-bas ? proposait-elle en l'enlaçant.

— Non, merci. C'est très gentil, mais on va aller manger avec l'équipe.

— D'accord, amuse-toi bien alors, et sois prudent en rentrant. Tu as tes clés ?

— Oui, merci.

— Tu as de l'argent ?

Il sourit.

— Oui, merci beaucoup.

Il la regardait s'éloigner jusqu'à sa voiture. Ses coéquipiers sortaient des vestiaires tour à tour. Il y en avait toujours un pour le gratifier d'une tape amicale dans le dos.

— Dis donc, mec, elle est sacrément canon ta mère.

— La ferme, Danny, ou je te pète la gueule.

— Ça va, je disais ça pour rigoler. Tu viens dîner avec l'équipe ?

— Non, merci, j'ai déjà quelque chose. On se voit demain à la même heure ?

— Ça marche, à demain.

Il quittait le stade, seul, et se dirigeait vers le parking. Il s'assurait que Tante Anita était partie puis montait à bord de la voiture que lui prêtait Oncle Saul et s'en allait.

Il y avait quarante-cinq minutes de route jusqu'à Blueberry Hill. Il alluma l'autoradio et poussa le volume aussi fort que ses oreilles pouvaient le supporter. Comme il le faisait toujours, il quitta l'autoroute une sortie trop tôt pour s'arrêter au fast-food d'une aire de services. Il passa sa commande directement au volant : deux cheeseburgers, des frites, des rondelles d'oignons, deux Cocas, des beignets glacés à la vanille, à emporter. Puis, lorsqu'il fut servi, il reprit l'autoroute, en direction de l'école de Blueberry.

Pour être certain de ne pas être repéré, il éteignit ses phares avant d'arriver sur le parking désert de l'école. Il se gara le plus loin possible du premier bâtiment. Comme toujours, Hillel l'attendait déjà. Il se précipita vers la voiture et ouvrit la portière côté passager.

— Enfin, vieux, dit-il en s'installant sur le siège, j'ai cru que t'arriverais jamais.

— Désolé, on a prolongé l'entraînement.

— Tu te sens en forme ?

— Oh oui !

Hillel éclata de rire.

— T'es pas possible, Wood'. Tu vas finir en NFL, tu verras.

Il plongea la main dans le sac en papier que lui présentait Woody et en sortit un cheeseburger. Il tâta l'intérieur du sac et sourit.

— T'as même pensé aux oignons frits ? T'es le meilleur ! Qu'est-ce que je ferais sans toi...

Ils dévoraient leur repas.

Après avoir mangé, sans se concerter mais d'un commun accord, ils sortirent de la voiture et s'assirent sur le capot. Woody sortit un paquet de cigarettes de sa poche, en prit une, tendit le paquet à Hillel, qui se servit. Les deux points incandescents dans la nuit étaient les seuls signes de leur présence.

— Je peux pas croire que vous alliez voir les matchs des Redskins. Papa n'a jamais voulu qu'on prenne un abonnement aux Bullets !

— Ben, p't'être que c'est parce que t'étais trop petit à l'époque. Tu devrais lui redemander maintenant.

— Nan, je m'en fous maintenant.

— Tiens, je t'ai pris une casquette de l'équipe. Tu manges pas tes rondelles d'oignons ?
— J'ai plus faim.
— Oh, fais pas la tête, Hill'. C'est vraiment rien que quelques stupides matchs de football. La prochaine fois que t'es là, on ira tous voir un match ensemble.
— Nan, je m'en fous, je te dis.
Les cigarettes terminées, il fut temps de se séparer. Hillel allait retourner dans sa chambre comme il en était sorti : par la fenêtre de la cuisine, puis une fois dans le bâtiment, il se faufilerait discrètement. Avant de se quitter, ils se donnèrent une accolade.
— Prends soin de toi, vieux.
— Toi aussi. Tu me manques. La vie c'est pas pareil sans toi.
— Je sais. Et c'est pareil pour moi. C'est juste un moment de merde, on sera de nouveau réunis. Rien ne peut nous séparer, Wood', rien.
— T'es mon frère pour toujours, Hill'.
— Toi aussi. Sois prudent sur la route.
Hillel disparut dans la nuit et Woody repartit. Sur la route du retour vers Baltimore, dans l'habitacle balayé par les lumières de la route, il constata que ses biceps avaient gonflé encore plus. Ils éclataient dans les manches de son pull. Il s'entraînait à en perdre la raison. Il survolait le reste de sa vie : il ne s'intéressait ni vraiment à ses cours, ni aux filles, ni à se faire des amis. Il consacrait tout son temps et toute son énergie au football. Il était sur le terrain une heure avant le début de l'entraînement pour travailler ses coups de pied et la longueur de ses passes, seul. Il courait deux fois par jour, cinq jours par semaine. Sept miles le matin et quatre le soir. Il lui arrivait de partir courir en pleine nuit, à des heures où Oncle Saul et Tante Anita dormaient déjà.

Ce n'est que vers la fin de notre séjour, après presque un mois de réflexion, qu'Oncle Saul et Tante Anita durent renoncer à l'achat du *Paradis sur Terre*. Pour une maison de ce standing avec plage privée, et au vu de la flambée des prix de l'immobilier dans la région, «l'affaire du siècle» valait tout de même plusieurs millions de dollars.

Ce fut la première fois que je vis mon oncle Saul face à une limite qu'il ne pouvait franchir. Malgré son aisance financière, il ne pouvait pas réunir les six millions de dollars réclamés pour la maison. Même en vendant leur maison de vacances, il se serait retrouvé avec un deuxième emprunt important alors qu'il n'avait pas encore fini de rembourser l'achat de la Buenavista. À cela s'ajoutaient des frais d'entretien pour *Le Paradis* très largement supérieurs à ce qu'il dépensait jusqu'à présent. Ce n'était pas raisonnable et il préféra renoncer.

Je sais tout cela car j'interceptai une conversation qu'il avait eue avec Tante Anita après une visite du courtier en charge de la vente de la maison, au terme de laquelle Tante Anita lui dit, le serrant tendrement contre lui: «Tu es un homme sage et prudent, c'est pour ça que je t'aime. Nous sommes bien dans cette maison. Surtout, nous sommes heureux. Nous n'avons besoin de rien de plus.»

Lorsque nous quittâmes les Hamptons, *Le Paradis sur Terre* n'avait pas encore trouvé preneur. Nous étions loin de nous imaginer la surprise qui nous attendrait l'été suivant.

*

Durant l'année qui s'écoula, j'eus beaucoup de peine à digérer ma rupture avec Alexandra. Je ne parvenais pas à accepter qu'elle ne veuille pas de moi et que l'année passée ensemble n'ait pas compté pour elle autant qu'elle avait compté pour moi. Pendant plusieurs mois, je hantai New York et les lieux où nous nous étions aimés. J'errais près de son lycée, près du café où nous avions si souvent flâné, je retournais dans les magasins de musique que nous avions écumés et dans ce bar où elle venait jouer. Ni le propriétaire du magasin de musique ni le gérant du bar ne l'avaient revue.

— La fille qui jouait de la guitare, demandai-je à chacun, vous vous souvenez?

— Je me souviens bien, me répondirent-ils chacun, mais ça fait très longtemps que je ne l'ai pas revue.

Je fis le pied de grue devant les immeubles de ses parents. Je réalisai rapidement que ni Patrick ni Gillian n'habitaient plus dans leurs appartements respectifs.

Troublé, je me lançai à leur recherche. Je ne trouvai aucune trace de Gillian. En revanche, je découvris que Patrick Neville avait connu à New York une ascension fulgurante. Son fonds connaissait des rendements très importants. Je n'avais jamais réalisé qu'il était connu dans le monde de la finance : il avait écrit plusieurs livres d'économie et j'appris qu'il l'enseignait même à l'université de Madison, dans le Connecticut. Je finis par trouver sa nouvelle adresse : une tour chic de la 65ᵉ, à quelques blocs de Central Park, avec portier, avant-toit en toile et tapis sur le trottoir.

Je m'y rendis plusieurs fois, surtout les week-ends, espérant croiser Alexandra à sa sortie de l'immeuble. Mais cela ne se produisit jamais.

J'aperçus en revanche plusieurs fois son père. Je finis par l'interpeller un jour qu'il rentrait chez lui.

— Marcus ? me dit-il. Quel plaisir de te voir ! Comment vas-tu ?

— Ça va.

— Que fais-tu dans le quartier ?

— Je passais par là et je vous ai vu sortir du taxi.

— Eh bien, le monde est petit.

— Comment va Alexandra ?

— Elle va bien.

— Est-ce qu'elle joue encore de la musique ?

— Je ne sais pas. C'est une drôle de question...

— Elle n'est plus retournée au magasin de musique, ni au bar où elle chantait.

— Elle ne vit plus à New York, tu sais.

— Je sais, mais elle ne revient jamais ici ?

— Si, régulièrement.

— Alors pourquoi ne va-t-elle plus chanter dans ce bar ? Ni au magasin de guitares. Je pense qu'elle a arrêté la musique.

Il haussa les épaules.

— Elle est occupée avec ses études.

— Ses études ne lui serviront à rien. Elle est une musicienne dans l'âme.

— Tu sais, elle a connu une période difficile. Il y a eu la perte de son frère. Et puis, sa mère et moi sommes en train de divorcer. J'imagine qu'elle n'a pas la tête à chantonner.

— Elle ne chantonnait pas, Patrick. La musique est son rêve.

— Elle y reviendra peut-être.

Il me serra gentiment la main pour prendre congé.

— Elle n'aurait jamais dû aller à l'université.

— Ah bon ? Et où aurait-elle dû aller ?

— À Nashville, Tennessee, répondis-je du tac au tac.

— À Nashville, Tennessee ? Et pourquoi ?

— Parce que c'est la ville des vrais musiciens. Elle serait devenue une vedette de la musique. C'est une musicienne formidable et vous n'êtes pas capable de le voir.

Je ne sais pas pourquoi j'avais parlé de Nashville. Peut-être parce que je rêvais de partir loin avec Alexandra. Longtemps, j'ai rêvé qu'elle n'était pas allée à l'université de Madison. Longtemps, j'ai rêvé que le jour où elle était venue à Montclair pour rompre avec moi, elle était en fait venue pour que je l'emmène à Nashville, Tennessee. Elle klaxonne et je sors de la maison, mon sac à la main. Elle conduit une vieille décapotable, des lunettes de soleil sur les yeux et, sur les lèvres, le rouge à lèvres foncé qu'elle met lorsqu'elle est heureuse. Je saute dans la voiture sans prendre la peine d'ouvrir la porte, elle démarre et nous partons. Nous partons pour un monde meilleur, celui de ses rêves. Nous roulons pendant deux jours. Nous traversons le New Jersey, la Pennsylvanie, le Maryland, la Virginie. Nous passons la nuit à Roanoke en Virginie. Dans la matinée du lendemain nous entrons enfin dans le Tennessee.

19.

En ce début de printemps 2012, après le premier article sur Alexandra et moi, d'autres magazines suivirent. C'était le sujet du moment dont tout le monde parlait. Hormis les quelques photos volées, que les magazines se revendaient, les tabloïds n'avaient aucune matière concrète pour nourrir les articles que réclamaient les lecteurs. Ils trouvèrent la parade en interrogeant des anciens camarades de classe à la recherche d'un quart d'heure de gloire, qui acceptaient de donner des témoignages sur nous sans aucun lien avec le sujet.

Ils retrouvèrent par exemple Nino Alvarez, un gentil gars qui était dans ma classe quand j'avais onze ans. On lui demanda :

— Avez-vous déjà vu Alexandra et Marcus ensemble ?

— Non, avait solennellement répondu Alvarez.

Et le journal de titrer :

UN AMI DE MARCUS
AFFIRME NE L'AVOIR JAMAIS VU AVEC ALEXANDRA.

Des voisins et des paparazzis du dimanche passaient régulièrement devant chez moi pour prendre des photos de ma maison. Je ne pouvais pas sortir les chasser sans être pris moi-même en photo, et du coup, j'appelais sans cesse la police pour m'en débarrasser. À force, je sympathisai même avec toute une équipe de policiers qui vinrent un dimanche faire des grillades chez moi.

J'étais venu à Boca Raton pour avoir la paix et je ne m'étais jamais fait autant enquiquiner, y compris par mes propres amis à qui je n'osais rien confier des sentiments secrets qui m'animaient, de peur qu'ils en parlent autour d'eux. Je réclamais une intimité à laquelle j'avais renoncé en cherchant la gloire. Je ne pouvais pas tout avoir.

Je finis par prendre le pli d'aller à Coconut Grove, dans la maison d'Oncle Saul. C'était un sentiment étrange d'y être sans lui. C'était la raison pour laquelle j'avais acheté la maison de Boca Raton rapidement après son décès. Je voulais venir en Floride mais je ne pouvais plus venir chez lui. Je n'en étais plus capable.

À force de m'y rendre, j'apprivoisai à nouveau cette maison. Je trouvai le courage de commencer à mettre de l'ordre dans les cartons d'Oncle Saul. C'était difficile de faire le tri, d'envisager de se débarrasser de certaines de ses affaires. Cela me forçait à regarder une réalité encore trop dure à accepter : les Baltimore n'existaient plus.

Woody et Hillel me manquaient. Je réalisai qu'Alexandra avait raison : une partie de moi pensait que j'aurais pu les sauver. Que j'aurais pu empêcher le Drame.

*

Hamptons, New York.
1997.

Il est certain que le Drame trouva ses racines lors du dernier été que je passai avec Hillel et Woody dans les Hamptons. L'enfance merveilleuse du Gang des Goldman ne pouvait pas être éternelle : nous avions dix-sept ans, et l'année scolaire qui allait suivre serait la dernière pour nous au lycée. Nous entrerions ensuite à l'université.

Je me souviens du jour de mon arrivée là-bas. J'étais à bord du Jitney[1], dont je connaissais le trajet par cœur.

[1] Nom de la ligne de bus desservant les Hamptons.

Chaque virage, chaque ville traversée, chaque arrêt m'étaient familiers. Après trois heures et demie de route, j'arrivai dans la rue principale d'East Hampton où m'attendaient, impatients, Hillel et Woody. Le bus n'était pas encore arrêté qu'ils étaient déjà en train de hurler mon nom, excités comme jamais, se prosternant devant l'autocar en train de manœuvrer pour mieux m'accueillir. Je me collai contre la vitre du bus et ils y collèrent leurs deux visages, avant de taper contre la vitre pour que je vienne à eux encore plus vite, comme s'ils ne pouvaient plus attendre.

Je les vois encore tous les deux comme s'ils étaient devant moi. Nous avions grandi. Ils étaient devenus aussi dissemblables physiquement qu'ils étaient proches sentimentalement. Hillel, toujours très maigre, faisait moins que son âge, la bouche encore encombrée par un appareil dentaire compliqué. Woody, par sa taille et sa carrure, semblait beaucoup plus âgé qu'il ne l'était : grand, beau, gonflé de muscles et rayonnant de santé.

Je sautai en bas de l'autocar et nous nous jetâmes dans les bras les uns des autres. Et pendant de longues secondes, nous serrâmes du plus fort que nous pûmes l'amas de corps, de muscles, de chair et de cœurs que nous formions ensemble.

— Ce putain de Marcus Goldman ! s'écria Woody, les yeux brillants de joie.

— Le Gang des Goldman est à nouveau réuni ! exulta Hillel.

Nous avions à présent tous les trois le permis de conduire. Ils étaient venus me chercher avec la voiture d'Oncle Saul. Woody attrapa ma valise et la jeta dans le coffre. Puis nous montâmes à bord pour parcourir la route triomphale de nos dernières vacances.

Pendant les vingt minutes que dura le trajet jusqu'à la maison, ils me racontèrent, insatiables, les promesses de l'été, élevant la voix pour couvrir le bruit de l'air chaud qui entrait par les fenêtres ouvertes. Woody, lunettes de soleil sur les yeux, cigarette aux lèvres, conduisait ; j'étais assis à la place du mort et Hillel, sur la banquette arrière, avait passé sa tête entre nos deux sièges pour mieux participer à la conversation. Nous atteignîmes la côte, longeâmes l'océan, traversâmes East Hampton jusqu'au quartier coquet où se trouvait la maison. Woody fit crisser les pneus sur le gravier et klaxonna pour annoncer notre arrivée.

Je retrouvai Oncle Saul et Tante Anita là où je les avais laissés une année plus tôt : sous le porche, confortablement installés, en train de lire. La même musique classique s'échappait par la fenêtre ouverte du salon. C'était comme si nous ne nous étions jamais quittés et comme si East Hampton durerait toujours. Je me revois les retrouvant, et lorsque je repense au moment où je les embrassai et les serrai contre moi – ce qui était au fond la seule preuve tangible que nous avions véritablement été séparés –, je me rappelle combien j'aimais leurs étreintes. Celles de ma tante me faisaient me sentir homme, celles de mon oncle me faisaient me sentir fier. Il me revient aussi en mémoire toutes ces odeurs qui les accompagnaient : leur peau qui sentait le savon, leurs vêtements qui sentaient la buanderie de la maison de Baltimore, le shampoing de Tante Anita et le parfum d'Oncle Saul. Chaque fois, la vie me dupait un peu plus et me faisait croire que le cycle de nos retrouvailles serait éternel.

Sur la table à l'abri de l'auvent, je retrouvai la pile habituelle des suppléments littéraires du *New York Times*, qu'Oncle Saul n'avait pas encore lus et épluchait dans un ordre chronologique douteux. Je remarquai aussi quelques brochures de différentes universités. Et notre précieux carnet, dans lequel nous notions nos pronostics pour la saison à venir, couvrant toutes les disciplines : baseball, football, basket-ball et hockey. Nous ne nous limitions pas à jouer les oracles du dimanche en décrétant qui remporterait le Superbowl ou qui soulèverait la coupe Stanley. Nous allions beaucoup plus loin : vainqueurs de chaque conférence[1], scores finaux, meilleurs joueurs, meilleurs marqueurs et transferts. Nous notions nos noms et juste à

---

[1] Les équipes qui composent la Ligue nationale de football sont regroupées en deux conférences au sein desquelles elles s'affrontent durant le championnat.

côté, nos pronostics. Et l'année suivante, nous reprenions le cahier pour voir lequel d'entre nous avait eu le meilleur nez. C'était l'une des occupations de mon oncle : collecter et noter au fil de la saison les différents résultats sportifs et les comparer ensuite avec nos prophéties. Si l'un de nous était tombé juste ou tout près, il en restait stupéfait. Il disait : « Ça alors ! Ça alors ! Comment vous avez pu deviner un truc pareil ? »

Par souci de fraternité, nous avions, vers l'âge de dix ou douze ans, décidé d'un choix neutre et acceptable des équipes que le Gang des Goldman soutiendrait officiellement. Le compromis s'était axé sur nos affinités géographiques. Pour le baseball, les couleurs des Orioles de Baltimore (choix de Woody et Hillel). Pour le basket-ball, le Miami Heat (en l'honneur des grands-parents Goldman). Pour le football, les Cowboys de Dallas et enfin, pour le hockey, les Canadiens de Montréal, probablement parce qu'à l'époque où nous avions arrêté nos choix, ils venaient de remporter la coupe Stanley, ce qui avait achevé de nous convaincre.

Cette année-là, à cause de ce qui s'était passé au sein de l'équipe de football du lycée de Woody et Hillel, nous avions décidé que le football ne ferait désormais plus partie de notre catalogue de pronostics. Seul Oncle Saul parlait de la saison de football, comme si de rien n'était. Je sais qu'il faisait ça pour Woody. Il voulait le réconcilier avec ce sport.

— Tu te réjouis de reprendre la saison avec ton équipe, Woody ? demanda-t-il.

Pour toute réponse, Woody haussa les épaules.

— Allez, Wood', t'es hyperfort en plus, l'encouragea Hillel. Maman dit que si tu continues comme ça, tu auras certainement une bourse pour aller à l'université.

Il haussa encore les épaules. Tante Anita, partie chercher du thé glacé à la cuisine, revint à ce moment-là et intercepta la fin de notre conversation.

— Laissez-le tranquille, dit-elle en lui passant la main dans les cheveux avec tendresse et en nous rejoignant sur la banquette.

Comme chez tous les gens de notre âge qui s'apprêtaient à entrer en dernière année de lycée, le choix d'une université était le sujet de toutes nos préoccupations. Les meilleurs établissements ne prenaient que les meilleurs élèves et une partie de notre avenir dépendrait des résultats scolaires que nous obtiendrions.

— Il faudrait choisir les étudiants sur leur potentiel et pas sur leurs aptitudes à apprendre et recracher bêtement ce qu'on veut bien leur fourrer dans la tête, dit soudain Hillel, comme s'il avait lu dans nos pensées.

Woody agita la main dans les airs, comme s'il voulait chasser de mauvaises pensées, et proposa d'aller à la plage. Il n'eut pas besoin de répéter deux fois sa proposition. Le temps de battre des paupières et nous étions déjà en maillot de bain, dans la voiture, l'autoradio poussé au maximum, en route pour une petite plage à la sortie d'East Hampton où nous aimions aller.

La plage était majoritairement fréquentée par des jeunes de notre âge. Notre arrivée fut saluée par un groupe de filles qui, visiblement, attendaient Hillel et Woody. Surtout Woody. Là où il y avait Woody, il y avait toujours une nuée de filles, le plus souvent très belles ou au moins très bien faites. Elles se prélassaient sur des draps de bain, chauffées par le soleil. Certaines étaient largement plus âgées que nous – nous le savions car elles achetaient de la bière légalement et nous en approvisionnaient –, mais cela ne les empêchait pas de regarder Woody avec des yeux brûlants.

Je fus le premier à plonger dans l'océan. Je courus jusqu'à un ponton de bois, d'où je me jetai dans les vagues. Woody et Hillel m'imitèrent aussitôt. D'abord Hillel, qui avait toujours son corps tout en ficelles. Puis Woody, éclatant de force et de santé, sculpté dans la pierre. Avant de sauter à son tour, dressé sur le ponton, il offrit ses pectoraux saillants au soleil, éclata du sourire merveilleux de ses dents saines et blanches, et s'écria : « Le Gang des Goldman est de retour ! » Ses muscles se contractèrent en une armure redoutable et je le vis effectuer un prodigieux salto avant de disparaître dans l'océan.

Sans nous l'être jamais avoué, Hillel et moi voulions être comme Woody. Il était un dieu du sport : le meilleur athlète qu'il m'ait été donné de voir. Il aurait pu réussir une carrière dans n'importe quelle discipline : il boxait comme un lion, il courait comme une panthère, il excellait en basket-ball et vénérait le football. D'été en été, je voyais son corps évoluer. Il était devenu impressionnant. Je l'avais remarqué à travers son t-shirt en l'apercevant sur le parking de la gare routière, je l'avais senti lorsqu'il m'avait serré contre lui, et je le voyais à présent qu'il était face à moi, torse nu, barbotant dans l'eau froide.

Assis dans les vagues, nous embrassâmes du regard notre territoire. Il faisait si clair que nous pouvions voir, au loin, la petite plage privée du *Paradis sur Terre*.

Hillel me rapporta que la maison avait finalement été vendue.

— À qui ? demandai-je.

— J'en sais rien, répondit Hillel. Papa a parlé à un des types qui s'occupe de l'entretien et qui dit que le propriétaire arrive à la fin de la semaine.

— Je suis curieux de voir qui a acheté cette maison, dit Woody. C'était bien du temps des Clark. J'espère que les nouveaux proprios nous laisseront utiliser leur plage de temps en temps en échange d'un peu de jardinage.

— Pas si c'est des vieux cons, dis-je.

— J'ai repéré un putois crevé sur la route. On pourra toujours venir le ramasser et le jeter dans leur jardin.

Nous rîmes.

Woody sortit un galet de l'eau et d'un geste habile, l'envoya rebondir sur la surface de l'océan. Je vis son biceps se contracter en une boule impressionnante.

— Qu'est-ce que t'as foutu pendant une année ? lui demandai-je en mesurant le tour de ses bras avec mes mains. T'es devenu énorme !

— J'en sais rien. J'ai juste fait ce que j'avais à faire : je me suis entraîné dur.

— Et les recruteurs des universités ?

— Ils sont intéressés. Mais tu sais, Markie, le football, ça m'emmerde... La vie, c'était mieux avant. Quand on était ensemble, Hillel et moi. Avant cette foutue *école spéciale*...

Pour la deuxième année consécutive, Woody et Hillel étaient séparés. Woody lança un second galet au loin d'un air désinvolte. Comme si ces histoires d'université n'avaient aucune importance, au fond. C'était presque vrai : tout ce que nous voulions à ce moment-là, c'était vivre notre jeunesse, et l'appel des Hamptons était puissant. La ville était belle ; c'était un été de grande chaleur. Climatiquement et moralement, il n'y eut probablement pas de plus bel été que ce mois de juillet 1997 pour le bon peuple américain. Nous étions la jeunesse heureuse d'une Amérique en paix et en pleine croissance.

Ce soir-là, après avoir dîné, nous prîmes la voiture d'Oncle Saul et nous nous isolâmes dans la campagne. C'était une nuit sans le moindre nuage et nous nous étendîmes sur l'herbe pour contempler les étoiles. Woody et moi fumions, Hillel s'étouffait avec sa cigarette. « Arrête de fumer, Hill', répétait Woody. Tu me fais de la peine. »

— Marcus, finit par me dire Hillel, il faut tu viennes voir un match de Woody. C'est à mourir de rire.

— Qu'est-ce que je fais de si drôle ? s'offusqua Woody.

— Tu pètes la gueule des autres joueurs.

— C'est ma technique. Je suis un joueur offensif.

— Offensif ? Tu devrais voir ça, Markie, c'est un vrai bulldozer. Il envoie les gars de l'autre équipe valdinguer à coups d'épaule. T'as pas eu le temps de dire ouf que son équipe a déjà marqué. Ils ont gagné presque tous leurs matchs cette saison.

— Tu devrais faire de la boxe, dis-je. Je suis sûr que tu pourrais passer pro.

— Pfff ! jamais de la vie ! De la boxe ? Je veux pas me faire péter le nez. Quelle fille voudra se marier avec moi si je me fais défoncer le pif ?

Woody n'avait pas à s'inquiéter de trouver une fille qui voudrait l'épouser. Toutes les filles aimaient Woody. Toutes étaient complètement folles de lui.

Hillel se fit soudain plus grave.

— Les gars, c'est probablement notre dernier été ici avant longtemps. Après, on sera à l'université et on aura d'autres préoccupations.

— Ouaip, acquiesça Woody avec un filet de nostalgie dans la voix.

*

Au terme de notre première semaine de séjour, alors que nous prenions notre petit déjeuner sur la terrasse, Oncle Saul rentra d'une course en ville et nous indiqua avoir vu une voiture garée devant *Le Paradis sur Terre*. Les nouveaux occupants étaient arrivés.

Poussés par la curiosité, Woody, Hillel et moi engloutîmes la fin de nos céréales et nous précipitâmes sur place pour aller voir à quoi ressemblaient les propriétaires des lieux et leur proposer quelques heures de jardinage en échange d'un accès au ponton et à la plage. Nous avions revêtu nos t-shirts des jardiniers Goldman (refaits à notre taille régulièrement) pour nous donner un semblant de crédibilité. Nous sonnâmes à la porte de la maison, et lorsqu'elle s'ouvrit nous restâmes sans voix : nous venions de retrouver Alexandra.

20.

Hamptons.
Juillet 1997.

Nous la retrouvâmes dans les Hamptons comme si nous ne nous étions jamais quittés. Une fois passé le moment d'incrédulité, elle poussa un cri enthousiaste. « Le Gang des Goldman ! s'écria-t-elle en nous enlaçant chacun notre tour. Je ne peux pas y croire ! » Elle me prit dans les bras avec une spontanéité déconcertante et m'offrit un sourire magnifique.

Puis nous vîmes arriver son père, alerté par notre raffut, qui vint nous saluer chaleureusement. Nous prévînmes Tante Anita et Oncle Saul qui vinrent à leur tour saluer les nouveaux maîtres de la maison. « Ça alors ! s'exclama Oncle Saul en donnant à Patrick une accolade. C'est toi qui as racheté le *Paradis* ? »

Je vis mes deux cousins irradier de bonheur de côtoyer à nouveau Alexandra. Je pouvais déceler dans leurs gestes et leur excitation tout ce qu'ils ressentaient pour elle. La dernière fois qu'ils l'avaient vue, nous pleurions tous les quatre comme des madeleines au moment de son déménagement d'Oak Park vers New York. Mais pour moi, rien n'était plus comme avant.

Tante Anita invita Alexandra et Patrick à dîner le soir même et nous nous retrouvâmes tous les sept sous le kiosque recouvert d'aristoloche. Patrick Neville expliqua qu'il y avait longtemps qu'il voulait une maison dans la région et que *Le Paradis sur Terre* avait été une opportunité absolument unique. Je n'écoutais pas vraiment la conversation, je dévorais Alexandra des yeux. Je crois qu'elle évitait mon regard.

Après le repas, pendant qu'Oncle Saul, Tante Anita et Patrick Neville prenaient un digestif au bord de la piscine, Alexandra, mes cousins et moi sortîmes nous promener dans la rue. Il faisait nuit mais il régnait une chaleur tardive agréable. Nous parlâmes de tout et n'importe quoi. Alexandra raconta sa vie d'étudiante à l'université de Madison, dans le Connecticut. Elle ne savait pas vraiment encore à quoi elle se destinait.

— Et la musique ? demanda Woody. Tu joues toujours de la musique ?

— Moins qu'avant. J'ai plus vraiment le temps…

— C'est dommage, dis-je.

Elle eut un regard un peu triste.

— Ça me manque pas mal, à vrai dire.

La retrouver m'avait brisé le cœur. J'étais encore accroché à sa voix, à son visage, à son sourire, à son odeur. Au fond, je n'avais pas tellement envie de la revoir. Mais elle était notre voisine et je voyais mal comment je pouvais l'éviter. Surtout que mes deux cousins ne juraient que par elle et qu'il m'était impossible de leur raconter ce qui s'était passé entre elle et moi.

Le lendemain, elle nous invita à venir nous baigner chez elle. Je suivis Woody et Hillel de mauvaise grâce. L'océan était froid et nous passâmes l'après-midi au bord de sa piscine, beaucoup plus grande que celle des Baltimore. Elle s'arrangea pour que je vienne l'aider à chercher des boissons dans la cuisine et que nous nous retrouvions seuls.

— Markikette, je voulais te dire… ça me fait plaisir de te revoir. J'espère que tu n'es pas mal à l'aise car je ne le suis pas. Je suis contente de voir que nous pouvons rester amis.

J'eus une moue boudeuse. Personne n'avait parlé d'être amis.

— Pourquoi tu ne m'as plus jamais donné de nouvelles ? demandai-je d'un ton révolté.

— Des nouvelles ?
— Je suis souvent passé près de chez ton père, à New York…
— Près de chez mon père ? Mais Marcus, qu'est-ce que tu attends de moi ?
— Rien.
— Ne dis pas rien, je sens bien que tu m'en veux. Est-ce que tu m'en veux d'être partie ?
— Peut-être.
Elle soupira pour marquer son agacement.
— Marcus, tu es un garçon génial. Mais nous ne sommes plus ensemble. Je suis contente de te revoir, toi et tes cousins, mais si c'est trop dur pour toi de me voir sans ressasser le passé, alors je préfère qu'on s'évite.

Je lui mentis et lui dis que je ne ressassais rien, que notre histoire avait à peine compté à mes yeux et que je m'en souvenais à peine. J'attrapai des cannettes de Dr Pepper et je sortis rejoindre mes cousins. J'avais retrouvé Alexandra, mais ce n'était pas la même Alexandra. La dernière fois que je l'avais vue, elle était encore à moi. Et je la retrouvais, jeune adulte épanouie, étudiante dans une prestigieuse université alors que moi j'étais resté dans mon petit monde de Montclair. Je comprenais qu'il me fallait l'oublier mais lorsque je la voyais au bord de la piscine, en maillot de bain, son reflet dans l'eau devenait son reflet dans le miroir du Waldorf Astoria, et les souvenirs de notre passé revenaient hanter ma mémoire.

Nous passâmes tout notre séjour dans les Hamptons chez les Neville. Leur maison nous était grande ouverte et *Le Paradis*, propriété sublime, exerçait sur nous une attraction spectaculaire. C'était la première fois pour moi qu'un bien des Baltimore se trouvait déclassé par un autre : par rapport à la maison qu'avait achetée Patrick Neville, le pavillon de vacances de mon oncle et ma tante faisait office de Montclair des Hamptons.

Patrick Neville avait remeublé l'intérieur avec goût, refait entièrement la cuisine et installé un hammam au sous-sol. Le dallage de la piscine avait été changé. Il avait gardé la fontaine qui me faisait rêver et le chemin de pierres qui serpentait entre des buissons d'hortensias jusqu'à la plage de sable blanc que léchait l'océan couleur azur.

Depuis son installation à New York, Patrick Neville avait connu avec son fonds d'investissement un succès qui ne s'était pas démenti : son salaire et ses gratifications avaient suivi la courbe de ses performances. Il avait littéralement fait fortune.

Si la beauté du *Paradis* nous époustouflait, la raison de notre omniprésence tenait avant tout aux Neville. À Alexandra évidemment, mais aussi à son père, qui se prit d'affection pour nous. À Oak Park, il avait toujours été bienveillant à notre égard. C'était un homme profondément bon. Mais dans les Hamptons, nous le découvrîmes sous un autre angle : celui d'un homme charismatique, cultivé, volontiers joueur. Nous nous surprîmes à chercher sa compagnie.

Il arrivait qu'en nous ouvrant la porte de leur maison, Patrick nous informe qu'Alexandra s'était absentée et qu'elle ne tarderait pas. Dans ces moments-là, il nous installait à la cuisine et nous offrait une bière. « Vous n'êtes pas trop jeunes, déclarait-il comme pour parer d'avance à une éventuelle protestation. Vous êtes déjà des hommes, au fond. C'est une fierté de vous connaître. » Il décapsulait les bières les unes après les autres et nous les tendait avant de trinquer à notre santé.

Je compris qu'il y avait quelque chose dans le Gang d'un peu hors du commun qui l'impressionnait. Il aimait discuter avec nous. Un jour, il nous demanda si nous avions des passions. Nous gueulâmes tout de go notre amour pour le sport et les filles et tout ce qui nous passa par la tête. Hillel parla de politique et Patrick s'enthousiasma encore.

— La politique m'a toujours passionné également, reprit Patrick. De même que l'histoire. La littérature aussi. *The empty vessel makes the loudest sound…*

— Shakespeare, releva Hillel.

— C'est exact, s'illumina Neville. Comment sais-tu cela ?

— Il sait tout, ce petit gars, dit fièrement Woody. C'est un génie.

Patrick Neville nous regarda en souriant, heureux de notre présence.

— Vous êtes des bons petits, dit-il. Vos parents doivent vraiment être fiers de vous.

— Mes parents à moi sont des cons, expliqua gentiment Woody.

— Ouais, confirma Hillel. Même que je lui prête les miens.

Neville fit une drôle de tête avant d'éclater de rire.

— Oh, vous êtes vraiment des bons gars ! Encore une petite bière ?

Nous prîmes nos aises au *Paradis*. Non contents de nous y prélasser toute la journée, nous y passâmes bientôt nos soirées. Mais je me rendis vite compte que la présence d'Alexandra au sein du Gang des Goldman nuisait à la complicité que nous entretenions, Woody, Hillel et moi. J'avais beaucoup de peine à garder mes distances avec elle : je devais composer avec Woody et Hillel, dont les hormones étaient en ébullition et qui la dévoraient du regard. J'étais beaucoup trop jaloux pour les laisser seuls avec elle. Dans la piscine, je les épiais. Je les regardais la faire rire, je regardais Woody l'attraper de ses bras musculeux et la jeter dans l'eau, je regardais ses yeux à elle et j'essayais de déceler s'ils brillaient plus lorsqu'elle les posait sur l'un de mes cousins.

Chaque jour qui passait, je devenais un peu plus jaloux. J'étais jaloux d'Hillel, de son charisme, de son savoir, de son aisance. Je voyais bien comment elle le regardait, je voyais bien comment elle le frôlait et ça me rendait fou.

Ce fut la première fois que Woody m'agaça : lui que j'avais toujours tant aimé, il m'arrivait de le haïr lorsque, en sueur, il enlevait son t-shirt, et dévoilait un corps sculpté qu'elle ne pouvait s'empêcher de regarder et même parfois de complimenter. Je voyais bien comment elle le regardait, je voyais bien comment elle le frôlait et ça me rendait fou.

Je me mis à les surveiller. Si l'un d'eux disparaissait pour chercher un outil manquant, je devenais aussitôt méfiant. J'imaginais des rendez-vous secrets et des embrassades interminables. Le soir, de retour à la maison des Goldman où nous dînions sur leur terrasse, Oncle Saul nous disait :

— Est-ce que ça va, les enfants ? Vous êtes bien silencieux.

— Ça va, répondait l'un de nous.

— Est-ce que tout va bien chez les Neville ? Y a-t-il quelque chose que je devrais savoir ?

— Tout va bien, on est juste fatigués.

Ce que percevait Oncle Saul était une tension non dissimulable entre les membres du Gang. Pour la première fois de notre vie ensemble, nous voulions tous les trois quelque chose que nous ne pouvions pas partager.

21.

Pendant ce mois d'avril 2012, à mesure que je mettais de l'ordre dans les affaires d'Oncle Saul, les souvenirs du Gang des Goldman dansaient dans ma tête. Le climat était particulièrement étouffant. Une chaleur inhabituelle s'abattait sur la Floride et les orages se succédaient.

Ce fut pendant une averse diluvienne que je me décidai finalement à rappeler Alexandra. J'étais assis sous l'avant-toit, à l'abri de la pluie battante. Je sortis sa lettre qui ne quittait pas la poche arrière de mon pantalon et composai lentement le numéro.

Elle décrocha à la troisième sonnerie.

— Allô ?

— C'est Marcus.

Il y eut une seconde de silence. Je ne savais pas si elle était gênée ou contente de m'entendre, et je faillis raccrocher. Mais elle finit par dire :

— Markie, je suis vraiment heureuse que tu m'appelles.

— Je suis désolé pour les photos et pour tout ce merdier. Tu es toujours à Los Angeles ?

— Oui. Et toi ? Tu es rentré à New York ? J'entends du bruit derrière toi.

— Je suis toujours en Floride. C'est la pluie que tu entends. Je suis dans la maison de mon oncle. Je mets de l'ordre.

— Qu'est-il arrivé à ton oncle, Marcus ?

— La même chose qu'à tous les Baltimore.

Il y eut un silence un peu gêné.

— Je ne peux pas rester longtemps en ligne. Kevin est là. Il ne veut plus que nous nous parlions.

— Nous n'avons rien fait de mal.

— Oui et non, Markie.

J'aimais quand elle m'appelait Markie. Cela signifiait que tout n'était pas perdu. Et c'est justement parce que tout n'était pas perdu que c'était mal. Elle me dit :

— J'ai réussi à tirer un trait sur nous. J'ai retrouvé une stabilité. Et voilà que tout est confus, de nouveau. Ne me fais pas ça, Markie. Ne me fais pas ça si tu ne crois pas en nous.

— Je n'ai jamais cessé de croire en nous.

Elle ne dit rien.

La pluie redoubla. Nous restâmes en ligne, sans parler. Je m'allongeai sur la banquette extérieure de la maison : je me revis, adolescent, avec le téléphone à fil, allongé sur mon lit à Montclair, elle étendue sur le sien à New York, entamant une conversation qui allait probablement durer quelques heures.

*

Hamptons, New York.
1997.

Cet été-là, la présence de Patrick Neville eut une influence certaine sur le choix de notre université. Il nous parla à plusieurs reprises de celle de Madison, où il enseignait.

— Pour moi, c'est une des meilleures universités pour les perspectives qu'elle offre à ses étudiants. Peu importent vos choix de carrière.

Hillel indiqua qu'il voulait faire du droit.

— Madison n'a pas de faculté de droit, expliqua Patrick, mais elle a un excellent cursus préparatoire. D'ailleurs, tu as le temps de changer d'avis en cours de route. Après tes quatre premières années d'université, tu auras peut-être découvert une autre vocation… Demandez à Alexandra, elle vous dira qu'elle est enchantée là-bas. Et puis, ce serait sympa que vous soyez tous réunis.

Woody voulait pouvoir jouer au football au niveau universitaire. À nouveau Patrick jugea que Madison serait un bon choix.

— Les Titans de Madison sont une excellente équipe. Plusieurs joueurs de l'actuel championnat de NFL y ont été formés.

— Vraiment ?

— Vraiment. L'université a un bon programme de sport-étude.

Patrick nous expliqua être lui-même un fanatique de football et y avoir joué à l'université. L'un de ses anciens camarades, avec qui il avait gardé contact, était l'un des directeurs sportifs des Giants de New York.

— On adore tous les trois les Giants, lui dit Woody. Vous allez voir des matchs ?

— Oui, aussi souvent que je le peux. J'ai même eu l'occasion de visiter les vestiaires.

Nous n'en revenions pas.

— Vous avez rencontré les joueurs ? demanda Hillel.

— Je connais bien Danny Kanell, nous assura-t-il.

— Je ne vous crois pas, le défia Woody.

Patrick s'absenta un instant et revint avec deux cadres dans lesquels il y avait des photos de lui et des joueurs des Giants sur la pelouse de leur stade à East Rutherford, dans le New Jersey.

Ce soir-là, à la table des Baltimore, Woody raconta à Oncle Saul et Tante Anita notre discussion avec Patrick Neville au sujet du football universitaire. Il espérait que Patrick pourrait l'aider à décrocher une bourse.

Woody voulait pouvoir rejoindre une équipe universitaire non pas tellement pour financer ses études, mais surtout parce que c'était la porte d'entrée vers la NFL. Il s'entraînait sans relâche pour cela. Il se levait le matin avant nous et partait pour de longues courses. Je l'accompagnais parfois. Il était beaucoup plus lourd que moi, pourtant il courait plus vite et plus longtemps. Je l'admirais faire des exercices de pompes et de tractions pendant lesquels il soulevait le poids de son propre corps comme s'il ne pesait rien. Il m'avait confié quelques matins plus tôt, alors que nous trottions le long de l'océan, que le football était ce qu'il y avait de plus important pour lui.

— Avant le football, je n'étais rien. Je n'existais pas. Depuis que je joue, les gens me connaissent, me respectent…

— Ce n'est pas vrai que tu n'existais pas avant le football, lui avais-je dit.

— L'amour des Baltimore, ils me l'ont donné. Ou prêté, si tu veux. Ils peuvent me le reprendre. Je ne suis pas leur fils. Je ne suis qu'un gamin qui leur a fait pitié. Qui sait, un jour ils me tourneront peut-être le dos.

— Comment peux-tu penser des choses pareilles ! T'es comme un fils pour eux.

— Le nom de Goldman ne me revient ni de droit, ni de sang. Je ne suis que Woody, le gamin qui gravite autour de vous. Je dois construire ma propre identité et pour cela, je n'ai que le football. Tu sais, quand Hillel a été viré de l'équipe de Buckerey, j'ai voulu arrêter le football moi aussi. Pour le soutenir. Saul m'en a dissuadé. Il m'a dit que je ne devais pas faire ça sur un coup de tête. Lui et Anita m'ont trouvé un nouveau lycée, une nouvelle équipe. Je me suis laissé convaincre. Aujourd'hui je m'en veux. J'ai l'impression de ne pas avoir assumé mes responsabilités. C'était injuste qu'Hillel paie les pots cassés.

— Hillel était l'entraîneur adjoint. Il aurait dû empêcher Scott de rentrer sur le terrain. Il savait qu'il était malade. C'était sa responsabilité en tant qu'entraîneur. Je veux dire : tu ne peux pas te comparer à lui. Il aimait bien être avec toi sur le terrain et crier sur des types plus gros que lui, c'est tout. Toi, le football c'est ta vie. C'est peut-être ta carrière.

Il avait eu une moue.

— Je m'en veux quand même.

— Il n'y a pas de quoi.

Oncle Saul n'était pas aussi convaincu par Madison que nous l'étions. À table, après que Woody eut parlé de ses éventuelles opportunités là-bas, Oncle Saul lui dit :

— Je ne dis pas que ce n'est pas une bonne université, je dis qu'il faut choisir en fonction de ce que tu veux y faire.

— Pour le football, en tout cas, c'est formidable, répéta Woody.

— Peut-être pour le football, mais si vous voulez faire du droit par exemple, vous devriez commencer votre cursus dans une université qui dispose d'une faculté de droit. C'est plus logique. Georgetown, par exemple, est une bonne université. Et puis, c'est proche de la maison.

— Patrick Neville dit qu'il ne faut pas limiter ses possibilités, rétorqua Hillel.

Oncle Saul leva les yeux au ciel.

— Si Patrick Neville le dit…

Parfois, j'avais l'impression qu'Oncle Saul était un peu agacé par Patrick. Je me souviens d'un soir où nous avions tous été invités à dîner au *Paradis*. Patrick avait organisé les choses en grand : il avait fait venir un chef pour cuisiner et du personnel pour servir. En rentrant à la maison, Tante Anita avait loué la qualité du repas. Cela avait déclenché une petite dispute avec Oncle Saul, sans conséquence, mais qui, sur le moment, me mit mal à l'aise car c'était la première fois que je voyais mon oncle et ma tante se chamailler.

— Évidemment que c'était bon, lui avait rétorqué Oncle Saul, il a fait venir un cuisinier. Il aurait pu faire un barbecue, ça aurait été plus sympa.

— Enfin, Saul, c'est un homme seul, il n'aime pas cuisiner. En tout cas, la maison est magnifique.

— Trop tape-à-l'œil.

— Ce n'est pas ce que tu disais du temps des Clark…

— Du temps des Clark, ça avait du charme. Il a tout redécoré façon nouveaux riches.

— Est-ce que ça te dérange qu'il gagne beaucoup d'argent ? demanda Tante Anita.

— Je suis très content pour lui.

— Ce n'est pas l'impression que tu donnes.

— Je n'aime pas les nouveaux riches.

— Est-ce que nous ne sommes pas des nouveaux riches nous aussi ?

— On a plus de goût que ce type, ça c'est certain.

— Oh, Saul, ne sois pas mesquin.

— Mesquin ? Vraiment, est-ce que tu trouves que ce type a du goût ?

— Oui. J'aime la façon dont il a décoré la maison, j'aime son style vestimentaire. Et arrête de l'appeler *ce type*, il s'appelle Patrick.

— Son style vestimentaire est ridicule : il veut faire jeune et branché, mais il fait vieux beau avec sa peau tirée. Je ne peux pas dire que New York lui fasse du bien.

— Je ne pense pas qu'il se soit fait tirer la peau.

— Enfin, Anita, il a la peau du visage lisse comme les fesses d'un bébé.

Je n'aimais pas que mon oncle et ma tante s'appellent par leurs prénoms. Ils ne le faisaient que lorsqu'ils étaient fâchés. Le reste du temps, c'étaient des mots doux et des surnoms pleins de tendresse qui donnaient l'impression qu'ils s'aimaient comme au premier jour.

À force d'entendre Patrick Neville en parler, l'idée de faire mes études à l'université de Madison se mit à me trotter dans la tête. Pas tant pour l'université elle-même que pour l'envie de côtoyer Alexandra. L'avoir si proche de moi me faisait me rendre compte combien j'étais heureux lorsqu'elle était là. Je nous imaginais sur le campus, elle et moi, retrouvant notre complicité d'avant. Je trouvai le courage de lui faire part de mon projet une semaine avant la fin de notre séjour dans les Hamptons. Alors que nous quittions *Le Paradis* après y avoir passé la journée, au bord de la piscine, je prétextai auprès de mes cousins avoir oublié quelque chose chez les Neville et repartis vers la maison. J'entrai sans frapper, d'un pas décidé, et la trouvai au bord de la piscine, seule.

— Je pourrais venir étudier à Madison, lui dis-je.

Elle baissa ses lunettes de soleil et me lança un regard désapprobateur.

— Ne fais pas ça, Marcus.

— Pourquoi ?

— Ne le fais pas, c'est tout. Oublie cette idée stupide.

Je ne voyais pas ce que mon idée avait de stupide mais j'eus la décence de ne pas répondre et je m'en allai. Je ne comprenais pas pourquoi elle était si avenante avec mes cousins et si désagréable avec moi. Je ne savais plus si je l'aimais ou si je la haïssais.

Notre séjour toucha à sa fin la dernière semaine du mois de juillet 1997. La veille, nous nous rendîmes au *Paradis* dire au revoir aux Neville. Alexandra n'était pas là, il n'y avait que Patrick. Il nous offrit une bière et nous distribua à chacun sa carte de visite : « Quelle joie d'avoir pu mieux vous connaître ! Vous êtes trois gars fantastiques. Si l'un d'entre vous veut intégrer l'université de Madison, qu'il me contacte. J'appuierai votre candidature. »

En début de soirée, juste après le dîner, elle passa à la maison d'Oncle Saul et Tante Anita. J'étais seul sous l'auvent, à lire. Lorsque je la vis, mon cœur se mit à battre très fort.

— Salut, Markikette, me dit-elle, en s'asseyant à côté de moi.

— Salut, Alexandra.

— Vous alliez partir sans dire au revoir ?

— On est passés tout à l'heure, tu n'étais pas là.

Elle me sourit et me fixa de ses yeux gris-vert en forme d'amandes.

— Je me disais qu'on pourrait sortir ce soir, proposa-t-elle.

Une puissante sensation d'euphorie me traversa le corps.

— Oui, répondis-je en cachant mal mon excitation.

Je plongeai mes yeux dans les siens, j'eus l'impression qu'elle allait me confier quelque chose de très important. Mais tout ce qu'elle dit fut :

— Tu vas prévenir Woody et Hillel ou on va attendre jusqu'à demain ?

Nous sortîmes dans un bar de la rue principale qui disposait d'une scène libre où venaient jouer les musiciens de la région. Il suffisait de donner son nom au comptoir, et un maître de cérémonie appelait les participants chacun leur tour.

Depuis que nous nous étions mis en route, Hillel jouait à Monsieur-je-sais-tout pour impressionner Alexandra. Il s'était mis sur son trente et un et nous abreuvait de paroles et de son savoir. J'avais envie de le gifler et pour mon plus grand plaisir, la musique du bar couvrit sa voix et il fut obligé de se taire.

Nous écoutâmes un premier groupe. Puis un garçon fut appelé sur scène et interpréta quelques morceaux pop en s'accompagnant au piano. Installé à une table derrière nous, un groupe de trois garçons excités siffla la prestation.

— Un peu de respect pour lui, leur intima Alexandra.

Pour toute réponse, elle récolta une insulte. Woody se retourna :

— Qu'est-ce que vous avez dit, les connards ? rugit-il.

— T'as un problème ? demanda l'un d'eux.

Il n'en fallut pas plus pour que, malgré les supplications d'Alexandra, Woody se lève et attrape le bras d'un des garçons et le torde d'un geste sec.

— Vous voulez régler ça dehors ? demanda Woody.

Il avait une classe folle lorsqu'il se battait. Une allure de lion.

— Lâche-le, lui ordonna Alexandra en se précipitant sur lui et en le poussant des deux mains.

Woody lâcha le garçon qui gémit de douleur et les trois acolytes déguerpirent sans demander leur reste. Le pianiste avait terminé son dernier morceau et dans les haut-parleurs, résonna le nom du musicien suivant.

« Alexandra Neville. Alexandra est attendue sur scène. »

Alexandra se figea et blêmit.

— Lequel de vous trois a été suffisamment imbécile pour faire ça ? demanda-t-elle.

C'était moi.

— Je pensais te faire plaisir, dis-je.

— Me faire plaisir ? Mais Marcus, tu as perdu la tête ?

Je vis ses yeux se remplir de larmes. Elle nous dévisagea chacun notre tour et nous dit :

— Pourquoi a-t-il fallu que vous vous comportiez comme des imbéciles ? Pourquoi a-t-il fallu que vous gâchiez tout ? Toi, Hillel, pourquoi fais-tu le singe savant ? T'es mieux quand tu es toi-même. Et toi, Woody, pourquoi te mêles-tu de ce qui ne te regarde pas ? Tu crois que je ne peux pas me défendre toute seule ? T'avais besoin d'agresser ces types qui ne t'ont rien fait ? Quant à toi, Marcus, il faut vraiment que tu arrêtes avec tes idées de crétin. Pourquoi tu as fait ça? Pour m'humilier? Si c'est le cas, tu as réussi.

Elle éclata en sanglots et elle s'enfuit du bar. Je lui courus après et la rattrapai dans la rue. Je la retins par le bras. Je m'emportai :

— J'ai fait ça parce que l'Alexandra que j'ai connue n'aurait pas fui ce bar : elle serait montée sur cette scène et aurait conquis la salle. Tu sais quoi, je suis content de t'avoir revue, parce que je sais que je ne t'aime plus. La fille que j'ai connue me faisait rêver.

Je fis mine de retourner vers le bar.

— J'ai laissé tomber la musique ! s'écria-t-elle dans un torrent de larmes.

— Mais pourquoi ? C'était ta passion.

— Parce que personne ne croit en moi.

— Moi, je crois en toi !

Elle essuya ses yeux d'un revers de la main. Sa voix tremblait.

— C'est ton problème, Marcus : tu rêves. La vie n'est pas un rêve !

— On n'a qu'une vie, Alexandra ! Une seule petite vie de rien du tout ! N'as-tu pas envie de l'employer à réaliser tes rêves au lieu de moisir dans cette université stupide ? Rêve, et rêve en grand ! Seuls survivent les rêves les plus grands. Les autres sont effacés par la pluie et balayés par le vent.

Elle me regarda une dernière fois avec ses grands yeux, perdue, avant de s'enfuir dans la nuit. Je lui criai une dernière fois, de toutes mes forces : « Je sais que je te reverrai sur une scène, Alexandra. Je crois en toi ! » Ce fut l'écho de la nuit qui me répondit. Elle avait disparu.

Je retournai au bar, où il y avait une soudaine agitation. J'entendis des hurlements : une bagarre venait d'éclater. Les trois garçons étaient revenus accompagnés de trois autres amis pour en découdre avec Woody. Je vis mes deux cousins aux prises avec six silhouettes et je me précipitai dans la mêlée. Je hurlai comme un damné : « Le Gang des Goldman ne perd jamais ! Le Gang des Goldman ne perd jamais ! » Nous nous battîmes courageusement.

Woody et moi en assommâmes rapidement quatre. Lui était d'une force redoutable, moi j'étais un bon boxeur. Les deux autres étaient en train de terrasser Hillel et nous leur bondîmes dessus et les boxâmes jusqu'à ce qu'ils s'enfuient, laissant leurs camarades gémissant au sol. Des sirènes retentirent. « Les flics ! Les flics ! » hurla quelqu'un. La police avait été prévenue. Nous nous enfuîmes. Nous courûmes comme des dératés à travers la nuit. Nous traversâmes les ruelles d'East Hampton et nous courûmes encore, jusqu'à être certains d'être à l'abri. Hors d'haleine, pliés en deux pour reprendre notre respiration, nous nous dévisageâmes : ce n'est pas contre des voyous que nous venions de nous battre, mais contre nous-mêmes. Nous savions que les sentiments que nous éprouvions pour Alexandra faisaient de nous des frères ennemis.

« Il nous faut faire un pacte », déclara Hillel.

Nous comprîmes immédiatement, Woody et moi, de quoi il parlait.

Dans le secret de la nuit, nous unîmes nos mains et nous jurâmes, au nom du Gang des Goldman, pour ne jamais devenir rivaux, que nous renoncions chacun à Alexandra.

*

Quinze ans plus tard, le serment du Gang des Goldman résonnait encore en moi. Après de très longues minutes de silence, étendu sous le porche de la maison de mon oncle à Coconut Grove, je finis par reprendre la parole :

— Nous avions fait un pacte, Alexandra. Lors de notre dernier été dans les Hamptons, Woody, Hillel et moi nous étions fait une promesse.

— Marcus, tu commenceras à vivre vraiment quand tu cesseras de remuer le passé.

Il y eut un instant de silence. Puis elle murmura encore :

— Et si c'était un signe, Marcus ? Et si ce n'était pas un hasard que nous nous soyons retrouvés ?

Tout commence comme tout finit et les livres commencent souvent par la fin.

J'ignore si le livre de notre jeunesse se referma au moment où nous terminâmes notre lycée ou juste une année avant, à la fin juillet 1997, au terme de ces vacances d'été dans les Hamptons qui virent l'amitié scellée, les promesses d'éternelle fidélité que nous avions bâties voler en éclats, ne supportant pas les adultes que nous allions devenir.

DEUXIÈME PARTIE

Le Livre de la fraternité perdue

(1998-2001)

22.

Si vous êtes allé à l'université de Madison, dans le Connecticut, entre les années 2000 et 2010, vous avez certainement vu le stade de l'équipe de football, qui pendant cette décennie porta le nom de Stade Saul Goldman.

J'ai toujours associé l'université de Madison à la grandeur des Goldman. Aussi, ne compris-je pas pourquoi, à la fin du mois d'août 2011, mon oncle Saul me téléphona chez moi, à New York, pour me demander de lui rendre ce qu'il considérait être un important service : il voulait que j'assiste à la destruction de l'inscription de son nom sur la façade du stade, qui était prévue pour le lendemain. C'était trois mois avant sa mort, six mois avant que je retrouve Alexandra.

À ce moment-là, j'ignorais encore tout de la situation de mon oncle. Depuis quelque temps, il se comportait de façon étrange. Mais j'étais loin de me douter qu'il vivait les derniers mois de sa vie.

— Pourquoi tiens-tu absolument à ce que je voie ça ? lui demandai-je.

— Depuis New York, tu n'en as que pour une heure de route…

— Mais enfin, Oncle Saul, la question n'est pas là. Je ne comprends pas pourquoi tu y accordes tant d'importance ?

— S'il te plaît, fais-le, c'est tout.

Je n'avais jamais rien pu lui refuser et j'acceptai.

Oncle Saul avait tout organisé, si bien que le recteur de l'université m'attendait au garde-à-vous dans le parking du stade lorsque j'arrivai. « C'est un honneur de vous recevoir, Monsieur Goldman, me dit-il. Je ne savais pas que Saul était votre oncle. Ne vous inquiétez pas, nous vous avons attendu, comme votre oncle l'a demandé. »

Il ouvrit la marche de façon solennelle et m'accompagna jusqu'à l'entrée du stade, devant les lettres en acier vissées dans le béton et qui proclamaient sa gloire :

STADE SAUL GOLDMAN

À bord d'une nacelle fixée à un bras articulé, deux employés dévissèrent consciencieusement chaque lettre, qui vint s'écraser au sol dans un fracas métallique.

TADE SAUL GOLDMAN
SAUL GOLDMAN
UL GOLDMAN
OLDMAN

Puis les ouvriers s'affairèrent à installer sur le mur désormais nu une enseigne lumineuse à la gloire d'une entreprise de fabrication de poulet pané, qui reprenait le financement du stade pour les dix années à venir.

— Voilà, me dit le recteur. Remerciez encore votre oncle de la part de l'université, c'était un geste très généreux de sa part.

— Je n'y manquerai pas.

Le recteur partit, mais je le retins. Une question me brûlait les lèvres.

— Pourquoi a-t-il fait ça ? demandai-je.

Il se retourna.

— Fait quoi ?

— Pourquoi mon oncle a-t-il financé l'entretien du stade pendant dix ans ?

— Parce qu'il était généreux.

— Il y a autre chose. Il est généreux mais ça n'a jamais été son genre de se mettre en avant de cette façon.

Le recteur haussa les épaules.

— Je n'en sais rien. Il faudra le lui demander.

— Et combien a-t-il payé ?

— C'est confidentiel, Monsieur Goldman.

— Allons...

Il répondit après une hésitation :

— Six millions de dollars.

Je restai complètement estomaqué.

— Mon oncle a versé six millions de dollars pour avoir son nom sur ce stade pendant dix ans ?

— Oui. Bien entendu, son nom sera ajouté sur le mur des grands donateurs, dans l'entrée du bâtiment administratif. Il recevra également gratuitement le magazine de l'université.

Je restai un moment à regarder l'enseigne représentant un poulet souriant, en train d'être fixée contre la façade du stade. À l'époque, mon oncle était certes un homme relativement riche, mais à moins qu'il ait eu une source d'argent dont j'ignorais tout, je voyais difficilement comment il avait pu faire un don à l'université de six millions de dollars. D'où avait-il bien pu sortir cet argent ?

Je lui téléphonai lorsque je retournai au parking.

— Voilà, Oncle Saul, c'est fait.

— Comment cela s'est-il passé ?

— Ils ont dévissé les lettres et ils ont mis une enseigne à la place.

— Qui va financer le stade ?

— Une entreprise de poulet pané.

Je l'entendis sourire.

— Voilà, Marcus, où mène l'ego. Un jour, tu as ton nom sur un stade, et le lendemain tu es effacé de la surface de la terre au profit de tranches de poulet panées.

— Personne ne t'a effacé de la surface de la terre, Oncle Saul. Ce n'était que des lettres en métal vissées dans du béton.

— Tu es un sage, mon neveu. Tu rentres à New York maintenant ?

— Oui.

— Merci d'avoir fait ça, Marcus. C'était important pour moi.

Je restai dubitatif un long moment. Mon oncle,

aujourd'hui employé dans un supermarché, avait, dix ans plus tôt, payé six millions de dollars pour avoir son nom sur le stade. J'étais certain que même à l'époque il n'avait pas les moyens de le faire. C'était le prix que les Clark demandaient pour leur maison dans les Hamptons et il n'avait pas eu les moyens de l'acheter. Comment avait-il pu, quatre ans plus tard, disposer d'une telle somme ? Où avait-il trouvé cet argent ?

Je remontai dans ma voiture et m'en allai. Ce fut la dernière fois que je me rendis à Madison.

Treize ans s'étaient écoulés depuis que nous étions entrés à l'université. C'était l'année 1998, et à cette époque-là, Madison, pour moi, résonnait comme le sanctuaire de la gloire. J'avais tenu ma promesse à Alexandra de ne pas venir y étudier et j'avais opté pour la faculté de lettres d'une petite université du Massachusetts. Mais Hillel et Woody, qui, eux, avaient eu l'intelligence de ne s'engager à rien, n'avaient pas résisté à l'envie de reformer le Gang des Goldman autour d'Alexandra, encouragés par Patrick Neville, avec qui ils étaient restés en contact après nos vacances dans les Hamptons.

Comme il est de coutume, au moment des vacances d'hiver de notre dernière année de lycée, nous avions postulé chacun dans plusieurs établissements, et envoyé notamment tous les trois notre candidature à l'université de Burrows, dans le Massachusetts. Nous avions failli y être réunis. Quatre mois plus tard, aux environs de Pâques, j'avais reçu une lettre m'informant que j'y étais accepté. Quelques jours après, mes cousins me téléphonaient pour m'annoncer la nouvelle. Ils hurlaient tellement dans le combiné que je mis du temps à comprendre. Ils étaient acceptés dans la même université que moi. Nous allions être réunis.

Mais mon excitation fut de courte durée : deux jours plus tard, ils reçurent chacun une réponse de l'université de Madison. Ils y étaient également acceptés, tous les deux. Là-bas, grâce aux contacts de Patrick Neville, Woody se voyait offrir une bourse d'études, pour rejoindre l'équipe des Titans. C'était la porte ouverte à une carrière professionnelle, surtout avec les contacts que Patrick avait auprès des Giants de New York. Woody accepta l'offre de Madison et Hillel décida de le suivre. C'est ainsi qu'à l'automne 1998, tandis que je quittais le New Jersey pour le Massachusetts, une petite voiture poussive immatriculée dans le Maryland parcourut pour la première fois les routes de l'État du Connecticut et longea la côte Atlantique jusqu'à la petite ville de Madison. La campagne s'était parée des couleurs de l'été indien : les érables et les sycomores flamboyaient de feuilles rouges et jaunes. La voiture traversa Madison en remontant la rue principale drapée aux couleurs des Titans, qui faisaient la fierté de la ville et le malheur des autres universités de la Ligue. Bientôt, les premiers bâtiments en briques rouges se détachèrent devant eux.

— Arrête la voiture ici ! dit Hillel à Woody.

— Ici ?

— Oui, ici ! Arrête-toi !

Woody obéit et gara la voiture sur le bas-côté. Ils descendirent tous les deux et admirèrent, époustouflés, le campus de l'université qui se dressait devant eux. Ils se dévisagèrent, éclatèrent d'un rire heureux et sautèrent dans les bras l'un de l'autre : « Université de Madison ! s'écrièrent-ils d'une même voix. On l'a fait, mon pote ! On l'a fait ! »

On aurait pu croire que l'amitié, plus forte que tout, avait encore triomphé et qu'après l'année et demie qu'Hillel avait passée à l'*école spéciale*, ils avaient choisi Madison pour être à nouveau ensemble. Sur la route de l'université, ils s'étaient promis d'y partager la même chambre, de choisir les mêmes cours, de manger ensemble et de réviser ensemble. Mais j'allais comprendre, avec le recul des années, que le choix de Madison avait été fait pour une seule et mauvaise raison. Et cette raison arriva vers eux sur la pelouse du campus, le premier matin de cours : Alexandra.

— Les Goldman ! s'écria-t-elle en leur sautant dans les bras.

— Tu ne t'attendais pas à nous voir ici, hein ? sourit Hillel.

Elle éclata de rire :

— Vous êtes tellement mignons, mes deux gros bêtas. Je savais très bien que vous veniez.

— Vraiment?

— Mon père n'arrête pas de parler de vous. Vous êtes sa nouvelle obsession.

Ainsi débutèrent nos vies universitaires. Et comme ils l'avaient toujours fait, mes cousins de Baltimore brillèrent de tous leurs feux.

Hillel se laissa pousser un début de barbe qui lui allait bien: le petit garçon maigrichon, l'intello désagréable de l'école d'Oak Tree était devenu un assez bel homme, plein d'allant et de charisme, habillé avec goût, et apprécié pour la fulgurance de son intelligence et son verbe affûté. Rapidement remarqué par ses professeurs, il se rendit indispensable au sein du comité éditorial du journal de l'université.

Woody, plus viril que jamais, débordant de force et de testostérone, était devenu beau comme un dieu grec. Il avait laissé un peu pousser ses cheveux, qu'il coiffait en arrière. Il avait un sourire ravageur, des dents rayonnantes de blancheur, un corps taillé dans la pierre. Je n'aurais pas été surpris, au plus fort de sa carrière de joueur de football, de le voir apparaître sur les immenses affiches publicitaires pour des vêtements ou des parfums qui recouvrent certains bâtiments de Manhattan.

Je me rendis régulièrement à Madison pour assister aux matchs de Woody, dans ce qui s'appelait encore le Burger-Shake Stadium, une enceinte de 30000 places, toujours comble, dans laquelle j'entendais des dizaines de milliers de spectateurs scander le nom de Woody. Je ne pouvais que voir leur connivence: il était évident qu'ils étaient heureux tous les trois et, je peux vous l'avouer ici, j'étais jaloux de ne plus être des leurs. Ils me manquaient. Le Gang des Goldman, c'étaient eux trois désormais et Madison était leur territoire. Mes cousins avaient offert à Alexandra la troisième place du Gang des Goldman, ce troisième siège dont je ne compris que des années plus tard qu'il était non permanent, au sein de ce Gang dont je fus moi-même membre, dont Scott fut membre également et dont Alexandra devenait membre à son tour.

*

Le premier Thanksgiving qui suivit notre entrée à l'université, en novembre 1998, je fus frappé par leur accomplissement. J'avais l'impression qu'en quelques mois, tout avait changé. La joie de les retrouver à Baltimore était intacte, mais cette fierté d'appartenir aux Baltimore qui, enfant, me galvanisait, m'avait cette fois abandonné. Jusque-là, c'était mes parents qui étaient dépassés par Oncle Saul et Tante Anita, mais à présent c'était à mon tour d'être surclassé par mes cousins.

Woody, l'invincible Viking du stade, était en train de devenir le soleil du football, rayonnant de force. Hillel, lui, écrivait pour le journal de l'université et il était très remarqué. L'un de ses professeurs, contributeur régulier au *New Yorker*, disait qu'il pourrait soumettre l'un de ses textes à ce prestigieux magazine. Je les regardais à la table magnifique de Thanksgiving, dans cette maison luxueuse, j'admirais leur superbe et je pouvais deviner leurs destins : Hillel, le défenseur des grandes causes, deviendrait un avocat encore plus célèbre que son père, qui d'ailleurs attendait son fils de pied ferme pour prendre possession du bureau voisin du sien, d'ores et déjà réservé pour lui. *Goldman père et fils, avocats associés*. Woody rejoindrait l'équipe de football des Ravens de Baltimore, qui avait été créée deux ans plus tôt et connaissait déjà des résultats exceptionnels grâce à une campagne de recrutement remarquable de jeunes talents. Oncle Saul disait avoir ses entrées dans les hautes sphères – ce qui ne surprit personne –, assurant à Woody d'être mis en lumière. Je les imaginais dans quelques années, devenus voisins à Oak Park, où ils auraient acheté deux magnifiques et imposantes maisons.

Ma mère dut ressentir mon désarroi et au moment de passer au dessert, elle se sentit soudain obligée de me mettre en valeur, déclarant soudain à la cantonade :

— Markie est en train d'écrire un livre !

Je virai au pourpre et suppliai ma mère de se taire.

— Un livre sur quoi ? demanda Oncle Saul.

— Un roman, répondit ma mère.

— Ce n'est qu'un projet, bégayai-je, on verra bien ce que ça donnera.

— Il a déjà écrit quelques nouvelles, poursuivit ma mère. Des textes excellents. Deux sont parues dans le journal de l'université.

— Je voudrais bien les lire, réclama gentiment Tante Anita.

Ma mère promit de les envoyer, et moi je lui fis promettre de se taire. J'eus l'impression que Woody et Hillel ricanaient. Je me trouvai stupide avec mes nouvelles insipides à côté d'eux qui étaient devenus, à mes yeux, des demi-dieux, mi-lions mi-aigles, prêts à s'envoler vers le soleil, tandis que j'étais resté le même petit adolescent impressionnable, à des années-lumière de leur superbe.

Cette année-là, il me sembla que la qualité du repas de Thanksgiving était supérieure aux autres années. Oncle Saul avait rajeuni. Tante Anita avait embelli. Était-ce la réalité, ou étais-je beaucoup trop occupé à tous les admirer pour réaliser que les Baltimore étaient en train de se désintégrer? Mon oncle, ma tante, mes deux cousins: je les croyais en perpétuelle ascension, ils étaient en pleine chute. Je ne le compris que des années plus tard. Malgré tout ce que j'avais imaginé pour eux, lorsque mes cousins retourneraient à Baltimore après nos années universitaires, ce ne serait pas pour être un ténor du barreau et la vedette des Ravens.

Comment aurais-je pu imaginer ce qui allait leur arriver?

23.

Depuis mon université du Massachusetts, où je me sentais un peu tenu à l'écart, je découvris avec agacement qu'à Madison, comme ç'avait été le cas à Baltimore avec Scott, la taille du Gang des Goldman, quand il s'agissait des Neville, pouvait être extensible. Après Alexandra, ce fut au tour de Patrick Neville d'obtenir une place privilégiée en leur sein.

Tous les mardis, Patrick venait à l'université pour donner ses cours hebdomadaires. La rumeur voulait que l'on puisse deviner son humeur à son moyen de transport : les jours de bonne humeur, il arrivait au volant d'une Ferrari noire, dans laquelle il traversait la Nouvelle-Angleterre comme une flèche. S'il était contrarié, il roulait à bord d'un 4x4 Yukon aux vitres teintées. Il jouissait d'une énorme notoriété et les étudiants se réclamaient de lui.

Ils tissèrent rapidement des liens étroits. À chacun de ses passages à Madison, il ne manquait pas de voir Woody et Hillel.

Les mardis soir, il les emmenait, avec Alexandra, dîner dans un restaurant de la rue principale. Quand il en avait le temps, il assistait aux entraînements des Titans, une casquette aux couleurs de l'équipe vissée sur la tête. Il était présent à tous les matchs à domicile et il lui arrivait même d'assister à des rencontres extérieures, parfois à plusieurs heures de route. Il proposait toujours à Hillel de l'accompagner et ils faisaient le trajet ensemble.

Je crois que Patrick aimait la compagnie de Woody et

Hillel parce que chaque fois qu'il était avec eux, il retrouvait un peu Scott.

Il faisait avec eux ce qu'il aurait voulu faire avec son fils. À partir du second semestre à Madison, la saison de football étant terminée, il les invita régulièrement à passer le week-end à New York, chez lui. Ils me racontèrent, émerveillés, le luxe de son appartement: la vue, le jacuzzi sur la terrasse, les télévisions dans chaque pièce. Ils s'y sentirent bientôt chez eux, à contempler ses œuvres d'art, fumer ses cigares et boire son scotch.

Lors des vacances de printemps 1999, il les invita dans les Hamptons. La semaine qui suivit la fin de nos examens universitaires, ils vinrent me rendre visite à Montclair à bord de la Ferrari noire que Patrick leur avait prêtée. Je leur proposai d'aller dîner quelque part, mais leur voiture ne disposant que de deux sièges, j'avais dû me contenter de la vieille Honda Civic de ma mère, tandis qu'ils ouvraient la route avec leur bolide rugissant. Pendant le repas, je réalisai qu'ils avaient légèrement revu leur plan de carrière. New York avait surclassé Baltimore, l'économie l'avait emporté sur le droit.

— C'est dans la finance qu'il faut travailler, me dit Hillel. Si tu voyais la vie que mène Patrick…

— On a déjeuné avec le directeur sportif des Giants, me dit Woody. On a même pu aller visiter leur stade, dans le New Jersey. Il dit qu'il enverra un scout me voir jouer l'année prochaine.

Ils me montrèrent des photos d'eux sur la pelouse du Giants Stadium. Je les imaginais alors quelques années plus tard, au même endroit, célébrant la victoire des Giants au Superbowl, Woody, le quarterback vedette, et son quasi-frère, Hillel, le nouveau Golden boy que Wall Street s'arracherait.

*

Il se passa un événement au début de leur deuxième année universitaire. Un soir qu'il rentrait en voiture vers le campus par la route 5, Woody, environ cinq miles après avoir passé le pont Lebanon, manqua de renverser une jeune femme qui marchait sur le bord de la route. Il faisait nuit noire. Il s'arrêta immédiatement et se précipita hors de l'habitacle.

— Est-ce que ça va ? demanda-t-il.

Elle pleurait.

— Tout va bien, merci, répondit-elle en s'essuyant les yeux.

— C'est dangereux de marcher sur cette route.

— Je ferai attention.

— Monte, je te dépose quelque part, proposa Woody.

— Non, merci.

— Monte, je te dis.

La fille accepta finalement. Dans la lumière de l'habitacle, Woody crut la reconnaître. C'était une jolie fille, aux cheveux courts. Son visage lui était familier.

— Tu es étudiante à Madison ?

— Non.

— T'es sûre que ça va ?

— Sûre. Je n'ai pas envie de parler.

Il roula en silence et la déposa, selon son souhait, à proximité d'une station-service déserte à l'entrée de Madison.

Elle s'appelait Colleen. Woody le lut sur son badge le lendemain, lorsqu'il la retrouva derrière le comptoir de la station-service où il l'avait déposée la veille.

— Je savais que je t'avais vue quelque part, lui dit-il. En te déposant ici, j'ai fait le lien.

— S'il te plaît, ne parle pas de ça. As-tu pris de l'essence ?

— J'ai fait le plein, pompe numéro 3. Et je vais prendre ces barres de chocolat. Je m'appelle Woody.

— Merci pour hier, Woody. S'il te plaît, n'en parlons plus. Ça fait 22 dollars.

Il lui tendit l'argent.

— Colleen, est-ce que tout va bien ?

— Tout va bien.

Un client entra et elle en profita pour demander à Woody de partir.

Il obéit. Elle le troublait.

Colleen était l'unique employée de la station-service. Elle y passait ses journées seule. Elle ne devait pas avoir plus de vingt-deux ans, n'était jamais allée plus loin que le lycée et elle était déjà mariée à un type de Madison, un chauffeur-livreur qui passait plusieurs jours par semaine sur la route. Elle avait un regard triste. Une façon timide de ne pas regarder ses clients dans les yeux.

La station-essence était son seul horizon. C'était probablement la raison pour laquelle elle mettait tant de cœur à s'en occuper. La boutique attenante était propre et toujours bien achalandée. Il y avait même quelques tables, auxquelles les gens de passage pouvaient s'installer pour boire un café ou manger un sandwich industriel que Colleen réchauffait dans un four à micro-ondes. Lorsque les clients partaient, ils laissaient toujours un petit pourboire sur la table, qu'elle glissait dans sa poche, sans en parler à son mari. Dès les beaux jours, elle déplaçait les tables et les chaises sur la bande de gazon fleurie jouxtant le bâtiment.

Il n'y avait pas beaucoup de lieux de sortie à Madison et les étudiants se regroupaient dans les mêmes établissements. Lorsqu'ils voulaient être seuls, Woody et Hillel se rendaient à la station-service.

Troublé par sa rencontre nocturne avec Colleen, Woody augmenta la cadence de ses passages à la station-service. Parfois il passait au prétexte d'acheter des chewing-gums ou du liquide pour ses essuie-glaces. Le plus souvent, il traînait Hillel avec lui.

— Pourquoi tu veux absolument aller là-bas ? finit par demander Hillel.

— Il y a quelque chose qui cloche… J'aimerais comprendre.

— Dis que t'en pinces pour elle, c'est tout.

— Hill', cette fille marchait dans la nuit en pleurant, au bord de la route.

— Elle a peut-être eu un problème de voiture…

— Elle était effrayée. Elle avait peur.

— Peur de qui ?

— Je sais pas.

— Wood', tu peux pas protéger tout le monde.

À force de passer leur temps là-bas, ils apprivoisèrent un peu Colleen. Elle se montra moins timide, allant parfois jusqu'à discuter un peu avec eux. Elle leur vendait de la bière bien qu'ils n'aient pas l'âge. Colleen disait qu'elle ne risquait rien à leur vendre de l'alcool car le père de Luke, son mari, était le chef de la police locale. Luke, justement, était selon les dires de mes cousins un drôle d'oiseau. Il avait un air teigneux et était toujours assez déplaisant. Woody, qui le croisait parfois à la station-service, ne l'aimait pas. Il disait qu'il avait un drôle de sentiment quand il le voyait. Quand Luke était en ville, Colleen se comportait différemment. Quand il était en déplacement, elle était plus heureuse.

J'eus moi aussi l'occasion de me rendre à la station-service lors de mes visites à Madison. Je remarquai aussitôt que Woody plaisait bien à Colleen. Elle avait une façon particulière de le regarder. Elle ne souriait presque jamais, sauf quand elle lui parlait. C'était un sourire maladroit, spontané, qu'elle se forçait à vite réprimer.

Je crus d'abord que Woody éprouvait des sentiments pour Colleen. Mais je réalisai rapidement que ce n'était pas le cas. Mes deux cousins aimaient une seule et même fille : Alexandra.

Alexandra était dans sa quatrième et dernière année d'université. Ensuite elle partirait. Elle était le seul objet de leurs pensées. Je compris rapidement que leur indéfectible amitié ne leur suffisait pas. Leur vie ensemble sur le campus, leurs sorties, les matchs de football ne les satisfaisaient pas pleinement. Ils voulaient plus. Ils voulaient son amour. J'en eus la certitude absolue devant leur réaction quand ils découvrirent qu'elle voyait quelqu'un, profitant d'un week-end où Patrick Neville les invita chez lui pour fouiller sa chambre. Ils m'en parlèrent à Thanksgiving et Hillel me montra ce qu'il avait trouvé dans l'un des tiroirs de son bureau. Une feuille cartonnée sur laquelle était dessiné un cœur en rouge.

— Vous avez fouillé sa chambre ? demandai-je, interloqué.

— Oui, répondit Hillel.

— Vous êtes complètement fous !

Hillel était furieux contre elle.

— Pourquoi ne nous a-t-elle pas dit qu'elle avait un petit copain ?

— Et qui vous dit qu'elle voit quelqu'un ? rétorquai-je. Ce dessin date peut-être d'il y a longtemps.

— Il y a deux brosses à dents dans la salle de bains attenante à sa chambre, me dit Woody.

— Vous êtes même allés dans sa salle de bains ?

— On va pas se gêner. Je pensais qu'elle était notre amie, et les amis se disent tout.

— Tant mieux pour elle si elle a quelqu'un, dis-je.

— Bien sûr, tant mieux.

— J'ai l'impression que ça vous agace…

— On est ses amis, et je pense qu'elle pourrait nous le dire.

L'amitié qui légitimait leur trio cachait des sentiments bien plus profonds, et ce en dépit du pacte que nous avions conclu dans les Hamptons.

Pendant les mois qui suivirent, ils se laissèrent obséder par l'amant d'Alexandra. Ils voulaient à tout prix connaître son identité. Quand ils lui posèrent la question, elle jura être célibataire. Cela les rendit encore plus fous. Ils la suivaient sur le campus pour l'épier. Ils essayaient d'écouter ses conversations téléphoniques en utilisant le vieux capteur de son d'Hillel, ramené pour l'occasion de Baltimore. Ils interrogèrent même Patrick, qui n'en savait rien.

Au mois de mai 2000, nous assistâmes tous à la cérémonie de remise de diplôme d'Alexandra.

Après la partie officielle, profitant d'un moment de confusion, Alexandra s'éclipsa discrètement. Elle ne remarqua pas que Woody la suivait.

Elle se dirigea vers le bâtiment des sciences, où je l'attendais. Quand elle me vit, elle sauta dans mes bras et me donna un long baiser.

Woody apparut à ce moment-là et s'écria, abasourdi :

— Alors c'est toi, Marcus ? C'est toi son mec depuis tout ce temps ?

24.

En ce jour de mai 2000, je fus bien obligé de m'expliquer auprès de Woody et de tout lui raconter.

Il fut la seule personne à être au courant de la relation merveilleuse que je vivais avec Alexandra.

Entre Alexandra et moi, tout avait recommencé durant l'automne qui avait suivi nos dernières vacances dans les Hamptons. J'étais rentré à Montclair un peu dépité de l'avoir revue et d'avoir réalisé combien je l'aimais toujours. Et voilà que quelques semaines plus tard, à la sortie du lycée, je la vis sur le parking, assise sur le capot du coupé qu'elle conduisait. Je ne parvins pas à cacher mon excitation.

— Alexandra, mais qu'est-ce que tu fais là ?

Elle fit sa moue boudeuse.

— J'avais envie de te revoir…

— Je croyais que tu ne sortais pas avec des petits jeunes.

— Monte, crétin.

— Et où allons-nous ?

— Je ne le sais pas encore.

Où nous allâmes ? Sur la route de la vie. À partir de ce jour où je m'assis sur le siège passager de sa voiture, nous ne nous quittâmes plus et nous nous aimâmes passionnément. Nous nous téléphonions sans cesse, nous nous écrivions, elle m'envoyait des colis. Elle venait à Montclair le week-end, j'allais parfois, moi, la retrouver à New York ou à Madison, empruntant la vieille voiture de ma mère, le son de l'autoradio monté au maximum. Nous avions la bénédiction de mes parents et de Patrick Neville, qui promirent de n'en parler à personne. Car il nous semblait qu'il valait mieux que mes cousins ne sachent rien de ce qui se passait entre nous. C'est ainsi que je brisai le serment du Gang des Goldman de ne jamais conquérir Alexandra.

L'année suivante, quand j'entrai à la faculté de lettres de l'université de Burrows, nous n'étions qu'à une heure de route. Mon camarade de chambre, Jared, me laissait la pièce libre les week-ends où elle me rejoignait. Et je fis à mes cousins ce que je ne leur avais jamais fait : je leur mentis. Je mentais pour aller retrouver Alexandra. Je disais que j'étais à Boston, ou à Montclair, mais j'étais à New York avec elle. Et quand ils étaient à New York, chez Patrick Neville, j'étais lové dans ses draps à Madison.

Il arrivait malgré tout que je les jalouse de les savoir tous ensemble à l'université, que j'envie la complicité unique qu'elle entretenait avec Hillel et Woody. Un jour, elle avait fini par me dire : « Tu es jaloux de tes cousins, Marcus ? Tu es complètement fou ! Vous êtes tous les trois complètement fous, en fait. » Elle avait raison. Moi qui n'étais pas de caractère possessif, moi qui ne craignais pas les rivaux, je redoutais les membres du Gang des Goldman. Elle avait eu ensuite cette sortie anodine, mais qui avait été pour moi comme un coup de poignard en plein cœur : « Tu as gagné, Markie. Tu as gagné, tu m'as, moi. Qu'est-ce que tu veux de plus ? Tu vas quand même pas me faire une scène parce que je mange un hamburger avec tes cousins ? »

Je fus celui qui la remit sur le chemin de la musique. C'est moi qui l'encourageai à poursuivre son rêve. C'est moi qui la fis retourner jouer dans les bars de New York, qui la poussai à continuer à composer dans sa chambre du campus de Madison. Ses études terminées, elle était décidée à prendre son destin en main et elle s'apprêtait à signer avec un producteur new-yorkais pour lancer sa carrière.

Après que je lui eus tout avoué, Woody me promit de ne rien dire à Hillel.

Il ne me jugea pas. Il me dit simplement : « Tu as de la

chance de l'avoir, Markie », et me gratifia d'une tape amicale sur l'épaule.

L'entrée dans notre troisième année universitaire, à l'automne 2000, le poussa à se consacrer au football et à Colleen, dont il se rapprocha beaucoup. Nous avions vingt ans.

Je crois qu'il avait beaucoup de chagrin à cause d'Alexandra. Mais il n'en parla jamais à Hillel et soigna sa peine à travers le sport. Il s'entraînait sans cesse. Il lui arrivait d'aller courir deux fois par jour, comme il le faisait à l'époque de l'*école spéciale*. Il devint le joueur vedette des Titans. L'équipe enchaînait les victoires, et lui les performances. Il fit la une de l'édition d'automne du magazine universitaire.

Il passait voir Colleen à la station-service tous les jours. Je crois qu'il avait besoin que quelqu'un s'occupe de lui. Quand il lui apporta le magazine de l'université, elle lui dit qu'elle était fière de lui. Mais le surlendemain, il la trouva avec des marques au cou. Son sang ne fit qu'un tour.

— Qu'est-ce qui s'est passé ? demanda-t-il.

— Va-t'en, Woody.

— Colleen, est-ce que c'est Luke qui t'a fait ça ? Est-ce que ton mari te tape ?

Elle le supplia de s'en aller et il obéit. Trois jours durant, lorsqu'il arrivait à la station-service elle lui faisait un signe discret pour lui signifier de partir. Le quatrième jour, elle l'attendait dehors. Il sortit de voiture et s'approcha d'elle. Elle ne prononça pas un mot, lui attrapa la main et l'emmena dans la réserve. Là, elle se jeta contre lui et le serra aussi fort qu'elle put. Puis elle chercha ses lèvres et l'embrassa.

— Colleen… Tu dois me dire ce qui se passe, murmura Woody.

— Luke… Il a trouvé le magazine de l'université dans un tiroir du comptoir. Ça l'a rendu fou.

— Il t'a cognée ?

— Ce n'est pas la première fois.

— Le fils de pute… Où est-il ?

Elle sentit que Woody était prêt à en découdre.

— Il est parti ce matin pour le Maine. Il reviendra que

demain soir. Mais ne fais rien, Woody. Je t'en supplie. Tu ne ferais qu'aggraver la situation.

— Alors quoi, je dois rester les bras croisés pendant que tu te fais cogner ?

— Nous trouverons une solution...

— Et en attendant ?

— En attendant, aime-moi, lui murmura-t-elle. Aime-moi comme je n'ai jamais été aimée.

Il l'embrassa encore, puis il la prit, tendrement, dans la réserve. Il se sentit bien avec elle.

Leur relation sentimentale se noua au fil des absences de Luke. La moitié de la semaine, quand il était à Madison, elle était à lui. Depuis que Luke avait trouvé le magazine, il se méfiait. Il la surveillait sans cesse, la contrôlait davantage. Woody ne devait pas approcher. Il la guettait de loin, tant à la station-essence qu'à leur domicile.

Puis Luke partait avec son camion. Et c'était la libération pour Colleen. Son travail à la station-essence terminé, elle sortait par l'arrière de son jardin, retrouvait Woody dans une rue adjacente, et ils partaient ensemble. Il l'emmenait sur le campus, elle ne verrait personne qu'elle connaissait là-bas. Elle s'y sentait à l'abri.

Un soir, dans le lit de la chambre qu'Hillel leur avait laissée, alors qu'elle se tenait contre lui après avoir fait l'amour, il remarqua les marques sur son dos nu.

— Pourquoi ne portes-tu pas plainte ? Il va finir par te tuer.

— Son père est le chef de la police de Madison et son frère est son adjoint, lui rappela Colleen. Il n'y a rien à faire.

— J'imagine que Luke était trop con pour devenir flic...

— Il aurait voulu. Mais il a un casier judiciaire pour violence.

— Pourquoi n'irait-on pas porter plainte ailleurs ? proposa Woody.

— Parce que c'est la juridiction de Madison. Et que, de toute façon, je ne veux pas.

— Je ne sais pas si je peux faire ça, te regarder être maltraitée.

— Finis tes études, Woody. Ensuite emmène-moi loin, avec toi.

Mais ils ne purent pas continuer ainsi très longtemps. Luke, méfiant, se mit à contrôler sa présence à la maison. Colleen devait l'appeler au moment de quitter la station-service, puis rappeler depuis chez eux. Ensuite, il rappelait, à l'improviste, pour être certain qu'elle était là. Elle n'avait pas intérêt à rater un appel. Elle paya cher le soir où elle se rendit chez la voisine, à qui elle était allée prêter main forte après une fuite d'eau dans sa cuisine.

Quand Luke partait et que Woody pouvait retrouver Colleen, il avait l'impression qu'une tornade lui était passée dessus. Mais ces moments se faisaient de plus en plus rares.

Le frère commença à passer régulièrement à la station-service, pour voir qui s'y trouvait. Puis il se mit à la chercher à la fin du travail pour l'escorter chez elle. «Je veux juste être sûr que tu rentres en sécurité chez toi, lui dit-il. On ne sait pas trop qui traîne dans les rues de nos jours.»

La situation devenait sérieuse. Woody guettait Colleen à distance. S'approcher d'elle devenait dangereux. Hillel l'accompagnait souvent. Ils restaient tous les deux en planque, dans la voiture. Ils observaient la station, ou la maison. Parfois, pendant qu'Hillel faisait le guet, Woody se risquait à y entrer et retrouvait Colleen un petit moment.

Un soir qu'ils roulaient à proximité de la maison, ils furent pris en chasse par un véhicule de police. Woody se rangea sur le bas-côté et le père de Luke descendit de voiture. Il s'approcha, contrôla l'identité des occupants puis il dit à Woody :

— Écoute-moi bien, mon petit gars. Joue au foot et occupe-toi de ton cul. Mais surtout ne viens pas faire chier. Compris ?

— Comment vous savez que je joue au foot ? demanda Woody.

Le père eut un sourire de faux jeton.

— J'aime bien savoir à qui j'ai affaire.

Ils repartirent et retournèrent au campus.

— Il faut que tu fasses gaffe, Wood', dit Hillel. Toute cette histoire commence à sentir mauvais.

— Je sais. Mais qu'est-ce que tu veux que je fasse ? Que je dégomme son mari une fois pour toutes ?

Hillel hocha la tête, impuissant.

— Je ne veux pas qu'il t'arrive quelque chose, Woody. Et je dois t'avouer que je commence à avoir un peu peur.

*

Pour la première fois cette année-là, je ne retrouvai pas mes cousins pour Thanksgiving. L'avant-veille, ils m'annoncèrent qu'ils avaient été invités par Patrick Neville à une fête à laquelle étaient attendus des joueurs des Giants. Je décidai de me rendre à Baltimore malgré tout. Comme je l'avais fait durant toute mon enfance, j'y arrivai la veille de la fête, en train. Mais à Baltimore, et pour ma plus grande déception, personne ne m'attendait sur le quai de la gare. Je pris un taxi jusqu'à Oak Park. En arrivant chez les Baltimore, je vis Tante Anita qui sortait de la maison.

— Mon Dieu, Markie ! me dit-elle en me voyant. J'avais complètement oublié que tu arrivais ce soir.

— Ce n'est pas grave. Je suis là maintenant.

— Tu sais que tes cousins ne sont pas là…

— Je sais.

— Markie, je suis affreusement désolée. Je suis de garde ce soir à l'hôpital. Je dois y aller. Ton oncle sera content de te voir. Il y a des plats déjà prêts dans le frigo.

Elle me serra contre elle. Au moment de l'étreinte, je sentis que quelque chose avait changé. Elle avait l'air fatiguée, triste. Je ne voyais plus en elle cette lumière éclatante qui avait fait si souvent chavirer mon cœur d'enfant et d'adolescent.

J'entrai dans la maison. Je trouvai Oncle Saul devant la télévision. Comme Tante Anita, il m'accueillit avec un mélange de chaleur et de tristesse. Je montai à l'étage installer mes affaires dans l'une des chambres d'amis, et je me demandai à quoi servaient toutes ces chambres, si elles étaient vides. Je me promenai dans les immenses couloirs, j'entrai dans les gigantesques salles de bains. Je passai successivement dans les trois salons, tous éteints. Ni feu dans l'âtre, ni télévision allumée, ni livre ou journal laissé ouvert pour un lecteur impatient de pouvoir le reprendre. En redescendant, je vis Oncle Saul qui préparait notre dîner. Il avait dressé deux couverts sur le comptoir. Il y avait eu un temps pas si éloigné où, assis à ce même comptoir, lui, Hillel, Woody et moi, piaffant bruyamment d'impatience, tendions nos assiettes à Tante Anita de l'autre côté, qui, rayonnante et souriant à sa petite armée, faisait cuire à même une large plaque en téflon des quantités gargantuesques de pancakes, d'œufs et de bacon de dinde.

Nous dînâmes sans beaucoup parler. Il avait peu d'appétit. La seule chose dont il me parla fut les Ravens de Baltimore.

— Tu ne veux pas venir voir un match une fois ? J'ai des billets, mais ça n'intéresse personne. Ils font une saison du tonnerre, tu sais. Je t'ai dit que je connais bien des gens dans l'organisation des Ravens ?

— Oui, Oncle Saul.

— Alors il faut venir voir un match une fois. Dis-le à tes cousins. J'ai des billets gratuits, dans les loges et tout ça.

Après le repas, je partis me promener dans le quartier. Je saluai amicalement les voisins qui promenaient leur chien, comme si je les connaissais. Croisant un agent de sécurité dans son véhicule de patrouille, je fis le signe secret, auquel il répondit. Mais le geste était vain : le temps béni de notre enfance était perdu à jamais et il serait impossible de le retrouver : les Goldman-de-Baltimore appartenaient désormais au passé.

*

Ce même soir où je me trouvais à Baltimore et mes cousins à New York, Colleen rentra en retard chez elle. Elle descendit de voiture et courut jusqu'à la maison. Elle tourna la poignée, mais la porte était fermée à clé. Il était déjà parti. Elle regarda sa montre : il était dix-neuf heures vingt-deux. Elle eut envie de pleurer. Elle ouvrit la porte avec sa clé et pénétra dans l'intérieur sombre. Elle savait qu'à son retour, il la corrigerait.

Elle ne devait pas rentrer en retard de la station-essence. Elle le savait, Luke le lui avait dit. Elle fermait à dix-neuf heures, à dix-neuf heures quinze elle devait être rentrée. Si ce n'était pas le cas, il partait. Il allait dans un bar qu'il affectionnait et quand il revenait à la maison, il s'occupait d'elle.

Elle l'attendit jusqu'à vingt-trois heures ce soir-là. Elle eut envie d'appeler Woody, mais elle ne voulait pas le mêler à cela. Elle savait que cela finirait mal. Dans ces moments-là, elle songeait à s'enfuir. Mais pour aller où ?

Il rentra dans la maison et claqua la porte. Elle sursauta. Il apparut dans l'encadrement de la porte du salon.

— Désolée, gémit-elle aussitôt pour apaiser la colère de son mari.

— Qu'est-ce que tu foutais, bordel ? Hein ? Hein ? Tu finis à dix-neuf heures. Dix-neuf heures ! Pourquoi tu me fais poireauter comme un con ? Tu me prends pour un imbécile, c'est ça ?

— Je te demande pardon, Luke. Il y a des clients qui sont arrivés à dix-neuf heures, le temps de fermer, j'ai eu cinq minutes de retard.

— Tu finis à dix-neuf heures, je veux que tu sois à la maison à dix-neuf heures quinze ! C'est pas plus compliqué que ça. Mais il faut toujours que tu fasses ta maligne.

— Mais Luke, ça prend du temps de tout fermer…

— Arrête de gémir, tu veux ? Et va poser ton cul dans ma bagnole.

— Luke, pas ça ! supplia-t-elle.

Il pointa sur elle un doigt menaçant.

— Tu ferais bien de m'obéir.

Elle sortit et monta dans son pick-up. Il s'installa dans sa voiture et démarra.

— Pardon, pardon, Luke, dit-elle d'une voix de souris. Je ne serai plus en retard.

Mais il ne l'écoutait plus. Il l'assommait d'injures. Elle pleurait. Il avait déjà quitté la ville de Madison et prit la route 5, toute en ligne droite. Il passa le pont Lebanon et continua encore. Elle le suppliait de rentrer à la maison. Il ricana. «Quoi, t'es pas bien avec moi?» Puis soudain, il s'arrêta au milieu de nulle part.

— Terminus, tout le monde descend, dit-il sur un ton qui ne tolérait aucune tergiversation.

Elle protestait vainement:

— Luke, s'il te plaît, pas ça.

— Dégage! hurla-t-il soudain.

Dès qu'il hurlait, c'était le signal qu'elle devait obéir. Elle s'extirpa de l'habitacle et il repartit aussitôt, l'abandonnant à huit miles de chez eux. C'était sa punition: elle devait rentrer à pied et en pleine nuit jusqu'à Madison. Elle s'enfonçait dans la brume humide, elle qui ne portait en général que des robes courtes et de minces collants. Et elle laissait les ténèbres l'absorber.

La première fois, elle avait protesté. Lorsque Luke, criant à en devenir écarlate, lui avait ordonné de dégager, elle s'était rebellée. Elle lui avait dit qu'on ne traitait pas de la sorte sa femme. Luke était sorti de voiture.

— Allez, mon ange, viens là, avait-il dit presque tendrement.

— Pourquoi?

— Parce que je vais te corriger. Je vais te foutre des claques pour que tu comprennes que, quand je te donne un ordre, tu dois obéir.

Elle s'était aussitôt excusée:

— Désolée, je n'voulais pas te mettre en colère… Je vais y aller, je vais faire tout comme tu veux. Excuse-moi, Luke. Je n'voulais pas te mettre en rogne.

Elle était aussitôt sortie de la voiture et était partie sur la route, mais elle n'avait pas eu le temps de parcourir cinq mètres que la voix de Luke l'avait déjà rattrapée:

— Tu piges pas ce que je te dis, ou quoi? On ne parle peut-être pas la même langue?

— Si, Luke. Tu m'as dit de ficher le camp, alors je fiche le camp.

— Ça, c'était avant! Maintenant les ordres ont changé. Qu'est-ce que je t'ai dit, hein?

Elle éclata en sanglots, terrorisée.

— Je sais plus, Luke… Pardonne-moi, je ne comprends plus rien.

— Je t'ai dit de venir ici pour recevoir des claques. T'as oublié ?

Ses jambes flanchaient.

— Pardon, Luke, j'ai compris la leçon. Je promets de plus désobéir.

— Viens ici ! hurla-t-il sans bouger. Quand je te dis de venir ici, tu dois venir ici ! Pourquoi tu dois toujours faire ta maligne, hein ?

— Pardon, Luke, j'ai été idiote, je recommencerai plus.

— Viens ici, bordel ! Viens ici ou je vais t'en foutre une double ration !

— Non, Luke, je t'en supplie !

— Rapplique !

Elle approcha, terrifiée, et se plaça devant lui.

— T'auras cinq belles baffes, d'accord ?

— Je…

— D'accord ?

— Oui, Luke.

— Je veux que tu comptes.

Elle se tint droite devant lui, il leva la main. Elle ferma les yeux, pleurant de tout son soûl. Il lui colla une claque monumentale qui la fit tomber par terre. Elle hurla.

— J'ai dit : compte !

Elle sanglota, à genoux sur le béton humide.

— Un… articula-t-elle entre deux pleurs.

— C'est bien. Allez, debout !

Elle se releva. Il la gifla de nouveau. Elle se plia en deux, les mains sur ses joues.

— Deux ! hurla-t-elle.

— C'est bien, allez, remets-toi en place.

Elle obéit, il lui tint la tête bien droite et la gifla encore de toutes ses forces.

— Trois !

Elle tomba à la renverse.

— Allons, allons, ne reste pas là, debout ! Et je ne t'ai pas entendue compter.

— Quatre, sanglota-t-elle.

— Tu vois, on arrive déjà au bout. Allez, viens devant moi et tiens-toi bien droite.

Lorsqu'il eut fini de la battre, il lui avait ordonné de disparaître et elle s'était aussitôt enfuie. Elle avait marché pendant plus d'une heure lorsqu'elle était arrivée au pont Lebanon. Ce n'était même pas la moitié du chemin jusqu'à Madison. Elle avait enlevé ses talons qui la faisaient trop souffrir et la ralentissaient, et elle avait battu de ses pas nus le bitume froid qui lui crevait les pieds. Soudain, des phares de voiture avaient illuminé la route. Une voiture était arrivée. Le conducteur ne la remarqua qu'au dernier moment et faillit la percuter. Il s'arrêta aussi. Elle avait déjà vu ce garçon à la station-service. C'était la nuit où elle avait croisé la route de Woody.

Depuis, si elle rentrait en retard de son travail, Luke la déposait sur la route déserte et la forçait à rentrer à pied. Cette nuit-là, lorsqu'elle arriva enfin chez elle, Luke avait verrouillé la porte de l'intérieur. Elle s'allongea sur le petit canapé d'extérieur sous le porche et y dormit, grelottant de froid.

Woody était de plus en plus préoccupé. Hillel me fit part de ses inquiétudes le concernant au début de l'année 2001.

— Je ne sais pas pourquoi il s'est soudain pris d'affection pour cette fille. Mais depuis six mois, il ne pense qu'à la sauver. Je le trouve différent. Es-tu au courant de quelque chose ?

— Non.

Je mentais. Je savais que Woody s'efforçait d'oublier Alexandra en s'occupant de Colleen. Il voulait se sauver en la sauvant. Je compris aussi qu'Hillel, en l'accompagnant dans ses surveillances nocturnes de la maison de Colleen, ne lui tenait pas compagnie : il veillait sur Woody, il voulait l'empêcher de faire une bêtise.

Il ne put empêcher une confrontation entre Luke et Woody au mois de février, dans un bar de Madison.

*

Madison, Connecticut.
Février 2001.

Woody roulait sur la rue principale de Madison lorsqu'il remarqua le pick-up de Luke garé devant un bar. Il freina aussitôt et se gara à côté. Il y avait dix jours que Luke n'était pas reparti faire ses livraisons. Dix jours que Woody n'avait pas vu Colleen. Dix jours où il avait été condamné à l'observer de loin. Un soir, quelques jours auparavant, il avait entendu des cris dans leur maison mais Hillel l'avait empêché de descendre de voiture et d'intervenir. Il était temps que cela cesse.

Il entra dans le bar et trouva Luke au comptoir. Il se dirigea droit sur lui.

— Mais voilà notre joueur de football ! dit Luke qui avait déjà un verre dans le nez.

— Tu devrais faire gaffe, Luke, lui dit Woody.

Luke avait bien dix ans de plus que lui. Il était plus costaud, plus large, le visage teigneux, les mains épaisses.

— T'as un problème, le footballeur ? demanda Luke en se dressant.

— J'ai un problème avec toi. Je veux que tu laisses Colleen tranquille.

— Ah bon ? Tu veux me dire comment je dois m'occuper de ma femme !

— Justement. Arrête de t'en occuper tout court. Elle ne t'aime pas.

— Comment tu me parles, petit con ? Je vais te donner deux secondes pour dégager d'ici.

— Si tu la touches encore…

— Eh bien quoi !

— Je te tuerai.

— Pauvre con ! vociféra Luke en empoignant Woody. T'es qu'un pauvre con !

Woody se défendit et le repoussa, avant de lui envoyer une droite en plein visage. Luke riposta et des clients du bar se précipitèrent sur eux pour les séparer. Il y eut un moment de confusion, puis des sirènes se firent entendre. Le père et le frère de Luke débarquèrent dans le bar pour y rétablir le calme. Ils arrêtèrent Woody et le firent monter dans une voiture de police. Ils quittèrent la ville et l'emmenèrent dans une carrière déserte où ils le tabassèrent à coups de matraque, jusqu'à ce qu'il perde connaissance.

Il retrouva ses esprits plusieurs heures plus tard. Le visage tuméfié, une épaule disloquée. Il se traîna jusqu'à la route et attendit qu'une voiture passe.

L'une d'elles s'arrêta et le conduisit à l'hôpital de Madison, où Hillel vint le chercher. Il n'avait que des blessures superficielles, mais il allait devoir ménager son épaule.

— Que s'est-il passé, Woody ? Je t'ai cherché une bonne partie de la nuit.

— Rien.

— Woody, tu as eu de la chance cette fois. Un peu plus et tu ne pouvais plus jamais jouer au foot. C'est ça que tu veux ? Foutre ta carrière en l'air ?

Colleen paya cher également l'intervention de Woody.

Lorsqu'il la revit, une semaine plus tard, à la station-service, il remarqua son œil au beurre noir et sa lèvre écorchée.

— Qu'as-tu fait, Woody ?

— Je voulais te défendre.

— C'est mieux que nous ne nous voyions plus.

— Mais Colleen…

— Je t'avais demandé de rester à l'écart.

— Je voulais te protéger.

— Il ne faut plus se voir. C'est mieux ainsi. Va-t'en, s'il te plaît !

Il obéit.

Les vacances de printemps tombèrent quelques semaines plus tard. Hillel et moi en profitâmes pour éloigner Woody de Madison et lui changer les idées en l'emmenant passer dix jours à la Buenavista.

Ce séjour en Floride coïncida avec une grave et soudaine détérioration de l'état de santé de Grand-père Goldman.

Il contracta une pneumonie qui le laissa très affaibli. Lorsque nous quittâmes la Floride, il était encore hospitalisé. Tante Anita disait qu'il n'allait pas tenir très longtemps. Grand-père avait pu sortir de l'hôpital et rentrer à la résidence, mais il ne quittait plus son lit. Nous venions le visiter tous les matins, de bonne heure : reposé par la nuit, il était disert. Il avait peu de forces mais tout son esprit. Un jour que nous discutions, Woody lui demanda :

— Au fond, Grand-père, je réalise que je ne sais même pas ce que tu faisais comme métier.

Grand-père eut un sourire lumineux.

— J'étais le président-directeur-général de Goldman & Cie.

— Qu'est-ce que c'était ?

— Une petite entreprise de fabrication de matériel médical, que j'avais fondée. Ça a été l'aventure de ma vie : imagine-toi, Goldman & Cie a existé pendant plus de quarante ans. J'aimais me rendre au bureau : nous étions installés dans un beau bâtiment en briques rouges que l'on voyait depuis la route et sur lequel on pouvait lire en grandes lettres capitales : *GOLDMAN*. J'en étais très fier.

— Mais où était-ce ? À Baltimore ?

— Non, dans l'État de New York. Nous, nous habitions à quelques miles de là, à Secaucus, dans le New Jersey.

— Qu'est devenue Goldman & Cie ? demanda encore Woody.

— Nous l'avons vendue. Vous étiez déjà nés mais vous ne pouvez pas vous en souvenir. C'était vers le milieu des années 1980.

Grand-père avait piqué la curiosité de Woody, qui demanda s'il existait des photos de l'époque de Goldman & Cie. Grand-mère dénicha une boîte à chaussures dans laquelle s'entassaient pêle-mêle toutes sortes de clichés. L'essentiel avait été pris ces dernières années : il y avait beaucoup de têtes que nous ne connaissions pas – des amis de Floride – et quelques photos de Grand-père et Grand-mère ensemble. Puis nous tombâmes finalement sur une photo de Grand-père devant le fameux bâtiment de Goldman & Cie, que nous contemplâmes longuement. Nous trouvâmes également quelques photos d'Hillel, Woody et moi, adolescents, lors d'un séjour en Floride.

— Le Gang des Goldman, dit soudain Grand-père en brandissant le cliché, nous faisant éclater de rire.

Honneur à la mémoire de notre grand-père Max Goldman. Il décéda six semaines plus tard. Je garde de ces derniers moments avec lui le souvenir de sa vivacité et de son sens de l'humour, même aux portes de sa dernière demeure.

La tendresse de son rire ne quitte pas ma mémoire. Ni son exigence. Ni sa démarche et son éternelle élégance. Il n'est pas de cérémonie, de remise de prix, de rendez-vous important qui, au moment de nouer une cravate autour de mon cou, ne me fasse pas penser à lui, toujours impeccablement vêtu.

Gloire à toi, ô mon grand-père aimé. Sache que tu manques ici-bas. J'aime à croire que tu me regardes de là-haut et que tu suis avec un mélange d'amusement et d'émotion mon parcours. Tu sais donc que ma digestion est excellente et que je ne souffre pas du syndrome du côlon spastique. Je le dois peut-être aux kilos d'All-Bran que tu m'as fait avaler en Floride, sous ton regard bienveillant. Sois remercié de tout ce que tu m'as apporté et repose en paix.

25.

Grand-père fut enterré le 30 mai 2001 à Secaucus, New Jersey, la ville où il avait élevé, comme Grand-mère, mon père et Oncle Saul. Plusieurs de ses amis de Floride avaient insisté pour faire le déplacement.

J'étais assis à côté de mes cousins. Alexandra était là aussi, un rang derrière nous. Je mis ma main légèrement derrière moi et elle l'attrapa discrètement. Elle la serra. Je me sentais fort à ses côtés.

Je sais que plus tard, ce jour-là, Woody lui dit :

— C'est beau, comme tu l'aimes.

Elle sourit.

— Et toi ? demanda-t-elle. Hillel m'a parlé de cette fille, Colleen ?

— Elle est mariée. C'est compliqué. Je ne la vois plus pour le moment.

— Tu l'aimes ?

— Je ne sais pas. J'éprouve de la tendresse pour elle. Elle me fait me sentir moins seul. Mais elle n'est pas toi.

La cérémonie fut à l'image de Grand-père : sobre et empreinte d'humour. Mon père prononça un discours spirituel au cours duquel l'allusion aux All-Bran déclencha l'hilarité. Oncle Saul parla ensuite et fut plus grave. Il commença son oraison ainsi : « C'est la première fois que je reviens dans le New Jersey. Vous le savez, mes relations avec Papa ne furent pas toujours au beau fixe... »

Ces mots eurent une résonance étrange. Je ne retrouvai

pas dans ses propos la relation dont j'avais été le témoin à la grande époque des Baltimore.

Après la cérémonie et la collation, Grand-mère voulut faire un tour de Secaucus. Je n'étais jamais venu ici et je proposai de l'emmener. Désireux de comprendre les allusions d'Oncle Saul, je profitai d'être seul en voiture avec Grand-mère pour l'interroger.

— De quoi parlait Oncle Saul tout à l'heure ?

Grand-mère fit semblant de ne pas m'entendre, regardant par la fenêtre.

— Grand-mère ?

— Markie, me dit-elle, ce n'est pas le moment des questions.

— Est-ce qu'il s'est passé quelque chose entre eux ? insistai-je.

— Markie, conduis maintenant et tais-toi, s'il te plaît. Vas-tu m'ennuyer avec tes questions un jour pareil ?

— Pardon, Grand-mère.

Je ne parlai plus. Elle me guida jusqu'à leur ancienne maison, hypothéquée au moment où la situation financière de Goldman & Cie avait commencé à vaciller. Puis elle me demanda de la conduire jusqu'à l'ancienne usine Goldman. Je n'y étais jamais allé, et elle me guida. Nous roulâmes vingt bonnes minutes, quittâmes le New Jersey, entrâmes dans l'État de New York et arrivâmes dans une zone industrielle désaffectée. Grand-mère s'arrêta devant un bâtiment abandonné en briques rouges. Elle promena son doigt sur la façade : « C'était mon bureau », me dit-elle en désignant un trou dans le mur, qui avait certainement été une fenêtre.

— Que faisais-tu ?

— Toute la comptabilité. C'est moi qui gérais les finances. Ton grand-père était un vendeur hors pair, mais pour un dollar de gagné, il en dépensait deux. Je tenais les cordons de la bourse, à la fabrique comme à la maison.

Quand je raccompagnai finalement Grand-mère au parking du cimetière, les Baltimore s'impatientaient dans le grand van avec chauffeur qui devait les ramener à Manhattan. Oncle Saul avait pris des chambres au New

York Plaza pour Grand-mère et tous les Baltimore. Les Montclair, eux, restaient à Montclair.

Le lendemain, Oncle Saul me demanda de passer le voir à son hôtel, ce que je fis. Il nous réunit, Woody, Hillel et moi, dans un recoin tranquille du bar du New York Plaza et nous annonça que Grand-père avait demandé, dans ses dernières volontés, que l'un de ses comptes-épargne soit équitablement divisé entre « ses trois petits-enfants ». Il y avait vingt mille dollars pour chacun de nous trois.

*

Une semaine après l'enterrement, je ramenai Grand-mère en Floride. Je pris l'avion avec elle et passai quelques jours à Miami pour qu'elle ne soit pas seule. Oncle Saul mit à ma disposition son appartement à la Buenavista.

Ma présence auprès de ma grand-mère dans sa résidence pour personnes âgées la réconforta. Je la revois encore le jour de son retour à Miami, fumant sur sa terrasse, en regardant l'océan, les yeux dans le vague. Sur la table de son minuscule salon, elle avait laissé un carton à chaussures rempli de vieilles photos. J'en pris quelques-unes au hasard et, comme je ne reconnus ni les gens ni les lieux, je lui posai des questions. Elle répondit à moitié, je sentais bien que je troublais son besoin de tranquillité. Soudain, elle me parla des affaires dans le garde-meuble.

— Quel garde-meuble ? lui demandai-je.

— Un garde-meuble à Aventura. L'adresse est dans l'armoire à clés.

— Et qu'est-ce qu'il y a là-bas ?

— Tous les albums de famille. Puisque tu veux voir des photos, autant que tu ailles voir là-bas. Elles sont triées, classées et annotées. Fais-en ce que tu veux, du moment que tu cesses avec toutes tes questions.

J'ignore encore aujourd'hui si elle m'en parla pour que j'aille à leur recherche, ou pour que je m'en aille tout court. Piqué par la curiosité, je me rendis au garde-meuble où je trouvai, comme elle me l'avait promis, la vie des Goldman en milliers de photographies, rangées et triées dans des albums poussiéreux. Je les ouvris au hasard ; je retrouvai des visages rajeunis et tout ce que nous étions avant. Je remontai le temps et les époques, puis je m'amusai à me retrouver. Je me vis nourrisson, je vis la maison de Montclair avec une peinture encore fraîche. Je me vis nu dans une piscine en plastique posée sur notre pelouse. Je vis des images de mes premiers anniversaires. Je réalisai rapidement que, sur toutes les photos, il manquait les plus importants des personnages. Je pensai d'abord à un hasard ou une erreur de classement. Je passai plusieurs heures à parcourir tous les albums et je me rendis à l'évidence : nous étions partout, ils n'étaient nulle part. Des Montclair en veux-tu en voilà, alors que les Baltimore semblaient «*persona non grata*». Aucune image d'Hillel petit, ni de sa naissance, ni de ses anniversaires. Aucune photo du mariage d'Oncle Saul et Tante Anita, alors que mes parents avaient droit à trois albums entiers. Les premiers clichés d'Hillel dataient au mieux de ses cinq ans. Dans les archives de mes grands-parents, il apparut que, pendant longtemps, les Goldman-de-Baltimore n'existaient pas.

Grand-mère Ruth imaginait certainement que j'allais rester enfermé dans le garde-meuble pour toujours, et qu'elle pourrait fumer sur sa terrasse en toute quiétude. À son grand dam, je débarquai dans son petit appartement les bras chargés des albums de famille.

— Markie, pourquoi tu m'encombres avec tout cela ? Si j'avais su, je ne t'aurais jamais parlé du garde-meuble !

— Grand-mère, où étaient-ils passés pendant toutes ces années ?

— De quoi me parles-tu, mon chéri ? Des albums ?

— Non, des Goldman-de-Baltimore. Avant les cinq ans d'Hillel, il n'y a aucune photo des Goldman-de-Baltimore...

Elle prit d'abord un air agacé et chassa du bras la possibilité d'une conversation.

— Bah, dit-elle, laissons le passé derrière, c'est mieux.

Je repensai à l'étrange oraison prononcée par Oncle Saul à l'enterrement de Grand-père.

— Mais Grand-mère, insistai-je, c'est comme si, à un moment donné, ils avaient disparu de la surface de la terre.

Elle me sourit tristement.

— Tu ne crois pas si bien dire, Markie. Tu ne t'es jamais demandé comment ton oncle s'est retrouvé à Baltimore ? Pendant plus de dix ans, Oncle Saul et ton grand-père ne se sont pas parlé.

26.

L'année universitaire était déjà terminée lorsqu'à la fin juin 2001, après l'enterrement de Grand-père, Woody retourna à Madison. Il avait terriblement envie de revoir Colleen.

Elle n'était pas à la station-service. Une fille qu'il ne connaissait pas l'avait remplacée. Il alla se poster à proximité de son quartier. Il remarqua le pick-up de Luke devant la maison : il était là. Il se tapit dans sa voiture et attendit. Il ne vit pas Colleen. Il passa la nuit dans la rue.

À l'aube le lendemain, Luke quitta la maison. Il avait un sac avec lui. Il monta à bord de son pick-up et s'en alla. Woody le suivit à bonne distance. Ils arrivèrent aux bureaux de la compagnie de transport pour laquelle Luke travaillait. Une heure plus tard, il en repartait à bord d'un poids lourd. Woody était tranquille pour au moins vingt-quatre heures.

Il retourna à la maison. Frappa à la porte. Aucune réponse. Il frappa encore, essaya d'observer l'intérieur par les fenêtres. La maison semblait inoccupée. Soudain, il entendit une voix derrière lui qui le fit sursauter :

— Elle n'est pas là.

Il se retourna. C'était la voisine.

— Je vous demande pardon, Madame ?

— Vous cherchez la petite Colleen ?

— Oui, M'dame.

— Elle n'est pas là.

— Vous savez où elle est ?

La voisine prit un air désolé.
— Elle est à l'hôpital, mon garçon.

Woody se précipita à l'hôpital de Madison. Il la trouva alitée, le visage tuméfié et une minerve au cou. Elle avait été sévèrement battue. Lorsqu'elle le vit, ses yeux s'éclairèrent.
— Woody !
— Chut, reste calme.
Il voulut l'embrasser, la toucher, mais il eut peur de lui faire mal.
— Woody, j'ai cru que tu ne reviendrais jamais.
— Je suis là, maintenant.
— Pardon de t'avoir chassé. J'ai besoin de toi.
— Je ne m'en vais nulle part. Je suis là, maintenant.

Woody savait que s'il ne faisait rien, Luke finirait par la tuer. Mais comment la protéger ? Il demanda l'aide d'Hillel, qui lui-même chercha conseil auprès d'Oncle Saul et Patrick Neville. Woody avait des idées saugrenues pour piéger Luke : mettre une arme et de la marijuana dans sa voiture et contacter la police fédérale. Mais toutes les pistes remonteraient à lui. Hillel savait que, pour coincer légalement Luke, il fallait lui faire quitter la juridiction de son père. Il eut une idée.

*

Madison, Connecticut.
1er juillet 2001.

Colleen quitta sa maison en début d'après-midi. Elle mit sa valise dans le coffre de sa voiture et s'en alla. Une heure plus tard, Luke rentra. Il trouva le mot qu'elle lui avait laissé sur la table de la cuisine.

> *Je suis partie. Je veux divorcer.*
> *Si tu es prêt à discuter calmement, je suis au Motel Days Inn sur la route 38.*

Il entra dans une colère noire. Elle voulait discuter ? Elle allait voir. Il allait lui faire passer ce genre d'envie. Il sauta dans sa voiture et roula comme un fou jusqu'au motel. Il repéra aussitôt sa voiture, garée devant une chambre. Il s'y précipita et tapa à la porte.

— Colleen ! Ouvre-moi.

Elle sentit son estomac se nouer.

— Luke, je ne t'ouvre que si tu es calme.

— Ouvre-moi cette porte immédiatement.

— Non, Luke.

Il frappa contre la porte de toutes ses forces. Colleen ne put s'empêcher de crier.

Hillel et Woody étaient dans la chambre voisine. Hillel décrocha le téléphone et contacta la police. Un opérateur lui répondit.

« Il y a un type qui est en train de tabasser sa femme, expliqua Hillel. Je crois qu'il va la tuer… »

Luke était toujours dehors, frappant furieusement à coups de pied et de poing. Hillel, après avoir raccroché, regarda sa montre, attendit qu'une minute passe, puis il fit un signe à Woody qui téléphona à la chambre de Colleen. Elle décrocha.

— Tu es prête, Colleen ?

— Oui.

— Ça va aller…

— Je sais.

— Tu es très courageuse.

— Je le fais pour nous.

— Je t'aime.

— Moi aussi.

— Maintenant, vas-y.

Elle raccrocha. Elle prit une ample respiration puis elle ouvrit la porte. Luke se jeta sur elle et se mit à la cogner. Des hurlements retentirent sur le parking du motel. Woody sortit de la chambre, prit un couteau dans sa poche et creva le pneu arrière du pick-up de Luke, avant de s'enfuir, le ventre noué.

Encore des coups. Et aucune sirène de police ne se faisait entendre.

— Arrête ! supplia Colleen en pleurs, repliée au sol en position fœtale pour se protéger des coups de pied.

Luke la souleva par les cheveux, jugeant qu'elle en avait eu pour son compte. Il la traîna hors de la chambre, la força à monter dans le pick-up. Des clients de l'hôtel alertés par les cris sortirent de leur chambre, mais n'osèrent pas intervenir.

Des sirènes enfin se firent entendre. Deux voitures de police arrivèrent au moment où Luke sortait à toute vitesse du parking. Il n'alla pas beaucoup plus loin, immobilisé par son pneu crevé. Il fut arrêté dans les minutes qui suivirent.

En se rendant au motel, il avait franchi la frontière avec l'État de New York. C'est là qu'il allait être incarcéré en attendant son procès pour violence et séquestration.

*

Colleen fut hébergée quelque temps à Baltimore, chez les Goldman. Ce fut une renaissance pour elle. Dans le courant du mois d'août, elle nous accompagna, Woody, Hillel et moi, en Floride. Grand-mère avait besoin d'aide pour mettre de l'ordre dans les affaires de Grand-père.

Nous n'avions pas besoin d'être quatre pour faire le tri dans les documents et les livres laissés par Grand-père. Aussi nous envoyâmes Woody et Colleen passer un peu de temps ensemble tous les deux. Ils louèrent une voiture et descendirent dans les Keys.

Hillel et moi passâmes une semaine dans la paperasse laissée par Grand-père.

Nous étions convenus que je m'occupais des archives et Hillel des documents légaux. Comme je trouvai dans un tiroir le testament de Grand-Père, je le remis à Hillel, sans même le lire.

Hillel l'examina lentement. Puis il fit une drôle de tête.

— Ça va ? lui demandai-je. T'as l'air bizarre tout d'un coup.

— Ça va. J'ai juste chaud. Je vais aller prendre l'air sur le balcon.

Je le vis plier le document en deux, puis il quitta la pièce, en l'emportant avec lui.

27.

Au début du mois de septembre 2001, Luke fut condamné à trois ans de prison ferme dans l'État de New York. Ce fut une délivrance pour Colleen, qui déposa dans le même temps une demande de divorce. Elle pouvait se réinstaller en toute quiétude à Madison.

Ce moment coïncidait avec le début de notre quatrième et dernière année à l'université. Celle durant laquelle le Stade BurgerShake de Madison devint le Stade Saul Goldman.

Je me souviens de la cérémonie du changement de nom qui eut lieu le samedi 8 septembre, et à laquelle j'assistai. Oncle Saul était rayonnant. Tout le gratin de l'université était présent. Un rideau recouvrait les lettres en métal massif et, après un discours du recteur, Oncle Saul tira sur un cordon qui le détacha, révélant la nouvelle identité du lieu. Pour une raison que je ne m'expliquais pas, la seule personne qui manqua ce jour-là fut Tante Anita.

Quelques jours plus tard, New York était frappée par les attentats du 11 Septembre. Madison, comme le reste du pays, fut assommée par le choc et c'est un peu le succès des Titans qui poussa les habitants à délaisser leurs postes de télévision et à retourner au stade.

Ce fut le début d'une saison exceptionnelle pour Woody. Il jouait à son meilleur niveau. À ce moment-là, rien ne laissait présager ce qui allait arriver. Cette année devait être celle de la consécration sportive pour les Titans. Woody jouait avec une rage de vaincre extraordinaire. La saison avait à peine démarré que l'équipe de Madison affolait déjà les statistiques et enchaînait les victoires, écrasant ses adversaires les uns après les autres. Ses performances drainaient une quantité impressionnante de spectateurs, les matchs se jouaient à guichets fermés et la ville de Madison en profitait largement : les restaurants étaient pleins ; dans les boutiques, les maillots aux couleurs de l'équipe et les drapeaux s'arrachaient. Un vent de folie soufflait sur la région : tout indiquait que cette année, les Titans remporteraient le championnat universitaire.

Parmi les admiratrices de Woody, il y avait Colleen. Elle s'affichait désormais fièrement avec lui à Madison. Quand elle le pouvait, elle fermait la station-service un peu plus tôt et venait assister aux entraînements. Lorsqu'il avait du temps libre, il l'aidait. Il organisait la réserve, s'occupait parfois des voitures des clients, qui lui disaient : « Si j'avais su que c'est un champion de football qui me ferait le plein aujourd'hui... »

Woody devint non seulement la vedette de tous les étudiants, mais aussi la coqueluche de la ville de Madison, dont l'un des *diner* proposait même à la carte un hamburger à son nom : le *Woody*. C'était un sandwich à quatre étages, composé d'assez de pain et de viande pour que même un très gros mangeur ne puisse pas en venir à bout. Celui qui le finissait se voyait offrir son repas, et il avait également les honneurs d'un Polaroid, le cliché étant aussitôt accroché au mur sous les vivats des autres clients. Et le patron de l'établissement de répéter fièrement à propos de son hamburger : « Ce *Woody*-là, c'est comme notre Woody à nous : personne ne peut en venir à bout. »

À Baltimore, lors du dîner de Thanksgiving, Woody demanda son accord à la famille pour changer le nom sur son maillot de footballeur et y inscrire celui de Goldman. Tout le monde en fut terriblement excité et ému. Pour la première fois, il nous transcendait : grâce à lui, nous n'étions plus des Montclair ou des Baltimore, nous étions des Goldman. Nous étions enfin réunis sous la même bannière.

Une semaine plus tard, le *Madison Daily Star*, le journal

local de la ville de Madison, publia un reportage sur les Baltimore, qui racontait l'histoire de Woody, Hillel, Tante Anita et Oncle Saul, avec une photo d'eux quatre, souriants et heureux, tenant le maillot de Woody frappé du nom de *Goldman.*

Pendant que tous les regards étaient tournés vers Woody qui marchait vers la gloire sportive, à Baltimore, Oncle Saul et Tante Anita s'enfonçaient lentement dans l'ombre, sans que personne ne s'en aperçoive.

D'abord, Oncle Saul perdit un procès très important sur lequel il travaillait depuis plusieurs années. Il était le défenseur d'une femme qui poursuivait une compagnie d'assurance-maladie ayant refusé de payer des traitements médicaux à son mari diabétique, qui en était mort. Oncle Saul réclamait pour elle plusieurs millions de dommages-intérêts. Elle fut déboutée.

Puis d'importantes tensions éclatèrent entre lui et Tante Anita. Elle voulut d'abord connaître le montant du don qu'il avait fait à l'université de Madison pour que le stade porte son nom. Il lui soutint que c'était trois fois rien, qu'il s'était arrangé avec le recteur. Elle ne le croyait pas. Il se comportait de façon étrange. Ce n'était pas son genre de mettre en avant son ego. Elle le savait très généreux, toujours attentif à l'autre. Il servait bénévolement dans les soupes populaires, il ne passait jamais devant un sans-abri sans lui donner quelque chose. Mais il n'en parlait jamais. Il ne s'en vantait jamais. Il était modeste, humble, c'est pour ça qu'elle l'aimait. Qui était cet homme qui voulait soudain avoir son nom sur un stade de football ?

Elle se mit à faire ce qu'elle n'avait jamais fait de toute sa vie commune avec son mari : elle fouilla son bureau, elle fouina dans ses affaires, elle lut son courrier et ses e-mails. Elle devait découvrir la vérité. Comme elle ne trouva rien à leur domicile, elle profita de le savoir au tribunal pour passer à son bureau et s'y enferma sous un prétexte quelconque. Elle trouva des classeurs de comptabilité personnelle et finit par découvrir la vérité : Oncle Saul avait promis six millions de dollars à l'université de Madison. Elle ne put d'abord pas y croire. Elle dut relire les documents plusieurs fois. Comment son mari avait-il pu faire une chose pareille? Pourquoi? Et surtout avec quel argent? Que lui cachait-il? Elle eut l'impression de vivre un cauchemar. Elle l'attendit dans son bureau pour le sommer de s'expliquer, mais il prit sa découverte avec beaucoup de calme :

— Tu n'as pas à fouiller dans mes affaires. Surtout ici. Je suis tenu au secret professionnel.

— N'essaie pas de noyer le poisson, Saul. Six millions de dollars ! Tu as promis six millions de dollars? D'où sors-tu une somme pareille?

— Cela ne te regarde pas !

— Saul, tu es mon mari ! Comment veux-tu que cela ne me regarde pas?

— Parce que tu ne comprendrais pas.

— Parle-moi, Saul, je t'en supplie. D'où as-tu sorti une somme pareille? Que me caches-tu? As-tu des liens avec le crime organisé?

Il éclata de rire.

— Où vas-tu chercher des choses pareilles? Laisse-moi maintenant, s'il te plaît. Il est déjà tard et je dois encore travailler.

Je ne vis rien de ce qui se passait. Quand je n'étais pas à l'université, j'étais avec Alexandra. Je vivais un bonheur total à ses côtés. Elle me connaissait mieux que personne, elle me comprenait mieux que personne. Elle pouvait lire dans mes pensées, deviner ce que j'allais dire avant que je l'aie dit.

Cela faisait déjà un an qu'elle avait terminé l'université et qu'elle essayait de percer dans le monde de la musique, mais sa carrière ne décollait pas. Je n'aimais pas beaucoup le producteur avec qui elle s'était associée. Je le trouvais trop occupé à promouvoir son image plutôt que sa musique. Lui disait que tout était lié, je n'étais pas d'accord. Pas avec le talent qu'avait Alexandra. J'essayai de le lui dire, j'essayai de la pousser à s'écouter elle-même, avant tout. Elle composait des chansons de grande qualité : son producteur, au lieu de l'aider à s'épanouir davantage, passait son temps à freiner sa créativité pour la faire entrer dans un moule préfabriqué, censé plaire au plus grand nombre. Structure : introduction, couplet, refrain, couplet 2, refrain, pont, pré-refrain, refrain final. Le premier refrain durait 1 minute. Les producteurs faisaient à la musique le même sacrilège qu'aux livres et aux films : ils les calibraient.

Parfois, elle était gagnée par le découragement. Elle disait qu'elle n'arriverait à rien. Qu'il valait mieux qu'elle renonce. Je lui remontais le moral : il m'arrivait de quitter l'université et de venir à New York pour la nuit. En général, je la trouvais déprimée, enfermée dans sa chambre. Je la poussais à se changer, à prendre sa guitare et je l'emmenais jouer sur la scène libre d'un bar. Chaque fois c'était la même chose : elle électrisait le public. Les applaudissements nourris qui concluaient ses prestations la regonflaient. Elle quittait la scène rayonnante. Nous allions dîner. Elle était heureuse de nouveau. Elle redevenait ce moulin à paroles que j'aimais tant. Elle avait oublié son chagrin.

Le monde nous appartenait.

*

Je fis le déplacement presque tous les week-ends à Madison pour voir jouer Woody. Je rejoignais dans les gradins du Stade Saul Goldman la foule de ses supporters privilégiés : Oncle Saul, Tante Anita, Patrick Neville, Hillel, Alexandra et Colleen.

À force de victoires, les premières rumeurs circulèrent : il se disait que les recruteurs des plus grandes équipes de la NFL venaient l'observer chaque semaine. Patrick affirmait que des représentants des Giants allaient venir. Oncle Saul assurait que les cadres des Ravens suivaient les Titans avec la plus grande attention. Les soirs de match, dans les travées du Stade Saul Goldman, Hillel essayait de repérer les recruteurs avant de se précipiter dans les vestiaires pour faire des comptes rendus à Woody.

— Wood', s'écria-t-il un soir, j'en ai repéré au moins un ! Il prenait des notes, il était pendu au téléphone. Je l'ai suivi jusque dans le parking… il avait des plaques du Massachusetts. Tu sais ce que ça veut dire ?

— Les Patriots de la Nouvelle-Angleterre ? demanda Woody sans oser y croire.

— Les Patriots de la Nouvelle-Angleterre, mon pote ! exulta Hillel.

Sous les vivats des autres joueurs qui se changeaient, ils se jetèrent dans les bras l'un de l'autre.

Par deux fois, au terme d'un match victorieux, Oncle Saul et Tante Anita furent directement approchés par des observateurs d'équipes prestigieuses. Le soir où les Titans écrasèrent les Cougars de Cleveland – seule autre équipe invaincue du championnat cette saison-là et victorieuse l'année précédente –, Patrick Neville rejoignit Woody dans le vestiaire avec le recruteur des Patriots de la Nouvelle-Angleterre, repéré quelques semaines plus tôt par Hillel. L'homme remit sa carte à Woody et lui dit :

— Mon garçon, les Patriots seraient très heureux de te compter dans leurs rangs.

— Oh, mon Dieu ! Merci, M'sieur, répondit Woody. Je sais pas quoi dire. Il faut que j'en parle avec Hillel.

— Hillel est ton agent ? demanda le recruteur.

— Non, Hillel est mon copain. J'ai pas vraiment d'agent, en fait.

— Je peux être ton agent, proposa spontanément Patrick. J'ai toujours rêvé de faire ça.

— Oui, volontiers, répondit Woody. Vous feriez ça ?

— Évidemment.

— Alors, je vous laisse traiter avec mon agent, dit en souriant Woody au recruteur.

Ce dernier lui serra chaleureusement la main.

— Bonne chance, mon garçon. Tout ce qu'il te reste à faire, c'est de remporter ce championnat. Rendez-vous en NFL.

Ce soir-là, contrairement à leur habitude, Hillel et Woody ne célébrèrent pas la victoire avec le reste de l'équipe. Enfermés dans leur chambre avec Patrick, qui prenait son nouveau rôle d'agent très à cœur, ils discutèrent des possibilités qui s'offraient à Woody.

— Il faut essayer de signer une option avant la fin de l'année, dit Patrick. Si tu remportes le championnat, ça ne sera sûrement pas très difficile.

— On parle d'une première offre à combien, selon vous ? demanda Hillel.

— Ça dépend. Mais le mois dernier, les Patriots ont offert 7 millions de dollars à un joueur universitaire.

— 7 millions de dollars ? s'étouffa Woody.

— 7 millions de dollars, répéta Patrick. Et crois-moi, fiston, tu ne vaux pas moins. Et si ce n'est pas cette année, ce sera l'année prochaine. Je ne me fais pas de souci pour ta carrière.

Patrick parti, Woody et Hillel restèrent éveillés toute la nuit. Étendus sur leurs lits, les yeux grands ouverts, ils restaient sonnés par la valeur potentielle du contrat.

— Qu'est-ce que tu vas faire de tout ce fric ? demanda Hillel.

— On va le diviser en deux. La moitié pour toi et l'autre pour moi.

Hillel sourit.

— Pourquoi tu ferais ça ?

— Parce que t'es comme mon frère, et les frères partagent tout.

Au début du mois de décembre 2001, alors qu'ils venaient d'accéder aux demi-finales du championnat, les Titans furent soumis à un contrôle antidopage par la Ligue de football.

Une semaine plus tard, Woody ne se présenta pas au cours d'économie après son entraînement du matin. Hillel essaya en vain de le joindre sur son téléphone portable. Il décida d'aller voir au stade, mais en traversant le campus, il vit la Chevrolet Yukon noire de Patrick Neville se garer devant le bâtiment administratif. Hillel comprit qu'il s'était passé quelque chose. Il courut jusqu'à Patrick.

— Qu'y a-t-il, Patrick ?

— Woody ne t'a pas dit ?

— Qu'est-ce qu'il aurait dû me dire ?

— Il s'est fait griller au contrôle antidopage.

— Quoi ?

— Cet imbécile s'est dopé.

— Patrick, c'est impossible !

Hillel suivit Patrick dans le bureau du recteur. À l'intérieur, en plus de ce dernier, il y avait Woody, prostré sur une chaise et, face à lui, un commissaire de la Ligue universitaire de football.

En voyant Patrick entrer dans la pièce, Woody se leva de sa chaise avec un air suppliant.

— Je ne comprends pas, Patrick ! s'écria-t-il. Je jure que j'ai rien pris !

— Que se passe-t-il ? interrogea Patrick.

Le recteur présenta Patrick au représentant de la Ligue en tant qu'agent de Woody, puis il lui demanda de faire le point de la situation.

— Woodrow a été testé positif à la pentazocine. Le test et les contre-tests ont tous donné le même résultat. C'est très grave. La pentazocine est un dérivé de la morphine, une substance strictement interdite par la Ligue.

— Je ne me suis pas dopé ! cria Woody. Je le jure ! Pourquoi aurais-je fait une chose pareille ?

— Woodrow, arrêtez votre cirque, voulez-vous ! tonna le commissaire. Vos performances étaient trop belles pour être vraies.

— J'ai attrapé froid récemment, et le médecin m'a prescrit des vitamines. Je n'ai pris que ce qu'il m'a dit. Pourquoi aurais-je pris cette merde ?

— Parce que vous êtes blessé.

Il y eut un bref silence.

— Qui vous a dit ça ? demanda Woody.

— Le médecin de l'équipe. Vous avez une tendinite au bras. Et un ligament de l'épaule déchiré.

— J'ai été pris dans une bagarre au printemps dernier. Je me suis fait taper dessus par des flics ! Mais ça date d'il y a au moins huit mois.

— Épargnez-moi vos salades, Woody, le coupa le commissaire.

— C'est la vérité, je le jure !

— Ah bon ? Vous n'avez pas été victime d'un surentraînement pendant l'été ? J'ai un rapport du médecin de l'équipe qui affirme que, suite à des douleurs répétées, il a fait procéder à une échographie de votre bras qui a révélé une tendinite relativement grave, due selon lui à un excès de mouvements répétés.

Woody se sentit acculé. Ses yeux s'embuèrent de larmes.

— C'est vrai, le médecin voulait que j'arrête de jouer quelque temps, expliqua-t-il. Mais je me sentais capable de tenir ma place au sein de l'équipe. Je connais mon corps ! Je me serais soigné après le championnat. Vous pensez que j'aurais fait la connerie de me doper juste avant les demi-finales du championnat ?

— Oui, répondit le commissaire de la Ligue. Parce que vous avez trop mal pour jouer sans antidouleur. Je pense que vous avez pris du Talacen pour pouvoir jouer. Tout le monde sait que c'est un médicament efficace, et il est connu que ses traces disparaissent rapidement du sang. Je crois que vous le saviez très bien et que vous pensiez qu'en arrêtant les prises suffisamment tôt avant la finale du championnat, nous n'aurions rien trouvé au contrôle antidopage. Est-ce que je me trompe ?

Il y eut un long silence.

— Woody, est-ce que tu as pris cette merde ? finit par demander Patrick.

— Non ! Je le jure ! Le médecin a pu se tromper quand j'étais malade !

— Le médecin ne t'a pas prescrit de Talacen, Woodrow, répondit le commissaire. Nous avons vérifié. C'étaient des vitamines.

— Alors le pharmacien, en préparant les cachets !

— Ça suffit, Woodrow ! ordonna le recteur. Vous avez déshonoré cette université.

Il attrapa sur le mur un cadre dans lequel était affichée la couverture du magazine de l'université, avec le visage de Woody, et le jeta à la poubelle.

Patrick Neville se tourna vers le recteur.

— Qu'est-ce qui va se passer à présent ?

— Nous avons à discuter. Vous comprenez que c'est une situation extrêmement grave. Le règlement de la Ligue prévoit la suspension du joueur dans ce genre de cas, et le règlement de Madison prévoit l'exclusion de l'université.

— Avez-vous déjà un accord avec les Patriots de la Nouvelle-Angleterre ? demanda le commissaire.

— Non.

— Tant mieux, car ils auraient pu demander des dommages et intérêts pour atteinte à leur image si ç'avait été le cas.

Il y eut un silence pesant, puis le commissaire reprit la parole :

— Monsieur Neville, je me suis longuement entretenu avec le recteur. La réputation de Madison pourrait s'en trouver entachée, celle du championnat également. Tout le monde est accroché aux prouesses de Woody. Si le public apprend qu'il s'est dopé, nous souffrirons tous d'un énorme préjudice et nous voulons à tout prix éviter une telle situation. Mais nous ne pouvons pas fermer les yeux...

— Que proposez-vous alors ?

— Un compromis acceptable pour tous. Dites que Woody s'est blessé. Il s'est gravement blessé et ne pourra plus jouer. En échange, la Ligue ne poussera pas l'enquête plus loin, la réputation de Madison restera intacte. Ce qui veut dire que le conseil de discipline de l'université n'aura pas à se pencher sur Woodrow et qu'il pourra terminer ses études ici.

— Blessé, pour combien de temps ?

— Pour toujours.

— Mais s'il ne joue plus, aucun club de NFL ne voudra de lui.

— Monsieur Neville, je crois que vous n'avez pas compris la gravité de la situation. Si vous refusez, nous ouvrirons une procédure disciplinaire, tout le monde sera au courant. En cas de procédure disciplinaire, Woody sera exclu de l'équipe et certainement de l'université également. Vous auriez la possibilité de faire recours, mais vous perdriez car les tests sont formels. Je vous offre l'opportunité d'enterrer toute cette histoire maintenant. Donnant-donnant. La réputation des Titans est sauve, et Woody termine son cursus.

— Mais sa carrière de joueur de football sera terminée, dit Patrick.

— Oui. Si ce compromis vous semble acceptable, je vous

laisse vingt-quatre heures pour organiser une conférence de presse et annoncer que Woody s'est blessé à l'entraînement et ne jouera plus jamais au football.

Le commissaire sortit de la pièce. Woody plongea son visage dans ses mains, muet de désarroi. Patrick et Hillel s'isolèrent.

— Patrick, dit Hillel, il y a bien quelque chose que l'on peut faire ! Enfin, c'est une histoire de fous !

— Hillel, il n'aurait jamais dû prendre du Talacen.

— Mais il n'a jamais pris cette merde !

— Hillel, je doute que le pharmacien se soit trompé en lui donnant des vitamines. Et il a des blessures avérées.

— Et alors, admettons qu'il ait volontairement pris du Talacen, ce n'est qu'un antidouleur après tout !

— C'est un produit interdit par la Ligue.

— Nous pouvons faire un recours !

— Tu as entendu : il perdra. Je le sais et toi aussi. Il a une chance unique de sauver sa place à l'université. S'il fait un recours, cette histoire de dopage deviendra publique. Il perdra tout : l'université le mettra dehors et aucune autre université n'acceptera de le reprendre. C'est un gamin plein de ressources, il faut qu'il finisse ses études. Au moins, avec ce compromis, il sauve sa tête.

À cet instant, Woody sortit du bureau et se planta devant Hillel et Patrick. Il leur dit en essuyant ses larmes du revers du bras :

— Nous ne ferons pas de recours. Je ne veux pas que ça se sache. Je ne veux pas que Saul et Anita sachent quoi que ce soit. J'aurais trop honte qu'ils sachent la vérité. Je porte le nom de Goldman sur le maillot. Je ne le salirai pas.

Patrick convoqua une conférence de presse pour le lendemain.

Mesdames et Messieurs, j'ai le devoir de vous faire part d'un coup dur pour l'université de Madison et l'équipe des Titans. Notre très prometteur capitaine, Woodrow Finn, s'est gravement blessé lors d'un entraînement solitaire en salle de musculation. Il souffre d'une déchirure des ligaments de l'épaule et du bras et ne pourra probablement plus jamais jouer au football. Un nouveau capitaine sera nommé à sa place. Nous souhaitons à Woody un prompt rétablissement et nos meilleurs vœux pour la réorientation de sa carrière.

À la demande de Woody, nous gardâmes le secret. En dehors de Patrick Neville, les seuls à connaître la vérité sur la fin de sa carrière de joueur furent Hillel, Alexandra, Colleen et moi.

Le jour de la conférence de presse, Tante Anita et Oncle Saul se précipitèrent à Madison, où ils restèrent quelques jours. Ignorant les véritables raisons du retrait de Woody, ils se mirent en tête de le soigner. « On va te remettre sur pied », promit Oncle Saul. Woody affirmait qu'il avait trop mal pour envisager de pouvoir rejouer un jour. Tante Anita insista pour lui faire passer des radios, qui révélèrent des lésions sévères : les ligaments du bras et de l'épaule étaient terriblement abîmés, et une échographie révéla même un début de déchirure.

— Woody, mon ange, comment as-tu pu jouer dans cet état ? s'épouvanta Tante Anita.

— C'est pour ça que je ne joue plus.

— Je ne suis pas spécialiste, dit-elle, je vais demander conseil à mes collègues à Johns Hopkins. Mais je ne pense pas que cela soit irréversible. Il faut y croire, Woody !

— Je n'y crois plus. Je n'ai plus envie.

— Qu'est-ce qui se passe, mon grand ? s'inquiéta Oncle Saul. Tu m'as l'air bien déprimé. Même si tu dois t'arrêter quelques mois, il y a toujours l'espoir qu'un club te recrute.

S'il nous avoua s'être blessé en s'entraînant au cours de l'été, Woody nous jura ne pas avoir pris de Talacen. Pourtant, les résultats des radios laissaient planer un doute sur sa capacité à avoir pu jouer sans antidouleur. Pour lui, la seule explication possible était que le médecin de l'équipe s'était mélangé les pinceaux en lui prescrivant des vitamines pour soigner son coup de froid.

— Son histoire ne tient pas debout, dis-je à Alexandra. Il peut à peine tenir sa fourchette à table. Je me demande vraiment s'il n'a pas pris du Talacen de son propre chef.

— Pourquoi nous mentirait-il ?

— Peut-être parce qu'il n'assume pas.

Elle eut une moue.

— J'en doute, dit-elle.

— Évidemment que tu en doutes ! Tu lui donnerais le bon Dieu sans confession ! T'arrêtes pas de le chouchouter !

— Est-ce que tu es jaloux de lui, Markie ?

Je regrettais déjà ce que je venais de dire.

— Non, pas du tout, répondis-je d'un ton mal assuré.

— Markikette, je te promets que le jour où tu passeras à côté de 7 millions de dollars et d'une carrière de footballeur professionnel à cause d'un médecin maboul qui a confondu les médicaments, tu auras droit à une attention au moins aussi grande que celle que je porte à Woody.

*

Woody ne termina jamais ses études.

Pendant les vacances d'hiver qui suivirent son exclusion des Titans, Hillel et moi essayâmes de lui remonter le moral, sans beaucoup de succès. À la reprise des cours, déprimé, il se rendit à Madison sans parvenir à franchir les limites du campus. Il arrêta la voiture à l'approche des premiers bâtiments.

— Qu'est-ce que tu fais ? lui demanda Hillel dans la voiture avec lui.

— Je ne peux pas...

— Tu ne peux pas quoi ?

— Tout ça... souffla-t-il en désignant de la main le Stade Saul Goldman qui se dressait devant eux.

Il descendit de voiture.

— Vas-y déjà, dit-il à Hillel. Je te rejoins. J'ai besoin de marcher un peu.

Hillel obéit, sans bien comprendre. Woody ne le rejoignit jamais. Il avait envie d'amour et de tendresse : il marcha jusqu'à la station-essence et se réfugia auprès de Colleen.

Il ne la quitta plus. Il s'installa chez elle et occupa ses journées à travailler avec elle à la station-essence. Elle était désormais la raison de sa présence à Madison. Sinon, il y aurait longtemps qu'il se serait enfui, loin.

Hillel passait tous les jours le voir. Il lui apportait ses notes de cours et essayait de le pousser à ne pas tout abandonner si près du but.

— Woody, tu es à quelques mois de terminer tes études. Ne gâche pas cette chance…

— J'ai plus le courage, Hill'. Je ne crois plus en moi. Je ne crois plus en rien.

— Woody… est-ce que tu t'es dopé ?

— Non, Hillel. Je te le jure. C'est pour ça que je ne veux plus retourner dans cette université de menteurs. Je ne veux plus rien d'eux, ils m'ont détruit.

Quelques semaines plus tard, le jeudi 14 février 2002, Woody décida de se rendre une dernière fois à l'université de Madison pour récupérer ses affaires dans la chambre qu'il occupait avec Hillel.

Colleen lui prêta sa voiture et il se rendit sur le campus en début de soirée. Il avait essayé de joindre Hillel, mais sans succès. Sans doute était-il en train de réviser à la bibliothèque.

Il frappa à la porte de leur chambre. Aucune réponse. Il avait gardé la clé : il la sortit de sa poche, la tourna dans la serrure et ouvrit. La chambre était déserte.

Il se sentit soudain nostalgique. Il s'assit sur son lit un petit moment et contempla la pièce. Il ferma les yeux un instant : il se revit sur le campus, un jour de grand soleil, se promenant avec Hillel et Alexandra, attirant tous les regards. Après un moment de rêverie, il ouvrit le grand sac apporté avec lui et commença à y mettre ses effets personnels : quelques livres, des cadres photos, une lampe qu'il aimait et qu'il avait apportée d'Oak Park, ses baskets de sport avec lesquelles il avait tant couru. Puis il ouvrit l'armoire dans laquelle étaient rangés ses vêtements et ceux d'Hillel. Les trois rayonnages supérieurs étaient les siens. Il les vida. Puis il recula de quelques pas et regarda l'armoire ouverte, envahi par un sentiment de tristesse : c'était la première fois qu'il quittait volontairement Hillel.

À force de fixer les rayonnages, il lui sembla voir une forme au fond du dernier rayonnage appartenant à Hillel. Il s'approcha et remarqua un sac en papier dissimulé derrière des piles de vêtements. Il ne sut pas pourquoi, il eut envie de voir ce que c'était. Quelque chose l'attira. Il écarta les vêtements, attrapa le sac et l'ouvrit. Il blêmit et se sentit soudain vaciller.

28.

Oncle Saul n'est venu que deux fois chez mes parents, à Montclair. Je le sais, car pendant très longtemps ma mère se plaignit qu'il n'avait jamais mis les pieds chez nous. Je l'entendais parfois s'emporter contre mon père à ce sujet, surtout lorsqu'il était question d'organiser des fêtes de famille.

— Tout de même, Nathan, ton frère n'a jamais mis les pieds ici ! Ça ne te choque pas ? Il ne sait pas comment est notre maison.

— Je lui ai montré des photos, tempérait mon père.

— Ne fais pas l'imbécile avec moi, s'il te plaît !

— Deborah, tu sais pourquoi il ne vient pas.

— Je le sais et ça m'énerve encore plus ! Vous êtes vraiment insupportables avec vos histoires de famille stupides !

Longtemps je ne sus pas à quoi ma mère faisait référence. Il m'était arrivé de m'immiscer dans leur conversation.

— Pourquoi Oncle Saul ne veut pas venir ici ?

— Ce n'est pas important, me répondait à chaque fois ma mère. Ce sont des idioties.

La première fois, ce fut en juin 2001, à la mort de Grand-père. Quand Grand-mère avait téléphoné pour annoncer son décès, il était spontanément venu jusque chez nous.

La seconde fois fut le jeudi 14 février 2002, après que Tante Anita l'eut quitté.

Ce jour-là, j'arrivai à Montclair en fin d'après-midi. C'était la Saint-Valentin et j'étais en route depuis mon université pour passer la soirée et la nuit à New York avec Alexandra. Comme il y avait quelque temps que je n'avais pas vu mes parents, j'avais fait le détour par Montclair pour les embrasser et passer un petit moment avec eux.

À mon arrivée, je vis la voiture de mon oncle garée dans notre allée. Je me précipitai à l'intérieur de la maison et ma mère m'intercepta dans l'entrée.

— Qu'est-ce qu'Oncle Saul fait ici ? demandai-je, inquiet.

— Markie chéri, ne va pas dans la cuisine.

— Mais qu'est-ce qui se passe enfin ?

— C'est ta tante Anita…

— Quoi, *Tante Anita* ?

— Elle a quitté ton oncle. Elle est partie.

— Partie ? Comment ça, *partie* ?

Je voulus téléphoner à Hillel, mais ma mère m'en dissuada.

— Ne mêle pas Hillel à ça pour le moment, me dit-elle.

— Mais que s'est-il passé ?

— Je t'expliquerai tout, Markie, je te le promets. Ton oncle va rester pour le week-end, il prendra ta chambre, si tu es d'accord.

Je voulus aller l'embrasser, mais au moment d'entrer dans la cuisine je le vis, par la porte entrebâillée, en larmes. Le grand, l'immense, le tout-puissant Saul Goldman pleurait.

— Tu devrais peut-être aller retrouver Alexandra, me murmura gentiment ma mère. Ton oncle a besoin d'un peu de tranquillité, je crois.

Je ne partis pas, je m'enfuis. Je quittai Montclair non pas parce que ma mère me l'avait conseillé, mais parce que, ce jour-là, j'avais vu mon oncle pleurer. Il n'était que Samson, lui qui avait été si fort. Il avait donc suffi de lui couper les cheveux.

J'allai retrouver celle avec qui tout allait mieux. Alexandra, la femme de ma vie. Comme je savais qu'elle détestait le kitsch de la Saint-Valentin, je lui avais organisé une soirée sans dîner à cinq plats ni roses rouges. Je passai la prendre directement au studio où elle enregistrait une nouvelle maquette, et nous allâmes nous enfermer dans une chambre au Waldorf Astoria, pour regarder des films, faire l'amour et survivre grâce au room-service. Dans ses bras, j'étais à l'abri de ce qui était en train de se passer.

Ce même soir du 14 février 2002, Woody attendit le retour d'Hillel dans la chambre, assis sur le lit. Il était plus de vingt-deux heures lorsqu'il arriva. « Putain, Woody, tu m'as fait peur ! » sursauta Hillel en ouvrant la porte. Woody ne répondit rien. Il se contenta de dévisager Hillel. « Woody ? Est-ce que tout va bien ? » demanda encore Hillel.

Woody désigna le sac en papier à côté de lui.

— Pourquoi ?

— Woody… Je…

D'un bond, Woody se leva et attrapa Hillel par le col de sa veste. Il le plaqua brutalement contre le mur.

— Pourquoi ? répéta-t-il en hurlant.

Hillel le fixa dans les yeux et le défia.

— Frappe-moi, Woody. C'est tout ce que tu sais faire, de toute façon…

Woody brandit son poing et le tint en l'air un long instant, les dents serrées, le corps tremblant. Il poussa un cri de colère et s'enfuit. Il courut jusqu'au parking et monta dans la voiture de Colleen. Il démarra en trombe. Il avait besoin de se confier à quelqu'un de confiance et la seule personne à qui il pensa était Patrick Neville. Il roula en direction de Manhattan. Il essaya de le joindre, mais son téléphone était éteint.

Il était vingt-trois heures lorsqu'il arriva devant l'immeuble de Patrick Neville, gara la voiture sur le trottoir opposé, traversa la rue sans même faire attention et s'engouffra dans l'immeuble. Le portier de nuit l'arrêta.

— Je dois monter chez Patrick Neville, c'est urgent.

— Est-ce que Monsieur Neville vous attend ?

— Appelez-le ! Appelez, bon Dieu !

Le portier téléphona chez Patrick Neville.

— Bonsoir, Monsieur, pardonnez-moi de vous déranger, il y a un Monsieur…

— Woody, dit Woody.
— … Monsieur Woody… Très bien.

Le portier raccrocha et fit signe à Woody qu'il pouvait accéder à l'ascenseur. Arrivé au 23e étage, il se précipita vers la porte des Neville. Patrick, qui l'avait vu arriver à travers le judas, lui ouvrit avant qu'il n'ait à sonner.
— Woody, que se passe-t-il ?
— Il faut que je te parle.
Il vit une hésitation dans le regard de Patrick.
— Peut-être que je te dérange…
— Non, pas du tout, répondit Patrick.
Woody semblait bouleversé, il ne pouvait pas le laisser ainsi. Il le fit entrer et l'emmena au salon. En passant, Woody remarqua une table dressée pour la Saint-Valentin, avec des chandelles, un grand bouquet de roses, du champagne dans un seau et deux verres remplis qui n'avaient pas été touchés.
— Patrick, je suis désolé, je ne savais pas que tu avais de la visite. Je vais te laisser.
— Pas avant que tu m'aies dit ce qui se passe. Assieds-toi.
— Mais je t'ai interrompu dans…
— Ne t'inquiète pas, l'arrêta Patrick. Tu as bien fait de venir. Je vais te chercher quelque chose à boire et après tu vas tout me raconter.
— Je veux bien un café.
Patrick s'éclipsa dans la cuisine, laissa Woody seul dans le salon. Comme il regardait autour de lui, il vit soudain une veste de femme et un sac posés sur un fauteuil. La petite copine de Patrick, songea Woody. Elle devait être allée se cacher dans une chambre. Il ne savait pas que Patrick fréquentait quelqu'un. Mais soudain, il lui sembla reconnaître cette veste. Troublé, il se leva et s'en approcha. Il vit un porte-monnaie dans le sac, s'en saisit et l'ouvrit. Il prit une carte de crédit au hasard et il se sentit pris d'une envie de vomir. Ce n'était pas possible. Pas elle. Il voulut en avoir le cœur net et se précipita vers les chambres. Patrick sortit de la cuisine à cet instant. « Woody, où vas-tu ? Attends ! » Il posa son plateau chargé de deux tasses de café et courut après lui. Mais Woody avait déjà pénétré dans le couloir et

poussait les portes des pièces à la hâte. Il la trouva finalement dans la chambre de Patrick : Tante Anita.

— Woody ? s'écria Tante Anita.

Il resta muet, terrifié. Patrick arriva à lui.

— Ce n'est pas ce que tu crois, lui dit-il. Nous allons tout t'expliquer.

Woody le poussa en arrière pour l'écarter du passage et s'enfuit. Tante Anita lui courut après.

« Woody ! s'écria-t-elle. Woody ! Je t'en supplie, arrête-toi ! »

Pour ne pas avoir à attendre l'ascenseur, il descendit par les escaliers. Elle prit l'ascenseur. Le temps qu'il arrive au rez-de-chaussée, elle l'attendait déjà. Elle l'enveloppa de ses bras.

« Woody, mon ange, attends ! »

Il se défit de son étreinte.

« Laisse-moi ! T'es qu'une salope ! »

Il s'enfuit et hurla :

« Je vais le dire à Saul ! »

Elle courut derrière lui.

« Woody, je t'en supplie ! »

Il franchit la porte de l'immeuble, bondit sur le trottoir et traversa la rue sans même regarder, pour regagner sa voiture. Il voulait s'enfuir loin. Tante Anita s'élança derrière lui sans voir la camionnette qui arrivait à toute vitesse et qui la percuta de plein fouet.

TROISIÈME PARTIE

Le Livre des Goldman

(1960-1989)

29.

Je passai tout le mois d'avril 2012 à mettre de l'ordre dans la maison de mon oncle. Je n'avais d'abord fait que classer quelques documents, au hasard, avant de me lancer dans une méticuleuse entreprise de rangement.

Tous les matins, je quittais mon paradis de Boca Raton pour traverser la jungle de Miami avant de retrouver les rues tranquilles de Coconut Grove. Chaque fois que j'arrivais devant la maison, j'avais l'impression qu'il était là, qu'il m'attendait sur la terrasse comme il l'avait fait pendant si longtemps. J'étais rapidement rattrapé par la réalité de la porte fermée à clé qu'il fallait déverrouiller et de la maison qui, malgré le passage régulier de la femme de ménage, sentait le renfermé.

Je commençai par le plus facile : ses vêtements, le linge de bain, les ustensiles de cuisine, que je mis dans des cartons et donnai à des œuvres de charité.

Puis il y eut le mobilier, ce qui fut plus compliqué : que ce soit un fauteuil, un vase ou une commode, je réalisai que tout me rappelait quelque chose de lui. Il n'avait gardé aucun souvenir d'Oak Park, mais je m'étais recréé mes propres souvenirs de ces cinq années pendant lesquelles j'avais passé tant de temps avec lui, dans cette maison.

Puis, il y eut les photos et les objets personnels. Je retrouvai dans des armoires des cartons entiers de photographies de sa famille. Je me plongeai dans ces photos comme dans la piscine du temps, retrouvant avec un certain bonheur ces

Goldman-de-Baltimore qui n'existaient plus. Mais plus je les retrouvais, plus des questions me parcouraient l'esprit.

De temps en temps, je m'interrompais et je téléphonais à Alexandra. Il était rare qu'elle réponde. Quand elle le faisait, nous restions silencieux. Elle décrochait et je lui disais simplement :

— Salut, Alexandra.

— Salut, Markie.

Ensuite, plus rien. Je crois que nous avions tant à nous dire que nous ne savions même pas par où commencer. Pendant sept longues années, nous nous étions parlé tous les jours, sans exception. Combien de soirées avions-nous passé à nous parler ! Combien de fois, quand je l'emmenais dîner dehors, avions-nous été les derniers à table, à nous parler encore, pendant que les serveurs balayaient la salle et s'apprêtaient à fermer ! Après nous être manqués pendant si longtemps, par où devions-nous commencer pour nous raconter nos histoires ? Par le silence. Ce silence puissant, presque magique. Le silence qui avait pansé les blessures de la mort de Scott. À Coconut Grove, je m'asseyais sur la terrasse, ou sous l'avant-toit, et j'imaginais Alexandra dans son salon de Beverly Hills, face à d'immenses baies vitrées qui donnaient sur Los Angeles.

Un jour, je finis par briser le silence.

— Je voudrais être avec toi, lui dis-je.

— Pourquoi ?

— Parce que j'aime beaucoup ton chien.

Je l'entendis éclater de rire.

— Imbécile.

Je sais qu'en prononçant ce mot, elle sourit. Comme elle l'avait fait pendant si longtemps chaque fois que je faisais l'idiot avec elle.

— Comment va Duke ? demandai-je.

— Il va bien.

— Il me manque.

— Tu lui manques aussi.

— Peut-être que je pourrais le revoir.

— Peut-être, Markie.

Je me dis que tant qu'elle disait *Markie*, il y avait de l'espoir. Puis je l'entendis renifler. Elle ne disait plus rien. Je compris qu'elle pleurait. Je m'en voulais de lui faire tant de peine, mais je ne pouvais pas renoncer à elle.

Soudain, j'entendis dans le combiné un bruit, une porte qui s'ouvrait. Puis une voix d'homme : Kevin. Elle raccrocha aussitôt.

La première fois que nous eûmes une réelle discussion fut environ une semaine plus tard, après que je trouvai chez Oncle Saul l'article du *Madison Daily Star* consacré à Woody, avec une photo de lui entouré par Hillel, Oncle Saul et Tante Anita.

Je lui envoyai un SMS :

> *J'ai une question importante à te poser à propos des années à Madison.*

Elle me rappela quelques heures plus tard. Elle était en voiture, je me demandai si elle s'était volontairement éloignée de chez elle pour être tranquille.

— Tu voulais me poser une question, me dit-elle.

— Oui. Je voulais savoir pourquoi est-ce que tu m'as interdit de venir à Madison, et pas à Woody et Hillel ?

— C'est ça ta question importante, Marcus ?

Je n'aimais pas quand elle disait Marcus.

— Oui.

— Enfin, Marcus, comment aurais-je pu savoir que c'était pour moi qu'ils étaient venus étudier à Madison ? C'est vrai, je m'étais réjouie de les voir arriver sur le campus. Depuis notre rencontre dans les Hamptons, j'éprouvais à leur égard une tendresse toute particulière. Il y avait quelque chose de très fort lorsque nous étions tous les trois, et en dehors des cours, je passais la plupart de mon temps avec eux. Ce n'est qu'ensuite que j'ai découvert leur rivalité.

— Leur rivalité ?

— Markie, tu le sais très bien. Une forme de rivalité s'est installée entre eux. C'était inévitable. Je me souviens de la rigueur des entraînements auxquels Woody s'astreignait à

Madison. S'il n'était pas en cours, il était sur le terrain de football. Et s'il n'y était pas, c'est qu'il était en train de courir dix miles dans la forêt autour du campus. Je me souviens lui avoir demandé un jour: «Au fond, Woody, pourquoi tu fais tout ça?» Il m'avait répondu: «Pour être le meilleur.» Il me fallut longtemps pour comprendre ce qu'il voulait dire: il ne voulait pas être le meilleur au football, il voulait être le meilleur aux yeux de ton oncle et ta tante.

— Meilleur que qui?

— Qu'Hillel.

Elle me raconta des épisodes de leur rivalité dont je n'avais jamais rien su. Par exemple, le jour où Hillel proposa à Alexandra d'aller avec Woody et lui assister au concert d'un groupe que nous aimions bien et qui s'arrêtait dans la région. Le soir du concert, lorsqu'elle arriva à l'entrée de la salle, elle ne vit qu'Hillel. Il lui dit que Woody avait été retenu à l'entraînement, et ils avaient passé la soirée tous les deux. En croisant Woody le lendemain, elle lui avait dit:

— Dommage que tu aies raté le concert hier. C'était vraiment bien.

— Quel concert? répondit-il.

— Hillel ne t'a pas prévenu?

— Non. De quoi tu parles?

Quelques jours plus tard, à la cafétéria de l'université, Hillel était venu s'asseoir à côté d'Alexandra avec son plateau et lui avait demandé de but en blanc:

— Au fond, Alex, si tu devais te choisir un petit copain et qu'il ne restait que le choix entre Woody et moi, tu choisirais qui?

— Quelle étrange question! avait-elle répondu. Avec aucun des deux. On ne sort pas avec ses amis. Ça gâche tout. Je préférerais finir vieille fille.

— Mais Woody? Tu aimes Woody?

— Woody, je l'aime bien, oui. Pourquoi tu me demandes ça?

— Tu l'aimes ou tu l'aimes bien?

— Hillel, tu veux en venir où?

Ce fut ensuite au tour de Woody de demander, un jour qu'ils étaient, Alexandra et lui, à la bibliothèque:

— Tu penses quoi d'Hillel ?
— Du bien, pourquoi ?
— Tu as des sentiments pour lui ?
— Enfin, pourquoi tu me demandes ça ?
— Pour rien. Vous avez simplement l'air d'être très proches.

C'était comme s'ils découvraient la notion de préférence. Eux qui avaient été ensemble si semblables, si indivisibles, réalisaient que dans leur rapport aux autres, ils ne pouvaient pas être faits d'un seul bloc, mais qu'ils étaient bien deux individus différents. Alexandra me raconta qu'ils décidèrent d'expérimenter ce principe de *préférence* en essayant de savoir lequel des deux Patrick Neville préférait. Qui allait avoir un moment privilégié avec lui ? Lorsqu'ils allaient dîner ensemble, à côté de qui allait-il s'asseoir ? Qui allait l'impressionner plus que l'autre ?

Selon Alexandra, Patrick avait une préférence pour Hillel. Il l'impressionnait par son intelligence, par la fulgurance de ses réflexions. Patrick lui demandait souvent son avis sur les affaires courantes, l'économie, la politique, la crise au Proche-Orient, et que sais-je ? Quand Hillel parlait, Patrick écoutait. Il appréciait évidemment beaucoup Woody, mais ce n'était pas le même niveau de relation qu'avec Hillel. Il éprouvait une réelle admiration pour Hillel.

À l'occasion d'un match des Titans contre l'université de New York, Patrick invita Woody le dimanche chez lui. Ils passèrent l'après-midi ensemble, à papoter et siroter du whisky. Woody se garda bien de le raconter à Hillel. Alexandra s'en rendit compte en faisant une gaffe au cours d'une conversation anodine.

— Ah bon ? Woody était chez toi dimanche ? demanda Hillel.
— Tu ne le savais pas ?

Hillel en fut terriblement agacé.

— Je peux pas croire qu'il m'ait fait un coup pareil !

Alexandra essaya aussitôt de calmer le jeu.

— Est-ce que c'est vraiment si dramatique ? demanda-t-elle.

Il lui avait lancé un regard noir, comme si elle était la dernière des imbéciles.

— Oui. Comment n'as-tu pas jugé bon de me prévenir ?

— Mais te prévenir de quoi ? s'agaça-t-elle. On dirait que j'ai surpris ta petite copine en train de te tromper et que je ne t'ai pas mis au courant.

— Je pensais qu'on se parlait, toi et moi, lâcha-t-il en faisant la moue.

— Écoute, Hillel, arrête ton cirque, tu veux ? Je ne suis pas responsable de ce que vous vous dites ou pas, Woody et toi. Ce n'est pas mes oignons. Et puis, tu m'as bien emmenée à un concert sans lui.

— Ce n'était pas la même chose.

— Ah bon ? Et pourquoi ?

— Parce que…

— Oh, Hillel, épargne-moi tes histoires de couple avec Woody, s'il te plaît.

Mais Hillel n'en resta pas là. Il décida que si Woody fréquentait Patrick en cachette, il avait le droit d'en faire autant. Une après-midi qu'Alexandra était avec Woody à la cafétéria, ils virent par la baie vitrée Patrick et Hillel sortir ensemble du bâtiment administratif. Ils se serrèrent la main chaleureusement et Patrick se dirigea vers le parking.

— Pourquoi mon père était-il là aujourd'hui ? demanda Alexandra à Hillel une fois qu'il les eut rejoints à la cafétéria. Vous aviez l'air en grande discussion.

— Ouais, on avait rendez-vous tous les deux.

— Oh, je savais pas.

— Tu sais pas tout.

— Un rendez-vous de quoi ?

— Pour vendredi.

— Qu'est-ce qui se passe vendredi ?

— Rien. C'est confidentiel.

Ce jour-là, Woody fit beaucoup de peine à Alexandra : il avait un regard à la fois innocent et triste qui lui fendait le cœur. Elle en ressentit de l'agacement contre Hillel : elle haïssait son emprise sur Woody. Il était le préféré de Patrick, il avait déjà gagné. Que voulait-il de plus ? Elle. Il la voulait, elle, pour lui tout seul, mais ça, elle ne l'avait pas encore compris.

Douze ans plus tard, au téléphone avec moi, Alexandra me dit encore :

— Ces quelques épisodes, du moins pendant les années passées à leurs côtés à Madison, restaient au fond sans conséquence. Leurs liens uniques finissaient toujours par prendre le dessus. Il s'est passé autre chose ensuite, mais je ne sais pas quoi. Je crois que c'est lié à la mort de ton grand-père…

— Que veux-tu dire ?

— Hillel a découvert quelque chose à propos de Woody qui l'a terriblement blessé. Je ne sais pas quoi. Je me souviens simplement que pendant l'été qui a suivi la mort de ton grand-père, vous êtes allés en Floride pour aider votre grand-mère et qu'à son retour il m'a téléphoné. Il disait qu'il avait été trahi. Il n'a jamais voulu me préciser à quoi il faisait allusion.

*

En rentrant à Boca Raton, après mes journées passées à vider lentement les souvenirs qui encombraient la maison de Coconut Grove, je retrouvais Leo qui se plaignait de ne plus me voir.

Un soir où il débarqua avec des bières et son échiquier sur ma terrasse, il me dit :

— C'est de mieux en mieux, votre histoire. Vous venez ici soi-disant pour écrire un livre, mais à part retrouver une vieille copine, voler un chien et faire le ménage dans la maison de votre oncle mort, je ne vous vois pas avancer beaucoup.

— Détrompez-vous, Leo.

— Quand vous vous mettrez vraiment à écrire, dites-le-moi. J'adorerais vous voir « travailler ».

Il remarqua sur la table devant moi des albums de photos. J'avais ramené les vieux albums de ma grand-mère, dont les Baltimore avaient été exclus et j'y avais rajouté des photos retrouvées chez Oncle Saul.

— Qu'est-ce que vous fabriquez, Marcus ? me demanda Leo intrigué.

— Je répare, Leo. Je répare.

30.

Floride.
Janvier 2011. Sept ans après le Drame.

Grand-mère invitait régulièrement Oncle Saul à dîner. Quand j'étais en visite chez lui, je me joignais à eux.

Ce soir-là, elle avait réservé dans un restaurant de poisson au nord de Miami et elle avait laissé un message sur le répondeur d'Oncle Saul pour donner ses consignes vestimentaires. «Nous allons dans un restaurant chic, Saul, fais un effort, s'il te plaît.» Avant de partir, Oncle Saul, qui avait mis son blazer – le seul qu'il possédait –, me demanda :

— De quoi ai-je l'air?

— Tu es parfait.

Ce ne fut pas l'avis de Grand-mère. Nous arrivâmes à l'heure, mais comme elle était en avance elle considéra que nous étions en retard.

— De toute façon, Saul, tu es systématiquement en retard. Note que là, comme Markie était avec toi, je me suis dit que vous étiez sans doute pris dans les bouchons.

— Désolé, Maman.

— Et puis regarde-toi, tu aurais au moins pu mettre une veste et une chemise qui vont ensemble.

— Markie a dit que ça allait.

— C'est vrai, dis-je.

Elle haussa les épaules.

— Si Markie pense que ça va, alors ça va. C'est lui la

vedette. Quand même, Saul, tu pourrais faire un peu attention à toi. Avant, tu étais toujours tellement élégant.

— C'était avant.

— Ah, j'ai eu les Montclair au téléphone tout à l'heure. Nathan aimerait nous recevoir cet été. Je pense que ça te changerait les idées. Il dit qu'il s'occupera des billets d'avion.

— Non, Maman. Je n'ai pas envie. Je te l'ai déjà dit.

— Tu es toujours en train de dire non. Une vraie tête de mule. Nathan est doux comme moi, toi tu as toujours voulu n'en faire qu'à ta tête. Comme ton père ! C'est pour ça que vous avez eu tant de mal à vous entendre.

— Ça n'a rien à voir, protesta Oncle Saul.

— Ça a tout à fait à voir. Si vous aviez été moins bornés tous les deux, les choses auraient été différentes.

Ils se disputèrent brièvement. Puis nous commandâmes nos plats et nous mangeâmes en quasi-silence. Quand le repas toucha à sa fin, Grand-mère quitta la table, prétextant devoir « aller au petit coin », pour aller payer l'addition sans embarrasser son fils. Au moment de partir, en embrassant Oncle Saul, elle glissa un billet de 50 dollars dans sa poche. Elle sauta dans un taxi, le voiturier apporta ma Range Rover et nous rentrâmes.

Régulièrement, comme il le fit ce soir-là, Oncle Saul me demandait de rouler un peu pour le plaisir. Il ne me donnait pas d'indications précises, mais je savais ce qu'il attendait de moi. Je remontais Collins Avenue, je passais devant les immeubles du bord de mer. Parfois, je roulais jusqu'à West Hollywood et Fort Lauderdale. Parfois, je bifurquais vers Aventura et Country Club Drive, et je repassais devant les immeubles du temps glorieux des Baltimore. Il finissait par dire : « Rentrons, Markie. » Je ne sus jamais si ces tours en voiture étaient des moments de nostalgie ou des tentatives de fuite. Je me disais qu'il allait me demander de bifurquer, de prendre l'autoroute I-95, celle qui monte jusqu'à Baltimore, et de retourner à Oak Park.

Pendant que nous roulions sans but à travers Miami, je demandai à Oncle Saul : « Que s'est-il passé entre toi et Grand-père pour que vous ne vous parliez plus pendant douze ans » ?

31.

Il y a une photo qui trône sur la table de nuit de ma grand-mère depuis toujours. Elle a été prise dans le New Jersey, au milieu des années 1960. On y voit les trois hommes de sa vie. Au premier plan, mon père et Oncle Saul, adolescents. Derrière eux, mon grand-père, Max Goldman, fier, plein d'allure, loin de l'image de l'homme tout pâle, plié en deux par l'âge et cantonné à sa tranquille vie de retraité en Floride que j'avais toujours eue de lui. En arrière-plan, la jolie maison blanche où ils habitaient, au 1603 Graham Avenue, à Secaucus.

Dans leur quartier, nulle famille n'était plus respectée que la leur. Ils étaient les Goldman-du-New-Jersey. Ils vivaient leurs plus belles années

À la tête de la famille, Max Goldman. Une allure d'acteur et des costumes taillés sur mesure. Toujours une cigarette au coin des lèvres. Un homme loyal, honnête, dur en affaires, dont la parole valait n'importe quel contrat. Un mari aimant, un père attentionné, un patron adoré par ses employés. Un homme respecté. Affable, charismatique, il aurait pu vendre n'importe quoi à n'importe qui. Aux démarcheurs et aux Témoins de Jéhovah qui sonnaient à leur porte, le Grand Goldman enseignait l'art de vendre. Il les installait dans la cuisine, leur dispensait quelques conseils théoriques avant de les accompagner dans leur tournée pour des exercices pratiques.

Parti de rien, il a d'abord vendu des aspirateurs, puis des

voitures, avant de se spécialiser dans le matériel médical et de se lancer à son compte. Quelques années plus tard, à la tête de Goldman & Cie, qui compte une cinquantaine d'employés, il est l'un des principaux fournisseurs de matériel médical de la région, ce qui lui assure un confortable niveau de vie. Sa femme, Ruth Goldman, est une mère de famille respectée et appréciée de tous. Elle gère dans l'ombre toute la comptabilité de la compagnie. C'est une femme douce, volontaire et avec beaucoup de caractère. Ceux qui ont besoin de son aide ne trouvent jamais porte close.

Depuis quelques années, pendant les vacances scolaires, Max Goldman se fait aider par ses deux fils au sein de Goldman & Cie. Non pas qu'il en ait réellement besoin, mais il veut les intéresser, il espère qu'ils reprendront les rênes de l'entreprise et la feront prospérer davantage. Ses deux garçons sont sa plus grande fierté. Ils sont polis, intelligents, sportifs, éduqués ; ils n'ont pas encore dix-sept ans, mais il sent bien que ce sont déjà des hommes. Il les réunit dans son bureau, leur expose ses idées et sa stratégie, et leur demande ensuite leur avis. Mon père s'intéresse de près aux machineries, il pense qu'il faut développer les technologies, imaginer des alliages plus légers. Il veut devenir ingénieur. Mon oncle Saul est plus porté sur la réflexion : il aime imaginer le développement stratégique de la compagnie.

Max Goldman est comblé : ses fils sont complémentaires. Ils ne sont pas rivaux : bien au contraire, chacun a son propre sens des affaires. Les soirs d'été, il aime se promener avec eux dans le quartier. Ils ne refusent jamais. Ils marchent, bavardent, et en chemin, ils s'assoient sur un banc. S'il est sûr que personne ne les voit, Max Goldman tend son paquet de cigarettes à ses fils. Il les traite comme des hommes. « Ne dites rien à votre mère. » Ils peuvent parfois rester sur le banc plus d'une heure : ils refont le monde et oublient le temps qui passe. Max Goldman parle du futur et il voit ses deux fils qui conquièrent le pays. Il passe ses bras autour de leurs épaules et leur dit : « Nous ouvrirons une succursale sur l'autre Côte, et des camions aux couleurs des Goldman traverseront le pays. »

Ce que Max Goldman ignore, c'est que ses deux fils,

lorsqu'ils en discutent ensemble, poussent les rêves encore plus loin : leur père veut ouvrir deux usines ? Ils en imaginent dix. Ils voient le monde en grand. Ils se voient vivre dans le même quartier, dans deux maisons proches, et les soirs d'été, se promener ensemble. Acheter ensemble une maison d'été au bord d'un lac, et y passer les vacances avec leurs familles respectives. Dans le quartier, on les appelle les frères Goldman. Ils n'ont qu'une année de différence, montrent le même goût pour l'excellence. Il est rare de voir l'un sans l'autre. Ils partagent tout et, le samedi soir, ils sortent ensemble. Ils vont à New York et hantent la Première Rue. On peut toujours les trouver chez Schmulka Bernstein, le premier restaurant chinois casher de New York. Debout sur les chaises, la tête couverte d'un chapeau chinois, ils y écrivent les plus belles pages de leur jeunesse et vivent leurs plus beaux exploits.

*

Des décennies ont passé. Tout a changé.

Vous ne retrouverez pas les bâtiments de l'entreprise familiale. Ou du moins pas tels qu'ils étaient. Une partie a été rasée et l'autre, restée à l'abandon, est devenue une ruine, depuis que le projet immobilier qui devait naître à leur place a été bloqué par une association de riverains. Goldman & Cie a été rachetée en 1985 par la firme technologique Hayendras.

Vous ne retrouverez pas non plus les lieux de leur jeunesse. Schmulka Bernstein n'existe plus. À la place, sur la Première Rue, il y a désormais un restaurant branché bobo qui sert d'excellents sandwichs au fromage grillé. La seule trace du passé est une vieille photo de ce qu'avait été cet endroit, accrochée près de l'entrée du restaurant. On y voit, debout sur des chaises, deux adolescents aux traits assez similaires, coiffés de chapeaux chinois.

Si Grand-mère Ruth ne m'en avait pas parlé, je n'aurais jamais pu imaginer que mon père et Oncle Saul avaient été un jour liés par une telle connivence. Les scènes dont j'avais été témoin, à Baltimore lors de Thanksgiving ou durant les vacances d'hiver en Floride, me semblaient à des années-lumière des récits de leur enfance. Tout ce que j'avais pu déceler entre eux n'avait été que leurs différences.

Je me souviens bien de nos sorties en famille à Miami. Mon père et Oncle Saul s'accordaient d'avance sur le restaurant où nous allions dîner, choisissant en général parmi une liste de quelques-uns qui se valaient et où nous aimions tous aller. À la fin du repas, malgré les protestations de Grand-père, l'addition était payée à parts égales par mon père et Oncle Saul, au nom d'une fraternité absolument symétrique. Mais parfois, environ une fois par saison, Oncle Saul nous emmenait dans un restaurant de meilleur standing. Il annonçait d'avance «je vous invite», ce qui indiquait à l'assemblée des Goldman, un peu impressionnée, que c'était un restaurant hors de portée du portemonnaie de mes parents. En général, tout le monde était ravi: Hillel, Woody et moi nous réjouissions de découvrir un nouvel endroit. Grand-père et Grand-mère, eux, s'extasiaient devant tout, que ce soit la variété du menu, la beauté de la salière, la qualité de la vaisselle, le tissu des serviettes, le savon des toilettes ou la limpidité des urinoirs automatiques. Seuls mes parents se plaignaient. Avant de partir au restaurant, j'entendais ma mère pester: «Je n'ai rien à me mettre, je n'ai pas prévu de grandes tenues. On est en vacances, pas au cirque! Enfin, Nathan, tu pourrais quand même dire quelque chose.» Après le dîner, en sortant du restaurant, mes parents restaient en arrière de la procession des Goldman, et ma mère déplorait la nourriture qui ne valait pas son prix et le service obséquieux.

Je ne comprenais pas pourquoi elle traitait Oncle Saul de la sorte, au lieu de reconnaître sa générosité. Une fois, j'entendis même ma mère utiliser à son encontre des termes particulièrement virulents. À cette époque, on parlait de licenciements dans la compagnie où travaillait mon père. Je n'en savais rien, mais mes parents avaient failli renoncer aux vacances en Floride pour mettre de l'argent de côté en cas de coup dur, avant de décider de les maintenir malgré tout. Dans ces moments-là, j'en voulais à Oncle Saul parce qu'il rendait mes parents petits. Il leur jetait le sort maudit de l'argent, qui les faisait rapetisser jusqu'à n'être que deux vermisseaux pleurnichards, qui devaient se déguiser pour sortir et se faire offrir une nourriture qu'ils n'avaient pas les moyens de se payer. Je voyais également le regard débordant de fierté de mes grands-parents. Les jours qui suivaient ces sorties, j'entendais Grand-père Goldman raconter à qui voulait l'entendre combien son fils, le grand Saul, roi de la tribu des Baltimore, avait réussi dans la vie. « Ce restaurant, disait-il, si vous aviez vu ça ! Du vin français comme vous n'en avez jamais bu, de la viande qui fond dans la bouche. Le personnel aux petits soins ! Vous n'avez pas le temps de dire ouf que votre verre est à nouveau rempli. »

À Thanksgiving, Oncle Saul offrait des billets d'avion en première classe à mes grands-parents pour venir à Baltimore. Ils s'extasiaient du confort des sièges, de l'excellence du service à bord, des repas servis dans de la vaisselle et du fait qu'ils pouvaient embarquer avant tout le monde. « Embarquement prioritaire ! s'exclamait Grand-père, triomphant, en nous narrant ses exploits de voyageur. Et pas parce qu'on est vieux et impotents, mais parce que grâce à Saul on est des clients importants ! »

Toute ma vie, je vis mes grands-parents porter mon oncle en triomphe. Ses choix étaient perfection, et sa parole vérité. Je les vis aimer Tante Anita comme si elle était leur fille, je les vis vénérer les Baltimore. Comment imaginer qu'il y avait eu une période de douze ans pendant laquelle Grand-père et Oncle Saul ne s'étaient pas parlé !

Il me revient également en mémoire nos séjours familiaux en Floride avant la Buenavista, à l'époque où nous habitions tous dans l'appartement de mes grands-parents. Il était fréquent que nos avions atterrissent presque en même temps et que nous arrivions ensemble à l'appartement. Mes grands-parents, en nous ouvrant la porte, embrassaient toujours Oncle Saul en premier. Puis ils nous disaient : « Allez poser vos valises, mes chéris. Les enfants, on vous a installés dans le salon ; Nathan et Deborah, dans la pièce de la télévision. Saul et Anita, vous êtes dans la chambre d'amis. » Chaque année, ils annonçaient la répartition des lits comme s'il s'agissait d'une grande loterie, mais chaque année, c'était pareil : Oncle Saul et Tante Anita héritaient de la chambre d'amis tout confort, avec grand lit et salle de bains attenante, et mes parents étaient réduits au canapé-lit de la pièce étriquée dans laquelle mes grands-parents regardaient la télévision. Cette pièce présentait à mes yeux deux déshonneurs. D'abord, parce qu'elle avait été secrètement rebaptisée la «puanterie» par le Gang des Goldman, en raison de l'odeur rance qui y persistait (mes grands-parents n'y faisaient jamais fonctionner la climatisation). Chaque année en arrivant, Hillel et Woody, qui, eux, croyaient à un hasard authentique dans la loterie des lits, tremblaient à l'idée de devoir y dormir. Et au moment de l'annonce des lots par Grand-père, je les voyais se tenir la main et implorer le ciel en disant: «Pitié, pas la "puanterie"! Pitié, pas la "puanterie"!» Mais ce qu'ils ne comprirent jamais, c'est que la «puanterie» était le supplice de mes parents: c'était toujours eux qui étaient condamnés à y séjourner.

Le second déshonneur n'était pas lié à la pièce elle-même, mais au fait qu'il n'y avait pas de toilettes à proximité. Ce qui impliquait pour mes parents, s'ils avaient un besoin nocturne, de traverser le salon où nous, le Gang des Goldman, dormions. Ma mère, coquette et élégante, ne s'était jamais montrée à moi sans être apprêtée. Je me souviens que lors des petits déjeuners du dimanche, mon père et moi l'attendions longuement à table. Je demandais où était Maman et mon père me répondait par un immuable «Elle se prépare». En Floride, au cœur de la nuit, je la devinais traversant la pièce pour rejoindre les toilettes, vêtue d'une vilaine chemise de nuit froissée, les cheveux en bataille. Je trouvais cette scène humiliante. Une nuit, au moment de passer devant nous, un coin de sa chemise de nuit se leva et nous vîmes ses fesses nues. Nous faisions tous les trois semblant de dormir et je sais qu'Hillel et Woody la virent parce que, lorsqu'elle s'enferma dans les cabinets, après s'être assurés que je dormais – ce qui n'était pas le cas –, ils pouffèrent et se moquèrent d'elle. Je l'ai longtemps haïe pour s'être ainsi montrée nue et avoir, une fois encore, jeté l'opprobre sur les Montclair, dormeurs de la «puanterie» et promeneurs nocturnes exhibitionnistes, tandis que lorsqu'ils sortaient de leur chambre avec salle de bains, Oncle Saul et Tante Anita étaient, eux, toujours propres et habillés.

En Floride, je fus aussi le témoin caché des tensions récurrentes entre mes parents et Oncle Saul. Un jour, alors qu'il se croyait seul avec lui dans le salon, j'entendis mon père dire d'un ton cinglant à Oncle Saul :

— Tu ne m'as pas dit que tu prenais des billets en première classe pour Papa et Maman. C'est le genre de décision qu'on doit prendre ensemble. Combien je te dois ? Je vais te faire un chèque.

— Mais non, laisse.

— Non, je veux payer ma part.

— Vraiment, ne t'en fais pas. Je ne suis pas à ça près.

Je ne suis pas à ça près. Ce n'est que des années plus tard que je compris que mes grands-parents n'auraient jamais pu vivre avec la maigre rente que Grand-père touchait depuis la chute de Goldman & Cie, et que le financement de leur vie en Floride ne tenait à rien d'autre qu'à la générosité d'Oncle Saul.

À chaque retour de Thanksgiving, j'entendais ma mère énumérer ses griefs contre Oncle Saul.

— Évidemment, il peut faire le malin avec ses billets en première classe pour vos parents. On n'a pas les moyens, nous, il devrait s'en rendre compte !

— Il a refusé mon chèque, il a tout payé, le défendait mon père.

— C'est la moindre des choses ! Enfin, quand même !

Je n'aimais pas ces retours à Montclair. Je n'aimais pas entendre ma mère parler en mal des Baltimore. Je n'aimais pas l'entendre les dénigrer, déblatérer sur leur incroyable maison, leur style de vie, leurs voitures sans cesse nouvelles, et la voir haïr tout ce qui me fascinait. Longtemps, je crus que ma mère avait été jalouse de sa propre famille. C'était avant que je comprenne le sens de ce qu'elle asséna un jour à mon père, et qui n'allait trouver écho que des années plus tard. Je n'oublierai pas ce retour de Baltimore, lorsqu'elle dit : « Mais enfin, est-ce que tu te rends compte que tout ce qu'il a, au fond, c'est grâce à toi ? »

32.

En ce mois d'avril 2012, alors que je mettais de l'ordre dans la maison de mon oncle, je me renversai dessus le café que j'étais en train de boire. Pour limiter les dégâts, j'enlevai mon t-shirt et passai la partie tachée sous l'eau. Puis je le mis à sécher sur la terrasse, restant torse nu. Cette scène me rappela Oncle Saul quand il faisait sécher son linge sur un fil tendu à l'arrière de la maison. Je le vois sortir le linge propre de la machine à laver et le mettre dans un bac en plastique, pour l'emporter dehors. Il se dégage une agréable odeur d'adoucissant. Ses vêtements secs, il les repassait lui-même, maladroitement.

Quand il s'installa à Coconut Grove, il disposait encore de moyens financiers considérables. Il employait une femme de ménage, Fernanda, qui venait trois fois par semaine, nettoyait la maison et l'égayait avec des fleurs fraîches et des pots-pourris, lui préparait des repas et s'occupait du linge.

Il dut s'en séparer quelques années plus tard, quand il perdit tout. J'avais insisté pour la garder et lui payer son salaire, mais Oncle Saul avait refusé. Pour lui forcer la main, j'avais versé d'avance six mois de salaire à Fernanda, mais à son arrivée il l'avait mise dehors en refusant de lui ouvrir la porte.

— Je n'ai plus les moyens de vous employer, lui avait-il expliqué à travers la porte.

— Mais c'est Monsieur Marcus qui m'envoie. Il m'a déjà payée. Si vous ne me laissez pas travailler, c'est comme si je volais votre neveu. Vous ne voulez tout de même pas que je vole votre neveu, non ?

— Vos arrangements ne regardent que vous. Je me débrouille très bien tout seul.

Elle m'avait téléphoné en pleurs depuis la terrasse de la maison. Je lui avais dit de garder ses six mois de salaire pour qu'elle ait le temps de trouver un nouvel emploi.

Après le départ de Fernanda, je pris l'habitude d'apporter chaque semaine mon linge sale au pressing. J'avais supplié Oncle Saul de me laisser prendre aussi le sien, mais il était trop fier pour accepter quoi que ce soit. Il faisait également son ménage sans aide. Lors de mes séjours chez lui, il attendait que je m'absente pour s'en occuper. Au retour d'une course, je le trouvais en train de nettoyer le sol, suant à grosses gouttes. « C'est agréable d'avoir une maison propre », devisait-il en souriant. Un jour, je lui dis :

— Ça me gêne que tu ne me laisses pas t'aider.

Il était en train de nettoyer les vitres avec un chiffon et s'interrompit.

— Est-ce que ça te gêne de ne pas m'aider, ou de me voir faire le ménage ? Tu penses que c'est indigne de moi ? Qui est trop bien pour laver ses propres toilettes ?

Il tapait dans le mille. Et je compris qu'il avait raison. J'admirais de la même façon l'oncle Saul millionnaire et l'oncle Saul qui remplissait les sacs de commissions au supermarché : ce n'était pas une question de richesse, mais une question de dignité. La force et la beauté de mon oncle, c'était sa dignité extraordinaire, qui le rendait supérieur aux autres. Et cette dignité, personne ne pouvait la lui reprendre. Au contraire, elle se renforçait davantage avec le temps. Néanmoins, le voyant laver son plancher, je ne pouvais pas m'empêcher de repenser à l'époque des Goldman-de-Baltimore : chaque jour, défilait dans leur maison d'Oak Park une armée de travailleurs chargés de son entretien. Il y avait Maria, employée à plein temps pour le ménage et présente chez les Baltimore depuis que nous étions enfants, Skunk le jardinier, les gens de la piscine, ceux de la taille des arbres (trop hauts pour Skunk), ceux de l'entretien du toit, une gentille dame philippine et ses sœurs qui venaient comme extras pour assurer le service à table lors de Thanksgiving ou des grands dîners.

Parmi ce peuple de l'ombre qui faisait briller le palais des Baltimore, Maria était celle qui me plaisait le plus. Elle était d'une grande gentillesse à mon égard et me gratifiait, au moment de mon anniversaire, d'une boîte de chocolats. Je l'appelais la magicienne. Lors de mes séjours, elle faisait disparaître mes vêtements sales éparpillés dans la chambre d'amis et les reposait sur mon lit le soir même, lavés et repassés. J'étais en admiration totale devant son efficacité. À Montclair, c'était ma mère qui s'occupait de la lessive et du repassage. Elle accomplissait cette tâche le samedi ou le dimanche (quand elle ne travaillait pas), ce qui signifiait qu'il fallait environ une semaine pour que je retrouve mes vêtements propres. Je devais donc minutieusement choisir mes tenues en fonction des événements de la semaine à venir, pour ne pas me retrouver pris au dépourvu si le pull que je voulais mettre tel jour pour impressionner des filles n'avait pas réapparu dans mon armoire.

Même dans mes années universitaires, quand j'allais chez les Baltimore pour Thanksgiving, Maria s'arrangeait pour prendre tout mon linge sale et le déposer propre sur mon lit. Après le Drame qui survint la veille de Thanksgiving 2004, Oncle Saul ne retourna plus à Oak Park. Mais elle continua de venir avec une fidélité à toute épreuve.

*

Floride.
Printemps 2011.

Le lendemain de notre dîner avec Grand-mère, en rentrant d'un long jogging, je trouvai justement Oncle Saul en train de passer l'aspirateur.

La veille, dans la voiture, il n'avait fait qu'effleurer les souvenirs de sa jeunesse, profitant du fait que nous arrivions à proximité de la maison pour s'interrompre.

— Tu n'as pas fini de me parler de toi et Grand-père, hier.

— Il n'y a pas beaucoup plus à dire. De toute façon, le passé c'est le passé.

Il débrancha l'aspirateur, en rembobina le cordon et le rangea dans un placard, comme si tout cela n'avait aucune importance. Finalement, il se tourna vers moi et il eut ces mots stupéfiants :

— Tu sais, Marcus, tes grands-parents ont toujours préféré ton père à moi.

— Quoi ? Mais qu'est-ce que tu racontes, enfin ? Ils ont toujours été tellement impressionnés par toi.

— Impressionnés, peut-être. Mais ça ne veut pas dire qu'ils ne préféraient pas ton père.

— Comment peux-tu penser une chose pareille ?

— Parce que c'est la vérité. Ton père et moi avons été très liés jusqu'à l'université. Notre relation s'est compliquée lorsque ton grand-père a refusé que je fasse médecine.

— Tu voulais être médecin ?

— Oui. Grand-père ne voulait pas. Il disait que ça ne servirait pas la compagnie familiale. Ton père, en revanche, voulait être ingénieur, ce qui était dans les plans de Grand-père. Il m'a envoyé dans une université de seconde zone, dont les frais de scolarité étaient peu élevés, et il a investi ce qu'il avait pour que ton père puisse aller étudier dans une université de renom. Il a fait des études au top niveau. Ton grand-père l'a nommé directeur de la compagnie. Moi qui étais pourtant l'aîné, je n'étais qu'un second couteau. Tout ce que j'ai pu faire ensuite, c'est d'essayer d'épater tes grands-parents pour oublier que j'ai toujours été considéré comme inférieur à ton père.

— Mais que s'est-il passé ? demandai-je.

Il haussa les épaules, attrapa un chiffon et du détergent, et s'en alla nettoyer les vitres de la cuisine.

Comme Oncle Saul ne semblait pas très enclin à la discussion, je décidai d'en parler avec Grand-mère. Sa version était légèrement différente de celle de mon oncle.

— Ton grand-père voulait que Saul et ton père codirigent l'entreprise, m'expliqua-t-elle. Il considérait que ton père saurait faire face aux défis techniques, tandis que ton oncle avait une âme de meneur. Mais ça, c'était avant la dispute entre Grand-père et Saul.

— Oncle Saul m'a dit qu'il voulait faire médecine, mais que Grand-père s'y est opposé.

— Grand-père considérait que la médecine était une perte de temps et d'argent.

Grand-mère proposa d'aller sur le balcon, pour qu'elle puisse fumer. Nous nous assîmes sur deux chaises en plastique et je la regardai faire jouer une cigarette entre ses doigts tordus, la porter à sa bouche, l'allumer et tirer dessus lentement avant de reprendre :

— Tu comprends, Markie, Goldman & Cie était le bébé de ton grand-père. Il avait bataillé dur pour en arriver là et il avait des idées précises sur la conduite à tenir. C'était un homme très ouvert d'esprit, mais parfois inflexible sur certains sujets.

À la fin des années 1960, quand Oncle Saul avait voulu devenir médecin, il s'était heurté à l'incompréhension de son père. «Toutes ces années d'études pour faire quoi? Ton rôle au sein de l'entreprise est de la conduire vers de nouveaux défis. Tu dois apprendre la stratégie, le commerce, la comptabilité. Tout ce genre de choses. Mais la médecine, pfff! quelle idée saugrenue!» Oncle Saul n'eut pas d'autre choix que d'obéir et il entama des études de gestion dans une petite université du Maryland. Tout changea quand il découvrit que ses parents envoyaient son frère étudier à l'université de Stanford. Il y vit la préférence d'un frère sur l'autre et en fut profondément blessé. Lors des réunions de famille, les gens étaient évidemment beaucoup plus impressionnés par mon père, fier étudiant dans une prestigieuse université, que par mon oncle et ses études de seconde classe. Oncle Saul voulut montrer de quoi il était capable. Il avait noué une très bonne relation avec l'un de ses professeurs, qui l'aida à préparer un plan de développement pour Goldman & Cie. Un jour, Saul revint à la maison avec un imposant dossier qu'il voulut présenter en détail à son père.

— J'ai des idées pour développer davantage l'entreprise, expliqua Oncle Saul à Grand-père, qui le regarda d'un œil méfiant.

— Pourquoi développer davantage et pas pérenniser?

Vous êtes de cette génération qui n'a pas connu la guerre et qui pense que tout est acquis.

— Le professeur Hendricks dit que…

— Qui est le professeur Hendricks ?

— Mon professeur de management à l'université. Il dit qu'il ne faut voir son entreprise que de deux façons : est-ce que je veux manger ou être mangé ?

— Eh bien, ton professeur a tort. C'est en voulant à tout prix grandir qu'on coule.

— Mais à être trop prudent, on ne grandit pas et on finit écrasé par un plus fort.

— Est-ce que ton professeur a déjà créé une entreprise ? demanda Grand-père.

— Pas que je sache, répondit Oncle Saul en baissant la tête.

— Eh bien moi, si ! Et mon entreprise marche très bien. Ton professeur s'y connaît-il en matériel médical ?

— Non, mais…

— Voilà les universitaires, toujours en train de théoriser. Ton professeur, qui n'a jamais créé d'entreprise et ne connaît rien au matériel médical, voudrait m'apprendre à diriger Goldman & Cie.

— Non, pas du tout, tempéra Oncle Saul, nous avons seulement quelques idées.

— Des idées ? Quel genre d'idées ?

— Pour vendre nos appareils ailleurs que dans la région du New Jersey.

— Nous pouvons déjà livrer aussi loin qu'il le faut.

— Mais a-t-on des clients ?

— Pas vraiment. Mais cela fait longtemps que l'on parle de l'opportunité d'ouvrir sur la côte Ouest.

— Justement, tu dis cela depuis qu'on est enfants, mais rien n'a avancé.

— Rome ne s'est pas bâtie en un jour, Saul !

— Le professeur Hendricks pense que le seul moyen de s'étendre est d'ouvrir des succursales dans d'autres États. Il y aura à chaque fois une succursale et un dépôt de matériel, qui pourraient nouer des relations de confiance avec les clients et répondre rapidement à leurs besoins.

Grand-père fit la moue.

— Et avec quel argent tu ouvres les succursales ?

— Il faut ouvrir le capital à des investisseurs. On pourrait avoir un bureau à New York avec quelqu'un qui...

— Tsss, un bureau à New York ! Qu'est-ce qu'il y a ? Secaucus, New Jersey, n'est pas assez chic pour toi ?

— Ce n'est pas ça, mais...

— Ça suffit, Saul ! Je ne veux plus entendre un mot de ces imbécillités ! Je suis quand même le patron de mon entreprise, ou quoi ?

Il s'écoula deux années pendant lesquelles Oncle Saul ne parla plus à son père de ses idées de développement pour Goldman & Cie. Mais il parla de droits civiques. Le professeur Hendricks était un homme de gauche, militant des droits civiques. Oncle Saul se joignit à certaines de ses activités. À la même période, il commença à nouer une relation avec sa fille, Anita Hendricks. Quand il revenait à Secaucus, il parlait désormais des « causes à défendre » et des « actions à mener ». Il se mit à voyager à travers le pays pour accompagner le professeur Hendricks et Anita dans des marches de protestation. Ce nouvel engagement agaça prodigieusement Grand-père. C'est ce qui conduisit à la dispute qui allait les amener à ne plus se parler pendant douze ans.

Cela se produisit une nuit d'avril 1973, pendant les vacances de printemps, qu'Oncle Saul passait chez ses parents à Secaucus. Il était près de minuit et Grand-père attendait Oncle Saul en faisant les cent pas dans le salon. Il posait et reprenait sans cesse un exemplaire du *Time Magazine* sur la table.

Grand-mère se trouvait dans la chambre à coucher, à l'étage. À plusieurs reprises, elle avait supplié Grand-père de venir se coucher, mais il ne voulait rien entendre. Il voulait des explications de la part de son fils. Grand-mère finit par s'endormir. Jusqu'à ce que leurs cris la réveillent. Elle entendit la voix sourde de Grand-père traverser le plancher.

— Saul, Saul, bon sang ! As-tu conscience de ce que tu es en train de faire ?

— Ce n'est pas ce que tu crois, Papa.

— Je crois ce que je vois, et je te vois pris au beau milieu d'imbécillités !

— Des imbécillités ? Et toi, Papa, as-tu conscience de ce que tu es en train de ne pas faire en refusant de protester ?

À l'origine de la colère de Grand-père, était la photo qui faisait la couverture du *Time* : une manifestation qui avait eu lieu à Washington la semaine précédente. On y voyait distinctement Oncle Saul, Tante Anita et son père au premier rang, le poing en l'air. Grand-père craignait que tout cela ne se termine mal.

— Regarde, Saul ! Regarde-toi ! cria-t-il en lançant le journal au visage de son fils. Tu sais ce que je vois sur cette photo ? Des ennuis ! Une montagne d'ennuis ! Qu'est-ce que tu veux, au fond ? Avoir le FBI sur le dos ? Et la compagnie, tu y penses ? Tu sais ce que le FBI fera s'il pense que tu es dangereux ? Ils ruineront ta vie et la nôtre. Ils enverront le fisc couler la compagnie ! Est-ce que c'est ce que tu veux ?

— Tu ne crois pas que tu en fais un peu trop, Papa ? On manifeste pour un monde plus juste, je ne vois pas de mal à ça.

— Vos manifestations ne servent à rien, Saul ! Enfin, ouvre un peu les yeux ! Cela va mal se terminer, voilà ce que tu auras gagné. Tu vas finir par te faire tuer !

— Tué par qui ? Par la police ? Le gouvernement ? Bravo, l'État de droit !

— Saul, depuis que tu fréquentes ce professeur Hendricks, et surtout sa fille, tu es devenu beaucoup trop obsédé par ces histoires de droits civiques…

— Elle a un prénom, elle s'appelle Anita.

— Anita, soit. Eh bien, je ne veux plus que tu la revoies.

— Mais enfin, Papa, pourquoi ?

— Parce qu'elle a une mauvaise influence sur toi ! Depuis que tu la fréquentes, tu te mets dans des situations impossibles ! Tu es sans cesse à parcourir la Côte pour aller manifester. Tu auras l'air malin si tu rates tes examens parce que tu as passé tout ton temps à préparer des tracts et des pancartes au lieu d'étudier. Préoccupe-toi de ton avenir, au nom du Ciel ! Ton avenir est ici, avec la compagnie.

— Mon avenir est avec elle.

— Ne dis pas de sottises. Tu t'es fait laver le cerveau par son père ! Comment expliques-tu que tu sois soudain le grand défenseur des droits civiques ? Que s'est-il passé ?

— Son père n'a rien à voir là-dedans !

Grand-mère entendait le ton monter de plus en plus, mais elle n'osait pas descendre. Elle songeait qu'une discussion franche pourrait leur faire du bien à tous les deux. Mais leur dispute dégénéra.

— Je ne comprends pas pourquoi tu n'es pas capable de me faire confiance, Papa. Pourquoi tu te sens obligé de toujours tout contrôler.

— Saul, tu deviens complètement fou ! Tu ne peux pas imaginer que je me fais simplement du souci pour toi ?

— Du souci ? Vraiment ? De quoi te soucies-tu ? De ta succession à la fabrique ?

— Je m'inquiète qu'à force de te mêler de toutes ces histoires de droits civiques tu finisses par disparaître un jour !

— Disparaître ? Mais c'est justement ce que je vais faire ! J'en ai marre d'entendre tes foutues conneries ! Tu veux tout diriger ! Tout commander !

— Saul, ne me parle pas sur ce ton !

— De toute façon, tout ce qui t'intéresse, c'est Nathan. Tu n'as de considération que pour lui.

— Au moins Nathan n'a pas ces idées farfelues qui nous feront tous couler !

— Farfelues ? Je veux juste travailler au bien de l'entreprise, mais tu ne veux jamais m'écouter ! Tu ne seras toujours qu'un vendeur d'aspirateurs !

— Qu'as-tu dit ? hurla Grand-père.

— Tu as très bien entendu ! Je ne veux plus rien à voir avec ton entreprise ridicule ! Je suis mieux loin de toi ! Je me tire !

— Saul, tu dépasses les bornes ! Je te préviens : si tu franchis cette porte, ce n'est plus la peine de revenir !

— Ne t'inquiète pas, je pars et je ne mettrai plus jamais les pieds dans ce foutu New Jersey !

Grand-mère se précipita hors de la chambre et descendit les escaliers en trombe, mais il était déjà trop tard : Oncle Saul avait claqué la porte de la maison et avait déjà sauté dans sa voiture. Elle sortit dehors pieds nus, elle le supplia de ne pas partir, mais il démarra. Elle courut derrière sa voiture sur quelques mètres, puis elle comprit qu'il ne s'arrêterait pas. Il était parti pour de bon.

Oncle Saul tint sa promesse. Du vivant de Grand-père, il ne revint plus jamais dans le New Jersey. Il n'y remit les pieds qu'à sa mort en mai 2001. Grand-mère, entre deux bouffées de sa cigarette, avec derrière elle des nuées de mouettes survolant l'océan, me raconta que le jour où elle téléphona à Oncle Saul pour lui annoncer la mort de Grand-père, sa réaction ne fut pas de descendre en Floride, mais de se précipiter dans le New Jersey familial, dont il s'était lui-même banni pendant toutes ces années.

33.

À force de me voir quitter Boca Raton tous les matins, Leo, curieux de savoir ce que je faisais, se mit à m'accompagner à Coconut Grove. Il ne me fut d'aucune aide. Tout ce qui l'intéressait, c'était ma compagnie. Il s'installait sur la terrasse, à l'ombre du manguier, et me répétait : «Ah, ce qu'on est bien ici, Marcus.» J'aimais bien sa présence.

La maison se vidait peu à peu.

Je rentrais parfois chez moi avec un carton d'objets que je voulais garder. Leo fouinait dedans et me disait :

— Allons, Marcus, qu'allez-vous faire de ces vieilleries? Vous avez une maison magnifique et vous allez la transformer en brocante.

— Ce sont simplement quelques souvenirs, Leo.

— Les souvenirs, c'est dans la tête. Le reste n'est que de l'encombrement.

Je n'interrompis le rangement méthodique des affaires de mon oncle que quelques jours pour aller à New York. J'avais presque terminé à Coconut Grove lorsque mon agent m'avait téléphoné : il avait obtenu que je participe à une émission de télévision à la mode. Le tournage était prévu cette semaine.

— Je n'ai pas le temps, lui répondis-je. Et puis, s'ils me proposent ça à quelques jours du tournage, c'est qu'ils ont un désistement et qu'ils ont besoin d'un bouche-trou.

— Ou que tu as un agent fantastique qui s'est arrangé pour que cela se passe ainsi.

— Qu'est-ce que tu veux dire ?
— Ils enregistrent deux numéros de l'émission à la suite. Tu es l'invité du premier, et Alexandra Neville est l'invitée du second. Vos loges seront côte à côte.
— Oh, fis-je, est-ce qu'elle est au courant ?
— Je ne pense pas. Alors, c'est oui ?
— Est-ce qu'elle sera seule ?
— Écoute, Marcus, je suis ton agent, pas sa mère. Est-ce que c'est oui ?
— C'est oui, dis-je.

Je pris un vol pour New York le surlendemain. Au moment de partir pour l'aéroport, Leo me fit une scène :
— Je n'ai jamais vu quelqu'un d'aussi paresseux ! Ça fait trois mois que vous êtes soi-disant en train d'écrire un livre, mais c'est toujours *mañana, mañana, mañana* !
— Ce n'est que l'affaire de quelques jours.
— Mais quand allez-vous vraiment commencer ce fichu livre ?
— Très bientôt, Leo. Je vous le promets.
— Marcus, j'ai l'impression que vous vous fichez de moi. Vous n'avez pas des angoisses ou une crise de la page blanche, par hasard ?
— Non.
— Vous me le diriez ?
— Bien sûr.
— Promis ?
— Promis.
J'arrivai à New York la veille de l'enregistrement de l'émission. J'étais très nerveux. Je tournai en rond toute la soirée dans mon appartement.
Le lendemain, après avoir essayé un nombre incalculable de tenues, je me rendis relativement en avance aux studios de télévision, sur Broadway. On me conduisit à ma loge, et en passant dans le couloir, je vis son nom affiché sur la porte à côté de la mienne. « Est-ce qu'Alexandra est déjà là ? » demandai-je négligemment à l'agent de sécurité qui m'accompagnait. Il me répondit que non.
Je m'isolai dans ma loge. Je ne tenais pas en place. Elle

allait arriver, et quoi ? J'allais frapper à sa porte ? Et après ? Et si elle était venue avec Kevin ? De quoi aurais-je l'air ? Je me trouvais stupide. Je voulais m'enfuir. Mais il était trop tard. Je m'allongeai sur le canapé et écoutai attentivement les sons qui provenaient du couloir. Soudain, j'entendis sa voix. Mon cœur se mit à palpiter. Il y eut un bruit de porte qui s'ouvre et se referme, puis plus rien. Je sentis soudain mon téléphone portable vibrer. Elle venait de m'envoyer un message.

Est-ce que tu es dans la loge à côté ???

Je répondis simplement :

Oui.

J'entendis un bruit de porte qui s'ouvre et se ferme à nouveau, puis un coup sourd contre la mienne. J'allai ouvrir. C'était elle.

— Markie ?

— Surprise !

— Tu savais que nous enregistrions le même jour ?

— Non, mentis-je.

Je fis un pas en arrière : elle entra dans ma loge et referma la porte. Puis elle se jeta spontanément à mon cou et me serra fort contre elle. Nous eûmes une longue étreinte. J'avais envie de l'embrasser mais je ne voulais pas risquer de tout gâcher. Je me contentai de prendre son visage entre mes mains et de regarder ses yeux qui brillaient d'un intense éclat.

— Qu'est-ce que tu fais ce soir ? me demanda-t-elle spontanément.

— Je n'ai rien de prévu... On pourrait...

— Oui, dit-elle.

Nous sourîmes.

Il nous fallait un endroit où nous retrouver. Son hôtel grouillait de journalistes et un lieu public était à exclure. Je lui proposai de venir chez moi. Il y avait un parking en sous-sol, d'où on accédait directement à l'intérieur de l'immeuble. Personne ne la verrait. Elle accepta.

Je n'aurais jamais imaginé qu'Alexandra vienne un jour dans mon appartement. Pourtant, c'était en pensant à elle que je l'avais acheté avec l'argent de mon premier roman. Je voulais un appartement dans West Village, pour elle. Et lorsque l'agent immobilier me l'avait fait visiter, j'avais eu le coup de foudre parce que je savais qu'elle l'aimerait. Et j'avais vu juste : elle l'adora. Au moment où les portes de l'ascenseur s'ouvrirent directement sur l'entrée, elle ne put retenir un cri enthousiaste. « Oh, mon Dieu, Markie, c'est exactement le genre d'appartement que j'aime ! » J'en fus très fier. Encore plus quand nous nous installâmes sur l'immense terrasse fleurie.

— C'est toi qui t'occupes des plantes ? demanda-t-elle.

— Évidemment. Tu as oublié que je suis jardinier de formation ?

Elle rit et admira un instant les fleurs énormes d'un hortensia blanc, avant de se lover dans un profond canapé extérieur. J'ouvris une bouteille de vin. Nous étions bien.

— Comment va Duke ?

— Il va bien. On n'est pas obligé de parler de mon chien, tu sais, Marcus.

— Je sais. Alors comment est-ce que tu vas ?

— Ça va. J'aime être à New York. Ça va toujours quand je suis ici.

— Pourquoi t'es-tu installée en Californie ?

— Parce que c'était mieux pour moi, Markie. Je n'avais pas envie de risquer de te croiser à chaque coin de rue. Mais ça fait un moment que je me dis que je devrais acheter un appartement ici.

— Tu es toujours la bienvenue ici, dis-je.

Je regrettai aussitôt mes paroles. Elle eut un sourire un peu triste.

— Je ne suis pas certaine que Kevin ait très envie de faire une colocation avec toi.

— Alors Kevin est toujours d'actualité ?

— Bien évidemment, Marcus. Nous sommes ensemble depuis cinq ans.

— Si c'était le bon, vous seriez déjà mariés…

— Arrête, Markie. Ne me fais pas une scène. Il vaut peut-être mieux que j'y aille…

Je m'en voulais d'avoir eu des propos aussi stupides.

— Excuse-moi, Alex… Est-ce qu'on pourrait reprendre cette soirée depuis le début?

— D'accord.

À ces mots, elle se leva et quitta la terrasse. Je ne compris pas ce qu'elle faisait et je la suivis. Je la vis se diriger vers la porte, l'ouvrir et s'en aller. Je restai interdit un bref instant, puis la sonnette retentit. Je me précipitai pour aller ouvrir.

— Salut, Markie, me dit Alexandra. Excuse-moi, je suis un peu en retard.

— Ne t'inquiète pas, c'est parfait. Je viens d'ouvrir une bouteille de vin sur la terrasse. Je t'ai même déjà servi un verre.

— Merci. Quel appartement incroyable! Alors, c'est là que tu vis?

— Eh oui.

Nous fîmes quelques pas en direction de la terrasse, je posai la main sur son épaule nue. Elle se retourna et nous nous fixâmes dans les yeux, en silence. Il y avait cette attraction sublime que nous ressentions tous les deux. J'approchai mes lèvres des siennes: elle ne recula pas. Au contraire, elle prit ma tête entre ses mains et m'embrassa.

34.

Floride.
Printemps 2011.

De façon assez soudaine, mon oncle changea de comportement avec moi. Il commença à se montrer distant. À partir du mois de mars 2011, il se mit à fréquenter régulièrement Faith, la gérante du Whole Foods.

Avant de connaître la vérité, je crus qu'ils avaient noué une relation sentimentale. Elle passait régulièrement le prendre à la maison et ils partaient ensemble. Ils s'absentaient longuement. Parfois pour la journée. Oncle Saul ne me précisait pas où ils allaient, et je ne voulais pas poser de questions. Il revenait de ses escapades souvent de mauvaise humeur, et je me demandais ce qui pouvait bien se passer entre eux deux.

J'eus bientôt la désagréable impression que quelque chose avait changé. Pour une raison que j'ignorais, Coconut Grove n'était plus cette oasis de tranquillité que j'avais connue. À la maison, je remarquai qu'Oncle Saul perdait facilement patience, ce qui n'était pas dans ses habitudes.

Au supermarché non plus, rien n'était plus comme avant. Sycomorus, qui avait échoué à participer à *Chante !*, était déprimé depuis la lettre envoyée par la production pour lui signifier son échec. Un jour, essayant de lui remonter le moral, je lui dis :

— Ce n'est que le début. Il faut que tu te battes pour tes rêves, Syc.

— C'est trop fatigant. Los Angeles déborde d'acteurs et de chanteurs qui veulent percer. J'ai l'impression que je n'y arriverai jamais.

— Trouve ce qui fait la différence en toi.

Il haussa les épaules.

— Au fond, tout ce que je veux, c'est être célèbre.

— Est-ce que tu veux être chanteur ou être célèbre ? demandai-je.

— Je veux être un chanteur célèbre.

— Mais si tu ne pouvais être qu'un seul des deux ?

— Alors je voudrais être connu.

— Pourquoi ?

— C'est agréable d'être célèbre. Non ?

— La célébrité n'est qu'un vêtement, Sycomorus. Un vêtement qui finit par être trop petit, trop usé ou que tu te feras voler. Ce qui compte avant tout, c'est ce que tu es quand t'es tout nu.

L'ambiance était morose. Quand je partageais sa pause avec Oncle Saul sur le banc devant le magasin, il était taciturne et pensif. Je ne vins bientôt plus au Whole Foods qu'un jour sur deux, puis un jour sur trois. Au fond, Faith était la seule qui rendait à Oncle Saul le sourire. Il avait pour elle des petites attentions : il lui offrait des fleurs, lui apportait des mangues de sa terrasse, il l'invita même à dîner à la maison. Pour la recevoir, il mit une cravate, ce que je ne l'avais plus vu faire depuis des années. Je me souviens qu'à Baltimore, il avait une très impressionnante collection de cravates, qui avait disparu depuis Coconut Grove.

Je fus un peu déstabilisé par l'arrivée de Faith dans le couple que je formais avec mon oncle. Je finis même par me demander si j'étais jaloux d'elle, alors que j'aurais dû être content que mon oncle ait trouvé quelqu'un pour le distraire de sa vie monotone. J'en vins à douter des raisons de mes séjours en Floride. Étais-je là par amour pour mon oncle ou pour lui montrer que son neveu de Montclair l'avait surclassé ?

Un dimanche, alors qu'il lisait dans le salon, et que je m'apprêtais à aller faire un tour à Miami pour le laisser vivre ses amourettes en paix, je lui demandai :

— Tu ne vois pas Faith aujourd'hui ?

— Non.

Je n'ajoutai rien.

— Markie, dit-il alors, ce n'est pas ce que tu crois.

— Je ne crois rien.

Quand, pour la première fois, il mit une barrière entre lui et moi, je crus que c'était à cause de toutes les questions que je lui posais et qui l'agaçaient. Cela se passa un soir, après dîner, où, comme nous le faisions souvent, nous nous promenions paisiblement dans les rues tranquilles de Coconut Grove. Je lui dis :

— Grand-mère m'a parlé de la dispute avec Grand-père. C'est à cause de ça que tu es venu à Baltimore ?

— Mon université était affiliée à celle de Baltimore. Je me suis inscrit à la faculté de droit. Je me suis dit que c'était une bonne formation. Puis j'ai passé l'examen du barreau dans le Maryland et j'ai commencé à travailler à Baltimore. Ça a vite bien marché pour moi en tant qu'avocat.

— Et tu n'as plus revu Grand-père ensuite ?

— Plus pendant douze ans. Mais Grand-mère est venue souvent nous voir.

Oncle Saul me raconta comment, pendant des années, une fois par mois, en secret, Grand-mère Ruth descendait pour la journée du New Jersey jusqu'à Baltimore, pour déjeuner avec lui.

En 1974, cela faisait un an qu'Oncle Saul et Grand-père ne se parlaient plus.

— Comment vas-tu, mon chéri ? demanda Grand-mère.

— Ça va. Mes études de droit se passent bien.

— Alors tu vas devenir avocat ?

— Oui, je pense.

— Ça pourrait être utile pour la compagnie…

— Maman, ne parlons pas de ça, s'il te plaît.

— Comment va Anita ?

— Elle va bien. Elle voulait nous rejoindre mais elle a un examen demain, elle doit réviser.

— Je l'aime beaucoup, tu sais…

— Je sais, Maman.

— Ton père aussi.
— Arrête. Ne parlons pas de lui, s'il te plaît.

En 1977, cela faisait quatre ans qu'Oncle Saul et Grand-père ne se parlaient plus. Oncle Saul terminait sa spécialisation et s'apprêtait à passer le barreau. Il s'était installé avec Tante Anita dans un petit appartement de la banlieue de Baltimore.
— Vous êtes heureux ici ? demanda Grand-mère.
— Oui.
— Et toi, Anita, tu vas bien ?
— Oui, Madame Goldman, merci. Je finis mon internat de médecine.
— Elle a déjà reçu une offre d'emploi de l'hôpital Johns Hopkins, dit fièrement Oncle Saul. Ils disent qu'ils la veulent à tout prix.
— Oh, Anita, c'est formidable ! Je suis si fière de toi.
— Comment ça va à Secaucus ? demanda Anita.
— Saul manque terriblement à son père.
— Je lui manque ? s'agaça Oncle Saul. C'est lui qui m'a mis à la porte.
— Il t'a mis à la porte ou tu es parti ? Parle-lui, Saul. Reprends contact, s'il te plaît.
Il haussa les épaules et changea de sujet.
— Comment va la compagnie ?
— Tout va bien. Ton frère a de plus en plus de responsabilités.

En 1978, cela faisait cinq ans qu'Oncle Saul et Grand-père ne se parlaient plus. Oncle Saul venait de quitter le cabinet d'avocats dans lequel il travaillait, pour ouvrir le sien. Anita et lui emménagèrent dans une toute petite villa d'un quartier résidentiel de la classe moyenne.
— Ton frère est devenu directeur de Goldman & Cie, lui dit Grand-mère.
— Tant mieux pour lui. C'est ce que Papa a toujours voulu, de toute façon. Nathan a toujours été son préféré.
— Saul, ne dis pas de sottises, veux-tu ? Il n'est pas trop tard pour revenir… Ton père serait tellement…

Il l'interrompit :
— Ça suffit, Maman. Parlons d'autre chose, s'il te plaît.
— Ton frère va se marier.
— Je sais. Il me l'a dit.
— Au moins, vous êtes en contact. Vous viendrez au mariage, n'est-ce pas ?
— Non, Maman.

En 1979, cela faisait six ans qu'Oncle Saul et Grand-père ne se parlaient plus.
— Ton frère et sa femme attendent un enfant.
Saul sourit et se tourna vers Anita, assise à côté de lui.
— Maman, Anita est enceinte...
— Oh, Saul chéri !

En 1980, cela faisait sept ans qu'Oncle Saul et Grand-père ne se parlaient plus. À quelques mois d'intervalle, nous naquîmes, Hillel et moi.
— Regarde, c'est ton neveu Marcus, dit Grand-mère en sortant une photographie de son sac.
— Nathan et Deborah viennent ici la semaine prochaine. Nous allons enfin rencontrer ce petit bonhomme. Je me réjouis.
— Tu vas rencontrer ton cousin Marcus, dit Anita à Hillel, qui dormait dans sa poussette. Tu as un fils maintenant, Saul, il serait temps d'arrêter ces histoires avec ton père.

En 1984, cela faisait plus de dix ans qu'Oncle Saul et Grand-père ne se parlaient plus.
— Hillel, qu'est-ce que tu manges ?
— Des frites, Grand-mère.
— Tu es le garçon le plus mignon que je connaisse.
— Comment va Papa ? demanda Saul.
— Pas bien. L'entreprise va très mal. Ton père est catastrophé, il dit qu'ils vont couler.

En 1985, cela faisait douze ans qu'Oncle Saul et Grand-père ne se parlaient plus. Goldman & Cie était au bord de la faillite. Mon père avait préparé un plan de sauvetage qui impliquait de revendre l'entreprise. Il avait besoin d'aide pour concrétiser son plan et il descendit à Baltimore chercher son grand frère, qui était devenu un avocat spécialisé, notamment en fusions et acquisitions.

Presque vingt-cinq ans plus tard, en parcourant Coconut Grove, Oncle Saul me raconta comment, un soir de mai 1985, ils se retrouvèrent tous les trois dans le bâtiment en briques rouges de Goldman & Cie, dans l'État de New York. La fabrique était déserte et plongée dans l'obscurité; seul était éclairé le bureau de Grand-père, qui épluchait ses livres de comptes. Mon père poussa la porte et dit doucement: «Papa, j'ai amené quelqu'un pour nous aider.»

Lorsque Grand-père vit Oncle Saul dans l'encadrement de la porte, il éclata en sanglots, se jeta contre lui et le serra brusquement dans ses bras. Ils passèrent les jours suivants dans les bureaux de la compagnie Goldman à peaufiner un plan de rachat. Durant ce séjour, Oncle Saul ne quitta pas l'État de New York, faisant les allers-retours entre son hôtel et la compagnie, sans jamais passer la frontière avec le New Jersey ni revenir dans la maison de son enfance.

Le récit d'Oncle Saul terminé, nous rentrâmes en silence à la maison. Oncle Saul sortit deux bouteilles d'eau du frigo, que nous bûmes au comptoir de la cuisine.

— Marcus, me dit-il, je crois que je voudrais que tu me laisses un peu.

Je ne compris pas tout de suite.

— Tu veux dire maintenant?

— Je voudrais que tu rentres à New York. J'aime énormément ta présence, ne te méprends pas. Mais j'ai besoin d'être un peu seul.

— Est-ce que tu es fâché contre moi?

— Non, pas du tout. Je veux juste être un peu seul.

— Je partirai demain.

— Merci.

De bonne heure, le lendemain matin, je mis ma valise dans le coffre de ma voiture, j'embrassai mon oncle, et je rentrai à New York.

*

Je fus très troublé de la façon dont Oncle Saul me chassa de chez lui. Je profitai d'être de retour à New York pour voir un peu mes parents, et un jour du mois de juin 2011 que j'emmenais ma mère déjeuner dans le restaurant de Montclair où elle avait ses habitudes, nous eûmes une discussion à propos des Baltimore. Nous étions attablés sur la terrasse, il faisait un temps magnifique, et ma mère me dit soudain :

— Markie, à propos de Thanksgiving prochain...

— Thanksgiving est dans cinq mois, Maman. Est-ce que ce n'est pas un peu tôt pour en parler ?

— Je sais, mais ça nous ferait plaisir, à ton père et moi, que nous soyons réunis pour Thanksgiving. Ça fait si longtemps que nous n'avons plus célébré Thanksgiving ensemble.

— Je ne fête plus Thanksgiving, Maman...

— Oh, Markie, ça me fait tellement de peine de t'entendre dire des choses pareilles ! Tu devrais vivre plus dans le présent et moins dans le passé.

— Les Goldman-de-Baltimore me manquent, Maman.

Elle sourit.

— Il y a longtemps que je n'avais plus entendu l'expression *Goldman-de-Baltimore*. Ils me manquent aussi.

— Maman, ne prends pas mal ma question, mais est-ce que tu as été jalouse d'eux ?

— Je t'ai eu toi, mon chéri, que m'aurait-il fallu de plus ?

— Je repensais à ces vacances à Miami, chez les grands-parents Goldman, où Oncle Saul prenait la chambre, et Papa et toi deviez dormir sur le canapé.

Elle éclata de rire.

— Ça ne nous a jamais dérangés, ton père et moi, de dormir dans la pièce de la télévision. Tu sais, c'était ton oncle qui avait payé pour l'appartement de tes grands-parents, et nous trouvions parfaitement normal qu'il dorme dans la chambre la plus confortable. Chaque fois, avant de venir, ton père téléphonait à Grand-père pour lui demander de nous attribuer la pièce de la télévision et de laisser Saul et Anita dans la chambre d'amis. Chaque fois, ton grand-père disait que Saul l'avait déjà appelé pour lui demander de cesser de faire dormir son frère dans la pièce de la télévision et de lui attribuer à lui la chambre la moins confortable. Ton père et ton oncle finissaient par tirer au sort. Je me rappelle une fois où les Baltimore étaient arrivés avant nous en Floride, et où Saul et Tante Anita avaient déjà pris possession de la pièce de la télévision. Contrairement à ce que tu penses, ça n'a pas toujours été ton père et moi qui y dormions, de loin.

— Tu sais, je me suis souvent demandé si nous aussi, nous aurions pu devenir des Baltimore...

— Nous sommes des Montclair. Et il en sera ainsi pour toujours. Pourquoi vouloir changer? Chacun est différent, Markie, et peut-être est-ce là le bonheur: être en paix avec ce que l'on est.

— Tu as raison, Maman.

Je crus que le sujet était clos. Nous parlâmes de tout autre chose et, le repas terminé, je ramenai ma mère à la maison. Au moment d'arriver, elle me dit:

— Gare-toi là un instant, Markie, s'il te plaît.

J'obéis.

— Est-ce que tout va bien, Maman?

Elle me regarda comme elle ne m'avait jamais regardé.

— Nous aurions pu devenir des Baltimore, Markie.

— Que veux-tu dire?

— Marcus, il y a quelque chose que tu ne sais pas. Lorsque tu étais tout petit, il a fallu vendre la compagnie de Grand-père, qui ne marchait plus...

— Oui, ça je le sais.

— Mais ce que tu ignores, c'est qu'à ce moment-là, ton père a commis une erreur de jugement dont il s'est longtemps voulu...

— Je ne suis pas sûr de comprendre, Maman...

— Markie, en 1985, lorsque la compagnie a été vendue, ton père n'a pas suivi les conseils de Saul. Il a raté l'occasion de gagner énormément d'argent.

Longtemps, je crus que la barrière entre les Montclair et les Baltimore s'était construite avec les aléas du temps. Elle s'était en réalité érigée en une seule nuit, ou presque.

35.

Selon la stratégie élaborée par mon père et Oncle Saul, Goldman & Cie fut vendue en octobre 1985 à Hayendras Inc., une importante société basée dans l'État de New York.

La veille de la vente, mon père, Oncle Saul, Grand-père et Grand-mère se retrouvèrent tous les quatre à Suffern, où Hayendras avait son siège. Mon père et mes grands-parents étaient venus en voiture ensemble depuis le New Jersey, Oncle Saul avait pris un avion jusqu'à LaGuardia puis avait loué une voiture.

Ils avaient pris trois chambres dans un Holiday Inn, et ils passèrent toute la journée dans une salle de conférences mise à leur disposition, à relire attentivement les contrats et s'assurer que tout correspondait à ce qui avait été convenu. Il faisait nuit depuis longtemps lorsqu'ils eurent terminé et, à l'initiative de Grand-père, ils allèrent dîner dans un restaurant du quartier. À table, Grand-père regarda ses deux fils et les prit chacun par une main.

— Vous vous souvenez, dit-il, de ces heures passées sur ce banc à nous imaginer tous les trois dirigeant l'entreprise?

— Tu nous laissais même fumer, s'amusa mon père.

— Eh bien, nous y sommes, mes fils. J'ai attendu ce moment pendant si longtemps. Pour la première fois, nous allons présider ensemble au destin de Goldman & Cie.

— Pour la première et la dernière fois, corrigea Oncle Saul.

— Peut-être, mais au moins cela s'est finalement produit.

Alors ne soyons pas tristes ce soir : trinquons ! À ce moment que nous avons atteint !

Ils levèrent leurs verres de vin et les entrechoquèrent. Puis Grand-père demanda encore :

— Tu es sûr que c'est une bonne idée, Saul ?

— Cette vente à Hayendras ? Oui, c'est la meilleure option. Le prix d'achat n'est pas très élevé, mais c'est ça ou la faillite. Et puis Hayendras va grandir, le potentiel est là, ils sauront développer l'entreprise. Les anciens employés retrouveront tous un poste au sein de Hayendras, c'est ce que tu voulais aussi, non ?

— Oui, absolument, Saul. Je ne veux personne au chômage.

— J'ai calculé qu'après impôts, il restera deux millions de dollars pour vous, expliqua encore Oncle Saul.

— Je sais, dit Grand-père. À ce propos, ta mère, ton frère et moi avons discuté et nous voulons te dire : cette compagnie est à nous quatre. Je l'ai fondée en espérant qu'un jour mes deux fils seraient à la barre, et c'est le cas ce soir. Vous avez réalisé mon souhait et je vous en suis éternellement reconnaissant. L'argent de la vente sera divisé en trois parties égales. Un tiers pour votre mère et moi, et un tiers pour chacun de vous deux.

Il y eut un silence.

— Je ne peux pas accepter, finit par dire Oncle Saul, ému d'être ainsi réintégré parmi les siens. Je ne veux pas de part, je ne la mérite pas.

— Comment peux-tu dire une chose pareille ? demanda Grand-père.

— Papa, à cause de ce qui s'est passé, je...

— Oublions tout ça, veux-tu ?

— Laisse le passé derrière, Saul, insista mon père. C'est grâce à toi qu'aujourd'hui nos employés, y compris moi, ne finissent pas au chômage et que Papa pourra financer sa retraite.

— C'est vrai, Saul. Grâce à ton aide, ta mère et moi pourrons nous installer au soleil, peut-être en Floride. Comme nous en avons toujours rêvé.

— Moi, je vais déménager à Montclair pour être

plus proche de nos nouveaux bureaux, reprit mon père. Nous avons trouvé une ravissante maison, je vais pouvoir financer un emprunt avec ma part de la vente. C'est une jolie maison, dans un joli quartier, exactement comme je voulais.

Grand-père prit la main de Grand-mère, sourit à ses deux fils et sortit de son cartable des documents notariaux.

— J'ai fait rédiger des actes qui mettent en conformité la possession égale entre nous trois de l'entreprise, dit-il. Le produit de la vente sera divisé en trois parts égales, soit 666 666,66 dollars chacun.

— Plus d'un demi-million de dollars, sourit mon père.

Le lendemain matin, à l'aube, mes grands-parents et mon père furent réveillés par un appel d'Oncle Saul, qui téléphona dans les chambres pour les prier de le rejoindre au plus vite à la salle du petit déjeuner. Il devait leur parler de toute urgence.

— J'ai parlé cette nuit avec un de mes amis, expliqua Oncle Saul, très excité, entre deux gorgées de café. Il est courtier à Wall Street. Il dit que Hayendras est une boîte encore peu connue mais qui va se développer au-delà de ce que je pensais. Il dit que, selon certaines rumeurs, ils pourraient entrer en Bourse cette année. Vous vous rendez compte de ce que cela signifie ?

— Je ne suis pas sûre de me rendre compte, répondit pragmatiquement Grand-mère.

— Cela signifie que si Hayendras entre en Bourse, la valeur de l'entreprise va exploser. C'est obligé ! Une entreprise qui entre en Bourse est une entreprise qui prend de la valeur. J'y ai donc longuement réfléchi et je pense que l'on devrait négocier la vente de Goldman & Cie avec des parts en actions de l'entreprise, au lieu de cash.

— Qu'est-ce que ça change ? demanda Grand-père.

— Cela change que le jour où Hayendras entre en Bourse, les actions prennent de la valeur, et notre part augmente. Nos 600 000 dollars pourraient valoir plus. Regardez, j'ai fait une proposition de modification du contrat, qu'en pensez-vous ?

Il distribua son projet de contrat, mais Grand-père eut une moue :

— Saul, tu voudrais qu'en échange de Goldman & Cie, je ne reçoive pas d'argent mais un bout de papier qui dit que je possède quelques actions d'une compagnie que je ne connais même pas ?

— Exactement. Je vais te donner un exemple. Imaginons qu'aujourd'hui Hayendras vaut 1 000 dollars. Disons que tu en possèdes 1 %, ta part vaut alors 10 dollars. Mais si Hayendras entre en Bourse et que tout le monde veut investir de l'argent dans la société, sa valeur va grimper en flèche. Imaginons que la valeur de Hayendras monte soudain à 10 000 dollars. Ta part vaudra aussitôt 100 dollars ! Notre argent peut prendre une grande valeur !

— Nous savons comment fonctionne la Bourse, dit Grand-mère. Je crois que ce que ton père veut savoir, c'est comment nous paierons les courses et l'électricité ? L'argent théorique ne paie pas les factures. Et puis, si Hayendras n'entre pas en Bourse ou si personne n'en veut, les actions vont dégringoler et notre argent aura perdu de sa valeur.

— Effectivement, c'est un risque…

— Non, non, trancha Grand-mère. Il faut de l'argent comptant, ton grand-père et moi ne pouvons pas risquer de tout perdre. Nous jouons notre retraite.

— Mais mon ami me dit que c'est l'investissement du siècle, insista Saul.

— C'est non, dit Grand-père.

— Et toi ? demanda Oncle Saul à mon père.

— Moi, je préfère aussi de l'argent comptant. Je ne crois pas trop à la magie de la Bourse, trop risqué. Et puis, si je veux acheter cette maison à Montclair…

Grand-père remarqua la déception dans le regard d'Oncle Saul.

— Écoute, Saul, lui dit-il, si toi tu crois vraiment à ces histoires de boursicotage, rien ne t'empêche de demander ta part en actions.

C'est ce que fit Oncle Saul. Une année plus tard, Hayendras opérait une spectaculaire entrée en Bourse. De ce que ma mère m'expliqua, en une journée, la valeur de l'action fut multipliée par quinze. En quelques heures, les 666 666,66 dollars d'Oncle Saul étaient devenus 9 999 999,99. Oncle Saul venait d'engranger dix millions de dollars, qu'il allait toucher quelques mois plus tard en vendant ses parts. Ce fut l'année où il acheta la maison d'Oak Park.

Mon père, après avoir visité la superbe maison de son frère, fut convaincu des bienfaits de la Bourse. Début 1988, une annonce interne faite par Dominic Pernell, le PDG de Hayendras, vantant la santé économique de l'entreprise et incitant les employés à acheter des actions, acheva de le convaincre. Il rassembla ce qui lui restait de sa part de la vente de Goldman & Cie et persuada Grand-père d'en faire autant.

— Nous devrions acheter des actions de Hayendras, nous aussi ! insista mon père au téléphone.

— Tu crois ?

— Papa, regarde ce que ça a rapporté à Saul : des millions ! Des millions de dollars !

— Nous aurions dû écouter ton frère au moment de la vente de l'entreprise.

— Il n'est pas trop tard, Papa !

Mon père rassembla 700 000 dollars : toutes ses économies et celles de Grand-père. Tout leur trésor de guerre. Il convertit l'argent en actions Hayendras qui devaient, selon ses calculs, les faire devenir eux aussi rapidement millionnaires. Une semaine plus tard, il reçut un appel inquiet d'Oncle Saul.

— Je viens de parler à Papa, il me dit que tu as investi son argent ?

— Oh, relax, Saul ! J'ai juste fait un placement comme toi. Pour lui et pour moi. Quel est le problème ?

— Tu as acheté quoi comme actions ?

— Des actions Hayendras évidemment.

— Quoi ? Combien ?

— Ça ne te regarde pas.

— Combien ? Je dois savoir combien !

— 700 000 dollars.

— Quoi ? Mais tu es devenu complètement fou ? C'est quasiment tout votre argent !

— Et alors ?

— Comment ça, *et alors* ? Mais enfin, c'est un risque énorme !

— Eh bien quoi, Saul, au moment de vendre l'entreprise, tu nous avais bien conseillé de toucher tout en actions. Nous le convertissons maintenant. Je ne vois pas la différence.

— À l'époque c'était différent. Si ça tourne mal, Papa perd toute sa retraite ! Il va vivre de quoi ?

— T'inquiète pas, Saul. Pour une fois, laisse-moi faire.

Le lendemain de cette conversation, à l'immense surprise de mon père, Oncle Saul débarqua dans son bureau au siège de Hayendras.

— Saul, qu'est-ce que tu fais là ?

— Je dois te parler.

— Pourquoi n'as-tu pas téléphoné ?

— Je ne pouvais pas te le dire par téléphone, c'est trop risqué.

— Me dire quoi ?

— Viens, allons faire un tour.

Ils sortirent dans le parc attenant au bâtiment et s'isolèrent.

— L'entreprise va mal, dit Oncle Saul à mon père.

— Comment peux-tu dire ça ? Je suis au courant de la situation économique de Hayendras : elle est très bonne, figure-toi. Le PDG Dominic Pernell a fait une annonce, il nous a dit d'acheter des actions. Le cours vient de monter d'ailleurs.

— Évidemment que le cours a monté, tous les employés se sont rués dessus.

— Qu'est-ce que tu essaies de me dire, Saul ?

— Vends tes actions.

— Quoi ? Jamais de la vie.

— Écoute-moi attentivement : je sais de quoi je parle. Hayendras va très mal, les chiffres sont dramatiques. Pernell n'aurait pas dû vous dire d'acheter. Tu dois te débarrasser de tes actions immédiatement.

— Qu'est-ce que tu racontes enfin, Saul ? Je n'en crois pas un mot.

— Est-ce que tu penses que je serais venu de Baltimore si ce n'était pas aussi grave ?

— Tu es agacé parce que t'as vendu tes actions et que tu n'arrives plus à en racheter. C'est ça ? Tu veux que je vende pour racheter ?

— Non, je veux que tu vendes pour t'en débarrasser.

— Et si tu me laissais respirer un peu, Saul ? Tu as sauvé l'entreprise de Papa, tu lui as assuré sa retraite, tu as retrouvé un travail à tous ses employés : il t'adore, tu es le fils prodigue ! Tu as toujours été le préféré de Papa, de toute façon. Et comme si ça ne suffisait pas, tu as touché le jackpot au passage.

— Mais je vous avais dit de demander des actions à l'époque !

— Tu n'en as pas assez avec ta carrière d'avocat, ta grande maison, tes voitures ? Tu veux plus ? Le PDG en personne nous a dit d'acheter, tout le monde a acheté ! Tous les employés ont acheté ! C'est quoi ton problème ? Ça te rend fou que je puisse gagner de l'argent moi aussi ?

— Quoi ? Mais enfin, pourquoi refuses-tu de m'écouter ?

— Tu t'es toujours senti obligé de m'écraser. Surtout devant Papa. Quand on était gamin, sur le banc, il ne te parlait qu'à toi ! Saul par-ci, Saul par-là !

— Tu dis n'importe quoi.

— Il a fallu que tu te tires pour que je compte un peu à ses yeux. Et encore, lorsque vous étiez en froid, le nombre de fois où il m'a fait sentir que l'entreprise aurait été mieux dirigée si c'était toi qui en avais pris la barre…

— Nathan, tu délires. Si je suis là, c'est pour te dire que Hayendras va mal, les chiffres sont mauvais, dès que ça se saura, le cours de l'action va s'effondrer.

Mon père resta interdit un moment.

— D'où sais-tu cela ? demanda-t-il.

— Je le sais. Je t'en supplie, crois-moi. Je le sais de source sûre. Je ne peux pas t'en dire plus. Vends tout et surtout n'en parle à personne. À personne, tu m'entends ? Je commets un délit grave en t'informant. Si quelqu'un apprend que je t'ai prévenu, j'aurai de graves ennuis, et toi et Papa aussi. Ça va déjà être difficile de vendre un montant pareil en un bloc sans éveiller les soupçons. Tu devrais le faire en plusieurs fois. Dépêche-toi !

Mon père refusa d'entendre raison. Je crois qu'il était aveuglé par la vie que son frère menait à Baltimore et qu'il en réclamait sa part. Je sais qu'Oncle Saul fit tout son possible, qu'il alla jusqu'à se rendre en Floride pour trouver Grand-père et lui demander de convaincre son fils de vendre ses actions.

Grand-père téléphona même à mon père :

— Nathan, ton frère est venu me voir. Il dit qu'on doit absolument vendre nos actions. Peut-être qu'on devrait l'écouter…

— Non, Papa, pour une fois, fais-moi confiance, s'il te plaît !

— Il a dit qu'il nous aiderait à faire un meilleur placement, à investir ailleurs. Faire des placements qui rapporteront. Je t'avoue que je suis un peu inquiet…

— Qu'il se mêle de ce qui le regarde, celui-là ! Pourquoi tu ne me fais pas confiance ? Je peux aussi faire des choses bien, tu sais !

Je crois que mon père jouait sa fierté. Il avait pris une décision, il voulait qu'on la respecte. Il resta sur sa position. Était-ce par conviction ou pour tenir tête à son frère, personne ne le saura jamais. Grand-père ne lui força pas la main, sans doute pour ne pas lui faire de peine.

Tandis que ma mère, dans l'habitacle de ma voiture, continuait son récit, il me revint un souvenir de jeunesse. Je me revis à l'âge de sept ans. Je courais du salon à la cuisine en criant : « Maman ! Maman ! Il y a Oncle Saul à la télévision ! » C'était sa première affaire médiatique, le début de sa gloire. Sur les images, à côté de lui, son client, Dominic Pernell. Je me souviens que pendant plusieurs semaines j'avais fièrement raconté à qui voulait l'entendre qu'on voyait dans les journaux Oncle Saul et le patron de Papa. Ce que j'ignorais, c'est que Dominic Pernell avait été arrêté par la SEC[1] après avoir falsifié les comptes de Hayendras pour faire croire à ses employés à un bilan

[1] *Securities and Exchange Commission.* Autorité américaine de surveillance des marchés financiers.

radieux, et leur revendre dans la foulée pour des millions de dollars de ses propres actions. Il fut condamné par un tribunal de New York à quarante-trois ans de prison. Dans les jours qui suivirent son arrestation, l'action Hayendras s'effondra complètement et sa valeur fut divisée par quinze. La compagnie fut rachetée pour une bouchée de pain par une importante firme allemande, qui existe toujours. Les 700 000 dollars de mon père et de Grand-père ne valaient plus désormais que 46 666,66 dollars.

Baltimore devint la punition de mon père. Leur maison, leurs voitures, les Hamptons, leurs vacances à Whistler, les fastes de Thankgsiving, l'appartement à la Buenavista, la patrouille privée d'Oak Park qui nous considérait comme des intrus : tout était là pour lui rappeler que, là où son frère avait réussi, il avait échoué.

*

Ce jour de juin 2011, après avoir parlé à ma mère, je téléphonai à Oncle Saul. Il semblait content de m'entendre.

— J'ai déjeuné avec ma mère, dis-je. Elle m'a parlé de la vente de la compagnie à Hayendras et de la façon dont Papa a perdu ses économies et celles de Grand-père.

— Dès que j'ai su qu'il avait acheté ces actions, j'ai vraiment essayé de convaincre ton père de les revendre. Après coup, ton père m'a reproché de ne pas lui avoir expliqué plus clairement la situation. Mais il faut que tu comprennes : à ce moment-là, Dominic Pernell était déjà sous le coup d'une enquête de la SEC, il m'avait contacté pour le défendre, je savais qu'il avait menti à ses employés et qu'il leur avait revendu ses actions. Je ne pouvais pas le révéler à ton père : je connais son sens de la justice, il aurait prévenu les autres employés. Ils étaient des milliers comme lui à avoir investi beaucoup d'argent dans des actions de leur propre compagnie. Mais si cela s'était su, si la SEC avait su que j'avais donné des informations à ton père, c'était la prison assurée pour ton grand-père, ton père et moi. Je ne pouvais que le supplier de vendre, il n'a pas voulu m'écouter.

— Est-ce que Grand-père en a voulu à Papa ?

— Je n'en sais rien. Il a toujours dit que non. Après ça, il y a eu une vague de licenciements chez Hayendras, mais ton père a heureusement pu garder son travail. Par contre, Grand-père avait perdu son capital pour sa retraite. Je l'ai aidé depuis ce jour-là.

— Est-ce que tu as aidé Grand-père à cause de la dispute ? Pour te faire pardonner ?

— Non, je l'ai aidé parce qu'il était mon père. Parce qu'il n'avait plus le moindre dollar. Parce que mon argent, je l'avais obtenu grâce à lui. Je ne sais pas ce que ta grand-mère t'a dit à propos de la dispute, mais la vérité est que cela a été un affreux quiproquo, et que j'ai été trop bête et trop fier pour le résoudre. Voilà un trait commun avec ton père : ces moments où l'on ne veut pas entendre raison et que l'on regrette ensuite toute sa vie.

— Grand-mère m'a dit que c'était à cause de ton engagement pour les droits civiques.

— Je n'ai jamais vraiment été engagé pour les droits civiques.

— Mais, et la photo sur la couverture du magazine ?

— J'ai participé à une seule manifestation, pour faire plaisir au père d'Anita, qui était un activiste engagé. Ta tante et moi nous sommes retrouvés au premier rang avec lui, et manque de chance, il y a eu cette photo. C'est tout.

— Comment ça ? Je ne comprends pas. Grand-mère a dit que tu étais sans cesse en train de voyager.

— Elle ne connaît pas toute l'histoire.

— Mais alors, que faisais-tu ? Et qu'est-ce qui a pu faire croire à Grand-père que tu étais tellement impliqué dans la défense des droits civiques ? Quand même, vous ne vous êtes plus parlé pendant douze ans !

Oncle Saul était sur le point de me le révéler, mais nous fûmes interrompus par la sonnette de la porte de sa maison. Il posa le combiné un instant pour aller ouvrir : j'entendis une voix de femme.

— Markie, me dit-il en reprenant la ligne, il faut que je te laisse, mon grand.

— C'est Faith ?

— Oui.
— Tu la fréquentes ?
— Non.
— Si c'était le cas, tu pourrais me le dire. Tu as le droit de voir quelqu'un.
— Je n'ai pas d'aventure avec elle, Markie. Ni avec elle, ni avec personne. Tout simplement parce que je n'en ai pas envie. Je n'ai aimé que ta tante et je l'aimerai toujours.

36.

J'étais métamorphosé par mes deux jours à New York lorsque je rentrai à Boca Raton. C'était le début du mois de mai 2012.

— Que vous arrive-t-il, mon vieux? me demanda Leo en me voyant. Vous avez un air différent.

— Alexandra et moi nous sommes embrassés. Chez moi, à New York.

Il prit un air désabusé :

— Je pense que tout ça va vous aider à avancer votre roman.

— Cachez votre joie, Leo.

Il me sourit.

— Je suis heureux pour vous, Marcus. Je vous aime beaucoup. Vous êtes un type bien. Si j'avais eu une fille, j'aurais tout fait pour qu'elle vous épouse. Vous méritez d'être heureux.

Une semaine s'était écoulée depuis ma soirée avec Alexandra à New York et je n'avais aucune nouvelle. J'essayai de l'appeler deux fois, sans succès.

Sans nouvelles de sa part, j'en cherchai sur Internet. Sur le compte Facebook officiel de Kevin, je découvris qu'ils étaient partis à Cabo San Lucas. Je vis des photos d'elle au bord d'une piscine, avec une fleur dans les cheveux. Il avait l'indécence d'étaler sa vie privée aux yeux de tous. Ses photos avaient été reprises ensuite par des tabloïds. Je pus lire : *Kevin Legendre fait taire les mauvaises rumeurs en publiant des photos de lui et Alexandra Neville en vacances au Mexique.*

J'en fus affreusement blessé. Pourquoi m'avoir embrassé si c'était pour partir avec lui ensuite ? Ce fut finalement mon agent qui m'annonça la rumeur :

— Marcus, t'es au courant ? Il y aurait de l'eau dans le gaz entre Kevin et Alexandra.

— J'ai vu des photos d'eux très heureux à Cabo San Lucas.

— Tu as vu des photos d'eux à Cabo San Lucas. Apparemment, Kevin voulait se retrouver en tête à tête avec Alexandra et lui a proposé ce voyage. Cela fait quelque temps que ça ne va pas très bien entre eux, du moins c'est ce qui se dit. Elle n'aurait pas apprécié du tout qu'il diffuse des photos d'elle et lui sur les réseaux sociaux. Apparemment, elle est rentrée aussitôt à Los Angeles.

Je n'avais aucun moyen de vérifier si ce que disait mon agent était vrai. Dans les jours qui suivirent, je n'eus toujours aucune nouvelle. Je terminai de vider la maison de mon oncle. Des déménageurs vinrent prendre les derniers meubles. C'était étrange de voir l'intérieur complètement vide.

— Qu'allez-vous faire de cette maison à présent ? demanda Leo en inspectant les pièces.

— Je crois que je vais la vendre.

— Vraiment ?

— Oui. Vous me l'avez dit : les souvenirs sont dans la tête. Je crois que vous avez raison.

QUATRIÈME PARTIE

Le Livre du Drame
(2002-2004)

37.

Baltimore.
18 février 2002.

Nous enterrâmes Tante Anita quatre jours après l'accident au cimetière de Forrest Lane. Il y avait énormément de monde. Beaucoup de visages que je ne connaissais pas.

Au premier rang, Oncle Saul, la mine éteinte, et Hillel, blême, sous le choc. Il se tenait comme un fantôme, les yeux livides, le nœud de cravate mal noué. Je lui parlais, mais c'était comme s'il n'entendait pas. Je le touchais, mais c'était comme s'il ne sentait pas. Il était comme anesthésié.

Je regardai le cercueil descendre jusqu'au fond de la terre sans pouvoir y croire. J'avais l'impression que tout ceci n'était pas réel. Que ce n'était pas ma tante Anita, ma tante bien-aimée, qui était dans ce cercueil en bois sur lequel nous jetions de la terre. Je m'attendais à la voir arriver et nous rejoindre. Je voulais qu'elle me prenne contre elle comme elle le faisait quand, enfant, je la retrouvais sur le quai de la gare de Baltimore et qu'elle me disait: «Tu es mon neveu préféré.» Je rougissais alors de bonheur.

Tante Anita avait été tuée sur-le-coup. La camionnette qui l'avait percutée ne s'était pas arrêtée. Personne n'avait rien vu. Du moins pas assez pour aider la police, qui n'avait pas le moindre indice. Après l'impact, Woody s'était précipité sur elle: il avait essayé de la réanimer, mais elle était déjà partie. Lorsqu'il comprit qu'elle était morte, il se mit à hurler en la serrant contre lui. Patrick était resté hagard sur le trottoir.

Parmi les personnes présentes autour de la tombe, il n'y avait ni Patrick, ni Alexandra. Patrick à cause de ce qui venait de se passer en bas de chez lui, et Alexandra pour éviter un esclandre lié à la présence d'un Neville à l'enterrement.

Woody, lui, nous observait de loin, caché derrière un arbre. Je crus d'abord qu'il n'était pas venu. J'avais essayé de le joindre toute la matinée, en vain : son téléphone était éteint. Je remarquai sa silhouette au moment où la cérémonie se terminait. Même de loin, je l'aurais reconnu. Tous les invités se dirigeaient vers le parking : il était prévu de se retrouver à la maison d'Oak Park autour d'une collation. Je m'éclipsai discrètement en direction du fond du cimetière. Woody me vit venir vers lui et il s'enfuit. Je me mis à courir. Il accéléra et je me retrouvai à galoper comme un dératé entre les tombes, mes chaussures glissant dans la boue. J'arrivai à sa hauteur, je voulus lui attraper le bras, mais je perdis l'équilibre et l'entraînai avec moi. Nous tombâmes tous les deux au sol et roulâmes sur l'herbe terreuse et mouillée.

Il se débattit. Bien qu'il soit infiniment plus fort que moi, je finis assis sur lui et le saisis par le col de sa veste.

— Putain, Woody ! hurlai-je. Arrête tes conneries ! T'étais passé où ? Ça fait trois jours que je suis sans nouvelles. Tu ne réponds plus au téléphone ! Je pensais que t'étais mort !

— Il vaudrait mieux que je sois mort, Marcus.

— Comment peux-tu dire des conneries pareilles ?

— Parce que je l'ai tuée !

— Tu ne l'as pas tuée ! C'était un accident.

— Laisse-moi, Marcus, s'il te plaît !

— Woody, que s'est-il passé ce soir-là ? Qu'est-ce que tu étais allé faire chez Patrick ?

— Il fallait que je parle à quelqu'un. Et je n'avais que lui à qui me confier. En arrivant à son appartement, j'ai compris qu'il avait un rendez-vous de Saint-Valentin. Il y avait des fleurs, du champagne. Il a insisté pour que je reste un peu. J'ai compris que son invitée était allée se cacher dans une chambre en attendant que je parte. Au début, j'ai trouvé ça presque amusant. Et puis j'ai vu sa veste, sur un fauteuil du salon. Son invitée, c'était Tante Anita.

Je ne pouvais pas y croire. La rumeur qui courait dans Oak Park était donc vraie. C'était pour lui que Tante Anita avait quitté Oncle Saul.

— Mais que s'est-il passé pour que tu débarques chez Patrick à onze heures du soir ? Je sens que tu ne me dis pas tout.

— Je m'étais disputé avec Hillel. Nous avons failli en venir aux mains.

Je ne pouvais pas imaginer Woody et Hillel se disputer, encore moins être sur le point de se battre.

— Une dispute à propos de quoi ? demandai-je encore.

— Rien, Marcus. Fous-moi la paix, maintenant. Laisse-moi être seul.

— Non, je ne te laisserai pas seul. Pourquoi ne m'as-tu pas appelé ? Pourquoi est-ce que tu dis que tu n'avais que Patrick à qui parler ? Tu sais que je suis toujours là pour toi.

— Tu es là pour moi ? Ah bon ? Ça fait longtemps que ça a changé, Marcus. Nous avions fait une promesse, dans les Hamptons. Tu te souviens ? Nous ne devions rien entreprendre avec Alexandra. En trahissant cette promesse, tu nous as trahis nous, Marcus. Tu as préféré une fille au Gang. J'imagine que ce soir-là tu étais en train de la baiser. Chaque fois que tu la baises, chaque fois que tu la touches, tu nous trahis, Marcus.

Je m'efforçai de faire comme si je n'entendais rien.

— Je ne te laisserai pas, Woody.

Il décida de se débarrasser de moi. D'un geste rapide, il pressa ses doigts contre ma glotte, me coupant la respiration. Je vacillai de mon appui : il se dégagea de ma prise et se releva, me laissant par terre, en train de tousser.

— Oublie-moi, Marcus. Je ne dois plus exister.

Il s'enfuit en courant, je repartis à sa poursuite, mais je n'eus que le temps de le voir monter dans une voiture immatriculée dans le Connecticut, qui disparut rapidement. C'était Colleen qui conduisait.

Je rejoignis la maison des Baltimore et me garai où je pus. La rue était encombrée des voitures des visiteurs. Je n'avais pas envie d'entrer: d'abord parce que j'étais imprésentable, trempé de sueur et le costume couvert de boue. Mais surtout, je n'avais aucune envie de voir Oncle Saul et Hillel désespérément seuls, entourés par tous ces gens condescendants, répétant, la bouche encore pleine de petits fours, des phrases toutes faites («Il faudra du temps...» «Elle va nous manquer...» «Quelle tragédie...»), avant de fondre sur le buffet de mignardises de peur qu'il n'y en ait plus.

Je restai un moment dans ma voiture à observer la rue tranquille, l'esprit encombré de souvenirs, quand arriva une Ferrari noire immatriculée dans l'État de New York: Patrick Neville avait le culot de venir. Il se gara le long du trottoir opposé et resta un moment terré dans l'habitacle, sans me voir. Je finis par sortir de ma voiture et me dirigeai vers lui, furieux. En me voyant arriver, il sortit à son tour. Il avait une mine affreuse.

— Marcus, me dit-il, je suis content de voir quelqu'un que...

Je ne le laissai pas terminer sa phrase.

— Foutez le camp! lui intimai-je.

— Marcus, attends...

— Tirez-vous!

— Marcus, tu ne sais pas ce qui s'est passé. Laisse-moi t'expliquer...

— Tirez-vous! hurlai-je. Tirez-vous, vous n'avez rien à faire ici!

Des invités, alertés par le bruit, sortirent de la maison des Baltimore. Je vis ma mère et Oncle Saul accourant jusqu'à nous. Bientôt, une petite foule de curieux s'était précipitée dehors, verre à la main, et nous faisait face, pour ne rien rater de la scène du neveu corrigeant l'amant de la tante. En croisant le regard désapprobateur de ma mère et les yeux impuissants de mon oncle, je me sentis affreusement honteux. Patrick essaya de s'expliquer devant tous.

«Ce n'est pas ce que vous croyez!» répéta-t-il.

Mais il ne récolta que des regards pleins de mépris. Il monta dans sa voiture et partit.

Tout le monde retourna dans la maison et je fis de même. Depuis le perron où il avait assisté à la scène Hillel le fantôme me fixa dans les yeux et me dit: «T'aurais dû lui casser la gueule.»

Je restai dans la cuisine, assis au comptoir. Maria, à côté de moi, pleurait en réassortissant des plateaux de crudités, tandis que les sœurs philippines allaient et venaient avec de la vaisselle propre. Jamais la maison ne m'a semblé aussi vide.

*

Mes parents restèrent à Baltimore les deux jours qui suivirent l'enterrement, puis ils durent rentrer à Montclair. Comme je n'avais pas du tout l'esprit à retourner à l'université, je restai à Baltimore quelques jours de plus.

Je parlais tous les soirs à Alexandra. Craignant d'être surpris par Hillel, je trouvais l'excuse d'une course et j'empruntais la voiture d'Oncle Saul. Je m'achetais un café au drive-in d'un Dunkin Donuts à la fois proche et suffisamment éloigné pour ne pas être vu. Je me garais sur le parking, j'inclinais le dossier de mon siège et je lui téléphonais.

Sa seule voix pansait mes plaies. Je me sentais plus fort, plus puissant quand je lui parlais.

— Markie, je voudrais tellement être à tes côtés.

— Je sais.

— Comment vont Hillel et ton oncle?

— Pas terrible. As-tu vu ton père? A-t-il parlé de l'incident?

— Il comprend très bien, ne t'inquiète pas, Markie. Tout le monde a les nerfs à vif en ce moment.

— Il ne pouvait pas se taper quelqu'un d'autre que ma tante?

— Markie, il dit qu'ils étaient juste amis.

— Woody m'a dit qu'il y avait une table de la Saint-Valentin dressée.

— Anita voulait lui parler de quelque chose de grave. Ça concernait ton oncle… Jusqu'à quand est-ce que tu restes à Baltimore? Tu me manques…

— Je ne sais pas. En tout cas toute la semaine. Tu me manques aussi.

Dans la maison un calme étrange régnait. Le fantôme de Tante Anita errait parmi nous. L'irréalité de la situation surpassait la tristesse. Maria s'activait inutilement. Je l'entendais s'énerver contre elle-même («Madame Goldman t'avait dit de faire nettoyer les rideaux», «Madame Goldman serait déçue de toi»). Hillel, lui, était totalement silencieux. Il restait la plupart du temps dans sa chambre, le nez à la fenêtre. Je finis par le forcer à m'accompagner pour une petite marche jusqu'au *Dairy Shack*. Nous y commandâmes des laits frappés, que nous bûmes sur place. Puis nous repartîmes en direction de la maison des Baltimore. En arrivant sur Willowick Road, Hillel me dit :

— Tout ça, c'est en partie ma faute.

— Tout ça quoi ? demandai-je.

— La mort de Maman.

— Ne dis pas des choses pareilles… C'est un accident. Un putain d'accident.

Il poursuivit :

— Tout ceci est la faute du Gang des Goldman.

Je ne compris pas ce qu'il voulait dire.

— Tu sais, je pense qu'on doit essayer de se soutenir. Woody ne va pas bien non plus.

— Tant mieux.

— Je l'ai vu au cimetière, l'autre jour. Il m'a dit que vous vous étiez disputés ce soir-là…

Hillel s'arrêta net et me regarda dans les yeux.

— Tu trouves que c'est le moment de parler de ça ?

J'eus envie de répondre que oui, mais je n'arrivais même pas à soutenir son regard. Nous reprîmes notre marche dans un silence total.

Ce soir-là, Oncle Saul, Hillel et moi dînâmes d'un poulet rôti préparé par Maria. Nous ne prononçâmes pas un mot de tout le repas. Finalement, Hillel dit : «Je pars demain. Je retourne à Madison.» Oncle Saul acquiesça en secouant la tête. Je compris que les Goldman-de-Baltimore étaient sur la voie de la désintégration. Deux mois auparavant, Hillel et Woody faisaient les beaux jours de l'université de Madison, et Tante Anita et Oncle Saul étaient un couple heureux à la réussite éclatante. À présent, Tante Anita était morte, Woody était perdu, Hillel muré dans son silence ; quant à mon oncle Saul, ce fut pour lui le début d'une nouvelle vie à Oak Park. Il décida d'endosser le rôle du veuf parfait : courageux, résigné, fort.

Je restai encore toute une semaine à Baltimore et j'assistai au spectacle quotidien des voisins qui passaient lui apporter de la nourriture et des bons sentiments. Je les voyais défiler à la maison des Baltimore. Ils donnaient à Oncle Saul des accolades magnifiques, échangeaient des regards émus et de longues poignées de main. Puis je surprenais des conversations au supermarché, chez le teinturier, au *Dairy Shack* : les commérages allaient bon train. Il était le cocu, l'humilié. Celui dont la femme s'était tuée en s'enfuyant de chez son amant après y avoir été surprise le soir de la Saint-Valentin par son quasi-fils adoptif. Tout le monde semblait connaître les moindres détails de la mort de Tante Anita. Tout se savait. J'entendis des remarques à peine déguisées :

« En même temps, il l'a bien cherché. »

« Il n'y a pas de fumée sans feu. »

« Nous l'avons vu avec cette femme au restaurant. »

Je compris qu'il y avait une femme dans l'histoire. Une certaine Cassandra, du club de tennis d'Oak Park.

Je me rendis au club de tennis d'Oak Park. Je n'eus pas à chercher longtemps : il y avait à l'accueil un tableau avec les photos et les noms des professeurs de tennis, et l'un d'eux était une femme au physique attirant qui se prénommait Cassandra Davis. Je n'eus qu'à jouer les imbéciles charmants avec l'une des secrétaires pour découvrir que, par le plus grand des hasards, elle avait donné des leçons privées à mon oncle et que, par le plus grand des hasards, elle était souffrante ce jour-là. J'obtins son adresse et je décidai de me rendre chez elle.

Cassandra, comme je m'en doutais, n'était pas malade. Lorsqu'elle comprit que j'étais le neveu de Saul Goldman, elle me claqua la porte de son appartement à la figure. Comme je tambourinais pour qu'elle ouvre à nouveau, elle cria à travers la cloison :

— Qu'est-ce que tu me veux?

— J'aimerais juste essayer de comprendre ce qui est arrivé à ma famille.

— Si Saul veut te le dire, il te le dira.

— Êtes-vous sa maîtresse?

— Non. Nous sommes allés dîner une fois ensemble. Mais il ne s'est rien passé. Mais maintenant sa femme est morte, et je passe pour la pute de service.

Je comprenais de moins en moins ce qui se passait. Ce qui était certain, c'est que Saul ne me disait pas tout. J'ignorais ce qui s'était passé entre Woody et Hillel, et j'ignorais ce qui s'était passé entre Oncle Saul et Tante Anita. Je finis par repartir de Baltimore une semaine après l'enterrement de Tante Anita, sans réponses à mes questions. Le matin de mon départ, Oncle Saul m'accompagna jusqu'à ma voiture.

— Est-ce que ça ira? lui demandai-je en le serrant dans mes bras.

— Ça ira.

Je relâchai mon étreinte, mais il me retint ensuite par les épaules et me dit:

— Markie, j'ai fait quelque chose de mal. C'est pour ça que ta tante est partie.

Après avoir quitté Oak Park, laissant derrière moi Oncle Saul et Maria pour derniers pensionnaires de la maison de mes plus beaux rêves d'enfant, je m'arrêtai longuement au cimetière de Forrest Lane. Je ne sais pas si je venais chercher sa présence à elle ou si j'espérais y croiser Woody.

Puis je pris la route jusqu'à Montclair. En arrivant dans ma rue, je me sentis bien. Le château des Baltimore s'était effondré, la maison des Montclair, petite mais solide, se tenait fièrement debout.

Je téléphonai à Alexandra pour lui dire que j'étais arrivé. Une heure plus tard, elle était chez mes parents. Elle sonna, je lui ouvris. Je me sentis tellement soulagé de la voir que je laissai échapper toutes mes émotions contenues des derniers jours, et j'éclatai en sanglots. « Markie... me dit Alexandra en me prenant dans ses bras. Je suis tellement désolée, Markie. »

38.

New York.
Été 2011.

Les événements liés à la mort de Tante Anita trouvèrent une nouvelle résonance neuf ans après les faits, au mois d'août 2011, lorsque Oncle Saul me téléphona pour me demander d'aller assister à la destruction de son nom sur le stade de l'université de Madison.

J'étais rentré à New York depuis qu'il m'avait chassé de chez lui, en juin. Il y avait cinq ans qu'il s'était installé à Coconut Grove et cela allait être le premier été où je n'irais pas le voir en Floride. C'est à ce moment-là que l'idée d'acheter une maison là-bas germa dans ma tête : si je me plaisais en Floride, il m'y fallait un lieu à moi. Je pourrais me trouver une maison pour écrire en paix, loin de l'agitation de New York, et proche de mon oncle. Jusque-là j'étais parti du principe que mes visites lui faisaient plaisir, mais je songeai qu'il avait peut-être besoin de place lui aussi pour vivre sa vie, sans avoir son neveu sur le dos. C'était compréhensible.

Ce qui était étrange, c'était le peu de nouvelles qu'il me donnait. Ce n'était pas son genre. J'avais toujours eu une relation étroite avec lui, la mort de Tante Anita et le Drame nous avaient rapprochés davantage. Depuis cinq ans, je descendais régulièrement la côte Est pour venir le sortir de sa solitude. Pourquoi avait-il subitement coupé les ponts ? Il ne se passait pas un jour sans que je me demande si j'avais fait quelque chose de mal. Était-ce lié à Faith, la gérante du supermarché, avec qui je le soupçonnais d'entretenir une relation sentimentale ? En éprouvait-il de la gêne ? Se considérait-il comme infidèle ? Sa femme était morte depuis neuf ans, il avait le droit de voir quelqu'un.

Il ne sortit de son silence que deux mois plus tard pour m'envoyer au stade de Madison. Je lui téléphonai longuement le lendemain de la destruction de son nom, après avoir réalisé que c'était Madison qui était au cœur de la mécanique qui avait perdu les Baltimore. Madison était le poison.

— Oncle Saul, lui demandai-je au téléphone, que s'est-il passé pendant ces années à Madison ? Pourquoi avoir financé l'entretien du stade pendant dix ans ?

— Parce que je voulais mon nom dessus.

— Mais pourquoi ? Ça ne te ressemble pas.

— Pourquoi me poses-tu toutes ces questions ? Est-ce que tu vas enfin écrire un livre sur moi ?

— Peut-être.

Il éclata de rire.

— Au fond, quand Hillel et Woody sont partis à Madison, ça a été le début de la fin. À commencer par la fin de mon couple. Tu sais, ta tante et moi, nous nous sommes tellement aimés.

Il me raconta dans les grandes lignes comment, alors qu'il était Goldman-du-New-Jersey, il avait rencontré Tante Anita, aux côtés de qui il était devenu Goldman-de-Baltimore. Il revint sur les origines de leur rencontre, quand il était parti étudier à l'université du Maryland, à la fin des années 1960. Le père de Tante Anita, le professeur Hendricks, y enseignait l'économie et Oncle Saul était son élève.

Tous deux s'entendaient particulièrement bien et quand Oncle Saul lui demanda son aide pour un projet, le professeur Hendricks accepta volontiers.

Le nom de Saul revenait souvent chez les Hendricks, si bien qu'un soir Madame Hendricks, la mère d'Anita, finit par demander :

— Enfin, qui est ce Saul qui monopolise nos conversations ? Je vais devenir jalouse...

— Mon étudiant Saul Goldman, ma chérie. Un Juif du New Jersey dont le père possède une compagnie de matériel médical. Je l'aime beaucoup ce garçon, il ira loin.

Madame Hendricks réclama que Saul soit invité à venir dîner à la maison, ce qui se produisit la semaine suivante. Anita tomba immédiatement sous le charme de ce jeune homme affable et élégant.

Les sentiments d'Anita furent partagés. Saul, d'ordinaire peu intimidable, perdait ses moyens quand il la voyait. Il finit par l'inviter à sortir, une fois, puis deux. Il fut de nouveau invité à venir dîner chez les Hendricks. Anita était frappée par l'impression que Saul faisait à son père. Elle le voyait le regarder avec cette façon bien à lui qu'il réservait à ceux qu'il respectait profondément. Saul se mit à venir parfois à la maison le week-end, pour travailler sur son projet, dont il finit par expliquer qu'il avait pour but de développer la compagnie de son père.

La première fois qu'ils s'embrassèrent, c'était un jour de pluie. Alors qu'il la ramenait chez elle en voiture, un déluge s'abattit sur eux. Il se gara peu avant la maison des Hendricks. La carrosserie était mitraillée par une pluie torrentielle et Saul suggéra d'attendre à l'abri. « Je pense que ça ne va pas durer », déclara-t-il d'un ton savant. Quelques minutes plus tard, la pluie redoublait. L'eau qui ruisselait sur le pare-brise et les vitres les rendait invisibles. Saul lui effleura la main, elle la lui prit, et ils s'embrassèrent.

À partir de ce jour-là, ils s'embrassèrent au moins une fois par jour tous les jours pendant trente-cinq ans.

À côté de ses études de médecine, Anita avait un emploi de vendeuse chez Delfino, un magasin de cravates assez en vue à Washington. Son patron était une peau de vache. Oncle Saul venait parfois la saluer, passant en coup de vent pour ne pas être importun, et ne le faisant que s'il n'y avait aucun client dans la boutique. Mais le patron d'Anita ne pouvait s'empêcher de faire des commentaires méprisants et lui disait : « Je ne vous paie pas pour flirter, Anita. »

Du coup, pour l'agacer, Oncle Saul se mit à acheter

des cravates pour donner à sa présence une légitimité. Il entrait, feignait de ne pas connaître Anita, lui donnant du « Bonjour, Mademoiselle », et il demandait à essayer des modèles. Parfois, il se décidait rapidement et achetait une cravate. Souvent, il hésitait longuement. Il essayait, essayait encore, refaisait ses nœuds trois fois, demandait à Anita de lui pardonner d'être si lent et elle devait se pincer les lèvres pour ne pas éclater de rire. Tout ce cirque rendait son patron fou, mais il n'osait rien dire parce qu'il ne voulait pas risquer de perdre une vente.

Anita suppliait Saul d'arrêter de venir : il avait peu de moyens, et voilà qu'il dépensait tout pour acheter des cravates inutiles. Lui, disait qu'au contraire il n'avait jamais fait aussi bon usage de son argent. Ses cravates, il allait les conserver toute sa vie. Et des années plus tard, dans leur grande maison de Baltimore, quand Tante Anita suggérait à Saul de se débarrasser de ses vieilles cravates, il s'en offusquait, assurant que chacune d'elles constituait un souvenir particulier.

Quand Saul jugea que son projet de relance de Goldman & Cie était suffisamment abouti, il décida de le présenter à son père. La veille de se rendre dans le New Jersey, il répéta devant Anita sa présentation pour être certain que tout serait parfait. Mais le lendemain, Max Goldman ne voulut pas entendre parler d'expansion de sa compagnie. Saul reçut une fin de non-recevoir et il en fut terriblement meurtri. De retour dans le Maryland, il n'osa même pas raconter au père d'Anita qu'il s'était fait envoyer sur les roses.

Le professeur Hendricks était très engagé en faveur des droits civiques. Saul, sans être un activiste, était sensible à la cause. Il l'accompagna occasionnellement à une réunion ou à une manifestation, surtout parce qu'il y trouvait une façon de le remercier pour toute l'aide consacrée à son projet. Mais bientôt, il y découvrit un tout autre intérêt.

À cette époque, le pays était soufflé par un vent de contestation : des manifestations avaient lieu un peu partout : contre la guerre, contre la ségrégation, contre le gouvernement. Des étudiants de toutes les universités organisaient des transports en bus d'un État à un autre, pour aller grossir les rangs des protestataires et Saul, qui n'avait pas le premier dollar pour financer les idées de développement de Goldman & Cie que son père refusait de soutenir, trouva dans ces manifestations l'occasion de voyager gratuitement pour prospecter les marchés au nom de l'entreprise familiale.

Son rayon géographique se mit à évoluer en fonction des mouvements protestataires. Émeutes de Kent State, grèves universitaires contre Nixon. Il préparait soigneusement ses voyages, et organisait des rendez-vous dans les villes où auraient lieu les manifestations avec des responsables d'hôpitaux, des grossistes, des transporteurs. Une fois sur place, dans la cohue de la foule, il disparaissait. Il boutonnait sa chemise, arrangeait son costume qu'il débarrassait de ses pin's anti-guerre, nouait une cravate et se rendait à ses rendez-vous. Il se présentait comme le directeur du développement de Goldman & Cie, petite firme de matériel médical du New Jersey. Il essayait de comprendre quels étaient les besoins dans les différentes régions, quels étaient les attentes et les mécontentements des hôpitaux et des médecins, dans quelle brèche Goldman & Cie pouvait s'engouffrer. Était-ce dans la rapidité de livraison ? Dans la qualité du matériel ? Dans le service de maintenance ? Fallait-il créer un dépôt dans chaque ville ? Dans chaque État ? Il se renseignait sur les loyers, les salaires, les conventions sociales des employés. De retour dans sa petite chambre du campus de l'université du Maryland, il consignait des pages de notes dans un grand dossier et notait toutes sortes d'indications sur une carte du pays accrochée au mur. Il n'avait qu'une idée en tête : préparer, point par point, un projet de développement de l'entreprise de son père, dont celui-ci ne pourrait qu'être fier. Ce serait son moment de gloire : il surpasserait son frère, l'ingénieur respecté. Il serait celui qui assurerait la pérennité des Goldman.

Il arrivait qu'Anita l'accompagne dans ses voyages. Surtout si son père participait à la manifestation. Elle restait avec ce dernier pendant tout le cortège et l'occupait, lui faisant croire que Saul était soit quelques rangs derrière, soit avec les organisateurs, en tête de la manifestation. Ils se retrouvaient au bus à la fin de la journée et le professeur Hendricks lui disait :

— Où étiez-vous, Saul, je ne vous ai pas vu aujourd'hui ?

— Cette foule, professeur Hendricks, cette foule...

L'année 1972 marqua le sommet de leur activisme. Toutes les causes étaient les leurs : Watergate, égalité des femmes, le Projet Honeywell contre les mines antipersonnel. Peu importait, tant qu'Oncle Saul avait un bon alibi pour poursuivre ses prospections. Un week-end ils étaient à une manifestation à Atlanta, le suivant ils participaient à une réunion du comité des droits des Noirs, et la semaine d'après à une marche sur Washington. Saul était en train de parvenir à nouer des relations de partenariat durables avec des hôpitaux universitaires de première importance.

Les parents de Saul savaient que leur fils était sans cesse par monts et par vaux, mais ils croyaient dur comme fer à la version officielle qui le voulait activiste engagé des droits civiques. Comment auraient-ils pu imaginer la réalité ?

Au printemps 1973, Oncle Saul était sur le point de révéler à son père l'extraordinaire travail accompli pour la compagnie : il y avait des partenariats prêts à être signés, des collaborateurs potentiels de confiance, des listes de dépôts à louer. Et puis il y eut cette manifestation de trop à Atlanta, dont le professeur Hendricks était le co-organisateur. Cette fois-là, Saul et Anita firent toute la marche au premier rang, avec lui. Cela n'aurait pas prêté à plus de conséquence, si une photo d'eux n'avait pas fait la une de *Time Magazine*. À cause de cette photo, Max Goldman avait eu cette terrible dispute avec son fils. Ils ne s'étaient ensuite plus adressé la parole pendant douze ans. Il aurait suffi de tout expliquer à Grand-père, mais Saul avait été incapable de ravaler sa fierté.

Au téléphone, j'interrompis Oncle Saul et lui demandai :

— Alors, tu n'as jamais été un activiste ?

— Jamais, Marcus. Je ne faisais qu'essayer de développer Goldman & Cie pour impressionner mon père. C'était tout ce que je voulais : qu'il soit fier de moi. Je me suis senti tellement rejeté, tellement blessé par lui. Il voulait tout diriger à sa façon. Regarde où cela nous a menés.

Après la dispute, Oncle Saul décida de donner à sa vie une nouvelle direction. Tandis qu'Anita entreprenait des études de médecine, lui se lança dans le droit.

Puis ils se marièrent. Max Goldman ne vint pas.

Saul passa le barreau de l'État du Maryland. Comme Anita trouva un poste de médecin interniste à Johns Hopkins, ils s'installèrent à Baltimore. Saul avait étudié le droit commercial et il devint rapidement un avocat prospère. Il fit parallèlement des investissements qui se révélèrent extrêmement fructueux.

Ils furent tellement heureux ensemble. Chaque semaine, ils allaient au cinéma, ils paressaient le dimanche. Quand Anita était en congé, elle passait à l'improviste à son bureau pour l'emmener déjeuner. Si en arrivant, elle voyait par son bureau vitré qu'il était trop occupé, pris par une affaire ou un dossier, elle allait au *Stella*, un restaurant italien tout proche. Elle commandait des pâtes et du tiramisu à emporter et les déposait à la secrétaire de Saul avec un mot : « *Un ange est passé.* »

Au fil des années, le *Stella* devint leur restaurant préféré à Baltimore. Ils se lièrent avec le patron, Nicola, à qui Oncle Saul donnait quelques conseils juridiques de temps à autre. Woody, Hillel et moi allions tous les trois bien connaître le *Stella*, où Oncle Saul et Tante Anita nous emmenèrent souvent.

Durant les années qui suivirent leur installation à Baltimore, le seul nuage au-dessus de leur bonheur fut qu'ils n'arrivèrent pas à avoir un enfant. Rien ne pouvait l'expliquer : les médecins consultés les déclarèrent tous deux en parfaite santé. Anita tomba finalement enceinte après sept ans de mariage, et c'est ainsi qu'Hillel allait entrer dans notre vie. Cette attente avait-elle été un caprice de la nature ou un clin d'œil de la vie, qui s'arrangea pour qu'Hillel et moi naissions à quelques mois d'intervalle seulement ?

Je demandai à mon oncle, au téléphone :
— Quel est le lien entre ce que tu me racontes et Madison ?
— Les enfants, Marcus. Les enfants.

*

Février-mai 2002.

Durant les trois mois qui suivirent la mort de Tante Anita, Hillel et moi terminâmes notre cursus universitaire.
Woody, lui, avait définitivement renoncé à ses études. Étouffé par la culpabilité, il trouva refuge auprès de Colleen, à Madison. Elle s'occupa de lui avec beaucoup de patience. La journée, il l'aidait à la station-essence et le soir il faisait la plonge dans un restaurant chinois pour gagner un peu d'argent. Hormis les passages au supermarché, il se cantonnait à ces deux endroits. Il ne voulait pas croiser Hillel. Ils ne se parlaient plus.

De mon côté, mon diplôme en poche, j'avais décidé de me consacrer à l'écriture de mon premier roman. C'était pour moi le début d'une période à la fois tragique et merveilleuse, qui allait mener à l'année 2006 : année de la parution de *G comme Goldstein*, mon premier roman, année de la consécration qui allait voir l'enfant de Montclair, le vacancier des Hamptons, devenir la nouvelle étoile des lettres américaines.
Si un jour vous rendez visite à mes parents à Montclair, ma mère vous montrera certainement « la pièce ». Depuis des années, elle la garde intacte. Je l'ai pourtant suppliée à maintes reprises de l'utiliser à meilleur escient, mais elle ne veut rien savoir. Elle l'appelle le *musée de Markie*. Si vous allez chez eux, elle vous la fera forcément visiter. Elle poussera la porte et vous dira : « Regardez, c'est là que

Marcus a écrit.» Je n'aurais pas forcément songé à me réinstaller chez mes parents pour écrire si ma mère ne m'avait pas fait la surprise d'avoir réaménagé la chambre d'amis.

— Ferme les yeux et suis-moi, Markie, m'avait-elle dit le jour de mon retour de l'université.

J'avais obéi et m'étais laissé guider jusqu'au seuil de la pièce. Mon père était aussi excité qu'elle.

— N'ouvre pas encore les yeux, m'avait-elle ordonné en me voyant bouger les paupières.

J'avais ri. Finalement, elle m'avait dit :

— Vas-y, tu peux regarder !

J'étais resté sans voix. La chambre d'amis, secrètement rebaptisée par mes soins la chambre-taudis, pour avoir, au fil du temps, accumulé les objets dont on ne savait pas s'il fallait les garder ou les jeter, était métamorphosée. Mes parents l'avaient intégralement débarrassée et refaite : nouveaux rideaux, nouvelle moquette, et une grande bibliothèque contre l'un des murs. Face à la fenêtre, le bureau que Grand-père utilisait du temps où il dirigeait sa compagnie, et qui était longtemps resté dans un dépôt. « Bienvenue dans ton bureau, m'avait dit ma mère en m'embrassant. Ici, tu seras bien pour écrire.» C'est à ce bureau que j'écrivis le roman de mes cousins, *G comme Goldstein*, le livre de leur destinée perdue, livre dont je n'entrepris en réalité la rédaction qu'après le Drame, soit à la fin de l'année 2004. Longtemps, je fis croire que la rédaction de mon premier roman nécessita quatre ans. Mais ceux qui se seraient penchés sur sa chronologie auraient remarqué qu'il y avait un trou de deux ans, qui me permettait de ne pas avoir à expliquer ce que je fis de l'été 2002 jusqu'au jour du Drame, le 24 novembre 2004.

39.

Automne 2002.

À la mort d'Anita, c'est Alexandra qui me sauva.

Elle fut mon équilibre, ma balance, mon point d'ancrage dans la vie. Au moment où je terminais mes études, cela faisait deux ans qu'elle n'avançait pas avec son producteur. Elle me demanda ce qu'elle devait faire et je lui expliquai que, selon moi, il n'y avait que deux villes propices à lancer une carrière musicale : New York et Nashville, Tennessee.

— Mais je ne connais personne à Nashville, me dit-elle.

— Moi non plus, lui répondis-je.

— Alors allons-y !

Et nous partîmes ensemble pour Nashville.

Elle vint me chercher un matin chez mes parents, à Montclair. Elle sonna, ma mère ouvrit, rayonnante.

— Alexandra !

— Bonjour, Madame Goldman.

— Alors, c'est le grand départ ?

— Oui, Madame Goldman. Je suis tellement contente que Markie m'accompagne.

Je crois que mes parents étaient enchantés que je prenne le large. Depuis toujours les Baltimore avaient pris une place considérable dans mon existence ; il était peut-être temps que je m'en éloigne.

Ma mère s'imaginait que c'était une folie de jeunesse. Que

cela durerait deux mois au plus et que nous reviendrions, lassés par notre expérience. Elle était loin de s'imaginer ce qui allait se passer dans le Tennessee.

Dans la voiture, alors que nous quittions le New Jersey, Alexandra me demanda :

— Pas trop triste de ne pas pouvoir profiter de ton nouveau bureau, Markie ?

— Bah, il y aura bien un moment où je me mettrai à mon roman. Et puis, je ne vais pas rester un Montclair toute ma vie.

Elle sourit.

— Et que vas-tu être ? Un Baltimore ?

— Je crois que je veux juste devenir Marcus Goldman.

Ce fut le début pour moi d'une vie magique, qui allait durer deux ans et conduire Alexandra vers les sommets. Ce fut aussi le début d'une vie à deux sans pareille : Alexandra touchait une petite somme mensuelle grâce à un trust familial mis en place par son père. De mon côté, j'avais l'argent légué par Grand-père. Nous louâmes un petit appartement, qui fut notre premier chez-nous, où elle composait des chansons et moi, à la table de la cuisine, j'écrivais les premières ébauches d'un roman.

Nous ne nous posâmes aucune question : était-ce trop tôt pour notre couple ? Allions-nous être capables de supporter ensemble les aléas des lancements d'une carrière artistique ? C'était un pari risqué et tout aurait pu mal se passer. Mais notre complicité transcenda tout. C'était comme si rien ne pouvait nous atteindre.

Nous étions certes un peu à l'étroit, mais nous rêvions ensemble de nous installer un jour dans un grand appartement de West Village, avec une vaste terrasse fleurie. Elle musicienne célèbre, et moi écrivain à succès.

Je l'encourageai à faire table rase de ses deux années passées avec son producteur new-yorkais : elle devait faire ce qu'elle aimait. Le reste importait peu.

Elle écrivit une nouvelle série de chansons : je les trouvai bonnes. Je retrouvais son style. Je l'incitai à réarranger certaines de ses anciennes compositions. Parallèlement, elle testait la réaction du public en se produisant autant que possible sur les scènes libres des bars de Nashville. Il y en avait un en particulier, le *Nightingale*, dont il se disait que parmi le public se trouvaient souvent des producteurs à l'affût de nouveaux talents. Elle allait y chanter chaque semaine dans l'espoir d'être repérée.

Nos journées étaient longues. Le soir, après avoir joué dans les cafés, fatigués, nous allions dans un *diner* que nous aimions, ouvert jour et nuit, et nous nous affalions sur une banquette. Nous étions épuisés, affamés, mais heureux. Nous commandions des énormes hamburgers et une fois rassasiés, nous restions un moment. Nous étions bien. Elle me disait : « Raconte-moi, Markie, raconte-moi un jour comment ce sera... »

Je lui racontais ce que nous deviendrions.

Je lui racontais le succès de sa musique, les tournées à guichets fermés, des stades remplis, des milliers de personnes venues pour l'entendre, elle. Je la décrivais jusqu'à pouvoir la voir sur scène, jusqu'à entendre les acclamations du public.

Puis je lui parlais de nous. De New York où nous vivrions, et de la Floride où nous aurions une maison de vacances. Elle demandait : « Pourquoi la Floride ? » Je répondais : « Parce que ce sera bien. »

En général, il était suffisamment tard pour qu'il n'y ait que très peu de clients dans le restaurant. Alexandra attrapait sa guitare, s'appuyait contre moi, et se mettait à chanter. Je fermais les yeux. Je me sentais bien.

Dans le courant de l'automne, nous trouvâmes un studio qui nous fit un bon prix et elle enregistra une maquette.

Il fallait à présent la faire connaître.

Nous fîmes le tour des maisons de disques de la ville. Elle se présentait timidement à la réception, une enveloppe à la main, à l'intérieur de laquelle elle avait glissé un CD, enregistré par ses soins, de ses meilleurs titres. L'employée la regardait avec un air peu commode et elle finissait par dire :

— Bonjour, je m'appelle Alexandra Neville, je cherche une maison de disques et…

— Vous avez une maquette ? demandait la réceptionniste entre deux mouvements de mâchoires qui laissaient entrevoir un chewing-gum.

— Heu… oui. Voilà.

Elle tendait sa précieuse enveloppe à l'employée, qui la posait dans un bac en plastique derrière elle, débordant déjà d'autres maquettes.

— C'est tout ? demandait Alexandra.

— C'est tout, répondait la réceptionniste sur un ton très désagréable.

— Est-ce que vous allez me rappeler ?

— Si votre maquette est bonne, oui, sans doute.

— Mais comment est-ce que je peux être sûre que vous allez l'écouter ?

— Vous savez, ma petite, dans la vie on n'est jamais sûr de rien.

Elle ressortait du bâtiment dépitée et montait dans la voiture où je l'attendais.

— Ils disent que, si ça leur plaît, ils rappelleront, m'expliquait-elle.

Pendant plusieurs mois, personne ne téléphona.

En dehors de mes parents, personne ne sut vraiment ce que je faisais. Officiellement, j'étais dans mon bureau de Montclair occupé à écrire mon premier roman.

Il n'y avait personne pour vérifier.

La seule autre personne à connaître la vérité était Patrick Neville, par le biais d'Alexandra. Je n'étais pas parvenu à renouer avec lui. Il était l'homme qui m'avait pris ma tante.

C'était l'unique ombre au tableau dans ma relation avec Alexandra. Je ne voulais pas le voir : j'avais trop peur de lui sauter à la gorge. Il valait mieux que j'en reste éloigné. Parfois Alexandra me disait :

— Tu sais, à propos de mon père…

— N'en parlons pas. Il faut laisser le temps passer.

Elle n'insistait pas.

Au fond, la seule personne à qui je voulais cacher la vérité sur Alexandra et moi était Hillel. Je m'étais enfoncé dans un mensonge dont je ne pouvais plus m'extraire.

J'étais en contact très irrégulier avec lui; ce n'était plus comme avant. C'était comme si, avec la mort de Tante Anita, notre relation s'était brisée. Mais ce n'était pas lié à la seule disparition de sa mère, il y avait autre chose que je ne saisis pas immédiatement.

Hillel était devenu sérieux. Il suivait ses cours à la faculté de droit et s'en contentait. Il avait perdu sa magie. Et il avait perdu son alter ego. Il avait coupé les ponts avec Woody.

Woody avait refait sa vie à Madison. Je l'appelais de temps en temps: il n'avait plus rien à raconter. Je compris le mal qui les frappait lorsqu'il me dit un jour au téléphone: «Rien de spécial. La station-service, le boulot au restaurant. Le train-train, quoi.» Ils avaient cessé de rêver: ils s'étaient laissé dévorer par une forme de renoncement à la vie. Ils étaient rentrés dans le rang.

Ils avaient défendu les opprimés, créé leur entreprise de jardinage, ils avaient rêvé de football et d'amitié éternelle. Le liant du Gang des Goldman était là: nous étions des rêveurs de première catégorie. C'est ce qui nous rendait si uniques. Mais désormais, de nous trois, j'étais le dernier à être animé par un rêve. Le rêve originel. Pourquoi voulais-je devenir un écrivain célèbre et pas un écrivain tout court? À cause des Baltimore. Ils avaient été mes modèles, ils étaient devenus mes rivaux. Je n'aspirais qu'à les dépasser.

En cette année 2002, mes parents et moi nous rendîmes à Oak Park pour célébrer Thanksgiving. Il n'y avait qu'Hillel et Oncle Saul pour manger du bout des lèvres le repas préparé par Maria.

Ce n'était plus comme avant.

Cette nuit-là, je n'arrivais pas à dormir. Vers deux heures du matin, je descendis à la cuisine pour chercher une bouteille d'eau. Je vis de la lumière dans le bureau d'Oncle Saul. J'allai voir et je le trouvai assis dans un fauteuil de lecture, en contemplation devant une photo de Tante Anita et lui.

Il remarqua ma présence et je lui fis signe timidement, gêné de l'interrompre dans ses réflexions.

— Tu ne dors pas, Marcus ?

— Non. Je n'arrive pas à trouver le sommeil, Oncle Saul.

— Quelque chose te tracasse ?

— Que s'est-il passé avec Tante Anita ? Pourquoi t'a-t-elle quitté ?

— Ce n'est pas important.

Il refusait d'aborder le sujet. Pour la première fois, entre les Baltimore et moi, s'était installée une barrière infranchissable : il y avait des secrets.

*

New York.
Août 2011.

Qui était cet oncle que je ne reconnaissais plus ? Pourquoi m'avait-il chassé de chez lui ?

Au téléphone, je sentis que sa voix était dure.

J'avais aimé la Floride car elle m'avait rendu mon oncle Saul. Entre la mort de Tante Anita en 2002, et le Drame, en 2004, il aurait eu de quoi sombrer dans une profonde dépression. Mais son déménagement pour Coconut Grove en 2006 l'avait transfiguré. Mon oncle Saul de Floride était redevenu l'oncle aimé. Et pendant cinq ans, j'avais vécu avec la joie de l'avoir retrouvé.

Mais voilà que, de nouveau, je sentais que notre relation périclitait. Il était redevenu cet oncle qui me cachait quelque chose. Il avait un secret, mais lequel ? Était-ce lié au stade de Madison ? Comme j'insistais au téléphone, il me dit :

— Tu veux savoir pourquoi j'ai financé l'entretien du stade de Madison ?

— Je voudrais bien.

— À cause de Patrick Neville.

— Patrick Neville ? Qu'a-t-il à voir avec tout cela ?

Le départ de Woody et Hillel pour l'université eut des conséquences sur la vie d'Oncle Saul et de Tante Anita que je n'aurais jamais soupçonnées. Pendant des années, ils avaient été le noyau existentiel de la vie des Baltimore. Tout avait été construit autour d'eux : les frais de scolarité, les vacances, les cours extrascolaires. Leur routine quotidienne était organisée en fonction de la leur. Les entraînements de football, les sorties, les ennuis à l'école. Pendant des années, Oncle Saul et Tante Anita avaient vécu pour eux et à travers eux.

Mais la roue de la vie tourne : à trente ans, Oncle Saul et Tante Anita avaient la vie devant eux. Ils avaient eu Hillel, ils avaient acheté une immense maison. Et voilà que vingt années avaient passé comme un éclair. Le temps d'un clin d'œil et Hillel, l'enfant tant attendu, était déjà en âge de partir à l'université.

Un jour de 1998, à Oak Park, installés dans la voiture qu'Oncle Saul venait de leur offrir, Hillel et Woody étaient partis pour l'université. Et après vingt ans de plénitude, la maison avait soudain été vide.

Il n'y eut plus d'école, plus de devoirs, plus de cours de football, plus d'échéances. Il y eut cette maison tellement déserte que les voix y résonnaient. Il n'y eut plus de bruit et plus d'âme.

Tante Anita s'efforce de cuisiner pour son mari. Malgré ses horaires contraignants à l'hôpital, elle trouve le temps de préparer des plats mijotés et compliqués. Mais une fois à table, ils mangent en silence. Avant, la conversation sortait d'elle-même : Hillel, Woody, l'école, les devoirs, le football. À présent il y a des silences lourds.

Ils invitent des amis, se rendent à des soirées de charité : la présence de tiers leur évite l'ennui. Les discussions embrayent avec plus de facilité. Mais dans la voiture du retour, plus un mot. Ils parlent d'un tel, ou d'un autre. Mais jamais d'eux. Ils ont été tellement occupés avec leurs enfants qu'ils ne se sont pas rendu compte qu'ils n'avaient plus rien à se dire.

Ils se murent dans le silence. Et dès qu'ils revoient Woody et Hillel, ils se réaniment. Aller les retrouver à l'université les occupe. Les voir revenir à la maison quelques jours les regonfle de joie. L'activité reprend, la maison s'anime, il faut faire des courses pour quatre. Puis ils repartent, et le silence reprend sa place.

Peu à peu, ce ne fut pas seulement la maison de Baltimore qui perdit sa résonance, une fois vidée d'Hillel et Woody, mais aussi tout le cycle de la vie de Tante Anita et Oncle Saul. Tout devint différent. Ils s'efforcèrent de faire ce qu'ils avaient toujours fait : les Hamptons, la Buenavista, Whistler. Mais sans Hillel et Woody, ces lieux de bonheur étaient devenus des lieux d'ennui.

Pour ne rien arranger, l'université avala peu à peu Hillel et Woody. Oncle Saul et Tante Anita eurent l'impression de les perdre. Ils avaient le football, le journal universitaire, les cours. Ils avaient de moins en moins de temps pour leurs parents. Lorsqu'ils se retrouvaient enfin, il n'était trop souvent question que de Patrick Neville.

Ce fut un coup terrible pour mon oncle.

Il commença à se sentir moins important, moins indispensable. Lui, le chef de famille, le conseiller, le guide, le sage, le tout-puissant, perdait du terrain. Planait sur Hillel et Woody l'ombre de Patrick Neville. Dans le désert d'Oak Park, Oncle Saul se sentait lentement écarté par Woody et Hillel au profit de Patrick.

Quand Hillel et Woody rentraient à Baltimore, ils racontaient combien Patrick était merveilleux et, quand c'était Oncle Saul et Tante Anita qui venaient à Madison pour assister aux matchs des Titans, ils voyaient bien qu'il y avait quelque chose de spécial entre Patrick et leurs deux enfants. Mes cousins avaient trouvé un nouveau modèle à suivre, plus beau, plus puissant, plus riche.

Chaque fois qu'il était question de Patrick, Oncle Saul maugréait : « Qu'a-t-il de si merveilleux ce Neville ? » À Madison, Patrick était sur son territoire. Si Woody et Hillel avaient besoin d'aide, c'était désormais vers Patrick qu'ils se tournaient. Et quand des questions de choix de carrière pour le football se posaient, c'était encore Patrick qu'il fallait interroger. «Pourquoi faut-il qu'ils appellent toujours Patrick? s'agaçait Oncle Saul. Nous ne comptons plus pour eux? Nous ne sommes pas assez bien? Qu'a-t-il de plus que moi, ce satané Neville-de-New-York?»

Une année passe, puis deux. Oncle Saul dégringole. Sa propre existence de Baltimore ne lui suffit plus. Il veut être de nouveau admiré. Il ne pense plus à Tante Anita, il ne pense plus qu'à lui. Ils passent quelques jours tous les deux à la Buenavista pour se retrouver. Mais ce n'est pas pareil. Il lui manque ses fils pour l'aimer, il lui manque son neveu Marcus pour s'émerveiller devant le luxe de son appartement.

Tante Anita lui dit qu'elle est heureuse qu'ils ne soient que tous les deux, qu'ils aient enfin du temps pour eux. Mais cette tranquillité ne convient pas à Oncle Saul. Elle finit par lui dire:

— Je m'ennuie de toi, Saul. Dis-moi que tu m'aimes de nouveau. Dis-moi ce que tu me disais il y a trente ans.

— Ma chérie, si tu t'ennuies, achetons un chien.

Il ne remarque pas l'inquiétude qui envahit sa femme: elle voit bien dans les miroirs qu'elle a vieilli. Elle se pose mille questions: est-ce qu'il la délaisse parce qu'il est obnubilé par Patrick Neville ou parce qu'elle ne l'attire plus? Elle voit à Madison ces filles de vingt ans au corps ferme et aux seins bien en place, et elle sent bien qu'il en a envie. Elle va même consulter un chirurgien esthétique, elle le supplie de l'aider. Qu'il lui remonte les seins, qu'il lui gomme les rides, qu'il lui raffermisse les fesses.

Elle est malheureuse. Son mari se sent délaissé et du coup la délaisse elle aussi. Elle voudrait le supplier de ne pas détourner son regard d'elle parce qu'ils ont vieilli. Elle voudrait qu'il lui dise qu'ils ne sont pas perdus. Elle voudrait qu'il l'aime comme avant, juste une dernière fois. Elle voudrait qu'il ait envie d'elle. Elle voudrait qu'il la prenne, comme il le faisait avant. Comme il l'avait fait dans sa chambrette de l'université du Maryland, comme il l'avait fait à la Buenavista, comme il l'avait fait dans les Hamptons, comme il l'avait fait la nuit de leur mariage. Comme il l'avait fait pour lui faire Hillel, comme il l'avait fait dans un chemin de campagne sur la banquette de sa vieille Oldsmobile, comme il l'avait fait d'innombrables fois dans la nuit chaude sur leur terrasse de Baltimore.

Mais Saul n'a plus de temps pour elle. Il ne veut pas réparer son couple, il ne veut pas se remémorer le passé. Il veut une renaissance. Dès qu'il le peut, il part courir dans le quartier.

— Tu n'as jamais couru, lui dit Tante Anita.

— Maintenant je cours.

À midi, il ne veut plus des plats qu'elle lui apporte du *Stella*. Il ne veut plus ni pâtes, ni pizza, mais des salades sans sauce et des fruits. Il installe des poids dans la chambre d'amis, un miroir en pied. Il se met à faire de l'exercice à tout bout de champ. Il mincit, il s'arrange, il change de parfum, s'achète des nouveaux vêtements. Ses clients le retiennent jusque tard le soir. Elle l'attend.

« Pardon, j'avais un dîner. » « Je suis navré, mais j'ai un voyage d'affaires ici et un voyage d'affaires là-bas. » « Les compagnies maritimes n'ont jamais eu autant besoin de mes services. » Il est soudain de si bonne humeur.

Elle veut lui plaire, et elle fait tout pour ça. Elle met une robe et elle lui fait à dîner, elle allume des bougies : au moment où il passera la porte, elle lui sautera au cou pour l'embrasser. Elle attend longtemps. Assez pour comprendre qu'il ne rentrera plus. Il téléphone finalement et bredouille qu'il est retenu.

Elle veut lui plaire, et elle fait tout pour ça. Elle va à la gymnastique, elle change sa garde-robe. Elle s'achète des nuisettes en dentelle et elle lui propose de jouer comme avant, de s'effeuiller devant lui. Il lui répond : « Pas ce soir, mais merci. » Et il l'abandonne comme ça, toute nue.

Qui est-elle ? Une femme qui a vieilli.

Elle veut lui plaire, elle fait tout pour ça. Mais il ne la regarde plus.

Il redevient le Saul d'il y a trente ans : il danse, il chantonne, il est drôle.

Il redevient le Saul qu'elle a tellement aimé. Mais ce n'est plus elle qu'il aime.

Celle qu'il aime s'appelle Cassandra, elle donne des leçons de tennis à Oak Park. Elle est belle, elle a la moitié de leur âge. Mais ce qui plaît le plus à Oncle Saul, c'est que lorsqu'il parle, elle a les yeux qui pétillent. Elle le regarde comme Hillel et Woody le regardaient avant. Avec Cassandra, il peut impressionner : il lui raconte son coup de Bourse génial de l'époque, l'affaire Dominic Pernell et ses exploits judiciaires.

Tante Anita trouve des messages de Cassandra, elle l'a vue rendre visite à Oncle Saul à son bureau avec des barquettes de salade et de légumes bio. Un soir, il quitte la maison pour aller « dîner avec des clients ». Quand finalement il rentre, Tante Anita l'attend, sent son odeur sur sa peau. Elle lui dit :

— Je veux te quitter, Saul.

— Me quitter ? Pourquoi ?

— Parce que tu me trompes.

— Je ne te trompe pas.

— Et Cassandra alors ?

— Ce n'est pas toi que je trompe quand je suis avec elle. C'est ma propre tristesse.

Personne ne soupçonna combien, durant leurs années à Madison, Oncle Saul souffrit de l'attachement de Woody et Hillel pour Patrick Neville.

Quand Oncle Saul et Tante Anita allaient voir un match des Titans à Madison, ils se sentaient comme des étrangers. Lorsqu'ils arrivaient au stade, Hillel était déjà installé à côté de Patrick dans une rangée où il n'y avait plus d'autres places libres. Ils s'installaient juste derrière. Après les victoires, ils retrouvaient Woody à la sortie des vestiaires : Oncle Saul irradiait de fierté et de joie, mais ses félicitations n'avaient pas autant de poids que celles de Patrick Neville. Ses avis n'étaient pas aussi valables que les siens. Lorsque Oncle Saul lui donnait un conseil de jeu, Woody répondait : « Tu as peut-être raison. Je demanderai à Patrick ce qu'il en pense. » Après les matchs, Oncle Saul et Tante Anita proposaient à Woody et Hillel d'aller dîner ensemble. Ils déclinaient la plupart du temps, prétextant qu'ils voulaient aller manger avec le reste de l'équipe. « Bien sûr, amusez-vous bien ! » leur disait Oncle Saul. Un jour, après un match, Oncle Saul alla dîner avec Tante Anita dans un restaurant de Madison. Au moment d'entrer dans l'établissement, il s'arrêta net et fit demi-tour. «Que se passe-t-il?» demanda Tante Anita. «Rien, répondit Oncle Saul. Je n'ai plus faim.» Il fit barrage à sa femme et tenta de la convaincre de ne pas entrer. Elle comprit qu'il se passait quelque chose et, regardant par la vitre du restaurant, elle vit Woody, Hillel et Patrick attablés tous les trois.

Un jour, Woody et Hillel arrivent à Baltimore à bord de sa Ferrari noire. Oncle Saul, dépité, leur dit: «Alors quoi? La voiture que je vous ai achetée n'était pas assez bien?»

Il a l'impression que Patrick Neville l'a dépassé. Il n'est question que de sa carrière, son succès, son appartement extraordinaire à New York, son salaire mirobolant. Ils passent des week-ends chez lui à New York. Patrick devient le meilleur ami de ses deux garçons.

Et plus ils vont voir des matchs des Titans, plus Woody gagne, et plus Oncle Saul se sent délaissé. C'est à Patrick que Woody parle de ses opportunités et de ses plans de carrière. C'est avec Patrick qu'il veut dîner après les matchs. «C'est quand même grâce à nous qu'il n'a pas arrêté le football», se plaint Oncle Saul, malheureux, une fois seul avec sa femme dans la voiture.

Ils finissent par se joindre à leurs dîners d'après-match. Quand Patrick Neville s'arrange pour régler l'addition en douce, Saul se met en colère. «Que pense-t-il? Que je n'ai pas les moyens d'inviter? Pour qui se prend-il?»

Mon oncle Saul avait été battu.

Il volait en première classe? Patrick Neville volait en jet privé.

Patrick possédait une voiture qui valait une année du salaire de Saul. Ses salles de bains étaient grandes comme leurs chambres, ses chambres étaient grandes comme leur salon, son salon était grand comme leur maison.

Au téléphone, j'écoute Oncle Saul. Je finis par lui dire:

— Tu te trompes, Oncle Saul. Ils t'ont toujours tellement aimé et admiré. Woody était tellement reconnaissant de ce que tu avais fait pour lui. Il disait que, sans toi, il aurait fini dans la rue. C'est lui qui a demandé à frapper son maillot du nom de Goldman.

— Ce n'est pas une question de se tromper ou non, Marcus. C'est un sentiment. Personne ne peut le contrôler ou se raisonner. Un sentiment. J'étais jaloux, je ne me sentais pas à la hauteur. Patrick était un Neville-de-New-York, nous n'étions que des Goldman-de-Baltimore.

— Alors tu as payé six millions de dollars pour avoir ton nom sur le stade de Madison, dis-je.

— Oui. Pour que mon nom soit écrit en lettres immenses à l'entrée du campus. Pour que tout le monde me voie. Et pour réunir cette somme, j'ai fait une énorme bêtise. Et si tout ce qui est arrivé était ma faute ? Et si mon travail au supermarché n'était au fond que la punition de mes péchés ?

40.

2003-2004.

Au début de l'année 2003, un soir qu'Alexandra se produisait sur la scène du *Nightingale*, elle fit une rencontre qui allait changer sa vie. Sa prestation terminée, elle me rejoignit dans la salle. Je l'applaudis, je l'embrassai et je m'apprêtais à aller lui chercher un verre lorsqu'un homme nous aborda.

— J'ai adoré ! dit-il à Alexandra. Tu as un talent incroyable !

— Merci.

— Qui a composé ces chansons ?

— Moi-même.

Il lui tendit la main.

— Je m'appelle Eric Tanner. Je suis producteur et je cherche un artiste pour lancer mon label. Tu es celle que j'attends depuis longtemps.

Eric avait une façon de parler douce et sincère, loin de celle des bonimenteurs que j'avais pu rencontrer jusqu'alors. Mais il n'avait entendu Alexandra que l'espace de vingt minutes, et il fourmillait d'idées. Je me dis qu'il était soit un escroc, soit un fou.

Il nous remit sa carte de visite, et la vérification de ses informations nous donna toutes les raisons de douter de lui. Il y avait bien une compagnie enregistrée à son nom, mais l'adresse était celle de sa maison dans la banlieue de Nashville, et il n'avait encore produit aucun artiste.

Alexandra décida de ne pas le rappeler. C'est lui qui nous retrouva. Il retourna tous les soirs au *Nightingale* jusqu'à ce qu'il nous revoie. Il insista pour nous offrir un verre et nous nous assîmes à une table tranquille.

Il se lança dans un soliloque d'une vingtaine de minutes, expliquant tout ce qui l'avait touché chez Alexandra et pourquoi il savait qu'elle deviendrait une immense vedette.

Il nous expliqua qu'il était un ancien producteur au sein d'une major et qu'il venait de démissionner. Fonder son propre label était le rêve de sa vie, mais il avait besoin d'un artiste à la hauteur de ses ambitions, et Alexandra était l'étoile qu'il attendait depuis longtemps. La force de son discours, son charisme, son enthousiasme, convainquirent Alexandra. Lorsqu'il eut terminé, elle demanda à me parler un instant et m'entraîna à l'écart. Je vis ses yeux qui brillaient d'une intense joie.

— C'est lui, Markie. C'est le bon. Je le sens au fond de moi. C'est lui. Tu en penses quoi ?

— Écoute ton instinct. Si tu crois en lui, il faut foncer.

Elle sourit. Elle retourna se rasseoir à la table et dit à Eric :

— C'est d'accord, dit-elle. Je veux faire ce disque avec vous.

Ils signèrent une promesse d'engagement sur un bout de papier.

Ce fut le début d'une aventure extraordinaire. Eric nous prit sous son aile. Il était marié et père de deux enfants, et nous passâmes un nombre incalculable de dîners chez lui, à préparer le premier album d'Alexandra.

Nous montâmes un groupe, auditionnant des musiciens de la région dans un studio qu'Eric s'était fait prêter.

Puis commença le long processus d'enregistrement, qui dura plusieurs mois. Alexandra et Eric choisirent les douze morceaux qui composeraient l'album et travaillèrent sur les arrangements. Puis il y eut tout le travail en studio.

En octobre 2003, environ une année et demie après notre installation à Nashville, le premier disque d'Alexandra était enfin prêt.

Il fallait maintenant trouver un moyen de le faire

connaître. Dans ce genre de situation, il n'y avait qu'une solution : prendre une voiture et sillonner le pays pour faire la tournée des radios.

Et c'est ce que nous fîmes, Alexandra et moi.

Nous traversâmes le pays de part en part, du nord au sud et d'est en ouest, allant de ville en ville, pour distribuer le disque aux chaînes de radio, et surtout persuader les programmateurs de diffuser ses chansons.

Tous les jours, c'était un recommencement. Une nouvelle ville, de nouvelles personnes à convaincre. Nous dormions dans des motels bon marché, où Alexandra parvenait à amadouer le personnel et utiliser la cuisine pour préparer des biscuits ou un gâteau à l'intention des responsables de la radio. Elle écrivait aussi de longues lettres manuscrites pour les remercier de leur attention. Elle n'arrêtait jamais. Elle y passait ses soirées, parfois ses nuits. Je somnolais sur le comptoir de la cuisine ou sur un coin de table à côté d'elle. La journée, je conduisais et elle dormait sur le siège passager. Puis nous arrivions à la station radio du jour et elle distribuait ses disques, ses lettres, ses biscuits. Elle envahissait les stations de radio de sa présence fraîche et pétillante.

Sur la route, nous écoutions attentivement les radios. À chaque nouveau morceau, nous espérions, le cœur battant, que ce pourrait être elle. Mais rien.

Puis, en avril, un jour que nous montions dans la voiture, j'allumai la radio et là, nous l'entendîmes soudain. Une radio diffusait sa chanson. Je montai le volume au maximum, je la vis éclater en sanglots. Elle laissait rouler sur ses joues des larmes de joie, elle me prit contre elle et m'embrassa longuement. Elle me dit que tout ça, c'était grâce à moi.

Cela faisait presque six ans que nous étions ensemble, six ans que nous étions heureux. Je pensais que rien ne pouvait nous séparer. Sauf le Gang des Goldman.

*

C'est Alexandra qui réunit à nouveau le Gang des Goldman.

Elle était encore en contact régulier avec Woody et Hillel.

Elle me dit, un jour du printemps 2004 : « Il faut que tu parles à Hillel, il doit savoir pour nous deux. C'est ton ami, et c'est le mien aussi. Les amis ne se mentent pas ainsi. »

Elle avait raison, et je le fis.

Au début du mois de mai, je me rendis à Baltimore. Je lui racontai tout. Quand j'eus fini de parler, il me sourit et se jeta dans mes bras :

— Je suis tellement content pour toi, Markie.

Je fus surpris de sa réaction.

— Vraiment ? lui demandai-je. Tu n'es pas fâché ?

— Pas le moins du monde.

— Mais nous avions fait ce pacte, dans les Hamptons…

— Je t'ai toujours admiré, me dit-il.

— Qu'est-ce que tu me racontes ?

— La vérité. Je t'ai toujours trouvé plus beau, plus intelligent, plus doué. La façon dont les filles te regardent, la façon dont ma mère parlait de toi après tes séjours chez nous. Elle me disait : « Prends exemple sur Markie. » Je t'ai toujours admiré, Markie. Et puis tes parents sont géniaux. Regarde, ta mère t'a installé un bureau pour que tu deviennes écrivain. Moi, mon père me tanne depuis toujours pour que je devienne avocat, comme lui. C'est ce que je suis en train de faire. Pour plaire à mon père. Comme je l'ai toujours fait. Toi, tu es un type exceptionnel, Marcus. La preuve : tu ne t'en rends même pas compte.

Je souris. J'étais très ému.

— Je voudrais que nous nous retrouvions avec Woody, lui dis-je. Je voudrais reformer le Gang.

— Moi aussi.

La réunion du Gang qui eut lieu au *Dairy Shack* d'Oak Park me fit prendre la mesure de l'union que nous formions, mes cousins et moi. Une année avait suffi pour apaiser la souffrance et les reproches et laisser place à cette amitié fraternelle, puissante et inaltérable, qui nous unissait tous les trois. Rien ne pouvait en venir à bout.

Nous nous retrouvâmes tous autour d'une même table, à siroter des milk-shakes, comme nous le faisions enfants. Il y avait Hillel, Woody et Colleen, Alexandra et moi.

Je réalisai qu'au fond Woody était heureux à Madison avec Colleen. Elle l'avait apaisé, elle avait soigné ses blessures, elle l'avait reconstruit. Il était parvenu à surmonter la mort de Tante Anita.

Comme pour défier le mauvais sort, après le *Dairy Shack*, nous nous rendîmes tous au cimetière de Forrest Lane. Alexandra et Colleen restèrent en retrait. Woody, Hillel et moi nous assîmes devant sa pierre tombale.

Nous étions devenus des hommes.

La photo de nous trois n'était pas telle que je l'avais imaginée dix ans plus tôt.

Ils n'étaient pas devenus les êtres tout en superlatifs que j'avais rêvés. Ils n'étaient pas devenus un grand footballeur et un avocat célèbre. Ils n'étaient pas devenus aussi extraordinaires que je l'aurais souhaité. Mais ils étaient mes cousins et je les aimais plus que tout.

À Oak Park, dans la grande maison de Willowick Road, mon oncle Saul n'était plus celui que j'avais connu. Il était plus seul, et plus triste. Mais au moins, lui aussi, je l'avais retrouvé.

J'en vins à me demander si, enfant, c'était moi qui avais rêvé à leur place. Si au fond, je ne les avais pas perçus différemment de ce qu'ils étaient réellement. Avaient-ils été réellement ces êtres hors du commun que j'avais tant admirés. Et si tout ceci n'avait été qu'une création de mon esprit ? Et si, depuis toujours, j'étais moi-même mon propre Baltimore ?

Nous passâmes la soirée et la nuit tous ensemble dans la maison des Baltimore, bien assez grande pour nous héberger. Oncle Saul était aux anges de nous voir réunis chez lui.

Il devait être minuit, nous étions sur la terrasse au bord de la piscine. Il faisait très chaud. Nous regardions les étoiles. Oncle Saul nous rejoignit et s'installa parmi nous. « Les enfants, nous dit-il, je me disais que nous pourrions tous nous retrouver ici pour Thanksgiving. »

Quel bonheur de l'entendre parler ainsi ! Je frissonnai de joie en l'entendant dire « les enfants ». Je fermai les yeux et je nous revis tous les trois, douze ans plus tôt.

Sa proposition suscita l'approbation générale. Nous étions excités rien qu'à l'idée d'imaginer la table de Thanksgiving. Il faudrait que les mois passent vite.

Mais il n'allait pas y avoir de Thanksgiving cette année-là.
Deux mois plus tard, au début du mois de juillet 2004, Luke, le mari de Colleen, sortit de prison.
Il avait purgé sa peine.

41.

Madison, Connecticut.
Juillet 2004.

La rumeur traversa la ville à la seconde où il remit un pied en ville. Luke était de retour.

Il débarqua un matin avec un air triomphal, s'affichant sur les terrasses des bars de Madison. «Je suis rangé des bagnoles, s'esclaffait-il à qui voulait bien l'écouter. Je frappe plus personne.» Il éclatait d'un rire bête.

Il s'installa chez son frère, qui était son référent vis-à-vis de son officier de probation. Grâce à son réseau à Madison, il retrouva immédiatement un emploi en tant que manutentionnaire dans un magasin d'outillage. Le reste du temps, on le vit bientôt rôder en ville à longueur de journée. Il disait que Madison lui avait manqué.

Colleen fut terrorisée de savoir Luke libre. Elle ne pouvait plus se promener en ville sans risquer de le croiser. Woody avait peur aussi, mais il ne voulait pas le lui dire et s'efforça de la rassurer. «Écoute, Colleen, on savait bien qu'il sortirait un jour ou l'autre. Il a l'interdiction de s'approcher de toi, de toute façon, sinon il retourne en taule. Ne te laisse pas impressionner par lui, c'est tout ce qu'il cherche.»

Ils s'efforcèrent de faire comme si tout était normal. Mais l'omniprésence de Luke les condamna bientôt à éviter les lieux publics. Ils allaient faire leurs courses dans une ville voisine.

L'enfer ne faisait que commencer.

Luke commença par récupérer la maison.

Le divorce entre Colleen et lui avait été prononcé pendant son incarcération et il contestait la répartition des biens. Il avait acheté la maison avec ses économies et il décida d'attaquer la décision du tribunal, qui l'avait octroyée à son ex-femme.

Il prit un avocat qui obtint de geler la procédure. La décision d'octroi fut suspendue jusqu'à un jugement ultérieur, et la maison revenait pour l'instant à son propriétaire initial : Luke.

Woody et Colleen durent quitter les lieux. Oncle Saul leur avait donné le nom d'un avocat de New Canaan, qui les conseilla. Il leur dit que ce n'était qu'une question de temps, qu'avant la fin de l'été ils auraient récupéré la maison.

En attendant, ils louèrent une maisonnette peu confortable à l'entrée de Madison. « C'est juste pour quelque temps, promit Woody à Colleen. Nous serons bientôt débarrassés de lui. »

Mais Colleen n'était pas tranquille.

Luke avait récupéré son pick-up resté chez son frère. Chaque fois qu'elle le voyait passer, elle sentait son ventre se nouer.

— Qu'est-ce qu'on doit faire ? demanda-t-elle à Woody.

— Rien. On va pas se laisser effrayer.

Il lui semblait voir le pick-up partout. Devant leur maison. Sur le parking du supermarché où ils allaient désormais. Un matin, elle le vit garé devant la station-service. Elle appela la police. Mais quand le frère de Luke arriva à bord de sa voiture de patrouille, le pick-up avait disparu.

Elle avait les nerfs à fleur de peau. Woody travaillait tous les soirs comme plongeur et elle restait à la maison seule, inquiète. Elle regardait par la fenêtre sans cesse, scrutant la rue, et ne se déplaçait pas d'une pièce à une autre sans un couteau de cuisine.

Un soir, elle voulut aller acheter de la glace. Elle n'osa d'abord pas envisager de sortir. Puis elle se trouva stupide. Elle ne pouvait pas se laisser terroriser de la sorte.

Elle aurait pu trouver de la glace à n'importe quel coin de rue, mais pour ne pas risquer de le croiser, elle se rendit dans le supermarché de la ville voisine. Sur la route du retour, l'un des pneus de la voiture creva. C'était bien sa veine. Elle était sur une route déserte : elle allait devoir changer sa roue toute seule.

Elle plaça le cric sous la voiture et la leva. Mais lorsqu'elle voulut déboulonner la roue à l'aide de la croix, elle en fut incapable. Les vis étaient beaucoup trop serrées.

Elle attendit qu'une voiture passe. Elle aperçut bientôt des phares fendant l'obscurité. Elle fit un signe de la main et la voiture s'arrêta. Colleen s'approcha et elle reconnut soudain la voiture de Luke. Elle eut un mouvement de recul.

— Alors quoi ? demanda-t-il par la fenêtre baissée. Tu ne veux pas de mon aide ?

— Non, merci.

— Très bien. Je ne vais pas te forcer. Mais je vais attendre un peu, des fois que personne ne passerait.

Il resta garé sur le bas-côté. Dix minutes s'écoulèrent. Personne.

— C'est bon, finit par dire Colleen. Aide-moi, s'il te plaît.

Luke descendit de voiture en souriant.

— Ça me fait plaisir de t'aider. J'ai payé ma dette, tu sais. J'ai purgé ma peine. Je suis un autre homme.

— Je ne te crois pas, Luke.

Il changea la roue de Colleen.

— Merci, Luke.

— De rien.

— Luke, j'ai encore des affaires à la maison. J'y tiens. J'aimerais les récupérer si tu es d'accord.

Il eut un petit rictus et fit semblant de réfléchir.

— Tu sais, Colleen, je crois que je vais les garder, tes affaires. J'aime bien renifler tes vêtements de temps en temps. Ça me rappelle le bon vieux temps. Tu te souviens quand je te jetais au milieu de nulle part et que tu devais rentrer à pied ?

— Je n'ai pas peur de toi, Luke.

— Tu devrais, Colleen. Tu devrais !

Il se dressa devant elle, menaçant. Elle se précipita à bord de sa voiture et s'enfuit.

Elle se rendit au restaurant où Woody travaillait.

— Tu ne dois pas quitter la maison le soir, lui dit-il.

— Je sais. Je voulais juste aller faire une course.

Le lendemain, Woody se rendit dans une armurerie et se procura un revolver.

*

Nous étions loin de Madison et de la menace de Luke.

À Baltimore, Hillel et Oncle Saul vivaient leur vie paisible.

Peu à peu, les chansons d'Alexandra commencèrent à être diffusées à travers le pays. On parlait d'elle et elle s'était vu proposer la première partie de plusieurs groupes importants sur leur tournée américaine. Elle enchaînait les dates de concert, interprétant ses morceaux dans des versions acoustiques.

Je l'accompagnai à plusieurs concerts. Puis il fut temps pour moi d'aller à Montclair. Mon bureau m'attendait, et à présent que la carrière d'Alexandra était sur la bonne voie, il était temps que je m'attelle à mon premier roman, dont je n'avais pas encore décidé du sujet.

*

Les jours suivants, Colleen crut voir de nouveau le pick-up de Luke qui la suivait.

Elle recevait d'étranges coups de téléphone à la station-essence. Elle se sentait épiée.

Un jour, elle finit par ne même pas ouvrir la station-service et resta réfugiée dans la réserve. Elle ne pouvait plus vivre ainsi. Il fallut que Woody vienne la chercher. Il avait son pistolet rangé dans sa ceinture. Ils devaient s'enfuir loin de Luke avant que cela ne dégénère.

— Demain, nous partons, dit-il à Colleen. À Baltimore. Hillel et Saul nous aideront.

— Pas demain. Je veux récupérer mes affaires. Elles sont dans la maison.

— Nous le ferons demain soir. Ensuite nous partirons directement. Nous partirons pour toujours.

Woody savait que tous les soirs, Luke partait traîner dans un bar de la rue principale.

Le lendemain, ainsi qu'il l'avait dit à Colleen, ils se garèrent dans la rue, suffisamment loin pour ne pas être repérés, et ils attendirent de le voir s'en aller

Vers vingt et une heures, ils virent Luke sortir de la maison, monter dans son pick-up et partir. Une fois qu'il eut disparu au bout de la rue, Woody sortit de la voiture. «Dépêche-toi!» ordonna-t-il à Colleen. Elle essaya d'ouvrir la porte avec la clé, mais elle n'y parvint pas: il avait changé les serrures.

Woody lui prit la main et l'entraîna derrière la maison. Il trouva une fenêtre ouverte, s'introduisit dans la maison et ouvrit la porte arrière à Colleen.

— Où sont tes affaires?

— À la cave.

— Vas-y rapidement, ordonna Woody. As-tu des affaires ailleurs?

— Regarde dans le placard de la chambre.

Woody se dépêcha d'y aller et prit quelques robes.

Le frère de Luke passa dans la rue et ralentit devant la maison. Par la fenêtre de la chambre qui donnait sur la rue, il aperçut Woody. Il accéléra aussitôt en direction du bar.

Woody mit les robes dans un sac et appela Colleen. «Tu as fini?» Elle ne répondit pas. Il descendit au sous-sol. Elle avait sorti toutes ses affaires.

— Tu ne peux pas tout emporter, dit Woody. Ne prends que le minimum.

Colleen acquiesça. Elle se mit à plier ses vêtements. «Fous-les tous dans un sac! lui ordonna Woody. On ne doit pas traîner ici.»

Le frère de Luke entra dans le bar et trouva son frère au comptoir. Il lui murmura à l'oreille: «Ce petit connard de

Woodrow Finn est chez toi en ce moment. Je pense qu'il récupère les affaires de Colleen. Je me suis dit que tu aurais aimé t'en occuper toi-même.» Luke eut soudain un regard furieux. Il posa une main sur l'épaule de son frère en guise de remerciement et quitta aussitôt le bar.

«Allez, on s'en va, maintenant!» intima Woody à Colleen qui finissait de remplir un deuxième sac de vêtements. Elle se releva et empoigna les sacs. L'un d'eux se déchira et se vida sur le sol.

«Tant pis!» dit Woody.

Ils remontèrent les escaliers du sous-sol en courant. À cet instant, Luke qui arrivait en trombe pila devant la maison et se précipita à l'intérieur. Il tomba nez à nez avec Woody et Colleen qui s'apprêtaient à sortir par la porte arrière.

«Cours!» cria Woody à Colleen avant de se jeter sur Luke. Luke lui envoya un coup de poing et un coup de coude dans le visage et Woody s'écroula par terre. Luke se mit à lui donner de violents coups de pied dans le ventre. Colleen se retourna. Elle était sur le pas de la porte: elle ne pouvait pas abandonner Woody. Elle attrapa un couteau sur le comptoir de la cuisine et menaça Luke.

— Arrête, Luke!

— Sinon quoi? ricana Luke. Tu vas me tuer?

Il fit un pas en avant, elle ne bougea pas. Il eut un second mouvement très rapide: il lui attrapa le bras et le tordit. Elle lâcha le couteau et poussa un cri de douleur. Il lui attrapa les cheveux et lui frappa la tête contre le mur.

Woody essaya de se relever: Luke attrapa une lampe, arrachant le câble électrique, et la lui jeta au visage. Puis une petite table d'appoint avec laquelle il le frappa encore.

Il retourna vers Colleen, la tira par la chemise et se mit à la cogner.

«Je vais te passer l'envie de faire l'idiote avec moi!» cria-t-il.

Tout en la battant, il gardait un œil sur Woody. Mais celui-ci, puisant dans ses dernières forces, parvint à se relever d'un mouvement rapide et se rua sur Luke, lui assénant un coup de poing par surprise. Luke attrapa Woody et voulut le jeter contre une table basse, mais Woody s'accrocha à lui et tous les deux tombèrent au sol. Ils luttèrent férocement, puis Luke parvint à attraper la gorge de Woody et serra tant qu'il put.

Woody eut le souffle coupé. Il aperçut derrière lui Colleen effondrée par terre, en sang. Il n'avait pas d'autre choix. Parvenant à se dégager le dos, il réussit à saisir le revolver rangé dans l'élastique de son pantalon. Il enfonça le canon dans le ventre de Luke et appuya sur la détente.

Une détonation retentit.

42.

Juillet 2004.

La nuit de la mort de Luke, Madison ne dormit pas.

Les habitants s'agglutinèrent le long des banderoles de police pour essayer de glaner quelques miettes du spectacle. La rue était balayée par les gyrophares des voitures de police. Des agents de la division criminelle de la police d'État du Connecticut furent dépêchés depuis New Canaan pour prendre en charge l'enquête.

Woody fut arrêté et transféré au quartier général de la police d'État à New Canaan. Le coup de téléphone auquel il avait droit fut pour Oncle Saul.

Celui-ci appela son collègue avocat à New Canaan et se mit immédiatement en route avec Hillel. Ils arrivèrent à une heure du matin et purent s'entretenir avec Woody. Il souffrait de blessures superficielles et avait été soigné au quartier général de la police par des ambulanciers. Colleen, elle, avait été transportée à l'hôpital. Elle était salement amochée.

Woody, sonné, raconta en détail ce qui s'était passé dans la maison de Luke.

— Je n'avais pas le choix, expliqua Woody. Il allait nous tuer tous les deux.

— Ne t'inquiète pas, le rassura Oncle Saul. Tu étais en état de légitime défense. On va rapidement te sortir de là.

Oncle Saul et Hillel s'installèrent dans un hôtel de New Canaan pour la nuit. Woody devait être déféré devant un juge le lendemain. Au vu des circonstances, il fut libéré contre une caution de 100 000 dollars, que Saul paya, et le procès fut fixé au 15 octobre.

Hillel m'avait prévenu des événements et je me rendis immédiatement dans le Connecticut. Woody avait interdiction de quitter l'État. Il ne pouvait pas rester à Madison après ce qui s'était passé.

Hillel et moi lui trouvâmes une petite location au calme, dans une ville proche où Colleen put le rejoindre à sa sortie de l'hôpital.

*

Les deux mois et demi qui nous séparaient du procès de Woody passèrent assez rapidement.

Hillel et moi nous relayâmes auprès de lui pour lui tenir compagnie. Il ne fallait pas le laisser seul. Il y avait heureusement Colleen, tellement douce avec lui. Elle anticipait ses besoins. Elle veillait sur lui. Elle était sa bouée de secours.

Mais la seule personne à avoir un véritable effet sur lui était Alexandra. Je le vis lorsqu'elle vint à son tour dans la maison du Connecticut.

Avec nous, Woody était le plus souvent silencieux. Il répondait poliment aux questions qu'on lui posait, s'efforçait de faire bonne figure. Quand il voulait être seul, il partait courir. Quand Alexandra était avec lui, il parlait. Il était différent.

Je compris qu'il l'aimait. Comme moi, depuis toujours, depuis que nous l'avions rencontrée en 1993, il l'aimait. Passionnément. Elle lui faisait l'effet qu'elle me faisait. Ils avaient les mêmes discussions interminables. À plusieurs reprises, ils restèrent sur la petite terrasse en bois devant la maison pendant des heures à discuter.

Je faisais le tour de la maison et je m'asseyais par terre, dans l'herbe, dans un angle où ils ne pouvaient pas me voir.

Je les écoutais. Il se confiait à elle. Il s'ouvrait à elle comme il ne s'était jamais ouvert à nous.

— Ce n'est pas comme pour Tante Anita, lui expliqua-t-il. Je ne ressens rien pour Luke. Je ne suis pas triste, je n'ai pas de remords.

— C'était de la légitime défense, Woody, dit Alexandra.

Il n'en semblait pas convaincu.

— Au fond, j'ai toujours été violent. Depuis que je suis petit, tout ce que je sais faire, c'est taper sur les gens. C'est comme ça que j'ai rencontré les Baltimore, parce que je me battais. Et c'est comme ça que je vais les quitter.

— Pourquoi les quitter ? Pourquoi dis-tu cela ?

— Je crois que je vais être condamné. Je crois que c'est la fin.

— Ne dis pas des choses pareilles, Woody.

Elle lui attrapait le visage, elle plantait ses yeux dans les siens et elle lui disait : « Woodrow Finn, je t'interdis de dire des choses pareilles. »

J'étais jaloux de ces moments d'intimité que j'espionnais. Elle lui parlait comme elle me parlait à moi. Avec la même tendresse. À moi aussi, quand elle voulait me faire une gentille remontrance, elle m'appelait par mon prénom et mon nom. Elle disait : « Marcus Goldman, cesse de faire l'imbécile. » C'était sa façon de faire semblant d'être fâchée.

Il lui arrivait d'être vraiment fâchée. Elle avait des colères superbes. Rares, mais magnifiques. Elle fut furieuse contre moi lorsqu'elle réalisa que j'espionnais ses moments avec Woody et que j'éprouvais de surcroît de la jalousie.

Après m'avoir surpris, comme elle ne voulait pas me faire une scène dans la maison, elle dit à Woody et Colleen : « Marcus et moi allons au supermarché. » Nous montâmes dans sa voiture de location, elle conduisit jusqu'à ce que nous soyons hors de vue, s'arrêta et se mit à crier : « Marcus, est-ce que tu es complètement fou ? Tu es jaloux de Woody ? »

J'eus la mauvaise idée de vouloir protester. De lui dire qu'elle était trop attentive à lui et qu'elle l'appelait par son prénom et son nom. « Marcus, Woody a tué un homme. Tu comprends ce que cela signifie ? Il va être jugé.

Je crois qu'il a besoin de ses amis. Et tu n'es pas un ami quand tu te gonfles de ressentiments stupides pour tes cousins ! »

Elle avait raison.

Woody était le seul à penser qu'il irait en prison. Oncle Saul, qui se rendit plusieurs fois dans le Connecticut pour préparer sa défense, était convaincu du contraire.

Ce n'est que quand il eut accès au dossier de l'accusation qu'il se rendit compte que la situation était plus grave qu'il le pensait.

Le bureau du procureur ne suivait pas la présomption de légitime défense. Au contraire, il considérait que Woody avait pénétré illégalement chez Luke, et armé de surcroît. On pouvait considérer que Luke était celui qui avait agi en état de légitime de défense en voulant maîtriser Woody. Le parquet retenait donc une accusation de meurtre à l'encontre de Woody. Quant à Colleen, elle risquait d'être poursuivie pour complicité de meurtre. Une enquête pénale allait être également ouverte.

Un vent de panique souffla sur la maison du Connecticut, jusqu'alors à l'abri de l'agitation. Colleen disait qu'elle ne supportait pas d'aller en prison. « Ne t'inquiète pas, lui répétait Woody. Tu n'as rien à craindre. Je te protégerai comme tu m'as protégé après la mort d'Anita. »

Nous ne comprîmes ce qu'il voulait dire qu'au moment où le procès s'ouvrit. Woody, sans en informer Oncle Saul et son avocat, s'accusa d'avoir poussé Colleen à l'accompagner chez Luke. Il affirma qu'elle avait voulu l'en dissuader et que, comme il avait pénétré quand même dans la maison, elle l'avait suivi pour l'en faire sortir. Puis Luke était arrivé et leur avait sauté dessus.

Lors de la pause, l'avocat de Woody essaya de le raisonner :

— Tu es fou, Woody ! Qu'est-ce qui te prend de t'accuser ainsi ! À quoi est-ce que cela sert que je te défende si tu te sabordes ?

— Je ne veux pas que Colleen aille en prison !

— Laisse-moi faire et personne n'ira en prison.

Sur la base des témoignages d'habitants de Madison,

l'avocat de Woody put établir le calvaire que Luke faisait vivre à Colleen. Mais le procureur repartit au front de plus belle : ce n'était pas Colleen qui avait tué Luke et la question des violences passées au sein de leur couple ne pouvait pas entrer en ligne de compte pour déterminer si Woody avait agi en état de légitime défense. Pour l'accusation, Woody n'avait pas ouvert le feu pour mettre fin à une attaque comme le voulait le principe de légitime défense. Il s'était introduit chez Luke avec une arme. Depuis le début, il avait l'intention d'en finir.

Le procès virait au cauchemar. Après deux jours de débats, il ne faisait plus de doute que Woody allait être condamné. Pour éviter une condamnation trop lourde, Oncle Saul suggéra de passer un accord avec l'accusation : Woody plaiderait coupable du meurtre en échange d'une peine réduite. Lors de la réunion à huis clos pour établir un accord, le procureur se montra intraitable :

— Je n'irai pas au-dessous de cinq ans de prison, dit-il. Woodrow a attendu Luke chez lui et l'a abattu.

— Vous savez que ce n'est pas vrai, tempêta l'avocat de Woody.

— Cinq ans de prison, répéta le procureur. Vous savez que je vous fais une fleur. Il pourrait facilement en prendre pour dix ou quinze ans.

Oncle Saul, Woody et son avocat s'entretinrent longuement ensuite. Woody avait une lueur de panique dans les yeux : il ne voulait pas aller en prison.

— Saul, dit-il à mon oncle, tu te rends compte que si je dis oui, ils vont me passer les menottes dans la seconde qui suit et m'enfermer pendant cinq ans !

— Mais si tu refuses, tu risques d'y passer une bonne partie de ta vie. Dans cinq ans, tu n'auras pas encore trente ans. Tu auras le temps de te reconstruire.

Woody était effondré : il avait eu conscience depuis le début de ce qu'il encourait, mais à présent c'était bien réel.

— Saul, demande-leur de ne pas m'arrêter sur-le-champ, supplia Woody. Demande-leur de m'accorder quelques jours de liberté. Je veux me présenter à la prison en homme libre. Je ne veux pas être enchaîné comme un chien dans le prochain quart d'heure et jeté au fond d'un fourgon cellulaire.

L'avocat présenta la requête au procureur qui accepta l'accord. Et Woody fut condamné à cinq ans de prison sans incarcération immédiate, avec une date d'entrée en prison prévue une semaine plus tard, le 25 octobre, au pénitencier d'État de Cheshire, dans le Connecticut.

43.

Baltimore, Maryland.
24 octobre 2004.

Demain, Woody entrera en prison. Il y passera les cinq prochaines années de sa vie.

Sur la route qui me mène de l'aéroport de Baltimore à Oak Park, le quartier de son enfance où je vais le rejoindre pour sa dernière journée de liberté, je l'imagine déjà se présentant devant les grilles de l'imposant pénitencier de Cheshire, dans le Connecticut. Je l'imagine passer les portes, être déshabillé, fouillé. Je l'imagine revêtant l'uniforme des prisonniers et conduit jusqu'à sa cellule. J'entends les portes qui claquent derrière lui. Il avance, encadré par deux gardiens, tenant dans ses bras une couverture et des draps. Il passe au milieu d'autres prisonniers qui le dévisagent.

Demain, Woody entrera en prison.

Alexandra est venue avec moi. Elle est sur le siège passager, elle me regarde avec intensité. Elle voit bien que je suis perdu dans mes pensées. Elle passe la main derrière ma nuque et me caresse les cheveux avec beaucoup de tendresse.

En arrivant à Oak Park, je ralentis. Je sillonne le quartier où nous avons été tellement heureux, Woody, Hillel et moi. Nous croisons une patrouille d'Oak Park, je fais le signe secret. Puis je m'engage sur Willowick Road et j'arrive à la maison des Baltimore. Woody et Hillel, mes deux cousins, mes deux frères, sont assis sur les marches de la maison. Hillel tient une photo entre ses mains et ils la contemplent. C'est cette photo de nous quatre prise le jour du départ d'Alexandra, neuf ans plus tôt. Hillel nous voit arriver et protège le cliché en le glissant entre les pages d'un livre à côté de lui. Ils se lèvent et viennent à notre rencontre. Nous nous donnons tous les quatre une longue accolade.

Nous sommes à un mois du Drame, mais nous ne le savons pas encore.

Woody n'avait pas le droit d'être à Baltimore. En attendant son entrée en prison, la justice lui imposait de rester dans le Connecticut. Mais il considérait que, s'il ne pouvait pas passer sa dernière journée de liberté où bon lui semblait, c'était comme s'il était déjà en prison.

Pour éviter tout contrôle, il avait préféré ne pas prendre l'avion. Hillel était allé le chercher en voiture dans le Connecticut et ils repartiraient pendant la nuit. Ils passeraient une dernière nuit blanche ensemble, ils assisteraient au lever du soleil, ils prendraient un copieux petit déjeuner fait de pancakes arrosés de sirop d'érable, d'œufs brouillés et de pommes de terre, puis dans la matinée Hillel l'emmènerait à la prison.

Ce n'était que le début de la journée. Il faisait un temps magnifique. L'automne avait coloré Oak Park de rouge et de jaune.

Nous passâmes la matinée sur les marches de la maison à profiter de la douceur de la journée. Oncle Saul nous apporta des cafés et des beignets. À midi, il alla chercher des hamburgers dans l'un des restaurants préférés d'Hillel. Nous mangeâmes dehors, tous les cinq.

Woody avait l'air serein. Nous parlions de tout, sauf de la prison. Alexandra dit que la tournée des radios continuait de porter ses fruits : ses chansons étaient de plus en plus diffusées et son album commençait à se vendre. Elle en avait déjà écoulé quelques dizaines de milliers. Chaque semaine, il montait d'un cran dans les classements.

« Quand je pense à toi ici il y a dix ans ! sourit Hillel. Tu nous faisais des concerts dans ta chambre. Aujourd'hui, te voilà aux portes du succès.» Il attrapa son livre et en sortit la photo de nous quatre. Nous rîmes en nous rappelant les années de notre jeunesse.

Après le déjeuner, nous partîmes nous promener dans Oak Park, Hillel, Woody et moi. Alexandra prétexta vouloir aider Oncle Saul à ranger les emballages des hamburgers pour nous laisser tous les trois.

Nous déambulâmes à travers les rues tranquilles. Une équipe de jardiniers débarrassaient les allées des feuilles mortes, et cela nous rappela l'époque de Skunk.

— C'était bien, le Gang des Goldman, dit Woody.

— Ça l'est toujours, répondis-je. Rien n'est terminé. Le Gang est éternel.

— La prison, ça change tout.

— Ne dis pas ça. On viendra te voir tout le temps. Oncle Saul dit que tu auras certainement une remise de peine. Tu seras vite dehors, et nous serons là.

Hillel acquiesça.

Nous fîmes le tour du quartier et nous fûmes bientôt de retour à la maison des Baltimore. Nous nous assîmes à nouveau sur les marches. Woody me confia soudain qu'il avait quitté Colleen. Il ne voulait pas lui faire subir cinq années de parloir. Au fond de moi, je songeai que s'il le faisait, c'est qu'il ne l'aimait pas vraiment. Il s'était senti moins seul avec elle, mais il ne l'avait jamais aimée comme il aimait Alexandra. Je me sentis alors obligé de parler d'elle.

— Je regrette de vous avoir trahis en sortant avec Alexandra, dis-je à mes cousins.

— Tu n'as rien trahi, me rassura Hillel.

— Le Gang des Goldman est éternel, ajouta Woody.

— Quand tu sortiras, Wood', on fera un voyage tous les trois. Un long voyage ensemble. On pourrait même louer une maison dans les Hamptons et y passer tout l'été. On pourrait louer une maison tous les étés ensemble.

Woody me sourit tristement.

— Marcus, il faut que je te parle de quelque chose.

Nous fûmes interrompus par Oncle Saul, qui ouvrit la porte.

— Oh, vous êtes-là ! dit-il. Je pensais faire griller des steaks ce soir, ça vous dit ? Je vais aller faire des courses maintenant.

Nous proposâmes à Oncle Saul de l'accompagner et Woody me murmura à l'oreille qu'il me parlerait tranquillement plus tard.

Nous nous rendîmes tous au supermarché d'Oak Park. Ce fut un moment très gai qui nous rappela le temps où nous faisions les courses avec Tante Anita et où elle nous laissait remplir le chariot de tous les produits que nous aimions.

Plus tard, sur la terrasse des Baltimore, j'aidai Oncle Saul à préparer le barbecue, pour laisser un peu d'intimité à Woody et Alexandra. Je savais que c'était important pour lui. Ils partirent se promener. Je crois que Woody avait envie d'aller voir le terrain de basket d'Oak Park. Hillel se joignit à eux. Je songeai qu'au fond ils étaient le Gang de Madison. Le Gang des Goldman, c'était bien nous trois.

Il était une heure du matin quand nous nous séparâmes.

Nous avions passé une soirée presque trop normale. Comme si ce qui allait se passer dans quelques heures n'était pas réel.

C'est Hillel qui donna le signal du départ. Ils avaient bien quatre heures de route devant eux. Nous nous prîmes dans les bras. Je serrai fort Woody contre moi. Je crois que c'est à ce moment-là que nous prîmes conscience de ce qui était en train de se passer. Nous quittâmes Oncle Saul tous ensemble, le laissant sur le perron de sa maison, sur ces marches où nous avions passé la journée. Il pleurait.

Alexandra et moi montâmes dans notre véhicule de location et suivîmes la voiture d'Hillel jusqu'à la limite d'Oak Park. Puis ils bifurquèrent à droite vers l'autoroute I-95 et nous à gauche vers le centre-ville, où nous avions pris une chambre d'hôtel. Oncle Saul avait évidemment offert de nous héberger mais je ne voulais pas dormir à Oak Park. Pas ce soir-là. Ce ne devait pas être un soir comme les autres. C'était le soir où je perdais Woody pour cinq longues années.

Dans la voiture, j'essayais de nous imaginer, Alexandra, Hillel et moi, dans cinq ans. Je me demandais ce que nous deviendrions d'ici au 25 octobre 2009.

*

Le lendemain, Alexandra et moi prîmes un vol de très bonne heure pour Nashville, Tennessee. Nous avions une réunion importante avec Eric Tanner, son manager, le jour même.

Je voulais parler encore une fois à Woody avant qu'il n'entre au pénitencier de Cheshire. Mais je n'arrivai pas à le joindre. Son téléphone était coupé, celui d'Hillel aussi. Je passai la journée à essayer. En vain. Je me laissai envahir par un mauvais pressentiment. J'appelai à la maison des Baltimore, pas de réponse. Je finis par téléphoner à Oncle Saul sur son portable : il était avec des clients et ne pouvait pas me parler. Je lui demandai de me rappeler aussitôt que possible, il ne le fit que le lendemain après-midi.

— Marcus ? C'est Oncle Saul.

— Bonjour, Oncle Saul. Comment vas…

Il ne me laissa pas parler.

— Marcus, écoute-moi bien : j'ai besoin que tu viennes tout de suite à Baltimore. Sans me poser de question. Il s'est produit un événement grave.

Il raccrocha. Je pensais d'abord que la ligne avait été coupée et je le rappelai aussitôt : il ne répondit pas. Comme j'insistais, il finit par décrocher et me dit d'une traite : « Viens à Baltimore. »

Il raccrocha de nouveau.

44.

26 octobre 2004.

Woody ne s'était pas présenté au pénitencier.

Oncle Saul me l'expliqua quand j'arrivai chez lui, dans la soirée, après avoir sauté à bord du premier vol pour Baltimore.

Oncle Saul était paniqué, nerveux. Je ne l'avais jamais vu ainsi.

— Comment ça, il ne s'est pas présenté ? demandai-je.

— Il est en fuite, Marcus. Woody est un fugitif.

— Et Hillel ?

— Il est avec lui. Il a disparu aussi. Il est parti en même temps que vous avant-hier soir et il n'est jamais revenu.

Oncle Saul me raconta s'être douté d'un problème la veille, quand il avait constaté, comme moi, qu'Hillel et Woody étaient injoignables. Un agent du U.S. Marshals Service, en charge d'appuyer les polices d'État dans les recherches de fugitifs, était venu le matin à la maison d'Oak Park. Il avait longuement interrogé Oncle Saul.

— Savez-vous où pourrait se trouver Woodrow ? avait demandé l'agent.

— Non. Pourquoi le saurais-je ?

— Parce qu'il était ici la veille de son entrée en prison. Des voisins l'ont vu. Ils sont formels. Woodrow n'avait pas le droit de quitter le Connecticut. Vous êtes avocat, vous devriez le savoir.

Oncle Saul avait compris que le Marshal avait une longueur d'avance sur lui.

— Écoutez, je vais jouer franc jeu avec vous. Oui, Woody était ici la veille de son entrée en prison. Il a grandi dans cette maison, il avait envie de passer une dernière journée ici avant d'aller pourrir en prison pendant cinq ans. Rien de bien méchant. Mais j'ignore où il se trouve à présent.

— Qui était avec lui ici ? avait interrogé l'agent.

— Des amis. Je ne sais plus très bien. Je n'ai pas voulu trop m'en mêler.

— Il y avait votre fils, Hillel. Des voisins l'ont identifié également. Où est votre fils, Monsieur Goldman ?

— À l'université, j'imagine.

— Est-ce qu'il n'habite pas ici ?

— Officiellement, oui. Dans les faits, il n'est jamais là. Toujours fourré chez des copines. Et puis je travaille beaucoup, je pars le matin et je rentre tard le soir. D'ailleurs, j'étais sur le point de partir pour mon cabinet.

— Monsieur Goldman, vous me le diriez si vous saviez quelque chose ?

— Évidemment.

— Parce que nous finirons par retrouver Woodrow. En général, les gens ne nous échappent pas. Et si je devais découvrir que vous l'avez aidé d'une façon ou d'une autre, cela ferait de vous un complice. Voici ma carte. Demandez à Hillel de me passer un coup de fil quand vous le verrez.

Oncle Saul n'avait eu aucune nouvelle d'Hillel de la journée.

— Est-ce que tu penses qu'il est avec Woody ? lui demandai-je.

— Ça m'en a tout l'air. Je ne pouvais pas te parler de cela au téléphone. Ma ligne est peut-être sur écoute. Ne parle de cela à personne, Marcus. Et surtout, ne communique pas avec moi par téléphone. Je pense qu'Hillel est allé aider Woody à se cacher quelque part et qu'il va revenir. Il faut essayer de gagner du temps avec les enquêteurs. Si Hillel revient ce soir, il n'aura qu'à dire qu'il était à l'université toute la journée. Il se pourrait que des policiers t'interrogent. Dis-leur la vérité, ne te mets pas dans le pétrin. Mais évite de mentionner Hillel, dans la mesure du possible.

— Qu'est-ce que je peux faire, Oncle Saul ?
— Rien. Et surtout, reste en dehors de tout cela. Rentre chez toi. N'en parle à personne.
— Et si Woody me contacte ?
— Il ne te contactera pas. Il ne prendra pas le risque de te mêler à ça.

À mille miles de Baltimore, Woody et Hillel passèrent la ville de Des Moines, en Iowa.

Lors de notre dernière soirée, ils savaient déjà qu'ils n'iraient pas à la prison de Cheshire. Woody ne pouvait pas supporter l'idée de la prison.

Ils avaient dormi dans des motels à proximité de l'autoroute. Ils payaient tout en liquide.

Leur plan de route était de traverser le pays jusqu'au Canada, en passant par le Wyoming et le Montana. Ils traverseraient ensuite l'Alberta, puis toute la Colombie-Britannique jusqu'au Yukon. Ils s'installeraient là-bas, ils trouveraient une petite maison. Ils referaient leur vie. Personne ne viendrait les chercher là-bas. Dans un sac, en général sous la garde de Woody, ils avaient 200 000 dollars en liquide.

De retour à Nashville le lendemain, je racontai à Alexandra ce qui s'était passé. Je lui donnai les consignes reçues d'Oncle Saul. Ne parler de cela à personne, et entre nous surtout pas au téléphone.

Je me demandai si je devais aller à leur recherche. Elle m'en dissuada. « Woody ne s'est pas perdu, Markie. Il s'est enfui. Ce qu'il veut, c'est justement qu'on ne le retrouve pas. »

*

29 octobre 2004.

Hillel n'avait pas réapparu.
Le Marshal retourna interroger Oncle Saul.
— Où est votre fils, Monsieur Goldman ?

— Je ne sais pas.

— Cela fait plusieurs jours qu'il n'a pas été vu à l'université.

— Il est majeur, il fait ce qu'il veut.

— Il a vidé son compte-épargne il y a une semaine. D'où avait-il autant d'argent d'ailleurs ?

— Sa mère est morte il y a deux ans. C'était sa part d'héritage.

— Donc votre fils a disparu avec beaucoup d'argent en même temps que son ami recherché. Je crois que vous voyez où je veux en venir.

— Pas du tout, inspecteur. Mon fils fait ce qu'il veut de son temps et de son argent. Nous sommes dans un pays libre, non ?

Hillel et Woody étaient à une vingtaine de miles de Cody, dans le Wyoming. Ils s'étaient trouvé un petit motel où l'on payait les nuits en liquide, et le patron ne posait aucune question. Ils ne savaient pas comment passer la frontière avec le Canada sans risquer d'être pris. Au moins, dans le motel, ils étaient à l'abri.

La chambre disposait d'une petite kitchenette. Ils pouvaient se faire à manger sans avoir besoin de sortir. Ils avaient fait provision de pâtes et de riz, des produits faciles à stocker et qui n'étaient pas périssables.

Ils pensaient au Yukon. C'était ce qui les faisait tenir. Ils imaginaient une maison en rondins, au bord d'un lac. Tout autour, la nature sauvage. Ils gagneraient leur vie en allant à Whitehorse de temps en temps, rendre des menus services aux gens, comme ils l'avaient fait à l'époque des Jardiniers Goldman.

Je pensais sans cesse à eux. Je me demandais où ils étaient. Je regardais le ciel et je me disais qu'ils regardaient sans doute le même ciel. Mais depuis où ? Et pourquoi ne m'avaient-ils rien dit de leurs intentions ?

*

16 novembre 2004.

Il y avait trois semaines qu'ils étaient en fuite.

Hillel, accusé d'apporter son concours à un fugitif, était également recherché par le Marshals Service. Ils bénéficiaient d'un avantage: les recherches n'étaient pas très poussées. La police fédérale avait des criminels bien plus importants à traquer, et les moyens consacrés à les retrouver étaient limités. Dans ce genre de cas, la personne en fuite finissait toujours par se faire pincer lors d'un contrôle, ou était poussée à la faute par manque d'argent. Ce n'était pas le cas d'Hillel et Woody. Ils ne bougeaient pas de leur chambre. Ils avaient beaucoup d'argent avec eux.

«Tant qu'on ne se montre pas, tout va bien», disait Hillel à Woody.

Mais ils n'allaient pas tenir encore longtemps enfermés. C'était comme la prison. Ils devaient essayer de franchir la frontière, ou au moins de changer de motel pour prendre un peu l'air.

Deux jours plus tard, ils repartirent en direction du Montana.

Les paysages étaient époustouflants. C'était un avant-goût du Yukon.

À Bozeman, dans le Montana, ils firent la connaissance d'un homme dans un bar de motards, qui leur confia être en mesure de leur faire des faux papiers pour vingt mille dollars. C'était une grosse somme, mais ils acceptèrent. Des faux documents de qualité étaient le garant de leur invisibilité, et donc de leur survie.

L'homme leur proposa de les emmener jusqu'à un hangar proche, pour faire des photos d'identité. Ils le suivirent, lui à moto, eux en voiture. Mais le rendez-vous était une embuscade: quand ils descendirent de leur véhicule, ils se retrouvèrent entourés par un groupe de motards armés. Tenus en joue et fouillés, ils se firent voler leur sac d'argent.

*

19 novembre 2004.

Ils se retrouvèrent avec seulement mille dollars, qu'Hillel avait dissimulés dans une poche intérieure de sa veste. Ils passèrent une première nuit, dans la voiture, sur une aire de repos.

Le lendemain, ils roulèrent en direction du Nord. Leur plan était chamboulé. Sans argent, ils n'iraient nulle part. L'essence engloutissait le peu qu'il leur restait. Woody se disait prêt à commettre un braquage. Hillel l'en dissuada. Ils devaient se trouver un emploi. N'importe où. Mais surtout ne pas se faire remarquer.

Ils passèrent la nuit du 20 au 21 novembre sur un parking du Montana. Vers trois heures du matin, ils furent réveillés par des coups sur la vitre et une lumière aveuglante. C'était un policier.

Hillel ordonna à Woody de se tenir tranquille. Il baissa sa vitre.

— Vous n'avez pas le droit de passer la nuit sur le parking.

— Désolé, Monsieur l'agent, répondit Hillel. On s'en va tout de suite.

— Restez dans le véhicule pour le moment. Je voudrais votre permis de conduire et une pièce d'identité de la personne qui vous accompagne.

Hillel vit la panique envahir les yeux de Woody. Il lui souffla d'obéir. Il remit les documents au policier, qui retourna à sa voiture procéder aux vérifications.

— Qu'est-ce qu'on fait ? demanda Woody.

— Je vais démarrer et on se tire.

— Dans les cinq minutes, on aura toute la police de l'État derrière nous, on ne s'en sortira pas.

— Qu'est-ce que tu proposes alors ?

Woody, sans répondre, ouvrit sa portière et sortit.

Hillel entendit le policier crier : « Retournez dans votre voiture ! Retournez immédiatement dans votre véhicule ! »

Woody dégaina soudain un revolver et ouvrit le feu. D'abord une fois, puis une deuxième. Les balles vinrent se loger dans le pare-brise. Le policier plongea derrière sa voiture pour se protéger et sortir son arme, mais Woody était déjà à sa hauteur et lui tira dessus. Une première balle l'atteignit au thorax.

Woody tira encore sur lui à quatre reprises. Puis il courut jusqu'à la voiture. Hillel était prostré. Les mains sur les oreilles. « Démarre ! cria Woody. Démarre ! » Hillel obéit et la voiture disparut dans un crissement de pneus.

Ils roulèrent un moment, sans croiser personne. Puis ils bifurquèrent sur un chemin forestier et ne s'arrêtèrent que lorsqu'ils furent certains d'être invisibles au milieu des arbres.

Hillel sortit de voiture.

— Tu es complètement fou ! hurla-t-il. Qu'est-ce que t'as fait, bon Dieu, qu'est-ce que t'as fait ?

— C'était lui ou nous, Hill' ! Lui ou nous !

— On a tué un homme, Woody. On a tué un homme !

— Ce ne sera que le deuxième pour moi, répondit Woody d'un ton presque cynique. Qu'est-ce que tu pensais, Hillel ! Qu'on allait prendre la clé des champs et que ce serait la belle vie ? Je suis un putain de fugitif.

— Je ne savais même pas que tu avais un flingue.

— Tu me l'aurais pris si je te l'avais dit.

— Exactement. Donne-le-moi, maintenant.

— Jamais. Imagine qu'on te pique avec…

— Donne-le-moi ! Je vais m'en débarrasser. Donne-le-moi, Woody, ou nos chemins se séparent ici !

Après une longue hésitation, Woody lui remit l'arme. Hillel disparut entre les arbres. Il y avait une rivière en contrebas et Woody entendit Hillel y jeter l'arme. Il revint à la voiture, blême.

— Qu'y a-t-il ? demanda Woody.

— Nos documents d'identité… ils sont avec le flic.

Woody se prit le visage entre les mains. Dans le feu de l'action, il avait complètement oublié de les récupérer.

— Il faut qu'on laisse la voiture ici, dit Hillel. Le flic avait les papiers de la voiture avec lui. On doit partir à pied.

*

21 novembre 2004.

Ce furent les premières nouvelles.

Le Marshal vint cette fois trouver Oncle Saul à son cabinet.

— Un policier a été tué cette nuit par Woodrow Finn sur un parking du Montana lors d'un contrôle de routine. La caméra de bord a tout enregistré. Il était dans une voiture immatriculée à votre nom.

Il lui montra une image tirée de l'enregistrement vidéo.

— C'est la voiture qu'Hillel utilise, dit Oncle Saul.

— C'est la vôtre, rectifia le Marshal.

— Comment voulez-vous que j'aie été dans le Montana cette nuit ?

— Je n'insinue pas que vous étiez avec Woody, Monsieur Goldman. Le conducteur de la voiture était votre fils, Hillel. Son permis de conduire a été retrouvé sur place. Il est désormais complice du meurtre d'un membre des forces de l'ordre.

Oncle Saul devint pâle et plongea son visage entre ses mains.

— Qu'attendez-vous de moi, inspecteur ? demanda-t-il.

— Votre totale collaboration. S'ils vous font le moindre signe, vous devez me prévenir. Sinon, je serai obligé de vous arrêter pour assistance à des fugitifs et des meurtriers. Et vous l'avez vu, les preuves sont là.

*

22 novembre 2004.

Après avoir abandonné la voiture, ils avaient marché jusqu'à un motel. Ils avaient payé en liquide, avec une rallonge pour que le tenancier ne leur demande pas de pièce d'identité. Ils s'étaient douchés, reposés. Un homme les avait emmenés en voiture jusqu'à la gare routière de Bozeman, pour cinquante dollars. Ils avaient acheté des tickets de Greyhound pour Casper, Wyoming.

— Qu'est-ce qu'on va faire ensuite? demanda Woody à Hillel.

— On ira à Denver et on trouvera un bus pour Baltimore.

— Qu'est-ce qu'on va faire à Baltimore?

— Demander de l'aide à mon père. On pourrait se cacher quelques jours à Oak Park.

— Les voisins nous verront.

— Nous ne devrons pas quitter la maison. Personne n'imaginera que nous sommes là. Ensuite, mon père pourra nous conduire quelque part. Au Canada ou au Mexique. Il trouvera un moyen. Il me donnera de l'argent. C'est le seul qui puisse nous aider.

— J'ai peur d'être pris, Hillel. J'ai peur de ce qui va m'arriver. Est-ce qu'ils m'exécuteront?

— Ne t'inquiète pas. Reste calme. Il ne va rien nous arriver.

Après deux jours de voyage, ils arrivèrent à la gare routière de Baltimore le 24 novembre. C'était la veille de Thanksgiving. C'était le jour du Drame.

*

24 novembre 2004.
Jour du Drame.

Depuis la gare routière de Baltimore, où ils arrivèrent en fin de matinée, ils prirent les transports publics et arrivèrent jusqu'à Oak Park.

Ils avaient acheté deux casquettes qu'ils gardaient vissées sur la tête. Mais c'était une précaution inutile. À cette heure-là, les rues étaient désertes. Les enfants étaient à l'école, les adultes étaient au travail.

Ils pressèrent le pas sur Willowick Road. Bientôt ils aperçurent la maison. Leur rythme cardiaque s'accéléra. Ils y étaient presque. Une fois à l'intérieur, ils seraient à l'abri.

Ils atteignirent enfin la maison. Hillel avait la clé. Il ouvrit la porte et tous les deux s'engouffrèrent à l'intérieur. L'alarme était activée et Hillel tapa le code sur l'écran. Oncle Saul était absent. Il était à son cabinet, comme tous les jours.

Dans la rue, en planque dans sa voiture, le Marshal, qui venait de voir Woody et Hillel entrer dans la maison, se saisit de sa radio et appela des renforts.

Ils étaient affamés. Ils se dirigèrent directement vers la cuisine.

Ils se firent des sandwichs avec du pain de mie, de la dinde froide, du fromage et de la mayonnaise. Ils les dévorèrent. Ils se sentaient apaisés d'être de retour chez eux. Les deux jours de bus les avaient épuisés. Ils avaient envie de prendre une douche et de se reposer.

Une fois leur déjeuner terminé, ils montèrent à l'étage. Ils s'arrêtèrent devant la chambre d'Hillel. Ils regardèrent les vieilles images sur les murs. Sur le bureau d'enfant, une photo d'eux sur le stand de soutien à Clinton lors de l'élection de 1992.

Ils sourirent. Woody sortit de la pièce, longea le couloir et entra dans la chambre d'Oncle Saul et Tante Anita. Hillel jeta un coup d'œil par la fenêtre. Son cœur cessa de battre soudain : des policiers en cagoules et gilets pare-balles prenaient position dans le jardin. Ils étaient repérés. Ils étaient faits comme des rats.

Woody était toujours sur le seuil de la chambre de ses parents. Il lui tournait le dos et ne remarqua rien. Hillel s'approcha de lui doucement.

— Ne te retourne pas, Woody.

Woody obéit et ne bougea pas.

— Ils sont là, hein ?

— Oui. Il y a des policiers partout.

— Je ne veux pas être pris, Hill'. Je veux être ici pour toujours.

— Je sais, Wood'. Moi aussi, je veux être ici pour toujours.

— Tu te souviens de l'école d'Oak Tree ?

— Bien sûr, Wood'.

— Que serais-je devenu sans toi, Hillel ? Merci, tu as donné du sens à ma vie.

Hillel pleurait.

— Merci à toi, Woody. Je te demande pardon pour tout ce que je t'ai fait.

— Il y a longtemps que je t'ai pardonné, Hillel. Je t'aime pour toujours.

— Je t'aime pour toujours, Woody.

Hillel sortit de sa poche le revolver de Woody dont il ne s'était jamais débarrassé. C'était une pierre qu'il avait jetée dans la rivière.

Il plaça le canon derrière la tête de Woody.

Il ferma les yeux.

Au rez-de-chaussée, on entendit un terrible fracas. L'unité d'intervention de la police venait de défoncer la porte d'entrée.

Hillel tira une première fois. Woody s'écroula par terre.

Il y eut des cris au rez-de-chaussée. Les policiers se replièrent, pensant être pris pour cible.

Hillel se coucha sur le lit de ses parents. Il enfouit son visage dans les coussins, se glissa dans les draps, retrouva toutes les odeurs de son enfance. Il revit ses parents dans ce lit, c'était dimanche matin. Woody et lui entraient en fanfare, leur faisant la surprise d'avoir les bras chargés de plateaux de petits déjeuners. Ils s'installaient sur le lit avec eux, ils partageaient les pancakes laborieusement confectionnés. Ils riaient. Par la fenêtre ouverte, le soleil les baignait d'une lumière chaude. Le monde leur appartenait.

Il plaça l'arme contre sa tempe.

Tout finit comme tout commence.

Il appuya sur la détente.

Et tout était fini.

CINQUIÈME PARTIE

Le Livre de la réparation (2004-2012)

45.

Le mois de juin 2012 en Floride fut lourd et chaud.

Ma principale occupation consista à trouver un acquéreur pour la maison d'Oncle Saul. Il fallait que je m'en sépare. Mais je ne voulais pas la vendre à n'importe qui.

Je n'avais pas eu de nouvelles d'Alexandra et j'en étais troublé. Nous nous étions embrassés chez moi, à New York, mais elle était ensuite partie à Cabo San Lucas se donner une chance avec Kevin. D'après les rumeurs qui m'étaient parvenues, son séjour au Mexique avait rapidement tourné au vinaigre, mais je voulais l'entendre de sa bouche.

Elle finit par me téléphoner pour me dire qu'elle partait passer l'été à Londres. C'était un voyage prévu de longue date. Elle était en train de travailler à son nouvel album, dont une partie devait être enregistrée dans un prestigieux studio de la capitale britannique.

J'avais espéré qu'elle me proposerait de nous revoir avant son départ, mais elle n'avait pas le temps.

— Pourquoi m'appelles-tu si c'est pour me dire que tu t'en vas ? lui demandai-je.

— Je ne te dis pas que je m'en vais. Je te dis où je vais.

Je répondis bêtement :

— Et pourquoi ?

— Parce que c'est ce que font les amis. Ils se tiennent au courant de ce qu'ils font.

— Eh bien, si tu veux savoir ce que je fais, je suis en train de vendre la maison de mon oncle.

Elle eut une gentillesse dans la voix qui m'agaça :
— Je pense que c'est une bonne idée, me dit-elle.

Dans les jours qui suivirent, un courtier me présenta des acquéreurs qui me plurent. Un jeune couple charmant qui promettait de prendre grand soin de la maison et de la remplir d'enfants et de vie. Nous signâmes le contrat avec le notaire dans la maison, c'était important pour moi. Je leur donnai les clés et je leur souhaitai bon vent. Je m'étais affranchi de tout. Des Goldman-de-Baltimore, il ne me restait désormais plus rien.

Je remontai dans ma voiture et rentrai à Boca Raton. En arrivant chez moi, je trouvai devant ma porte le cahier de Leo, le fameux *Cahier n° 1*. Je le feuilletai. Il était vierge. Je le pris avec moi et allai m'installer dans mon bureau.

J'attrapai un stylo et le laissai glisser sur le papier du cahier ouvert devant moi. Ainsi débuta ce *Livre des Baltimore*.

46.

Baltimore, Maryland.
Décembre 2004.

Quinze jours après le Drame, les corps de Woody et Hillel nous furent rendus et nous pûmes les mettre en terre.

Ils furent inhumés le même jour, l'un à côté de l'autre, au cimetière de Forrest Lane. Le soleil d'hiver était resplendissant, comme si la nature était venue les saluer. La cérémonie eut lieu dans la plus stricte intimité : je fis un discours devant Artie Crawford, mes parents, Alexandra et Oncle Saul, qui tenait une rose blanche dans chaque main. Derrière les verres fumés de ses lunettes, je voyais couler une traînée sans fin de larmes.

Après l'enterrement, nous déjeunâmes dans le restaurant du Marriott où nous logions tous. C'était étrange de ne pas être à Oak Park, mais Oncle Saul n'était pas prêt à retourner chez lui. Sa chambre était contiguë à la mienne et, après le repas, il annonça qu'il allait monter faire une sieste. Il se leva de table et je le vis fouiller dans sa poche pour s'assurer qu'il avait sa clé magnétique. Je le suivis du regard, je scrutai sa chemise déchirée, sa barbe naissante qu'il laisserait définitivement pousser, sa démarche fatiguée.

Il nous avait dit : «Je vais aller me reposer dans ma chambre», mais en voyant les portes de l'ascenseur se refermer sur lui, j'eus envie de lui crier que sa chambre n'était pas là, que sa chambre était à 10 miles au nord, dans le quartier d'Oak Park, sur Willowick Road, dans une maison splendide de Baltimore, luxueuse et confortable. Une maison emplie des chants d'allégresse de trois enfants unis par la solennelle promesse du Gang des Goldman, et qui s'aimaient comme des frères. Il nous avait dit : «Je vais aller me reposer dans ma chambre», mais sa chambre était 300 miles plus au nord, dans une maison merveilleuse des Hamptons qui avait abrité nos moments de bonheur. Il nous avait dit : «Je vais aller me reposer dans ma chambre», mais sa chambre était 1 000 miles au sud, au 26e étage de la Buenavista, où la table du déjeuner était dressée pour cinq, eux quatre plus moi.

Il n'avait pas le droit de dire que cette pièce à la moquette poussiéreuse et au lit trop mou du septième étage du Marriott de Baltimore était sa chambre. Je ne pouvais le tolérer, je ne pouvais accepter qu'un Goldman-de-Baltimore dorme dans le même hôtel que les Goldman-de-Montclair. Je me levai de table en m'excusant et je demandai à prendre la voiture de location pour faire une course dans le quartier. Alexandra m'accompagna.

Je roulai jusqu'à Oak Park. Je croisai une patrouille et lui fis le signe secret de notre tribu. Puis je m'arrêtai devant la maison des Baltimore. Je descendis de voiture et restai un moment en contemplation devant la maison. Alexandra me prit contre elle. Je lui dis : «Je n'ai plus que toi désormais.» Elle me serra fort.

Nous errâmes ensuite un moment dans Oak Park. Je passai près de l'école d'Oak Tree, je retrouvai le terrain de basket qui n'avait pas changé. Puis nous retournâmes au Marriott.

Alexandra n'allait pas bien. Elle était accablée de tristesse, mais je sentais qu'il n'y avait pas que ça. Je lui demandai ce qui se passait, et elle se borna à me répondre que c'était lié à la perte d'Hillel et Woody. Elle ne me disait pas tout, je le voyais bien.

Mes parents restèrent encore deux jours, puis ils durent rentrer à Montclair. Ils ne pouvaient pas s'absenter davantage de leur travail. Ils invitèrent Oncle Saul à venir s'installer quelque temps à Montclair, mais Oncle Saul déclina. Comme je l'avais fait après la mort de Tante Anita, je décidai de rester un peu à Baltimore. À l'aéroport, où j'accompagnai mes parents, ma mère m'embrassa et me dit : « C'est bien que tu restes avec ton oncle. Je suis fière de toi. »

Alexandra retourna à Nashville une semaine après l'enterrement. Elle disait vouloir rester à mes côtés, mais je trouvais plus utile et plus important qu'elle continue d'assurer la promotion de son album. Elle était invitée à plusieurs émissions de télévision sur d'importantes chaînes locales et avait encore plusieurs premières parties à assurer.

Je restai à Baltimore jusqu'aux vacances d'hiver. Je vis mon oncle Saul se désagréger peu à peu, et ce fut très difficile à supporter. Il restait cloîtré dans sa chambre, prostré sur son lit, avec la télévision en fond sonore pour meubler le silence.

De mon côté, je passais mes journées entre Oak Park et Forrest Lane. J'attrapais les souvenirs dans le filet à papillons de ma mémoire.

Une après-midi où j'étais au centre-ville, je décidai de passer à l'improviste au cabinet d'avocats. Je me disais que je pourrais éventuellement prendre du courrier pour Oncle Saul, que cela l'occuperait et lui changerait les idées. Je connaissais bien la réceptionniste : elle fit une drôle de tête en me voyant arriver. Je crus d'abord que c'était à cause du Drame. Je lui demandai à accéder au bureau de mon oncle. Elle me fit attendre et quitta son poste pour aller chercher l'un des avocats associés. Je trouvai son comportement suffisamment étrange pour ne pas lui obéir : j'allai directement au bureau d'Oncle Saul, je poussai la porte, pensant que la pièce serait vide, et quelle ne fut pas ma surprise en découvrant qu'un homme que je ne connaissais pas occupait les lieux.

— Qui êtes-vous ? demandai-je.

— Richard Philipps, avocat, me répondit l'homme d'un

ton sec. Permettez-moi de vous demander à vous qui vous êtes.

— Vous êtes dans le bureau de mon oncle, Saul Goldman. Je suis son neveu.

— Saul Goldman ? Mais il y a des mois qu'il ne travaille plus ici.

— Qu'est-ce que vous me racontez…

— Il a été foutu à la porte.

— Quoi ? C'est impossible, il a fondé ce cabinet !

— La majorité des partenaires a exigé son départ. Ainsi va la vie, les vieux éléphants meurent et les lions mangent leur cadavre.

Je pointai sur lui un doigt menaçant :

— Vous êtes dans le bureau de mon oncle. Sortez !

À ce moment-là la réceptionniste déboula avec Edwin Silverstein, l'associé le plus ancien du cabinet et l'un des meilleurs amis d'Oncle Saul.

— Edwin, dis-je, que se passe-t-il ?

— Viens, Marcus, il faut qu'on parle.

Philipps ricana. Je m'écriai, fou de colère :

— Est-ce que ce sac à merde a pris la place de mon oncle ?

Philipps ne ricana plus.

— Reste poli, veux-tu ? Je n'ai pris la place de personne. Comme je te l'ai dit, les vieux éléphants meurent et…

Il n'eut pas le temps de finir sa phrase, car je me jetai sur lui et l'empoignai par le col en lui disant :

— Quand les lions approchent des vieux éléphants, les jeunes éléphants viennent les buter !

Edwin m'enjoignit de lâcher Philipps et j'obéis.

— Il est fou ce type ! hurla Philipps. Je vais porter plainte ! Je vais porter plainte ! Il y a des témoins !

Tout l'étage s'était précipité pour voir ce qui se passait. Je balayai son bureau avec mon bras et jetai tout ce qui s'y trouvait par terre, y compris son ordinateur portable, puis je sortis de la pièce avec l'air du type prêt à tuer quelqu'un. Tout le monde s'écarta sur mon passage, je regagnai les ascenseurs. « Marcus ! s'écria Edwin en franchissant difficilement la haie de curieux pour me rejoindre. Attends-moi ! »

Les portes de l'ascenseur s'ouvrirent, je m'engouffrai dans la cabine et il y entra avec moi.

— Marcus, je suis désolé. Je pensais que Saul t'avait dit ce qui s'était passé.

— Non.

Il m'emmena à la cafétéria de l'immeuble, où il m'offrit un café. Nous nous accoudâmes à une table haute dépourvue de chaises et il m'expliqua sur le ton de la confidence :

— Ton oncle a commis une grave erreur. Il a trafiqué certains comptes du cabinet et il a fait des fausses factures pour détourner de l'argent.

— Pourquoi aurait-il fait une chose pareille ?

— Je ne sais pas.

— Quand cela s'est-il passé ?

— Nous avons découvert la supercherie il y a un an environ. Mais c'était un montage habile. Il a détourné de l'argent pendant des années. Il nous a fallu plusieurs mois pour identifier ton oncle. Il a accepté de rembourser une partie de la somme et nous avons renoncé à porter plainte. Mais les autres associés du cabinet ont réclamé la tête de ton oncle, et ils l'ont obtenue.

— Mais enfin, il a fondé ce cabinet !

— Je le sais, Marcus. J'ai tout fait. J'ai tout essayé. Tout le monde était contre lui.

Je m'emportai :

— Non, Edwin, vous n'avez pas tout fait ! Vous auriez dû claquer la porte avec lui, remonter un autre projet ! Vous n'auriez pas dû laisser cela arriver !

— Je suis désolé, Marcus.

— Non, c'est facile d'être désolé tout en étant tranquillement installé dans votre fauteuil de cuir alors que c'est cette tête de con de Philipps qui a pris la place de mon oncle.

Je m'en allai, consumé par la rage. Je retournai au Marriott, tambourinai contre la porte de la chambre d'Oncle Saul. Il m'ouvrit.

— Tu as été chassé de ton cabinet ? m'écriai-je.

Il baissa la tête et alla s'asseoir sur son lit.

— Comment le sais-tu ?

— Je suis passé au cabinet. Je voulais voir s'il y avait du courrier pour toi et j'ai découvert qu'ils avaient mis ce sac à merde dans ton bureau. Edwin a été obligé de tout me raconter. Tu comptais m'en parler quand ?

— J'ai eu honte. J'ai toujours honte.

— Mais que s'est-il passé ? Pourquoi as-tu détourné cet argent ?

— Je ne peux pas t'en parler. Je me suis mis dans une situation terrible.

J'étais au bord des larmes. Il le vit et me prit dans ses bras.

— Oh, Markie…

Je ne pus me retenir de pleurer, je voulais partir d'ici.

*

Pour me changer les idées, durant la période des fêtes de fin d'année, Alexandra utilisa les gains de son album pour m'offrir dix jours de vacances dans un hôtel de rêve aux Bahamas.

Un peu de repos loin de tout lui ferait du bien à elle aussi. Je la trouvais très marquée par les événements. Nous passâmes une première journée à la plage. C'était la première fois que nous nous retrouvions ensemble et au calme depuis longtemps, mais je percevais une tension étrange entre nous. Que se passait-il ? Je continuais à penser qu'elle me cachait quelque chose.

Le soir, avant d'aller dîner, nous bûmes un cocktail au bar de l'hôtel et je la poussai dans ses retranchements. Je voulais savoir. Elle finit par me dire :

— Je ne peux pas t'en parler.

Je m'énervai.

— Assez de tous ces petits secrets. Est-ce que quelqu'un pourrait être honnête avec moi pour une fois ?

— Markie, je…

— Alexandra, je veux savoir ce que tu me caches.

Elle éclata soudain en sanglots au milieu du bar. Je me sentis stupide. J'essayai de me rattraper et lui dis d'une voix plus douce :

— Alexandra, mon ange, que se passe-t-il ?
Des torrents de larmes dévalaient ses joues.
— Je ne peux plus te cacher la vérité, Marcus ! Je ne peux plus garder ça pour moi !
Je commençais à avoir un mauvais pressentiment.
— Que se passe-t-il, Alex ?
Elle essaya de se reprendre et me regarda droit dans les yeux :
— Je savais ce que tes cousins allaient faire. Je savais qu'ils allaient s'enfuir. Woody n'a jamais eu l'intention de se présenter à la prison.
— Quoi ? Tu savais ? Mais quand te l'ont-ils dit ?
— Ce soir-là. Tu t'occupais du barbecue avec ton oncle et je suis allée me promener avec eux. Ils m'ont tout raconté. Je leur ai promis de ne rien dire.
Je répétai, hagard :
— Tu savais depuis le début et tu ne m'as rien dit ?
— Markie, je...
Je me levai de ma chaise.
— Tu ne m'as pas prévenu de ce qu'ils allaient faire ? Tu les as laissé partir et tu ne m'as rien dit ? Mais qui es-tu, Alexandra ?
Tous les clients du bar nous dévisageaient.
— Calme-toi, Markie ! me supplia-t-elle.
— Me calmer ? Mais pourquoi est-ce que je me calmerais ? Quand je pense à la comédie que tu as jouée pendant leurs trois semaines de fuite !
— Mais j'étais réellement inquiète ! Qu'est-ce que tu crois ?
Je tremblais, possédé par la fureur.
— Je crois que c'est fini, Alexandra.
— Quoi ? Markie, non !
— Tu m'as trahi. Je ne crois pas que je pourrai jamais te pardonner.
— Marcus, ne me fais pas ça !
Je lui tournai le dos et sortis du bar. Tout le monde nous dévisageait. Elle me suivit et essaya de me retenir par le bras, je me dégageai et hurlai :
— Laisse-moi ! LAISSE-MOI, JE TE DIS !

Je traversai le lobby de l'hôtel au pas de charge et sortis.

— Marcus, cria-t-elle en pleurant de désespoir, ne me fais pas ça !

Un taxi attendait devant l'hôtel. Je m'y engouffrai et verrouillai la porte. Elle se précipita, essaya de l'ouvrir, frappa à la vitre. J'ordonnai au chauffeur de prendre la direction de l'aéroport, laissant tout derrière moi.

Elle courut derrière la voiture, frappant encore contre la vitre, hurlant et pleurant. « Ne me fais pas ça, Marcus ! supplia-t-elle. Ne me fais pas ça ! »

Le taxi accéléra et elle dut renoncer. Je jetai mon téléphone par la fenêtre et poussai un cri, hurlant ma rage, hurlant ma colère, hurlant mon dégoût de cette vie injuste qui m'avait pris ceux qui comptaient le plus pour moi.

À l'aéroport de Nassau, j'achetai un billet pour le premier vol à destination de New York. Je voulais disparaître à jamais. Pourtant, elle me manquait déjà. Et dire que je n'allais plus la revoir pendant huit longues années.

*

Il m'arrive souvent de repenser à cette scène. Moi qui abandonne Alexandra. En ce chaud mois de juin 2012, seul à mon bureau de Boca Raton, retraçant les méandres de notre jeunesse, je pensais à elle, à Londres. Je n'avais qu'une envie : aller la retrouver. Mais il me suffisait de la revoir en larmes, poursuivant mon taxi, pour me dissuader de faire quoi que ce soit. Avais-je le droit de surgir dans sa vie après huit ans et de tout chambouler ?

Quelqu'un frappa à la porte de la pièce. Je sursautai. C'était Leo.

— Pardonnez-moi, Marcus. Je me suis permis d'entrer chez vous : je ne vous vois plus et je commençais à me faire du souci. Est-ce que tout va bien ?

Je soulevai le cahier dans lequel j'écrivais en lui adressant un sourire amical.

— Tout va bien, Leo. Merci pour le cahier.

— Il vous revient de droit. C'est vous l'écrivain, Marcus. Un livre, c'est beaucoup plus de travail que je pensais. Je vous dois des excuses.

— Ne vous en faites pas.

— Vous avez l'air un peu triste, Marcus.

— Alexandra me manque.

47.

Janvier 2005.

Dans les semaines qui suivirent ma rupture avec Alexandra, je passai la plupart de mon temps à Baltimore. Ce n'était pas tant pour rendre visite à Oncle Saul que pour me cacher d'elle. J'avais tiré un trait sur elle, j'avais changé de numéro de téléphone. Je ne voulais pas qu'elle vienne à Montclair.

Je me repassais sans cesse dans la tête la scène du départ d'Oak Park, lorsque la voiture d'Hillel et Woody bifurquait vers l'autoroute. Ils entraient dans la clandestinité. Si j'avais connu leur projet de fuite, j'aurais pu les en dissuader. J'aurais raisonné Woody. Qu'est-ce que c'était que cinq années? À la fois beaucoup et rien. En sortant, il n'aurait même pas trente ans. Il aurait la vie devant lui. Et puis, s'il se tenait bien, il pourrait même bénéficier d'une remise de peine. Il aurait pu utiliser ces années pour terminer ses études par correspondance. Je l'aurais convaincu que nous avions la vie devant nous.

Depuis leur mort, tout semblait s'effondrer. À commencer par la vie d'Oncle Saul. La mauvaise passe dans laquelle il se trouvait ne faisait que commencer.

Son éviction de son cabinet d'avocats commençait à faire du bruit. Des rumeurs disaient que la vraie raison de son départ était un important détournement de fonds. Le conseil de discipline du barreau du Maryland venait d'ouvrir une procédure, estimant que le comportement d'Oncle Saul, s'il était avéré, portait atteinte à la profession.

Pour sa défense, Oncle Saul se fit épauler par Edwin Silverstein. Je le croisais régulièrement au Marriott. Un soir, il m'emmena dîner dans un restaurant vietnamien du quartier.

Je lui demandai :

— Qu'est-ce que je peux faire pour mon oncle ?

Il me répondit :

— Honnêtement, pas grand-chose. Tu sais, Marcus, t'as du cran. C'est pas donné à tout le monde. T'es vraiment un chouette garçon. Ton oncle a de la chance de t'avoir…

— Je voudrais faire plus.

— Tu en fais déjà assez. Saul m'a dit que tu voulais devenir écrivain ?

— Oui.

— Je ne pense pas que tu puisses vraiment bien te concentrer ici. Tu devrais aussi penser à toi et ne pas passer trop de temps à Baltimore. Tu devrais aller écrire ton bouquin.

Edwin avait raison. Il était temps pour moi de me lancer dans le projet qui me tenait tant à cœur. C'est dans le courant de ce mois de janvier, en rentrant d'un séjour à Baltimore, que je commençai mon premier roman. J'avais compris que pour faire revenir mes cousins, il me faudrait les raconter.

L'idée me vint sur une aire de l'autoroute I-95, quelque part en Pennsylvanie. J'étais en train de boire un café et de relire mes notes quand je les vis entrer. C'était impossible. Pourtant, c'était bien eux. Ils plaisantaient, heureux, et en me voyant, me sautèrent dessus.

— Marcus, me dit Hillel en me serrant contre lui, je savais bien que c'était ta voiture !

Woody se joignit à notre accolade et noua ses énormes bras autour de nous deux.

— Vous n'êtes pas réels, dis-je. Vous êtes morts ! Vous êtes deux connards morts qui m'avez laissé tout seul dans ce monde de merde !

— Oh, Markikette, ne fais pas la tête ! lança Hillel goguenard, en m'ébouriffant les cheveux.

— Viens ! me dit Woody dans un sourire consolateur. Viens avec nous !

— Où allez-vous ?

— Au Paradis des Justes.

— Je ne peux pas vous accompagner.

— Pourquoi ?

— Je dois aller à Montclair.

— Alors, nous te retrouverons là-bas.

Je ne fus pas certain de bien comprendre. Ils me serrèrent contre eux et repartirent. Avant qu'ils ne passent la porte, je les interpellai :

— Hillel ! Wood' ! Est-ce que c'était de ma faute ?

— Non, bien sûr que non ! répondirent-ils comme un seul homme.

Ils tinrent parole. Mes cousins adorés, je les retrouvai à Montclair, dans le bureau aménagé par ma mère. J'étais à peine assis à ma table de travail, et les voilà qui dansaient déjà autour de moi. Ils étaient tels que je les avais toujours connus : bruyants, magnifiques, débordants de tendresse.

— J'aime ton bureau, me dit Hillel, vautré sur mon fauteuil.

— J'aime la maison de tes parents, poursuivit Woody. Pourquoi est-ce qu'on n'est jamais venus ?

— Je ne sais pas. C'est vrai... Vous auriez dû.

Je leur montrai mon quartier, nous arpentâmes Montclair. Ils trouvaient que tout était beau. Notre trio réuni à nouveau me remplissait d'un bonheur fou. Puis nous retournions à mon bureau et je reprenais le cours de mon histoire.

Tout s'arrêtait lorsque mon père ouvrait la porte de la chambre.

— Marcus, il est deux heures du matin... Tu travailles encore ? me demandait-il.

Ils s'enfuyaient tous les deux par les interstices du plancher comme des souris effrayées.

— Oui, je vais bientôt aller me coucher.

— Je ne voulais pas te déranger. J'ai vu de la lumière et… Est-ce que tout va bien ?
— Tout va bien.
— Il m'a semblé entendre des voix…
— Non, c'était peut-être de la musique.
— Peut-être.
Il venait m'embrasser.
— Bonne nuit, fils. Je suis fier de toi.
— Merci, P'a. Bonne nuit à toi aussi.
Il s'en allait en refermant la porte. Mais ils étaient partis. Ils avaient disparu. Ils étaient les disparus.

*

Entre janvier et novembre 2005, j'écrivis sans relâche dans le bureau de Montclair. Je descendais tous les week-ends à Baltimore retrouver Oncle Saul.

Je fus le seul des Goldman à aller le voir régulièrement. Grand-mère disait que c'était trop pour elle. Mes parents firent l'aller-retour quelquefois, mais je crois qu'ils avaient du mal à accepter la situation. Et puis il fallait être capable de supporter Oncle Saul, en fantôme de lui-même, qui refusait de quitter le périmètre de l'hôtel Marriott de Baltimore où il résidait.

Pour ne rien arranger, en février, sur décision du conseil de discipline, Oncle Saul fut radié du barreau du Maryland. Le Grand Saul Goldman ne serait plus jamais avocat.

Je venais le retrouver sans rien attendre de lui. Je ne le prévenais même pas de ma venue. Je quittais Montclair en voiture et je roulais jusqu'au Marriott. À force d'y venir, j'avais l'impression d'être dans cet hôtel comme dans ma propre maison ; les employés m'appelaient par mon prénom, j'entrais directement dans les cuisines pour commander ce que je voulais. À mon arrivée, je montais au septième étage, je frappais à la porte de sa chambre et il ouvrait, la mine défaite, la chemise froissée, la télévision en arrière-fond sonore. Il me disait bonjour comme si j'arrivais de la rue d'à côté. Je ne m'en formalisais pas. Il finissait par me serrer contre lui.

— Markie, murmurait-il, mon petit Markie ! Ça me fait plaisir de te voir.

— Ça va, Oncle Saul ?

Souvent, je lui posais la question en espérant qu'il retrouverait son air invincible, qu'il se rirait des tracas comme il avait su le faire du temps de notre jeunesse perdue et qu'il me dirait que tout allait bien, mais il hochait la tête et me répondait :

— C'est un cauchemar, Marcus. Un cauchemar.

Il s'asseyait sur le lit et attrapait le téléphone pour appeler la réception.

— Tu restes combien de temps ? me demandait-il.

— Autant que tu veux.

J'entendais un employé répondre à l'autre bout du fil et Oncle Saul dire : « Mon neveu est là, il me faudrait une autre chambre, s'il vous plaît. » Puis il se tournait vers moi et me disait :

— Pas plus longtemps que le week-end. Tu dois avancer dans ton livre, c'est important.

Je ne comprenais pas pourquoi il ne rentrait pas chez lui.

Puis, au début de l'été, un jour où j'allai faire un tour à Oak Park, à la recherche d'inspiration pour mon livre, je découvris avec horreur un camion de déménagement devant la maison des Baltimore. Une nouvelle famille y emménageait. Je trouvai le mari occupé à diriger deux costauds qui déplaçaient un panneau.

— Vous louez ? lui demandai-je.

— J'ai acheté, me répondit-il.

Je retournai aussitôt au Marriott.

— Tu as vendu la maison d'Oak Park ?

Il me regarda tristement :

— Je n'ai rien vendu, Markie.

— Il y a pourtant une famille en train d'emménager à l'intérieur et qui affirme avoir acheté la maison.

Il répéta :

— Je n'ai rien vendu. La banque me l'a saisie.

J'en fus complètement abasourdi.

— Et les meubles ?

— J'ai tout fait débarrasser, Markie.

Dans la foulée, il m'annonça qu'il était sur le point de vendre la maison des Hamptons pour avoir des liquidités, et qu'il allait également se défaire de la Buenavista, et utiliser le capital pour aller s'offrir une nouvelle vie et une nouvelle maison ailleurs.

— Tu vas quitter Baltimore ? demandai-je, incrédule.

— Je n'ai plus rien à faire ici.

De la grandeur des Goldman-de-Baltimore, de ce qu'ils avaient été, il ne resterait bientôt plus rien. Ma seule parade à la vie, c'était mon livre.

Grâce aux livres,
Tout était effacé
Tout était oublié.
Tout était pardonné.
Tout était réparé.

À mon bureau de Montclair, je pouvais revivre éternellement le bonheur des Baltimore. Au point que je ne voulais plus quitter ma pièce, et s'il me fallait vraiment m'absenter, j'étais encore plus excité de les retrouver à mon retour.

Et quand je retournais au Marriott, à Baltimore, je détournais l'attention d'Oncle Saul de sa télévision en lui parlant du livre que j'écrivais. Il s'y intéressait au plus haut point, m'en parlait sans cesse, voulait savoir comment j'avançais et s'il pourrait bientôt en lire un extrait.

— De quoi parle ton roman ? m'interrogeait-il.

— C'est l'histoire de trois cousins.

— Les trois cousins Goldman ?

— Les trois cousins Goldstein, le corrigeais-je.

Dans les livres, ceux qui ne sont plus se retrouvent et s'étreignent.

Je passai dix mois à raccommoder les plaies de mes cousins en réécrivant notre histoire. Je terminai le roman des cousins Goldstein à la veille de Thanksgiving 2005, soit une année exactement après le Drame.

Dans la scène finale du roman des Goldstein, Hillel et Woody descendaient en voiture de Montréal vers Baltimore. Ils s'arrêtaient dans le New Jersey pour me prendre et nous continuions la route ensemble. À Baltimore, dans une magnifique maison illuminée, le couple insubmersible d'Oncle Saul et Tante Anita attendait notre retour.

48.

Durant cet été 2012, grâce à la magie du roman, je les retrouvai comme je l'avais déjà fait sept ans plus tôt.

Une nuit, vers deux heures du matin, ne parvenant pas à trouver le sommeil, je m'installai sur la terrasse. Malgré la nuit, il faisait une chaleur tropicale, mais j'étais bien dehors, bercé par le chant des grillons. J'ouvris mon cahier et je me mis à écrire son nom. Il n'en fallut pas plus pour qu'elle apparaisse devant moi.

— Tante Anita, murmurai-je.

Elle me sourit et posa avec tendresse ses mains sur mon visage.

— Tu es toujours aussi beau, Markie.

Je me levai et l'enlaçai.

— Ça fait tellement longtemps, lui dis-je. Tu me manques terriblement.

— Toi aussi, mon ange.

— J'écris un livre sur vous. Un livre sur les Baltimore.

— Je sais, Markie. Je suis venue te dire qu'il faut que tu arrêtes de te torturer avec le passé. D'abord le livre de tes cousins, maintenant le livre des Baltimore. Il est temps que tu écrives le livre de ta vie. Tu n'es responsable de rien, et il n'est rien que tu aurais pu faire. Quant au coupable, s'il en faut un, des chaos de nos vies, ce n'est que nous, Marcus. Nous seuls. Chacun est responsable de sa vie. Nous sommes responsables de ce que nous sommes devenus. Marcus, mon neveu, mon chéri, rien, m'entends-tu, rien de tout cela n'est de ta faute. Et rien de tout cela n'est de la faute d'Alexandra. Tu dois laisser partir les fantômes.

Elle se leva.

— Où vas-tu ? demandai-je.

— Je ne peux pas rester.

— Pourquoi ?

— Ton oncle m'attend.

— Comment va-t-il ?

Elle sourit.

— Il va très bien. Il dit qu'il a toujours su que tu écrirais un livre sur lui.

Elle sourit, me fit un signe de la main et disparut dans l'obscurité.

49.

À sa parution en 2006, le succès phénoménal de mon livre me rendit mes deux cousins. Ils étaient partout: dans les librairies, dans les mains des lecteurs, dans les bus, dans les métros, dans les avions. Ils m'accompagnèrent fidèlement à travers le pays durant toute la tournée promotionnelle qui suivit la parution du roman.

Je n'avais plus jamais eu de contact avec Alexandra. Mais je l'avais revue un nombre incalculable de fois sans qu'elle le sache. Sa carrière avait pris un envol spectaculaire. Pendant l'année 2005, son premier disque avait continué sa progression dans les classements, atteignant, au mois de décembre, le million et demi d'exemplaires vendus, et son titre phare avait terminé à la première place des Charts américains. Sa notoriété avait rapidement explosé. L'année de la publication de mon livre fut celle de la sortie du deuxième album d'Alexandra. C'était pour elle le triomphe absolu. Public et critiques étaient conquis.

Je n'avais jamais cessé de l'aimer. Je n'avais jamais cessé de l'admirer. J'allais régulièrement la voir en concert. Tapi dans l'obscurité de la salle, anonyme parmi des milliers d'autres spectateurs, je bougeais mes lèvres en même temps que les siennes pour réciter les paroles de ses chansons que je connaissais par cœur, pour la plupart écrites dans notre petit appartement de Nashville. Je me demandais si elle y vivait encore. Certainement pas. Elle avait sûrement emménagé dans la banlieue aisée de Nashville, là où, à l'époque, nous allions ensemble admirer les maisons en nous demandant laquelle nous habiterions un jour.

Avais-je des remords ? Évidemment. J'en crevais. En la voyant sur scène, je fermais les yeux pour n'entendre plus que le son de sa voix, et dans ma tête je retournais des années en arrière. Nous étions sur le campus de l'université de Madison et elle me tirait par la main. Je lui demandais :

— T'es sûre que personne ne va nous voir ?

— Mais non ! Allez, viens je te dis !

— Et Woody et Hillel ?

— Ils sont à New York, chez mon père. T'inquiète.

Elle ouvrait la porte de sa chambre et me poussait à l'intérieur. Le poster était là, contre le mur. Comme à Montclair. Loué soit Tupac, notre éternel entremetteur. Je la jetais sur le lit, elle éclatait de rire. Nous nous blottissions l'un contre l'autre et elle murmurait en attrapant mon visage entre ses mains :

— Je t'aime, Markikette Goldman.

— Je t'aime, Alexandra Neville.

En cette année 2006, Oncle Saul venait d'emménager dans la maison de Coconut Grove, achetée grâce à la vente de la Buenavista, et j'avais commencé à venir régulièrement à Miami.

Oncle Saul vivait très confortablement de l'argent de la vente de la maison des Hamptons, qu'il avait converti en actions extrêmement profitables. Pour s'occuper, il participait à différents clubs de lecture, assistait à toutes les conférences d'une librairie proche et s'occupait de ses manguiers et ses avocatiers.

Mais cela n'allait pas durer longtemps. Comme pour beaucoup d'autres, la tranquillité financière de mon oncle s'arrêta net en octobre 2008, lorsque l'économie mondiale fut secouée par la crise dite des *subprimes*. Les marchés s'effondrèrent. Les banques d'investissement et les fonds spéculatifs s'écroulèrent les uns après les autres, perdant l'argent de tous leurs clients. Du jour au lendemain, des gens jusqu'alors riches n'avaient plus rien. Ce fut le cas de mon oncle Saul. Le 1er octobre 2008, son portefeuille d'actions était valorisé à 6 millions de dollars, la valeur de la vente de sa maison des Hamptons. À la fin du même mois, il ne valait plus que 60 000 dollars.

Je l'appris en venant lui rendre visite au début de novembre, pour la période de Thanksgiving – que ni lui ni moi ne fêtions plus. Je le découvris aux abois. Il n'avait plus rien. Il avait vendu sa voiture et roulait désormais dans une vieille Honda Civic en fin de carrière. Il comptait chacun de ses dollars. Il avait voulu vendre la maison de Coconut Grove, mais elle ne valait plus rien.

— Je l'ai payée 700 000 dollars, avait-il dit au courtier venu l'évaluer.

— Il y a un mois, vous l'auriez vendue avec une plus-value, avait répondu son interlocuteur. Mais aujourd'hui, c'est fini. L'immobilier s'est complètement effondré.

J'avais proposé à Oncle Saul de l'aider. Je savais que Grand-mère et mes parents avaient fait de même. Mais il n'avait pas l'intention de se morfondre ni de se laisser décourager par la vie. Et je compris que c'était pour cette raison que je l'admirais : pas pour sa situation financière ou sociale, mais parce qu'il était un battant extraordinaire. Il avait besoin de gagner sa vie et il se mit en quête de n'importe quel emploi.

Il trouva un job de serveur dans un restaurant branché de South Beach. C'était un travail pénible et physiquement difficile pour lui, mais il était prêt à tout surmonter. Sauf les humiliations qu'il subissait de la part de son patron, qui lui criait sans cesse : « Tu es trop lent, Saul ! », « Dépêche-toi, les clients attendent ! » Il était arrivé qu'il brise une assiette dans sa précipitation, retenue ensuite sur son salaire. Un soir où il fut poussé à bout, il démissionna sur-le-champ, jeta son tablier par terre et s'enfuit du restaurant. Il erra à travers les rues piétonnes de Lincoln Road Mall, et finit sur un banc, en sanglots. Personne ne lui prêta attention, sauf un immense Noir qui se promenait en chantant et qui fut touché par sa détresse. « Je m'appelle Sycomorus, lui dit l'homme. Ça n'a pas l'air d'aller fort... » Sycomorus, qui travaillait déjà au Whole Foods de Coral Gables, parla à Faith d'Oncle Saul, et Faith lui trouva un poste aux caisses du supermarché.

50.

Dans le calme de Boca Raton, mon nouveau livre avançait au fil des semaines.

Avais-je, en cet été 2012, invité les Baltimore dans mon esprit pour revivre notre passé ou pour parler d'Alexandra ?

Leo continuait de suivre l'évolution de mon travail. Je le laissais lire mes pages au fur et à mesure. Au début du mois d'août, il me demanda :

— Pourquoi ce livre, Marcus ? N'aviez-vous pas déjà écrit votre premier roman à propos de vos cousins ?

— Celui-ci est différent, expliquai-je. C'est le livre des Baltimore.

— Le livre est peut-être différent, mais au fond, rien n'a changé pour vous, me dit Leo.

— Que voulez-vous dire ?

— Alexandra.

— Oh, pitié ! Vous n'allez pas vous mêler de ça !

— Vous voulez mon avis ?

— Non.

— Je vais vous le donner quand même. Si les Baltimore étaient encore de ce monde, Marcus, ils vous diraient qu'il est temps d'être heureux. Que ce n'est pas trop tard. Allez la retrouver, demandez-lui pardon. Reprenez votre vie ensemble. Vous n'allez pas passer toute votre vie à attendre ! Vous n'allez pas passer toute votre vie à aller voir ses concerts et à vous demander ce que vous auriez pu devenir ! Appelez-la. Parlez-lui. Au fond de vous, vous savez qu'elle n'attend que ça.

— Il est trop tard, dis-je.

— Il n'est pas trop tard, Marcus ! martela Leo. Il n'est jamais trop tard.

— Je continue à penser que si Alexandra m'avait révélé ce que mes cousins s'apprêtaient à faire, ils seraient encore là aujourd'hui. Je les en aurais empêchés. Ils seraient en vie. Je ne sais pas si je pourrai jamais lui pardonner.

— S'ils n'étaient pas morts, me dit Leo d'un ton grave, vous ne seriez jamais devenu écrivain. Ils devaient s'en aller pour que vous puissiez vous accomplir.

Il quitta la pièce, me laissant à mes réflexions. Je refermai mon cahier. Devant moi, il y avait cette photo de nous quatre, qui ne me quittait plus.

Je pris mon téléphone et je l'appelai.

C'était la fin de la journée à Londres. Je sentis à la façon dont elle répondit qu'elle était heureuse que je lui téléphone.

— Alors, il t'a fallu tout ce temps pour m'appeler, me dit-elle.

J'entendis du bruit derrière elle.

— Est-ce que je te dérange ? demandai-je. Je peux te rappeler plus tard, si tu veux.

— Non pas du tout. Je suis à Hyde Park. Je viens tous les jours ici après ma journée de studio. Il y a ce petit café au bord du lac, c'est un endroit très apaisant.

— Comment va ton disque ?

— Ça avance bien. Je suis contente du résultat. Comment va ton livre ?

— Bien. C'est un livre à propos de nous. À propos de mes cousins. À propos de ce qui s'est passé.

— Et comment se termine ton livre ?

— Je ne sais pas. Je ne l'ai pas encore fini.

Il y eut un silence, au bout duquel elle dit :

— Ça ne s'est pas passé comme tu le penses, Marcus. Je ne t'ai pas trahi. J'ai voulu te protéger.

Et c'est ainsi qu'elle me raconta ce qui s'était passé le soir du 24 octobre 2004, lors de la dernière soirée de liberté de Woody.

Ce soir-là, elle était partie se promener dans Oak Park avec Hillel et Woody, alors qu'Oncle Saul et moi étions en train de préparer le barbecue.

— Alex, lui dit Woody, il y a quelque chose que tu dois savoir. Je n'irai pas en prison demain. Je vais m'enfuir.

— Quoi ? Woody, tu es fou !

— Au contraire. Tout est prévu. Une nouvelle vie m'attend dans le Yukon.

— Dans le Yukon ? Au Canada ?

— Oui. C'est probablement la dernière fois que nous nous voyons, Alex.

Elle éclata en sanglots.

— Ne fais pas ça, je t'en supplie !

— Je n'ai pas le choix, dit Woody.

— Bien sûr que si ! Tu peux purger ta peine. Cinq ans, ça passe vite. Tu sortiras avant tes trente ans !

— Je n'ai pas le courage d'affronter la prison. Je ne suis peut-être pas aussi dur que tout le monde l'a toujours pensé.

Elle se tourna vers Hillel et le supplia :

— Convaincs-le de renoncer, Hillel.

Hillel baissa les yeux.

— Je pars aussi, Alexandra. Je pars avec Woody.

Elle resta atterrée.

— Mais qu'est-ce qui ne tourne pas rond chez vous ?

— J'ai commis un crime bien plus grave que celui de Woody, dit Hillel. J'ai détruit ma famille.

— Détruit ta famille ? répéta Alexandra qui n'y comprenait plus rien.

— Si Woody en est arrivé là, si ma mère est morte, c'est uniquement à cause de moi. Il est temps que je paie. J'emmène Woody au Canada. C'est ma façon de lui demander pardon.

— Mais pardon de quoi ? Je ne comprends rien à ce que vous essayez de me dire.

— Tout ce qu'on essaie de te dire, Alex, c'est adieu. On veut te dire qu'on t'aime. Nous t'aimons comme tu ne pourras jamais nous aimer. C'est peut-être aussi la raison pour laquelle nous partons.

Elle pleurait.

— Ne faites pas ça, je vous en conjure !

— Notre décision est prise, dit Hillel. Notre destin est scellé.

Elle s'essuya les yeux.

— Promettez d'y réfléchir cette nuit. Tu ne feras même pas cinq ans de prison, Woody ! Ne gâche pas tout...

— C'est tout réfléchi, répondit Woody.

Ils semblaient déterminés tous les deux.

— Est-ce que Marcus sait ? finit par demander Alexandra.

— Non, dit Woody. J'ai voulu le lui dire avant, mais nous avons été interrompus par Saul. Je vais lui parler tout à l'heure.

— Non, s'il te plaît. Ne lui dis rien. Je vous en supplie tous les deux, ne lui dites pas !

— Mais c'est Marcus, on ne peut pas le lui cacher !

— Je ne vous demande qu'une dernière faveur. Au nom de notre amitié. N'en parlez pas à votre cousin.

Le récit d'Alexandra me bouleversa. J'avais toujours cru que Woody et Hillel ne s'étaient confiés qu'à elle et qu'ils m'avaient volontairement caché leur plan. J'avais toujours cru qu'en partageant leur dernier secret avec elle, ils m'avaient écarté du Gang des Goldman. Mais ils avaient voulu me le dire et Alexandra les en avait empêchés.

— Pourquoi, lui demandai-je, pourquoi les as-tu persuadés de ne rien me dire ? Je les aurais empêchés de s'enfuir, je les aurais sauvés !

— Tu n'aurais pas pu les empêcher, Markie. Rien ni personne n'aurait pu les convaincre de renoncer. Je l'ai lu dans leurs regards, et c'est la raison pour laquelle je les ai suppliés de ne rien te dire. Tu serais parti avec eux, Marcus. Je le sais. Tu n'aurais pas abandonné le Gang des Goldman. Tu les aurais suivis, tu te serais retrouvé dans leur cavale, tu aurais fini par te faire tuer. Comme eux. En les suppliant de ne rien te dire, je les ai en fait suppliés de t'épargner. Je savais que tu partirais avec eux, Markie. Je ne voulais pas te perdre. Je ne pouvais pas le supporter. J'ai voulu te sauver. Mais je t'ai perdu quand même.

Après un silence, je murmurai :

— Qu'est-ce qu'Hillel avait pu commettre de si grave pour partir avec Woody ? Pour estimer lui devoir pareille réparation ?

— Je l'ignore. Mais c'est le genre de questions que tu devrais poser à mon père.

— À ton père ?

— Il n'est pas l'homme que tu crois. Et j'ai l'impression qu'il en sait beaucoup, même s'il n'a jamais voulu m'en parler.

— Ton père s'est immiscé dans ma famille. Il a humilié mon oncle en essayant d'épater Woody et Hillel à tout prix.

— Contrairement à ce que tu crois, mon père n'a jamais eu besoin d'épater Woody et Hillel pour exister.

— Et la Ferrari ? Et les voyages ? Et les week-ends à New York ? rétorquai-je.

— C'est moi qui lui ai demandé de faire tout ça, me répondit Alexandra. Mon père aimait beaucoup Woody et Hillel, c'est vrai. Qui ne les aimait pas ? Mais s'il a tant fait pour eux, c'était pour nous protéger, toi et moi. Pour nous donner la liberté de vivre notre relation en paix. Il savait qu'en leur prêtant sa voiture, ils partiraient s'amuser et ne s'occuperaient ni de toi ni de moi. C'était la même chose quand il les emmenait voir des matchs des Giants, ou quand il les invitait chez lui. Tu tenais tellement à ce que tes cousins ne soient pas au courant pour toi et moi. Mon père, Marcus, a tout fait pour protéger ton secret. Il n'y a jamais eu de compétition avec Saul. La compétition qu'a vécue ton oncle, c'était contre lui-même. Tout ce que mon père a fait, c'est tenir tes cousins loin de nous. Et c'était ton souhait.

Je restai abasourdi.

Elle reprit :

— J'ai quitté Kevin il y a deux semaines, Marcus. À cause de toi. Il est venu ici sans m'avertir. Il voulait me faire une surprise. Quand il a frappé à la porte de ma chambre d'hôtel, j'ai d'abord cru que c'était toi. Je ne sais pas pourquoi. J'ai été tellement déçue quand je l'ai vu dans le judas. J'ai compris que je devais être honnête avec lui et le quitter. Il mérite de trouver quelqu'un qui l'aime vraiment. Quant à toi, Marcus, je ne peux plus continuer à t'attendre. Tu es un être génial, c'est avec toi que j'ai passé les plus belles années de ma vie et c'est grâce à toi que je suis devenue celle que je suis. Mais à force de ressasser le passé, tu ne te rends pas compte de ce qui était évident pour moi depuis toujours.

— Quoi donc ?

— Les Goldman-de-Montclair, c'étaient eux les meilleurs.

Le lendemain de ma conversation avec Alexandra, je pris le premier vol pour New York. Je devais impérativement parler avec Patrick Neville.

J'arrivai à son immeuble dans la matinée. Il était déjà parti travailler. Le portier m'autorisa à l'attendre et je ne bougeai pas du canapé du hall de toute la journée, ne m'absentant que pour aller chercher à manger ou me rendre aux toilettes. Il était dix-huit heures quand il finit par arriver. Je me levai. Il me fixa un moment, puis il sourit, plein de bonté, et me dit : « Depuis le temps que je t'attendais. »

Il me fit monter chez lui, me prépara du café. Nous nous installâmes dans sa cuisine. C'était étrange d'être ici : c'était la première fois que je revenais depuis la mort de Tante Anita.

— Je vous demande pardon, Patrick.

— Pourquoi ?

— Pour la scène que je vous ai faite après l'enterrement de ma tante.

— Bah, c'est oublié depuis longtemps. Marcus, il faut avant tout que tu saches que je n'ai jamais eu d'aventure avec ta tante.

— Que s'est-il passé alors, le soir où elle était chez vous ? Et pourquoi était-elle chez vous ?

— Elle venait de quitter ton oncle.

— Ça, je le sais.

— Mais tu ne sais pas pourquoi. Si elle est venue chez moi, ce soir-là, c'était pour me demander mon aide. Elle voulait que je vienne en aide à Woody et Saul.

— Woody et Saul ?

— Quelques mois plus tôt, Woody avait été renvoyé de l'équipe de football de Madison.

— Oui, je m'en souviens.

— La version officielle était une déchirure des ligaments qui l'empêchait de jouer. Ton oncle et ta tante sont immédiatement venus à Madison. Woody ne voulait rien leur dire, mais moi, je leur ai révélé la vérité. Je leur ai dit que Woody avait été contrôlé positif au Talacen. Si ta Tante est venue me trouver à New York en ce 14 février 2002, c'est parce qu'elle venait de faire deux découvertes qui l'avaient bouleversée.

Voilà comment, dix ans après les faits, Patrick me révéla enfin ce qui s'était passé ce jour de la Saint-Valentin.

Tante Anita avait pris congé de l'hôpital afin de préparer une soirée en amoureux pour elle et son mari. En début d'après-midi, elle partit faire quelques courses au supermarché d'Oak Park. Elle en profita pour s'arrêter à la pharmacie.

Le gérant, qu'elle connaissait bien, après l'avoir servie, lui réclama l'ordonnance qu'il attendait depuis des mois.

— Quelle ordonnance ? demanda-t-elle.

— L'ordonnance pour le Talacen, lui répondit le pharmacien. Votre fils en a pris plusieurs boîtes cet automne. Il a dit que vous apporteriez une ordonnance.

— Mon fils ? Hillel ?

— Oui, Hillel. Comme je vous connais bien, j'ai accepté. Pour lui rendre service. En principe, je ne fais jamais ça. Il me faut cette ordonnance, docteur Goldman.

Elle se sentit défaillir. Elle promit de revenir avec une ordonnance avant la fin de la journée et rentra chez elle. Elle eut envie de vomir, elle crut à un cauchemar. Hillel avait-il acheté du Talacen à la demande de Woody ? Ou le lui avait-il fait ingérer à son insu ?

Le téléphone sonna. Elle décrocha. C'était la banque. À propos du remboursement de l'hypothèque de la maison d'Oak Park. Anita dit que c'était une erreur : l'hypothèque avait été remboursée depuis longtemps. Mais son interlocuteur reprit : « Madame Goldman, vous avez contracté une nouvelle hypothèque en août. Votre mari m'a apporté des documents signés de votre main. La maison a été hypothéquée pour six millions de dollars. »

Oncle Saul avait financé le stade en faisant un emprunt de six millions de dollars. La maison d'Oak Park avait été sacrifiée pour réparer son ego blessé.

Elle se laissa envahir par la panique. Elle fouilla le bureau de son mari et toutes ses affaires personnelles. Dans le sac de sport qu'il utilisait pour jouer au tennis, elle découvrit des documents comptables qu'elle n'avait encore jamais vus.

Tante Anita téléphona aussitôt à Oncle Saul. Ils eurent une violente dispute au téléphone. Elle lui dit qu'elle ne pouvait plus le supporter, qu'elle le quittait. Elle prit sa voiture, emportant les documents comptables avec elle, et roula au hasard. Elle finit par téléphoner à Patrick Neville pour lui demander de l'aide. Elle était dans un état de détresse totale et il lui proposa de venir à New York.

Ce soir-là, Patrick avait prévu un dîner en tête à tête avec une jeune femme qui travaillait avec lui et qui lui plaisait. Il décommanda. Lorsque Tante Anita vit le champagne sur la table, elle regretta de déranger Patrick le soir de la Saint-Valentin. Il insista pour qu'elle reste. «Vous n'allez nulle part, lui dit-il. Je ne vous ai jamais vue aussi bouleversée. Vous allez me dire ce qui se passe.»

Elle raconta tout: le Talacen et l'hypothèque. Si c'était Hillel qui avait dopé Woody à son insu, elle voulait que Patrick intervienne auprès de l'université pour que Woody soit réhabilité. Elle espérait pouvoir encore sauver sa carrière. Elle voulait aussi que Patrick puisse trouver un moyen de mettre un terme au contrat qui liait Saul et l'université, récupérer ce qui pouvait l'être de leur argent et sauver leur maison.

Elle lui montra ensuite les documents qu'elle avait emportés avec elle. Patrick les étudia attentivement: cela ressemblait furieusement à une comptabilité falsifiée.

— On dirait que Saul détourne de l'argent du cabinet sur l'un de ses comptes. Il le camoufle ensuite en modifiant les totaux des factures de ses clients.

— Mais pourquoi ferait-il une chose pareille?

— Pour éponger un emprunt trop important, qu'il a peut-être de la peine à rembourser.

Patrick proposa ensuite à Anita de dîner. Il lui dit qu'elle pouvait rester chez lui autant qu'elle le voulait. Puis, soudain, le téléphone sonna : c'était le portier. Woody était là, il voulait monter. Patrick demanda à Anita de se cacher dans une des chambres. Woody arriva à l'appartement.

La suite était connue.

Lorsque Patrick eut fini de parler, je restai sans voix pendant un long moment, complètement sonné. Et je n'étais pas au bout de mes surprises. Car Patrick me confia ensuite qu'il avait parlé avec Hillel du Talacen. Il était allé le trouver à Madison et l'avait obligé à tout lui raconter.

Hillel avait expliqué que le soir du 14 février, Woody et lui avaient eu une dispute terrible. Woody avait découvert le reliquat de Talacen caché au fond d'une armoire. Hillel n'avait pas jugé bon de s'en débarrasser.

— Tu as dopé Woody à son insu ? s'était désespéré Patrick.

— Je voulais qu'il soit chassé de l'équipe de football. Je m'étais renseigné sur les produits interdits, et le Talacen était le plus simple à obtenir. Je n'ai plus eu qu'à mélanger les comprimés avec les protéines et les compléments alimentaires que Woody prenait.

— Mais pourquoi avoir fait une chose pareille ?

— J'étais dévoré par la jalousie.

— Tu étais jaloux de Woody ?

— Il était le préféré de mes parents. C'était évident. Il récoltait toute l'attention. Je l'ai réalisé lorsque nous avons été séparés et que j'ai dû aller à l'*école spéciale*. Mes parents m'ont éloigné de Baltimore. Mais ils ont gardé Woody près d'eux. Papa lui a appris à conduire, il l'a poussé à faire du foot, il l'a emmené voir les matchs des Redskins. Et moi, pendant ce temps, j'étais où ? À une heure de route, coincé dans cette école de merde ! Il m'a pris mes parents, puis il a pris mon nom. À l'université, il a décidé de se faire appeler Goldman. Il a obtenu la bénédiction de mes parents pour faire inscrire notre nom sur son maillot. Il était désormais le Grand Goldman, le champion de football. Il nous devait tout, nous l'avions sorti de la rue. Depuis toujours, quand on lui demandait qui il était, il disait : je suis le copain d'Hillel

Goldman. J'étais sa référence. Mais voilà qu'à l'université on me disait en entendant mon nom : « Goldman ? Comme Woody, le joueur de l'équipe de football ? » Je ne voulais plus le voir jouer, je ne voulais plus entendre son nom de faux-Goldman. J'ai décidé d'agir à la fin de l'été qui a suivi la mort de mon grand-père. En mettant de l'ordre dans ses affaires, j'ai trouvé son testament. Mon père nous avait dit que, selon les volontés de Grand-père, Woody, Marcus et moi, nous partagerions 60 000 dollars. C'était un mensonge. Dans les volontés de mon grand-père, Woody n'apparaissait pas. Mais mon père, pour ne pas faire de peine à Woody, son chouchou, a décidé de l'inclure d'autorité. Woody prenait trop de place, je devais faire quelque chose.

Ce fut un choc terrible.

Hillel avait été celui qui avait détruit la carrière de Woody. C'était à cause de lui que, à la suite de leur dispute, Woody s'était rendu chez Patrick Neville le soir du 14 février, était tombé nez à nez avec Tante Anita, et qu'elle était morte.

Quant à mon oncle Saul, si après le Drame il était resté si longtemps au Marriott de Baltimore, ce n'était pas parce qu'il ne voulait pas retourner à la maison d'Oak Park, mais parce qu'il ne la possédait plus. À ce moment-là, sans travail depuis des mois, à court de liquidités, il avait été incapable de continuer à payer l'hypothèque. C'est pour cela que la banque avait fini par saisir la maison.

Je demandai alors à Patrick :

— Pourquoi n'avez-vous rien dit ?

— Pour ne pas accabler ton oncle davantage. Woody et Hillel connaissaient la vérité sur le Talacen. Était-il bien utile de mêler encore ton oncle à ça ? Et fallait-il révéler à Hillel que son père avait détourné de l'argent et hypothéqué la maison pour financer le stade de Madison ? Il ne restait plus à ton oncle que sa dignité. J'ai voulu le protéger. J'ai toujours aimé ta famille, Marcus. Je ne vous ai toujours voulu que du bien.

51.

Coconut Grove, Floride.
Septembre 2011.

Environ trois semaines après que j'étais allé assister à la destruction de son nom sur le stade, Oncle Saul me téléphona. Il avait une voix faible. Il me dit simplement : « Marcus, je ne me sens pas bien. Il faut que tu viennes. » Je compris que c'était urgent et je réservai un billet sur le prochain vol à destination de Miami.

J'arrivai en début de soirée à Coconut Grove. La Floride était accablée par une chaleur cuisante. Devant la maison de mon oncle, je trouvai Faith assise sur les marches qui menaient au porche. Je crois qu'elle m'attendait. À la façon dont elle me prit dans ses bras pour me saluer, je compris qu'il se passait quelque chose de grave. Je pénétrai à l'intérieur de la maison. Je le trouvai dans sa chambre, au fond de son lit. En me voyant, son visage s'illumina. Il paraissait néanmoins très faible et était très amaigri.

— Marcus, me dit-il, je suis tellement heureux de te voir.

— Oncle Saul, que t'arrive-t-il ?

L'oncle de mauvaise humeur des derniers mois, l'oncle qui m'avait chassé de chez lui, était un oncle malade. Au début du printemps, on lui avait diagnostiqué un cancer du pancréas, dont on savait déjà, à ce moment-là, qu'il ne se relèverait pas.

— J'ai essayé de me soigner, Markie. Faith m'a beaucoup

aidé. Lorsqu'elle venait me chercher à la maison et que nous disparaissions, c'était pour aller à mes séances de chimiothérapie.

— Mais pourquoi ne m'as-tu rien dit ?

Il retrouva sa vigueur et éclata de rire.

— Parce que je te connais, Markie. Tu m'aurais cassé les pieds pour aller chez tous les médecins possibles, tu aurais tout sacrifié pour me veiller et je ne voulais pas de ça. Tu ne dois pas gâcher ta vie pour moi. Tu dois vivre.

Je m'assis au bord de son lit. Il me prit la main.

— C'est la fin, Markie. Je ne guérirai pas. Je vis mes derniers mois. Et je veux les vivre avec toi.

Je le pris contre moi. Je le serrai fort. Nous pleurâmes tous les deux.

Je n'oublierai jamais les trois mois que nous passâmes ensemble, de septembre à novembre 2011.

Une fois par semaine, je l'accompagnais chez son oncologue à l'hôpital Mount Sinai de Miami. Nous ne parlions jamais de sa maladie. Il ne voulait rien en dire. Je lui demandais souvent :

— Comment ça va ?

Et il me répondait en se drapant dans son aplomb légendaire :

— Ça ne pourrait pas aller mieux.

Je parvenais parfois à questionner son médecin :

— Docteur, combien de temps lui reste-t-il ?

— C'est difficile à dire. Son moral est plutôt bon. Votre présence lui fait beaucoup de bien. Les traitements ne peuvent pas le guérir, mais ils peuvent le maintenir un peu.

— Quand vous dites un peu, vous parlez en jours, en semaines, en mois, en années ?

— Je comprends votre détresse, Monsieur Goldman, mais je ne peux pas m'avancer plus. Peut-être quelques mois.

Je le vis s'affaiblir de plus en plus.

Fin octobre, il y eut quelques alertes : un jour où il vomissait du sang, je l'emmenai de toute urgence à Mount Sinai, où il resta hospitalisé plusieurs jours. Il en ressortit très faible. Marcher le fatiguait. Je lui louai une chaise roulante avec laquelle je l'emmenais faire des promenades à Coconut Grove. La scène n'était pas sans me rappeler Scott dans sa brouette. Je le lui dis et cela le fit énormément rire. J'aimais quand il riait.

Début novembre, il quittait difficilement son lit. Il n'en bougeait presque plus. Son visage était terreux, ses traits marqués. Une infirmière venait à la maison trois fois par jour. Je ne dormais plus dans la chambre d'amis. Il n'en sut jamais rien, mais je passais mes nuits dans le couloir, près de sa porte ouverte, pour veiller sur lui.

Sa faiblesse physique ne l'empêchait pas de parler. Je me souviens de la conversation que nous eûmes la veille de son départ – la veille de Thanksgiving.

— Depuis combien de temps n'as-tu pas célébré Thanksgiving ? me demanda Oncle Saul.

— Depuis le Drame.

— Qu'est-ce que tu entends par le Drame ?

Je fus surpris par sa question.

— Je parle de la mort de Woody et Hillel, répondis-je.

— Arrête avec le Drame, Marcus. Il n'y a pas un Drame mais des drames. Le drame de ta tante, de tes cousins. Le drame de la vie. Il y a eu des drames, il y en aura d'autres et il faudra continuer à vivre malgré tout. Les drames sont inévitables. Ils n'ont pas beaucoup d'importance, au fond. Ce qui compte, c'est la façon dont on parvient à les surmonter. Tu ne surmontes pas ton drame en refusant de célébrer Thanksgiving. Au contraire, tu t'enfonces encore plus à l'intérieur. Il faut arrêter de faire ça, Marcus. Tu as une famille, tu as des amis. Je veux que tu recommences à fêter Thanksgiving. Promets-le-moi.

— Je te le promets, Oncle Saul.

Il toussa, but un peu d'eau. Il reprit :

— Je sais que tu as été obsédé par ces histoires de Goldman-de-Baltimore et Goldman-de-Montclair. Mais à la fin de l'histoire, il n'y a qu'un seul Goldman, et c'est toi. Tu es un Juste, Marcus. Beaucoup d'entre nous cherchons à donner du sens à nos vies, mais nos vies n'ont de sens que si nous sommes capables d'accomplir ces trois destinées : aimer, être aimé et savoir pardonner. Le reste n'est que du temps perdu. Surtout, continue d'écrire. Car tu avais raison : tout peut être réparé. Mon neveu, promets-moi de nous réparer. Répare les Goldman-de-Baltimore.

— Comment ?

— Réunis-nous de nouveau. Toi seul peux le faire.

— Comment ? demandai-je.

— Tu trouveras bien.

Sans bien comprendre ce qu'il voulait dire, je le lui promis :

— Je le ferai, Oncle Saul. Tu peux compter sur moi.

Il sourit. Je me penchai vers lui et il posa sa main sur mes cheveux. D'un filet de voix il me donna sa bénédiction.

Le lendemain, le matin de Thanksgiving, lorsque je vins le trouver dans sa chambre, il ne se réveilla pas. Je m'assis à côté de lui et posai ma tête contre sa poitrine, le visage ruisselant de larmes.

Le dernier des Baltimore était parti.

52.

C'était la mi-août 2012, deux jours après ma conversation avec Patrick Neville. Alexandra me téléphona. Elle était à Hyde Park, assise à la terrasse du Serpentine Bar, au bord du petit lac. Elle buvait un café et Duke somnolait à ses pieds.

— Je suis contente que tu aies finalement parlé avec mon père, dit-elle.

Je lui racontai tout ce que j'avais appris. Puis je lui dis :

— Au fond, malgré ce qui s'est passé entre eux, tout ce qui comptait pour Hillel et Woody était le bonheur d'être ensemble. Ils ne pouvaient pas supporter d'être fâchés ou séparés. Leur amitié a tout pardonné. Leur amitié a été cent fois supérieure au Drame. C'est ce dont je dois me souvenir.

Je sentis qu'elle était émue.

— Tu es retourné en Floride, Markie ?

— Non.

— Tu es toujours à New York ?

— Non.

Je sifflai.

Duke dressa les oreilles et bondit sur ses pattes. Il me vit et courut comme un dératé dans ma direction, effrayant une nuée de mouettes et de canards. Il me sauta dessus et me fit tomber à la renverse.

Alexandra se leva de sa chaise.

« Markie ? s'écria-t-elle. Markie, tu es venu ! »

Elle se précipita jusqu'à moi. Je me relevai et je la pris dans mes bras. Avant de se blottir contre moi, elle murmura encore : «Tu m'as tellement manqué, Markie.»

Je la serrai fort.

Il me sembla voir, dansant dans les airs, mes deux cousins qui riaient.

Épilogue

Jeudi 22 novembre 2012

Le jour de Thanksgiving

C'est ainsi que se termine et se referme ce livre, en ce jour de Thanksgiving 2012, à Montclair, devant la maison de mes parents. Je garai la voiture, dans l'allée. Alexandra et moi sortîmes et nous marchâmes jusqu'à la maison. C'était la première fois que je célébrais Thanksgiving depuis la mort de mes cousins.

Je marquai un temps d'arrêt devant la porte de la maison. Avant de sonner, je sortis de ma poche la photographie d'Hillel, Woody, Alexandra et moi, à Oak Park en 1995, et je la contemplai.

Alexandra appuya sur la sonnette. Ma mère ouvrit. Quand elle me vit, son visage s'illumina.

— Oh, Markie ! Je me suis demandé si tu viendrais vraiment !

Elle couvrit sa bouche de ses mains comme si elle n'y croyait pas.

— Bonjour, Madame Goldman. Joyeux Thanksgiving ! lui dit Alexandra.

— Joyeux Thanksgiving, mes enfants ! C'est si bon d'être réunis.

Ma mère nous prit tous les deux et nous serra longuement contre elle. Je sentis ses larmes couler sur moi.

Nous entrâmes dans la maison.

Patrick Neville était déjà là. Je le saluai chaleureusement et posai sur la table du salon le paquet de feuilles reliées que j'avais apporté avec moi.

— Qu'est-ce que c'est ? demanda ma mère.

— *Le Livre des Baltimore.*

Un an après sa mort, j'avais tenu la promesse faite à

mon oncle. C'est en racontant les Baltimore que je les avais réunis.

J'avais mis le point final à mon roman la veille au soir.

Pourquoi j'écris ? Parce que les livres sont plus forts que la vie. Ils en sont la plus belle des revanches. Ils sont les témoins de l'inviolable muraille de notre esprit, de l'imprenable forteresse de notre mémoire. Et lorsque je n'écris pas, une fois par an, je refais la route jusqu'à Baltimore, je m'arrête un moment dans le quartier d'Oak Park, puis je roule jusqu'au cimetière de Forrest Lane pour les retrouver. Je pose des petites pierres au sommet de leurs tombes, pour continuer de construire leur mémoire, et je me recueille. Je me remémore qui je suis, où je vais et d'où je viens. Je m'accroupis près d'eux, je pose les mains sur leurs noms gravés et je les embrasse. Puis je ferme les yeux et je les sens vivre en moi.

Mon oncle Saul, de mémoire bénie. *Tout est effacé.*

Ma tante Anita, de mémoire bénie. *Tout est oublié.*

Mon cousin Hillel, de mémoire bénie. *Tout est pardonné.*

Mon cousin Woody, de mémoire bénie. *Tout est réparé.*

Ils sont partis mais je sais qu'ils sont là. Je sais désormais qu'ils résident pour toujours dans cet endroit qui s'appelle Baltimore, le Paradis des Justes, ou peut-être simplement dans ma mémoire. Peu importe. Je sais qu'ils m'attendent quelque part.

Voilà, Oncle Saul, mon oncle aimé. Ce livre que je t'avais promis, je le dépose devant toi.

Tout est réparé.

En souvenir des Goldman-de-Baltimore

SAUL GOLDMAN
(1950-2011)

ANITA HENDRICKS-GOLDMAN
(1952-2002)

HILLEL GOLDMAN
(1980-2004)

WOODROW GOLDMAN
(1980-2004)

TABLE

CET OUVRAGE
A ÉTÉ ACHEVÉ D'IMPRIMER
SUR ROTO-PAGE
PAR L'IMPRIMERIE FLOCH
À MAYENNE EN DÉCEMBRE 2015

N° d'édition : 792
N° d'impression : 89158
Dépôt légal : août 2015

Imprimé en France